NO SOLO VELÁZQUEZ

JONATHAN BROWN

NO SOLO VELÁZQUEZ

Selección e introducción a cargo de
Estrella de Diego y Robert Lubar Messeri

Edición y traducción de
Francisco J. R. Chaparro

GRANDES TEMAS

CÁTEDRA

1.ª edición, 2020

Ilustración de cubierta: Francisco de Goya, *La lechera de Burdeos, ca.* 1827, Museo Nacional del Prado, Madrid © Archivo Anaya

PAPEL DE FIBRA
CERTIFICADO

© Jonathan Brown, 2020
© De la introducción: Estrella de Diego y Robert Lubar Messeri, 2020
© De la traducción de los textos 1, 2, 7, 8, 11, 13, 14, 16, 17 y 18:
Francisco J. R. Chaparro, 2020
© De la preparación de los textos: Blanca Serrano Ortiz de Solórzano
y Francisco J. R. Chaparro
© Ediciones Cátedra (Grupo Anaya, S. A.), 2020
Juan Ignacio Luca de Tena, 15. 28027 Madrid
Depósito legal: M. 8.700-2020
ISBN: 978-84-376-4159-1
Printed in Spain

A mis cuatro nietos, Ben, Leo, Jake y Max

Unas palabras de presentación

Estrella de Diego y Robert Lubar Messeri

Mencionar el nombre de Jonathan Brown es hablar de una larguísima trayectoria en los estudios de la historia del arte española. De hecho, con más de cien tesis doctorales dirigidas y muchas investigaciones apoyadas y supervisadas por él, se podría decir que el profesor Brown ha formado de manera directa o indirecta a muchos historiadores ilustres a ambos lados del océano. Es él quien ha trazado, sin lugar a duda, una nueva historiografía sobre Diego Velázquez. Sin perder ni un momento la mirada y la importancia de la obra física, sin caer jamás en las modas de esa excesiva teoría que ha olvidado con demasiada frecuencia el objeto artístico, ha trazado una aproximación al siglo XVII español que, vista en la perspectiva de los años, es un tesoro incuestionable para un nuevo acercamiento de la historia cultural y el modo en que fue evolucionando en los siglos XVI y XVII.

No obstante, y pese a las contribuciones inapelables de Jonathan Brown a la historiografía de Velázquez —o por la importancia crucial de las mismas—, a menudo tendemos a obviar otras facetas de su amplio espectro investigador, como si sus trabajos sobre el pintor sevillano eclipsaran un

poco los demás intereses del autor. Entre ellos se destacaría otro de sus temas desarrollados, el mecenazgo y el coleccionismo, donde el interés por los cambios en la historia cultural encuentra un terreno abonado y fértil. Ese mismo terreno abonado lo encuentra Brown en el mundo novohispano y la llegada al «Nuevo Mundo», en las relaciones entre la producción española y americana en tiempos de la colonia y las innumerables implicaciones de ese cambio en el propio mecenazgo. Se trata, sin duda, de uno de los territorios más ricos en su producción, que en estos últimos años ha resultado de una enorme utilidad para redondear el interés en las transformaciones peninsulares.

Sea como fuere, Brown ha escrito sobre otros temas y autores, desde El Greco hasta Murillo, dedicando estudios seminales y lúcidos al tema del dibujo, a veces considerado «menor» por los historiadores del arte que se han centrado en grandes maestros como el propio Velázquez. Ese interés suyo, que desafía al concepto de «artes mayores» y «artes menores», tambalea las jerarquías clásicas retando al concepto de habita detrás de las mismas —desde las bibliotecas hasta los modos en que se conforman las miradas y el mirar— y expande la propia disciplina hacia esos lugares rigurosos, lúcidos e innovadores que conforman el universo de Jonathan Brown.

Su universo, pese a la importancia de los rompedores e incontestables estudios velazqueños, abarca mucho más, no solo Velázquez, título con el cual se ha querido llamar al volumen que ahora se presenta al público hispanohablante. De hecho, el profesor Brown ha escrito sobre El Greco o Murillo y Ribera; sobre Goya, sobre Picasso, sobre la pintura de esos otros nuevos grandes maestros... Por ese motivo, el presente volumen, *No solo Velázquez*, ha tratado de reunir otros temas esenciales en el fértil discurso intelectual de Jonathan Brown. Con su estilo conciso y elegante, interroga a las pinturas decidido, sin perder jamás de vista el objeto, y, al tiempo, se interroga sobre las propias pinturas y sus trazos como cambios en el mundo. Se interroga sobre el mundo completo con una inteligencia y un rigor que conocemos bien los que hemos tenido el privilegio de compartir sus enseñanzas.

Este compendio de textos no tan conocidos, pero no menos importantes, se extiende a lo largo de una buena parte de la carrera académica de Jonathan Brown, desde el año 1982 hasta el año 2015. Está organizado en tres secciones: «Patronos y coleccionismos», «Culturas y contextos» y «Nuevas miradas, viejos maestros». La primera parte se basa tanto en la labor de investigación de Jonathan Brown sobre los patronos de muchos pintores excepcionales del Siglo de Oro y posteriores como en la creación de colecciones enteras en las que participaron los artistas más destacados.

Desde este punto de partida, la propuesta de Jonathan Brown reflexiona sobre la idea misma del mercado relacionada con la creación artística, pero aún más sobre el ejercicio del poder real, aristocrático y eclesiástico en la producción de arte como fenómeno social. La segunda parte considera las grandes redes internacionales, la encrucijada de culturas artísticas, en que circularon las ideas extranjeras y autóctonas —entre ciudades, entre países, y a través de instituciones artísticas y culturales—, subrayando el contexto como marco esencial para la producción artística. La tercera parte aborda temas poco considerados en la historia de los grandes maestros españoles: la importancia de la práctica del dibujo, el erotismo y la relación que los propios artistas mantuvieron no solo con obras de arte a través de influencias compartidas sino con la idea de una tradición pictórica española en constante desarrollo. Desde estas perspectivas formales, sociológicas y culturales se ilumina la riqueza del pensamiento de Jonathan Brown y su gran contribución a la historiografía del arte español.

El volumen, que trata de respetar el orden cronológico en la medida de sus posibilidades, no pretende ser un manual o un *reader* del profesor Brown al estilo anglosajón, sino el compendio de ciertos textos esenciales y un humilde homenaje por tanto años de maestría primero y de generosa amistad después, con las cuales nos ha honrado el profesor Brown, a nosotros como a tantos de sus estudiantes y sus doctorandos. A muchos de estos amigos y colegas les damos las gracias por sus consejos a la hora de llevar a cabo la selección que se presenta. Las gracias más calurosas a Francisco J. R. Chaparro, responsable de la coordinación editorial, por su pericia y su trabajo infatigable: sin ellos el volumen no habría podido ver la luz. A Raúl García, de Ediciones Cátedra, por su entusiasmo y trabajo impecables y por haber apoyado la publicación desde el principio. Aunque las gracias más cariñosas deberán ser para Jonathan Brown por haber acogido la idea con ilusión y por haberse implicado en ella en todo momento, como siempre ha ocurrido en su larga y prolífica carrera de investigador, profesor y escritor. Las gracias, sobre todo, por tantos textos memorables, imprescindibles, que van mucho más allá que Velázquez.

Prólogo

JONATHAN BROWN

El propósito de estos ensayos se entiende mejor como parte de un proyecto de mayor alcance: acercar el arte español a un público angloparlante. En parte, este objetivo nació influido por la situación política de España y, en especial, por la dictadura de Francisco Franco, que desplazó al país a los márgenes de las democracias occidentales. El sentimiento antifranquista repercutió en el desarrollo de la historia del arte. Eran pocas las universidades extranjeras que prestaban atención al ámbito español, y un olvido comparable se extendía a la programación de exposiciones, con excepción de las dedicadas a Goya o a Picasso.

Mi principal estímulo era el deseo de reintegrar el arte español dentro de su contexto europeo. Durante el Siglo de Oro, la presencia de la monarquía española en los centros culturales más prestigiosos de Europa se podía sentir de manera permanente. La historia, sin embargo, no fue benigna con España. Tras su apogeo político en los siglos XVI y XVII, España cayó en un lento declinar, que culminó con el régimen de Franco. Otro factor relevante fue la persistencia de la Leyenda Negra, particularmente en la Europa protestante.

En el estudio del arte cortesano español encontré un ángulo desde el que abordar la cuestión de España y Europa. Mis «héroes» personales iban a ser Felipe II y su nieto Felipe IV. Salvo por su papel de responsables del declive español, habían quedado en segundo plano. Resultaba francamente sorprendente que el mecenazgo artístico de estos dos monarcas pasara desapercibido. El interés creciente por la cultura cortesana, no obstante, proporcionaba el marco de investigación ideal para un tema que resultó ser un filón. Mi primera incursión en este campo fue el estudio del Palacio del Buen Retiro, en una obra que publiqué junto a J. H. Elliot (1980). Felipe IV me condujo inevitablemente a Velázquez, el protagonista de mi monografía de 1986 y de otros varios ensayos sobre diferentes aspectos de su producción artística, alguno de los cuales se incluye en este volumen.

La historia del coleccionismo es otro asunto relevante vinculado con todo lo anterior, y uno, además, fertilísimo. Los coleccionistas españoles, pretendiendo emular a Felipe II y Felipe IV, se hicieron con colecciones muy significativas de pinturas, tapices y objetos decorativos, muchas de las cuales, por desgracia, acabaron dispersadas en el siglo XIX. A un ritmo lento pero continuo se han ido publicando los inventarios de algunas de estas colecciones, que despejan cualquier duda sobre la importancia del coleccionismo en España. Ejemplo de ello es la colección del duque de Alcalá, de la que traté en un artículo realizado en colaboración con Richard L. Kagan.

La metodología empleada por gran parte de los historiadores del arte españoles me abrió, por otra parte, una nueva vía de investigación. Por lo general, el modelo predominante en los años sesenta era el *formalismo,* centrado en problemas de autoría y de cronología. La preponderancia de estos aspectos —sin duda, fundamentales— iba en detrimento de la preocupación por el encaje entre la creación artística y las distintas corrientes sociales, políticas y religiosas de cada contexto. Aunque el estudio del mecenazgo ya venía cultivándose en algunos países en el momento en que yo comencé mi andadura, este tipo de investigaciones no gozaba de mucho predicamento entre los historiadores españoles por aquel entonces.

Con todo, no hay historiador del arte que pueda escapar por completo al tan conflictivo, en ocasiones, tema del *atribucionismo.* Los debates sobre autoría derivan de vez en cuando en algo así como una pelea de gallos entre voces discordantes, especialmente si se ponen bajo la lupa obras de arte que se hallan en el mercado. En alguna ocasión he comparado el asunto de las atribuciones con una diana móvil, cuya posición varía según evoluciona el gusto (el «ojo de la época») o aparecen nuevas fuentes de información. Otro gran riesgo se presenta cuando existen varias versiones de una misma composición. Mis apreciaciones al respecto quedan reflejadas

en este volumen en mi análisis de una obra maestra de Goya, *La lechera de Burdeos,* cuya autoría había puesto en duda una reconocida especialista.

A medida que iban pasando los años, se acrecentó mi interés por el arte colonial, que, entre otras cosas, testimoniaba la maleabilidad del arte español. Mis investigaciones se centraron, principalmente, en los pintores de Nueva España y en el modo en que supieron adaptar de formas siempre originales y sorprendentes los patrones importados de España. Partiendo del concepto de «campo cultural», mi intención ha sido situar a la pintura mexicana, precisamente, en uno de ellos, el que, dentro de los territorios de la dinastía de los Habsburgo españoles, conformaban las ciudades de Amberes, Sevilla y Ciudad de México. A lo largo de este eje de producción e intercambios las obras de arte fluían con total libertad.

Por último, quisiera hacer partícipe al lector de mi manera personal de aproximarme a la eterna pregunta de qué hay de genuinamente español en el arte español. Mi respuesta prescinde de referencias a fuerzas trascendentales, como el misticismo, o de la creencia en el naturalismo como forma de expresión inherente al arte español. La pintura española, como la pintura novohispana, resulta de una ingeniosa mezcla de influencias de distintas fuentes, especialmente Flandes e Italia, reelaboradas por los pintores españoles para adaptarlas a sus singulares condicionantes locales y sus tradiciones. De ello trato en algunos de estos ensayos, muy singularmente, «Otra imagen del mundo: arte español, 1500-1920» y «Picasso y la tradición pictórica española». En este sentido, la evolución de la pintura del Siglo de Oro sigue un patrón no muy diferente al de otros centros de producción artística en Europa y en el Nuevo Mundo. Con todo, esas diferencias requieren una consideración específica. A medida que obras y artistas procedentes de Italia y los Países Bajos iban introduciéndose en España, estos modelos fueron sufriendo transformaciones en manos de artistas locales y de las necesidades de sus clientes, como subyace a todo proceso de asimilación como este. Los pintores españoles del Siglo de Oro tenían a su disposición un número y variedad de imágenes deslumbrantes (grabados, especialmente), y de ellas se surtían para satisfacer a sus patrones o posicionarse en el mercado libre. En consecuencia, no hay fórmula única alguna que nos permita descifrar con sentido unitario la cultura artística de España sin tener en cuenta este complejo proceso. Los pintores españoles surcaron un océano de imágenes y, con singular destreza, supieron encontrar su propio rumbo.

No puedo terminar sin dejar testimonio de mi agradecimiento a mis colegas y amigos españoles, de cuyo apoyo he podido presumir en mis esfuerzos por contribuir a arrojar algo más de luz sobre el rico patrimonio artístico de España.

I

Patronos y coleccionismos

1

La identidad del donante de *La Virgen del Rosario* de Caravaggio: una nueva propuesta

La Virgen del Rosario, pintura de gran formato de Caravaggio, es considerada una de las obras más conservadoras de este artista [1]. Tal y como ha observado recientemente Howard Hibbard, *«La Virgen del Rosario* es la única obra de Caravaggio a la que cabe denominar una pintura de retablo barroca en sentido convencional»[1]. Que este cuadro forma parte del *mainstream* de la tradición pictórica está fuera de toda discusión. Sin embargo, y por otras razones, *La Virgen del Rosario* ha dado pie a un intercambio de opiniones y especulaciones excepcional por su diversidad incluso dentro del campo de estudio del *caravaggismo,* donde es práctica habitual tejer paños enteros de conjeturas a partir de las más leves hebras de evidencia.

El debate sobre esta pintura bascula en torno a un solo hecho probado: que ya estaba finalizada antes del 15 de septiembre de 1607. Ese día Ottavio Gentili, agente del duque de Mantua en Nápoles, escribe que ha visto «qualche cosa di buono di Michel Angelo Caravaggio che

ha fatto qui, che se venderano»[2]. Diez días más tarde, Frans Pourbus, pintor al servicio del duque, describe dos pinturas «realizadas en Nápoles», una de las cuales es sin ningún tipo de dudas *La Virgen del Rosario:* «l'uno è d'un rosario et era fatto per un'ancona et è grande da 18 palmi, et non vogliono manco di 400 ducati». El nombre del vendedor no se menciona en ningún momento. La obra reaparece cuando la adquieren los pintores flamencos Louis Finson y Abraham Vinck, quienes la envían a los Países Bajos. Tras morir ambos (Finson en 1617, Vinck en 1620), el lienzo pasa a propiedad de los Dominicos de Amberes, en cuya iglesia principal ya lucía antes de 1636[3].

El comentario de Gentili y Pourbus parece bastante claro en dos puntos: que Caravaggio pintó la obra en Nápoles y que iba a ir destinada en un principio a un retablo. *A priori,* Gentili merece cierta credibilidad, ya que su cometido era permanecer atento a los movimientos del mercado del arte. Fue, de hecho, el aviso que hizo de la

1. Caravaggio, *La Virgen del Rosario, ca.* 1606-1607, Kunsthistorisches Museum, Gemäldegalerie, Viena.

salida a la venta de una importante colección el que motivó que Vincenzo Gonzaga enviara a Pourbus a Nápoles[4]. En cualquier caso, su testimonio no deja de ser una fuente indirecta y «de oídas», sin que dispongamos de otros documentos u otros testigos que lo ratifiquen.

La falta de pruebas concluyentes provocó la aparición de un buen número de teorías acerca de la fecha de creación de la obra. Aun discrepando en otros aspectos, muchas de ellas parten de la aparente inconsistencia estilística que se constata entre varias de las partes del cuadro, y que ha llevado a sus proponentes a afirmar que tuvieron que ser varios artistas y en diferentes fases quienes lo realizaran. La primera de las hipótesis sitúa la elaboración de esta obra en Roma durante el último año de estancia de Caravaggio en la ciudad y planteaba dos posibles opciones. Una es que Caravaggio comenzara allí la pintura —en origen, posiblemente, un encargo realizado por el duque de Módena el 6 de agosto de 1605 y, en un principio, de dimensiones algo menores— y que luego otra mano diferente la concluyera en Nápoles ya en fecha posterior[5]. La otra opción es que fuera el mismo Caravaggio quien comenzó la pintura en Roma y quien más tarde la terminó en Nápoles[6].

Una segunda teoría, propugnada por Jacob Hess, postulaba que Caravaggio empezó la obra durante su breve estancia en los dominios, en las colinas Sabinas, de Marzio Colonna, duque de Zagarola, donde se refugió tras su huida de Roma[7]. Hess se apoyaba en la devoción que esta rama de la familia Colonna profesaba por la Virgen del Rosario. La madre del duque fue la fundadora en 1575 de la Confraternidad del Santo Rosario en Zagarola, el que fuera, quizás, lugar de destino para el que la pintura fue concebida. Destino al que nunca llegó, ya que el duque, que sería, según esta hipótesis, el personaje con gorguera que aparece retratado en ella, no pudo o

no quiso pagar la obra (murió en 1614 dejando no pocas deudas)[8]. En vista de la situación, Caravaggio habría decidido llevarse la pintura consigo a Nápoles, donde la puso en venta.

Otra teoría diferente ponía en relación a *La Virgen del Rosario* con el llamado retablo Radolovich, por el que Caravaggio recibió un anticipo de 200 ducados en Nápoles el 6 de octubre de 1606[9]. De este encargo de una «Virgen con el Niño con los Santos Domingo, Francisco, Nicolás y Vito» nunca más se supo. Dado que el tema es muy parecido al de *La Virgen del Rosario,* es factible que el artista transformara ese encargo inicial en una composición nueva.

Por último, hay quienes creen que la pintura, en su configuración actual, fue iniciada y terminada en una misma ciudad, bien Roma (1605-1606), bien Nápoles (1606-1607)[10].

No fue hasta 1980 cuando la ciencia acalló las especulaciones. Ese año Wolfgang Prohaska publicó un lúcido estudio crítico de las imágenes radiográficas de la obra, que revelaron que la composición subyacente y la que mostraba su superficie eran virtualmente idénticas[11]. Es cierto que Caravaggio, como era habitual en él, modificó algunos detalles sobre la marcha, pero esos mismos cambios confirmaban la uniformidad de su ejecución, lo que resolvía de una vez por todas el problema de su supuesta elaboración en dos fases. Para Prohaska, el análisis técnico ratificaba que la pintura databa del período que media entre sus últimas obras romanas (*La muerte de la Virgen* y *La Virgen de los palafreneros* [2] y la primera obra documentada de la que tenemos certeza de su etapa napolitana (*Las siete obras de Misericordia* [3], concluida el 9 de enero de 1607).

Las pruebas obtenidas mediante rayos X desmontan algunas de las teorías mencionadas acerca del origen de la pintura, pero no todas. Quienes proponían que fueron varios los artistas que intervinieron en ella, que transcurrió un largo interva-

2. Caravaggio, *La Virgen de los palafreneros*, 1606, Galleria Borghese, Roma.

de obras de su primer período napolitano, de apenas nueve meses de duración, ameritan cierta reflexión.

Puede que a algún que otro lector mi aportación a este debate le parezca como pretender cortar el nudo gordiano con una navaja de bolsillo: me centraré en la identidad del donante, que no creo que fuera Marzio Colonna sino Juan Alfonso Pimentel de Herrera, VIII conde de Benavente y virrey de Nápoles entre 1603 y 1610[12]. No tengo constancia de la existencia de ningún otro retrato de Pimentel aparte del grabado de calidad deficiente que aparece en *Teatro eroico e politico*

lo de tiempo entre su inicio y su conclusión o que está pintada sobre una composición anterior habrán de reconsiderar sus argumentos. Sin embargo, los análisis técnicos nada revelan acerca del lugar donde se pintó la obra, es decir, acerca del problema de si fue empezada y terminada íntegramente en Nápoles o en otro lugar.

A simple vista, este dilema no justifica mayor empeño ya que, dondequiera que la pintara, fue en una franja temporal de unos doce o catorce meses a lo sumo. No obstante, este período de transición entre Roma y Nápoles se considera el punto de inicio de una nueva etapa en la evolución estilística del artista. Las consecuencias de añadir otra pintura de gran formato al catálogo

3. Caravaggio, *Las siete obras de Misericordia*, 1607, Pio Monte della Misericordia, Nápoles.

de' governi de' vicere del regno di Napoli de Parrino (1692) [4]. Pese a que la imagen deja mucho que desear, el modelo de este grabado no solo se asemeja al donante de *La Virgen del Rosario* sino que lo hace, además, en mayor medida que el igualmente torpe retrato de Marzio Colonna del que disponemos (este tomado a su vez del *Columnensium Procerum Imagines et Memorias Nonnullas,* publicado en Roma en 1675 por Domenico de Santis). Las similitudes más llamativas entre el retrato del conde de Benavente y el donante de Caravaggio son la forma de la cabeza, la boca caída y el pliegue del contorno inferior del pómulo derecho. Si lo comparamos con Marzio Colonna, vemos que la cabeza de este es algo más afilada y su rostro posee rasgos más finos y agraciados. Wolfgang Prohaska añadió un argumento más que cuestiona que la identidad del donante representado en la obra sea Marzio Colonna[13]. El duque Marzio Colonna ingresó en la Orden del Toisón de Oro en 1605. Con toda seguridad, teniendo en cuenta la importancia de esta distinción, es probable que hubiera querido aparecer representado en una pintura de retablo tan notable luciendo la insignia de la orden.

Establecer la identidad de un retratado partiendo exclusivamente de indicios internos es una labor manifiestamente compleja, especialmente si las imágenes que se comparan son de calidad muy desigual. Al final, todo se reduce a una cuestión de intuición, y ningún argumento, por fino que se hile, es capaz de alterar la primera impresión que una pintura produce. Le ahorraré al lector un argumento de ese estilo y me limitaré a expresar lo único que me es posible argüir al respecto: que mi impresión es que la semejanza entre el grabado que representa al conde de Benavente y el donante que aparece en la pintura de Caravaggio es lo suficientemente llamativa como para convencerme de que se trata de la misma persona. No puedo resistirme, de

4. Retrato de Juan Alfonso Pimentel de Herrera, conde de Benavente, de *Teatro eroico e politico de' governi de' vicere del regno di Napoli dal tempo del re Ferdinando il Cattolico fin'all'anno 1683,* de Domenico Antonio Parrino, 1692.

todos modos, a hacer una observación que podría quizás corroborar externamente esta teoría. La iconografía tiene lo que podríamos denominar cierto aire «español». Santo Domingo era un santo nacido en España, y san Pedro Mártir, el patrón de la Inquisición.

Aun asumiendo que esta hipótesis fuera cierta, ¿qué nos revela la identidad del donante sobre la pintura misma? Por desgracia, como suele ser habitual tratándose de Caravaggio, con cada indicio surgen nuevas complicaciones. Si el donante es en efecto el conde de Benavente, la hipotética cronología napolitana de esta pintura cobraría fuerza (a menos que concediéramos la posibilidad de que el virrey la encargara mientras el artista se hallaba en Roma). Atendiendo a sus características estilísticas y a las cartas de Gentili y Pourbus, tal momento solo pudo tener lugar durante la primera de las dos estancias de Caravaggio en Nápoles.

Al valor que la identidad del donante tendría a la hora de aclarar el problema de la datación lo contrarrestan, por desgracia, los nuevos interrogantes que se plantearían si el retratado fuera el conde de Benavente. El primero sería explicar cómo pudo aparecer la pintura en el mercado napolitano en 1607. Tal y como Pourbus indica en la carta redactada en esa fecha, *La Virgen del Rosario* estaba destinada a un retablo, en buena lógica, un retablo de una iglesia dominica. Marini señala hasta tres posibles casas de la Orden Dominicana candidatas a ello —San Domenico Maggiore, San Pietro Martire y la llamada Santissimo Rosario de Palazzo, que debía

su nombre a su proximidad al palacio del virrey, un hecho interesante teniendo en cuenta la advocación de la iglesia y su posible donante[14].

No habría sido esta la primera vez que el destinatario de una pintura de retablo de Caravaggio la rechazara por inapropiada, pero en esta ocasión cuesta hallar nada controvertido en ella, lo que resulta particularmente desconcertante[15]. Solo treinta años más tarde, los Dominicos de Amberes la recibieron de buena gana y la instalaron en un lugar eminente de su iglesia[16].

No menos chocante sería el motivo por el cual el conde de Benavente, si es que se trata de él, habría decidido no quedarse la pintura. Como es sabido, poseía ya otras dos obras de Caravaggio, el *Martirio de san Andrés* (Cleveland, Museum of Art) y un *David* hoy desaparecido. La primera de ellas, al igual que *La Virgen del Rosario,* data aparentemente de la estancia del pintor en Nápoles durante el año de 1606-1607. Todo ello confirma sin ningún resquicio de duda la admiración que el conde de Benavente sentía por Caravaggio, razón por la que parece extraño que permitiera que se le escapara una pintura que él mismo había encargado.

2

La colección del duque de Alcalá y su evolución*

En España, al igual que en otros lugares de Europa, el siglo XVII fue un período dorado para el coleccionismo de pintura. Aunque hay fuentes de la época que hacen referencia a las colecciones españolas, no ha sido hasta este siglo, y especialmente en los últimos veinticinco años, cuando se ha empezado a reconocer su importancia y su volumen[1].

Los orígenes del coleccionismo en España se remontan al siglo XVI, cuando sus gobernantes, y muy singularmente Felipe II, comienzan a reunir considerables conjuntos artísticos[2]. A una distancia de cortesía, pero no mucha, le seguían aristócratas, autoridades eclesiásticas y miembros de la corte, que aprovechaban sus estancias oficiales en Italia o Flandes para iniciarse en el coleccionismo. Esta tendencia continuó durante el reinado de Felipe III o, más propiamente, el reinado de su favorito, el duque de Lerma, el gran coleccionista de princi-pios del siglo XVII[3]. Este fenómeno culmina duran-te el reinado de Felipe IV (1621-1665)[4]. Conti-nuando el ejemplo de un monarca que llegaría a convertirse en uno de los mayores coleccionistas de todos los tiempos, las élites españolas se entregaron al acopio de pinturas de manera incansable.

Muchos de estos coleccionistas nos son bien conocidos en la actualidad, como, por ejemplo, el marqués de Leganés, los almirantes de Cas-tilla, el conde de Monterrey o los condes de Benavente[5]. A otros de idéntica relevancia, como los marqueses del Carpio, esto es, Luis de Haro y su hijo, Gaspar, o Rodrigo de Mendoza, duque del Infantado, se les ha estudiado apenas super-ficialmente, mientras que figuras como el duque de Medina de las Torres o el marqués de Castel Rodrigo revelarán su importancia tan pronto como se publiquen los inventarios de sus colec-ciones recientemente descubiertos[6].

---

* Texto realizado junto a Richard L. Kagan.

El coleccionismo de pintura no era de ningún modo exclusivo de la aristocracia. En Madrid existía un próspero mercado de la *almoneda* donde se liquidaban herencias enteras y que ponía en circulación centenares de pinturas, al alcance de compradores acaudalados con aspiraciones sociales o, simplemente, aficionados a la pintura de calidad. De aquí se nutría otro grupo de coleccionistas plebeyos, todavía no muy reconocidos, a pesar de que algunos de ellos llegaron a poseer fondos deslumbrantes[7].

Si la consideramos dentro de este contexto, la colección de Fernando Enríquez Afán de Ribera, III duque de Alcalá, no sería más que un caso interesante perteneciente a una categoría definida. Pero el duque de Alcalá y su colección reclaman una atención específica por varias razones. A diferencia de sus pares de la nobleza, establecidos en la corte madrileña, el duque de Alcalá residía en Sevilla, donde colecciones como la suya eran una rareza. El duque, por otro lado, era un hombre de inquietudes intelectuales muy distinguidas. Los inventarios que pasamos a publicar y comentar en las siguientes páginas nos permiten reconstruir su colección en cuatro etapas diferentes y reflejan cómo supo aprovechar las nuevas oportunidades y experiencias que se le iban ofreciendo.

Una breve biografía

El duque de Alcalá era uno de los nobles más cultivados de la España de su tiempo. Francisco Pacheco, amigo y paisano sevillano, dejó escrito de él en su *Arte de la Pintura* que añadió «al exercio *[sic]* de las letras i Armas, el de la Pintura, como cosa digna de tan gran Príncipe»[8]. Esta conjunción de talentos no era rara en el siglo XVII, pues eran muchos los aristócratas españoles que combinaron la tradicional dedicación a las armas con el ejercicio literario. Algunos incluso se convirtieron en coleccionistas de pintura y otras obras de arte. Pero es la categoría de los intereses artísticos y académicos del duque de Alcalá lo que convierte a este aristócrata erudito en un caso excepcional.

Fernando Enríquez Afán de Ribera [5] pertenecía a una distinguida familia sevillana cuyos orígenes se mezclaban con los de los primeros reyes de Castilla y León[9]. A pesar de su linaje, la familia no empezó a ganar notoriedad hasta el siglo XIV. Los Enríquez de Ribera comenzaron a acumular tierras en el suroeste de Andalucía otorgadas en recompensa a sus servicios a la Corona y a su lealtad, además de prebendas varias que fueron legando a sus descendientes y el monopolio del lucrativo negocio del jabón en Sevilla. Tiempo después se les concedieron otros oficios y dignidades, incluyendo tres títulos nobiliarios, como el condado de Molares, el marquesado de Tarifa y el más prestigioso si cabe ducado de Alcalá de los Gazules. Con el prestigio llegó la fortuna; se estima que a finales del siglo XVI los ingresos anuales de la familia ascendían a 110.000 ducados[10]. Aunque no parece factible que el III duque de Alcalá tuviera a su disposición unas rentas tan altas, se trataba sin duda de uno de los nobles más ricos de España.

La joya del patrimonio familiar era la Casa de Pilatos de Sevilla[11]. Ese elegante palacio fue construido por el I marqués de Tarifa, Fadrique Enríquez de Ribera (1471-1539), quien lo enriqueció con los libros, pinturas, tapices y demás objetos que fue adquiriendo durante sus viajes a Florencia, Venecia y Oriente Próximo[12]. En el palacio se custodiaba además la importante colección de escultura antigua e inscripciones epigráficas que adquirió en Nápoles el tío abuelo del duque, Pedro Enríquez y Afán de Ribera (†1572), durante los años en que ejerció de virrey de ese territorio (1559-1571). Formaban parte de ella una copia de la *Minerva Lemnia* de Fidias (hoy desaparecida) y una valiosa urna que, se decía, contenía las cenizas del emperador Trajano, obsequio de Pío V[13]. El III duque de Alcalá prosiguió la tradición familiar del coleccionismo anticuario e instaló en una galería construida al efecto su propia colección de bronces antiguos y modernos, bustos y urnas, entre otros. A esta galería, que debió de parecerse mucho a la que Thomas Howard diseñó para sí mismo en Arundel House, se la denomina en el inventario «camarín grande». Alojaba también la biblioteca de la familia, cuyo núcleo principal era la colección de cuatro mil libros de Pedro Enríquez. Su tamaño se dobló, como mínimo, en 1606 tras hacerse el duque con la colección de cuatro mil libros y manuscritos del difunto bibliófilo sevillano Luciano de Negrón[14]. Rodrigo Caro, erudito sevillano, alabó estos impresionantes fondos y al duque mismo por haber «juntado una gran Librería, y en ella tantos volúmines *[sic]* de todas ciencias, y letras humanas manuscritos, y medallas antiguas, que compite con las más insignes del mundo»[15]. Cuando se hallaba en Sevilla, la biblioteca era el lugar de retiro predilecto del duque, de quien un testimonio de la época nos dice que «fue en tanto grado aficionado a las Letras, que no tenía rato en el tiempo que vacaba a los negocios públicos [...] que no lo emplease en darse a la lección y estudios, no solo de buenas Letras sino de las demás Ciencias»[16].

El duque de Alcalá nació en 1583, hijo primogénito de Fernando Enríquez de Ribera y Ana Girón y Guzmán, hija del duque de Osuna, otro poderoso noble. Como mandaba la costumbre entre la aristocracia, se educó en casa y con tutores privados. El *Libro de las sentencias* del joven duque indica que antes de cumplir los dieciséis años ya había recibido instrucción en teología, filosofía y en el conocimiento de los clásicos[17]. El siguiente extracto tomado de una crónica familiar describe

5. Retrato grabado de Fernando Enríquez Afán de Ribera, de *Teatro eroico, e politico de' governi devicere del regno di Napoli dal tempo del re Ferdinando il Cattolico fin all'anno 1683,* de Domenico Antonio Parrino, 1692.

de manera breve el espíritu universalista y enciclopédico de su formación:

Su niñez gastó en lección de Historias Divinas y Humanas, su pubertad en estudios mayores, Lengua Latina, Dialéctica, Filosofía y Teología con grandes lucimientos en los teatros, y cuantas artes liberales pudo conseguir: diestro en la música de punto y la vihuela, La Astronomía,

Poesía, La Pintura, en que tenía Academia en su casa y son oy insignes dibujos de su mano, sin las que recogió de grandes maestros por toda España[18].

La reseña que el cronista sevillano Diego Ortiz de Zúñiga proporciona de su educación no es muy diferente, y hace hincapié en su «particular inclinación» por la pintura, «a que tal vez con destreza natural y adquirida aplicó la mano valiente en el dibuxo, y suave en el colorido»[19]. Su práctica de este arte queda confirmada por el elegante «caballete de pintar embutido de diversas maderas» que se cita en su inventario de 1632-1936 [Apéndice: IX.197], así como por algunos de sus bocetos de motivos arqueológicos que se han conservado[20].

Siguiendo la tradición familiar, el duque casó joven. Deseosa de potenciar la carrera política de su hijo, su madre concertó su matrimonio con la hija del marqués de Castel Rodrigo, consejero de Estado muy próximo a Felipe II[21]. La unión, celebrada en 1597 en Madrid y a la que asistió el anciano monarca, auguraba un seguro ascenso en la corte. Aunque tras su matrimonio volvió a Sevilla y a sus libros, el tutor jesuita del duque todavía lamentaba que «desde las letras primeras, pasó al tálamo y a los brazos de Venus [...] con ello dejaba el campo ameno de la literatura y la dulce tutela maternal para entrar en el terreno de la política y en los avatares de la vida matrimonial»[22].

Los temores del jesuita, como veremos, estaban injustificados, porque el matrimonio coincidió con su inmersión cada vez más profunda en el mundo de las artes. En pocos años, y antes de cumplir la veintena, el acaudalado duque se había convertido ya en una figura prominente de las letras y las artes de Sevilla, que, por aquel entonces, era la capital cultural de España. Las riquezas de esta ciudad atrajeron a un buen número de artistas, poetas y eruditos, muchos de

los cuales se reunían en «academias» informales donde conversaban sobre asuntos artísticos e intelectuales[23]. El abuelo del duque de Alcalá, que todavía vivía en 1589, solía organizar esos encuentros en la Casa de Pilatos, tradición que continuará su nieto[24]. Participó también en la academia semejante impulsada por Francisco Pacheco y por la que pasaron los artistas e intelectuales más notables de Sevilla. El *Arte de la Pintura* da fe de la creciente relación profesional entre el duque de Alcalá y Pacheco, quien le asesoraba sobre cuestiones artísticas y su propia colección[25]. Ambos compartían además afinidades intelectuales. El duque, por ejemplo, publicó un tratado, *Del título de la cruz* (Barcelona, 1619), en el que defendía el argumento de Pacheco que aseguraba que fueron cuatro los clavos con que Cristo fue crucificado, en lugar de los tres que mantenía la tradición[26]. Este asunto en concreto debió de serle de interés porque en 1622, en una carta a Pacheco, le describe un crucifijo carolingio con cuatro clavos que había visto en la abadía catalana de Bañolas[27].

La llegada del siglo XVII marca el inicio de la carrera del duque de Alcalá como coleccionista y mecenas. En torno a 1603 comienza la remodelación y redecoración de la Casa de Pilatos. Como era de esperar, los primeros artistas que contrató para llevar a cabo este proyecto pertenecían al círculo de la academia de Pacheco. Este último recibió el encargo de decorar el «camarín» del duque con una serie de pinturas mitológicas de su mano[28]. Apadrinó además a un grupo de artistas de la «Escuela de Sevilla», entre los que se encontraban Diego Velázquez, Alonso Vázquez, Antonio Mohedano, Pablo de Céspedes y Juan de Roelas, todos ellos representados en el inventario de 1632-1636.

Los gustos del duque, sin embargo, distaban mucho de ser provincianos. Con ocasión de su asistencia en 1598 a las exequias de Felipe II en

Madrid, aprovecha para hacerse retratar por Juan Pantoja de la Cruz, el principal artista de la corte[29]. Durante otro viaje sucesivo a la corte, en 1608, adquiere nuevamente de Pantoja otro retrato suyo. En su colección encontramos obras de artistas activos en Madrid, como Pedro de Orrente, Carducho o Diego Rómulo Cincinnato, que le acompaña en su travesía a Roma en 1625.

Por mucho peso que tuvieran en su vida, las artes eran un añadido al principal cometido de todo gran aristócrata: prestar sus distinguidos servicios a la Corona. La carrera de dos de sus ancestros, antiguos virreyes de Nápoles, suponía un elevado precedente[30]. El duque tenía ambiciones semejantes, aunque su carrera política no iba a ser tan exitosa. Aunque admirado por su sabiduría, al duque se le tenía por personaje irritable y falto de inteligencia política. Su historial como «alguazil mayor» de Sevilla, oficio hereditario, estaba manchado por unas acusaciones de abusos que motivaron una investigación urgente de la Corona en 1602[31]. Dos años más tarde volvió a meterse en problemas aún mayores cuando sus sirvientes atacaron a un oficial municipal que, en opinión del duque, no le saludó en público con la debida reverencia[32]. Este incidente, que resultó en una severa multa, dañó aún más si cabe su reputación, por lo que tuvo que esperar a 1618 para recibir un cargo real, el de virrey de Cataluña, con residencia en Barcelona[33].

Su paso por Cataluña dejó constancia de las carencias de su talento político[34]. Aunque se esforzó por proteger los intereses de la monarquía, desoyó las prerrogativas locales y en solo tres años hizo mucho por distanciar a la ciudadanía de la Corona. Al duque le afectó su fracaso catalán: «solo el trabajo del infierno puede ser igual al gobierno suyo», escribió de esta experiencia[35]. Es posible, como sugiere la carta enviada a Pacheco en 1622, que entre los pocos placeres que su cargo le proporcionó estuviera el de contemplar las obras de arte y manuscritos atesorados por las iglesias y monasterios de la región. Su colección de antigüedades y artes aumentó en este período; su inventario menciona una compra de «tres piçarras con letreros antiguos» durante una visita a Tarragona [IX.40].

El duque zarpó de Cataluña el 10 de septiembre de 1622 y en octubre estaba ya de regreso en Sevilla embebido en sus estudios y responsabilidades familiares. En marzo de 1624 visita al rey para después regresar a la corte en diciembre, cuando se le ofrece la oportunidad de servir al recién coronado Felipe IV. Maffeo Barberini, conocido por su antipatía por los españoles, había sido nombrado papa en 1623 —Urbano VIII— y Felipe IV no había enviado aún a ningún emisario para rendirle obediencia. Se cree que fue el favorito real, el conde-duque de Olivares, otro potentado sevillano, quien recomendó al duque para este puesto, creyendo que un aristócrata instruido podría causarle una buena impresión a otro erudito como era aquel papa. El duque aceptó con la condición de que después le fuera asignada una embajada permanente, preferiblemente en Italia. Felipe IV accedió, y en febrero de 1625 encontramos al duque en Sevilla realizando los preparativos para su primera misión al extranjero.

El duque marchó de su ciudad el 31 de marzo acompañado de un séquito en el que se encontraba el artista Diego de Rómulo[36]. De camino, la comitiva naval hizo una breve parada en Génova antes de desembarcar en Civitavecchia en junio. La entrada oficial en Roma tuvo lugar el mes siguiente y el duque, vestido de negro solemne, fue recibido por el papa en público consistorio el 29 de julio. La confianza que Olivares depositó en la habilidad del duque para ganarse al pontífice estaba bien fundada. Este le acogió bien y le obsequió con presentes varios, entre ellos una dispensa de ilegitimidad para uno de sus hijos «naturales»[37]. A cambio, el duque de Alcalá encargó a Diego de Rómulo tres retratos del papa, uno de los cuales se encontraba en fecha posterior en la Casa de Pilatos[38].

Aunque no disponemos de mucha información acerca de la estancia del duque en Roma, parece que aprovechó el tiempo para comprar obras de artistas italianos. Sabemos que visitó importantes ruinas arqueológicas y que encargó copias de objetos antiguos. Pacheco relata que envió a Sevilla una copia de un famoso fresco romano, el llamado *Matrimonio Aldobrandini,* hoy perdida, pero que aparece en el inventario de 1632-1636 descrito como «un lienço grande que vino de rroma con g[uarnici]ón grande dorada de un esponsaliço» [IX.91][39]. Otras obras fueron obsequios de sus amistades romanas, casi todas ellas pertenecientes al llamado «partido español». Entre ellos se contaban Paolo Giordano Orsini, duque de Bracciano, un ilustrado coleccionista de arte y antigüedades protector de Bernini, Claudio de Lorena y Simon Vouet, entre otros, además de su hermano, el cardenal Alessandro Orsini, quien agasajó al duque con un Cristo en mármol que también envió a Sevilla [VII.57][40]. El cardenal Ludovico Ludovisi, otro proespañol y principal benefactor del Gesù, compartía con el duque su interés por las antigüedades y la pintura, y regaló a este una obra de su paisano boloñés Guido Reni [I.18][41].

El itinerario del duque tras marchar de Roma en febrero de 1626 está menos claro[42]. Aunque se le documenta en Madrid el 22 de julio, su inventario indica que no retornó a España por vía directa, porque visitó Nápoles y Venecia, donde adquirió varios cuadros por el camino.

En agosto de 1626 se encontraba ya en Sevilla esperando la prometida designación del rey, que, no obstante, no se materializó inmediatamente. Por más que llegara a entablar una relación personal con Urbano VIII, no consiguió persuadirle en favor de los intereses de España. Esto explicaría por qué ni Olivares ni el rey se apresuraron en ofrecerle otro cargo. A esto se añadía su falta de experiencia militar en la práctica, un requisito ahora que España estaba en guerra, a lo que se sumaban las reticencias cada vez mayores de Olivares a designar a nadie que no fuera de su familia y de su estrecha confianza para puesto relevante alguno. No sería hasta febrero de 1629 cuando Felipe IV tomó la decisión de deponer al duque de Alba de su cargo de virrey de Nápoles y nombrar al duque de Alcalá en su lugar[43].

El duque llegó a Nápoles el 26 de julio de 1629. Cristóbal Suárez de Figueroa, escritor español de la corte napolitana, le recibió con un libro en el que le instaba a emular los logros de su tío abuelo, al que se le recordaba como a uno de los mejores virreyes[44]. Desde el inicio pareció claro, sin embargo, que su mandato no iba a repetir aquel éxito[45]. El virrey saliente, el duque de Alba, causó un escándalo al negarse a ceder el poder durante casi un mes. Al poco tiempo el duque de Alcalá ya andaba enredado en disputas: con la aristocracia napolitana, por cuestiones ceremoniales; con el gobierno de la ciudad, por el envío de pan desde Nápoles a Milán y otros asuntos fiscales, y con los abogados de la ciudad, por su pretensión de que se les reconocieran sus credenciales académicas. Los problemas aumentaron en septiembre de 1630 con la llegada de la hermana del rey, María de Austria, reina de Hungría, de paso hacia Viena en compañía del duque de Alba. Fueron muchas las ocasiones en que los dos nobles chocaron por cuestiones de etiqueta. El duque de Alba informó al rey en diciembre de 1630 de que el duque de Alcalá había insultado a la reina al solicitarle de manera improcedente que continuara su viaje, en vista de los enormes gastos que la prórroga de su estancia en Nápoles estaba causando. Según este informe, el antiguo virrey acusó a su sucesor de haber recibido a la reina de manera impropia, en un «palacio mal acondicionado», y de no haberle obsequiado cosa alguna, «ni siquiera carroza o una nueva cama»[46]. La reacción del rey fue suspenderle de su cargo y llamarlo a consultas a Madrid para que diera cuenta de sus actos. Como sustituto interino nombró al conde de Monterrey, cuñado de Olivares. El duque preparó su salida a toda prisa, aunque aún tuvo tiempo de organizar el flete a Madrid de veinticuatro cajas con pinturas y otros objetos que había comprado durante los dos años anteriores. Partió hacia España el 31 de mayo de 1631 dejando en Nápoles a su esposa y al resto de su familia.

A pesar de las dificultades, su mandato no fue un fracaso en todos los sentidos. Un simpatizante suyo, que culpaba de su caída a las maquinaciones del duque de Alba, escribe de aquel que fue «buen señor, amado por todos, tras haber gobernado con gran paz y justicia»[47]. Su corte virreinal fue suntuosa, y se esforzó por complacer a la aristocracia local con interminables rondas de banquetes y comedias, especialmente durante la visita de la reina. Por tales méritos se ganó un buen lugar en la gran *Historia civil del Reino de Nápoles* de Pietro Giannone, donde se le celebra como un virrey «amado en extremo por los napolitanos, a los que enfureció la traición que sufrió»[48].

De Nápoles el duque pasó a Madrid para defender su actuación. Vuelve a Sevilla en 1631 en espera de un perdón real que llegó en marzo de 1632, cuando visita la corte junto a otros nobles para prestar lealtad al infante Baltasar Carlos. Como por aquel entonces Felipe IV era ya reticente a destituir a su sustituto, pariente de Olivares, nombró al duque de Alcalá virrey de Sicilia, con la vaga promesa de ser repuesto en su cargo anterior en el futuro. Esto supuso sin duda una decepción para el orgulloso duque, pero a principios de julio, tras recoger a su esposa y familia, se encontraba ya en Palermo, donde vivió tres años apacibles[49].

Su regreso a Nápoles nunca tuvo lugar, pero Felipe IV no se olvidó de él por completo. En 1636 le envió como emisario plenipotenciario a Colonia a negociar el fin de la Guerra de los Treinta Años. El duque de Alcalá llegó en agosto a la ciudad austríaca de Villach, donde se instaló debido a los retrasos en el inicio del congreso. El invierno siguiente, cuando se encontraba aún allí, cae enfermo, y el 28 de marzo de 1637 fallece a los cincuenta y tres años[50].

En su testamento, redactado el día anterior a su óbito, ordenaba a sus albaceas la venta de varias partes de sus posesiones y que con lo obtenido se saldaran sus deudas, que según su secretario ascendían a la increíble cantidad de 300.000 ducados[51]. Esta cláusula originó la celebración de una almoneda con sus bienes en Génova en mayo de 1637, en la que se vendieron muchas de las pinturas que atesoró durante su último período en Italia. Otro apartado en el testamento especificaba que una anónima «imagen de Nuestra Señora de pintura sobre unas nubes» de su oratorio en la Casa de Pilatos se le entregara a su hermana, la marquesa de Priego. Dejó indicado también que todas las pinturas religiosas que quedaran tras satisfacer sus deudas se depositaran en un oratorio privado, cuya elección dejaba a la discreción de sus albaceas[52]. Lo restante iría a parar a su esposa y dos hijas legítimas. Parece evidente que a inicios de 1637 el duque ya contemplaba la dispersión final de las pinturas y objetos varios que había ido coleccionando a lo largo de casi cuatro décadas[53].

LOS INVENTARIOS

La información que tenemos de la colección del duque de Alcalá procede de dos inventarios, uno realizado en Sevilla entre 1632 y 1636, y otro en Génova en mayo-junio de 1637, con posterioridad a su muerte en Austria. De los dos, el primero es sin duda el que más datos nos aporta.

Coincidiendo con su breve regreso a Madrid en 1631, el duque mandó llamar a Juan de Arroyo, alcaide de su casa ducal en Sevilla. Entre los temas que trataron estuvo el envío de las veinticuatro cajas con obras de arte con destino a la Casa de Pilatos en Sevilla. En algún momento antes de la muerte de su señor, Arroyo efectuó un inventario exhaustivo, habitación por habitación, de las pinturas y objetos restantes[54]. El encabezamiento de este distingue entre los bienes que el duque dejó cuando marchó a Nápoles en 1629 y los que envió a Arroyo en 1631. La razón por la que Arroyo realizó el inventario no se expresa en él, aunque se presume que querría dar fe de que durante la ausencia del duque la colección había permanecido intacta y en buen estado. De hecho, tras la muerte de este, los bienes de la casa fueron cotejados con los registrados en un inventario general que guardaba su yerno Luis de Moncada y Aragón, príncipe de Paterno, una copia del cual quedó en Sevilla (y que publicamos en este artículo como Apéndice). Todas las piezas excepto algunas sin importancia fueron localizadas por los auditores.

El valor excepcional del inventario se debe a que identifica caja por caja las obras que se le entregaron a Arroyo en Madrid en 1631. De tal manera, cada vez que la expresión «vino en el caxón» acompaña a una entrada seguida de un número, podemos dar por seguro que la pieza en cuestión vino de Italia, muy probablemente de Nápoles. Se deduce de ello, por otra parte, que las piezas que carecen de tal comentario estaban ya en la Casa de Pilatos antes de que el duque partiera hacia Italia por segunda vez.

El inventario nos permite un escrutinio todavía mayor de la colección. En varias entradas se afirma que las obras referidas proceden del primer viaje a Italia del duque (1625-1626) y las circunstancias de su adquisición, es decir, si las compró o las recibió como regalo y, en tal caso, de quién las obtuvo. Hay que observar que la ausencia de un número de caja o referencia a su origen no implica necesariamente que el objeto en cuestión entrara en la colección antes de su primer viaje a Italia o en el intervalo entre este y el segundo. Varias vistas de Roma, por ejemplo, aparecen en el inventario sin calificación alguna. Se presume que las compró en Italia en alguna transacción que no se estimó relevante mencionar. Es inevitable, en vista de ello, que exista cierta confusión entre las pinturas que compró en España hasta 1625, las italianas de 1625-1626 y las que adquirió en España entre 1626 y 1629, cuando el duque abandona el país de manera más o menos definitiva.

El inventario peca de otros dos defectos. Se omiten las dimensiones, y la autoría de las obras se atribuye en pocos casos, en torno al veinte por ciento de las obras. En consecuencia, apenas nos es posible identificar un puñado de entradas con obras hoy conocidas. Con todo, el inventario contiene una gran cantidad de información sobre el coleccionista y su colección, que nos invita a ponderar el impacto que ambos hubieron de tener en el desarrollo de las artes en Sevilla.

El segundo inventario es de 1637[55]. Tras la muerte del duque de Alcalá en Villach, se enviaron sus efectos a Génova, donde, siguiendo las instrucciones de sus albaceas, se dispersaron tras venderse en pública subasta. El inventario parece tratarse simplemente de un registro de las transacciones realizadas durante dicha subasta, y en él solo se indica el tema de la pintura, el nombre del comprador y el precio. En apenas doce de las ciento treinta y dos pinturas se menciona al autor, aunque estos datos, aun siendo escasos, nos aportan información de interés. Huelga decir que resulta imposible determinar el paradero de la práctica totalidad de estas pinturas.

LA EVOLUCIÓN DE LA COLECCIÓN

Es difícil calibrar el tamaño de la colección heredada en su día por el duque de Alcalá, aunque no parece que fuera muy extensa o destacable. Solo unas pocas entradas en el inventario, que por lo general se refieren a retratos de familia y de otras personas de renombre, parecen candidatas obvias a formar parte de esta lista de obras de sus antepasados[56]. En esta categoría se incluyen, por ejemplo, los retratos de Sánchez Coello († 1588) de la marquesa de Peñafiel y de la de Tarifa, abuela y madre, respectivamente, del duque [II.12-13], o los retratos varios de reyes de Nápoles que quizá provinieran de Pedro Enríquez y Afán de Ribera [II.19-21]. Origen más claro parece tener el retrato de don Pedro, con toda probabilidad un encargo napolitano que heredó su hijo, el beato Juan de Ribera, que más tarde regresó a Sevilla[57].

Las primeras adquisiciones del III duque que podemos identificar son obra de artistas sevillanos a los que sabemos amigos o colaboradores de Pacheco. Hay tres pinturas de Alonso Vázquez, con quien Pacheco colaboró en una serie para la Merced Calzada ejecutada en torno a 1600. Vázquez, que emigró a México en 1603, fue el autor de un elaborado cuadro con el tema de *Lázaro y el hombre rico* pintado a la manera de Aertsen pero ambientado en la casa rural del duque en Bornos, y que probablemente tenía un sentido moralizante para el joven potentado[58]. De Vázquez también procedería una serie de nueve musas, hoy perdida, que formaba parte de la decoración del «Camarín grande» [IX.66].

Otro amigo de Pacheco presente en la colección es Pablo de Céspedes (1538-1608), racionero de la catedral de Córdoba y uno de los héroes de *Arte de la Pintura*[59]. Suya era la pintura *Herodias con la cabeza de san Juan Bautista* (desaparecida) [IX.68].

Al igual que Pablo de Céspedes, Antonio Mohedano *(ca.* 1563-1626) era un artista de comparables aspiraciones eruditas, y eso le introdujo en el círculo de Pacheco[60]. Alrededor de 1600, Mohedano se estableció en Antequera, aunque hasta 1610 seguía realizando periódicos viajes a Sevilla, donde conservaba una distinguida clientela. Se cree que trabajó para el arzobispo Fernando Niño de Guevara y para los jesuitas, y ahora sabemos que también para el duque de Alcalá. Su aportación a esta colección de la Casa de Pilatos era un extraordinario conjunto de pinturas: catorce bodegones de cestos con frutas, que se hallaban en la pequeña sala donde el duque recibía a las visitas [VII.1]. Dicha entrada en el inventario constituye la primera evidencia concluyente de que Mohedano fue pintor de bodegones. Por si fuera poco, es la noticia más temprana que tenemos de una naturaleza muerta pintada por un artista de Sevilla, si damos por bueno que su fecha es anterior a 1610.

El gusto del duque de Alcalá por los bodegones sigue un patrón que nace en Toledo, ciudad en la que este género hizo su primera aparición. Como un estudio reciente ha demostrado, los primeros ejemplares fueron a parar a manos de entendidos coleccionistas de la nobleza y eclesiásticos en 1590 como pronto[61]. A finales del siglo XVI hay constancia de las primeras pinturas de este género en las colecciones madrileñas, moda a la que el duque de Alcalá no fue ajeno[62]. Esas pinturas de origen flamenco o italiano eran escenas de interior que representaban cocinas o a figuras comiendo y bebiendo, y es posible que tuviera conocimiento de ellas en Madrid en 1598. Es, por tanto, posible también que de él procediera el impulso inicial, si es que no la inspiración, del primer pintor sevillano de bodegones, Diego Velázquez, cuyos lazos con Pacheco son de sobra conocidos. En el inventario aparecen dos bodegones de su mano, un «lienco Pequeño de un cocina donde está majando ajos una mujer» [III.12] y «dos hombres de medio cuerpo con un Jarrito vidriado» [VI.4]. Ninguno de ellos se conserva, por desgracia, pero esas referencias son muy valiosas, ya que son los primeros testimonios que tenemos de piezas de ese tipo y confirman que existía una clientela interesada en ellas[63].

Llama la atención a simple vista la ausencia de Pacheco del inventario. Hay que recordar que suya fue la ejecución del importante encargo de la decoración de la pintura del techo, y tenemos constancia de que dos de las obras sin indicación de autor eran de su mano. Un inventario de la Casa de Pilatos de 1751, cuando la mayor parte de la colección ya se había dispersado, cita «dos lienzos de vara de alto de dos enanos de mano de Pacheco»[64]. Quizás se trate de las dos pinturas descritas como «Gabriel el enano» [II.29] y «Hetias el enano» [IX.100].

La protección que el duque ofreció a pintores ajenos al círculo de Pacheco parece haber sido nula, a menos que algunas de las obras sin atribuir las realizaran tales artistas. De hecho, el único otro pintor de Sevilla que aparece citado en el inventario es Juan de Roelas, el pintor más competente de su generación y que trabajó en la ciudad durante el primer cuarto de siglo[65]. Roelas estuvo en Sevilla de 1603 a 1616 y, de nuevo, entre 1619 y 1625, fecha de las cuatro pinturas que realiza para el retablo del oratorio del duque de Alcalá, *Dios Padre, San José, San Andrés* y *San Francisco* (hoy perdidas) [I.1].

Durante esta primera fase de formación de la colección del duque su gusto se extendió a los pintores de la corte. Ya hemos mencionado los dos retratos de Pantoja. En el inventario también consta un *San Jerónimo penitente* de uno de los hermanos Carducho [IV.14] y dos copias de pinturas de un artista al que se le llama «Oreme» [V.7, 11], muy probablemente Pedro de Orren-

te. El duque echó mano de los mayores talentos disponibles en Madrid, como muestra la presencia de un grupo de bodegones y escenas de género en la colección.

Diego de Rómulo es un caso aparte, porque en 1616 ya ejercía de su pintor privado. Su figura se reduce a poco más que un nombre en la historia del arte español. Cuanto sabemos procede de un párrafo en el tratado de Pacheco, donde se nos informa de la identidad de su padre, el pintor italiano Rómulo Cincinnato, y de que entró al servicio del duque de Alcalá, al que acompañó a Roma en 1625, donde murió días después de que Urbano VIII le nombrara caballero de la Orden de Cristo[66]. No existe pintura alguna atribuida a él, pero al menos el inventario nos confirma que en efecto posó el pincel sobre el lienzo. De las seis obras suyas allí enumeradas, cuatro son retratos de familia. La quinta, que porta la enigmática descripción de «bufón que se come todo lo que tiene pintado en el plato» [IV.23], revela quizás un interés del duque por conductas anómalas, que volverá a manifestarse en el encargo que hace a Ribera de la pintura de la mujer barbuda. Aparece en el inventario, asimismo, el retrato de Urbano VIII que menciona Pacheco, en recompensa del cual Rómulo recibió el hábito de la Orden de Cristo [VII.25].

El punto de inflexión de la carrera del duque de Alcalá como coleccionista, como el de tantos otros españoles, fue su viaje a Italia de 1625-1626. De algunas notas en el inventario se puede extraer que visitó Génova, Venecia, Roma y Nápoles. Una sola entrada en él se refiere a adquisición alguna hecha en Génova, y aun esta da pie a cierta confusión: «Un bufete de caoba y encima un xpo de bronze de mano de Joan de Bolonia que él embió a Génoba a un pintor famosso llamado el pagii [Paggi] y por su muerte la ubo agora el Duque mi s[eñ]or quando passó por Génoba» [IV.25]. Como ya sabemos, el duque estuvo en Génova en 1625, pero esto fue dos años antes de la muerte del pintor genovés Giovanni Battista Paggi. Fuera como fuese, este Cristo de bronce, del que existen múltiples tipos y variaciones, pudo ser la primera de su colección de obras de este famoso artista florentino.

Atisbos de evidencia dejan abierta la posibilidad de que el duque se hiciera retratar por Van Dyck, que triunfaba en Génova, coincidiendo con su paso por la ciudad en 1625. Un inventario de principios del siglo XVIII de la colección de Luis de la Cerda, IX duque de Medinaceli y heredero de los títulos del ducado de Alcalá, atribuye un retrato de este último al maestro flamenco[67]. No encontramos esta pintura en el inventario, por desgracia.

No mucho más claro se nos presenta el asunto de sus adquisiciones venecianas. Solo se menciona específicamente una pintura, una obra anónima que ilustraba una sesión del senado de Venecia y que compró en 1626 [III.46]. Si atendemos al tema, hay catorce retratos de catorce modelos venecianos y otro descrito como «Una Veneçiana desnudos los pechos los braços y en la mano derecha unas yerbas» [V.12]. La colección también disponía de un grupo de pinturas atribuidas a un Bassano (no se dice a cuál), pero las obras asignadas a este artista eran un ingrediente básico de toda colección española, donde eran legión, y podían proceder igualmente de Sevilla o Madrid y no de Venecia. La otra adquisición veneciana son los «Dies y ocho papeles de pinturas de animales» de Bassano [IX.63]. Esas obras, probablemente acuarelas o aguadas, testifican el interés del duque por el dibujo, un interés por desgracia no compartido por el redactor del inventario, que se limitaba a rellenar el listado con descripciones como «un atado de papeles de estampa y dibujo» [IX.86].

Tanto desde un punto de vista artístico como político, el momento más destacado de su viaje fue su estancia romana, de la que el inventario arroja abundante información. Por él sabemos que el duque se reunió con el cardenal Ludovico Ludovisi, con quien compartía el interés por las antigüedades. Ludovisi, que se encontraba en el momento más alto de su carrera como coleccionista, al duque le parecería un modelo de magnificencia y esplendor desconocido por entonces en España. Según era costumbre, el cardenal obsequió al duque con una obra de arte, una pintura en formato oval de Guido Reni a la que se describe como «Una Ymagen de nra Sa. puestas las manos adorando a su hijo» [I.18]. Aunque no resulta imposible identificarla, probablemente se tratara de una versión de la *Virgen adorando a Cristo Niño* que se encuentra en la Galleria Doria-Pamphili y que Cornelius Bloemart copió en un grabado[68].

Otro regalo procede del cardenal Desiderio Scaglia († 1639), miembro de la Inquisición romana que juzgó a Galileo y hermano del abad Scaglia, un distinguido diplomático retratado por Van Dyck. Aunque su papel como coleccionista es desconocido hoy en día, el cardenal Scaglia poseyó un número estimable de pinturas vendido luego por sus herederos en 1639 y que después pasaron a la colección de Felipe IV con la mediación del marqués de Castel Rodrigo y el duque de Medina de las Torres[69]. Según este inventario, Scaglia donó al duque de Alcalá una pintura con el tema de *La negación de san Pedro* [I.11], que quizás sea la misma que hoy se le atribuye a Nicolas de Tournier en El Prado [6][70].

De su propia iniciativa el duque realizó algunas adquisiciones más. El inventario registra dos obras de Artemisia Gentileschi y otra basada en una composición suya, a las que no se asocia número de caja alguno, dando a entender que se compraron en Roma y no más tarde en Nápoles. La primera de ellas es «una Mag[dale]na sentada en una silla durmiendo sobre el braço» [I.3], y

6. Nicolas de Tournier, *La negación de san Pedro*, 1625-1626, Museo Nacional del Prado, Madrid.

parece concordar con una pintura que hoy se encuentra en la catedral de Sevilla [7][71]. La copia es «un Salvador con la mano derecha sobre unos muchachos» [I.7], descripción que recuerda a una escena de los milagros de Cristo, quizás la que se narra en Mateo 19: 13-14 y que un famoso grabado de Rembrandt ilustró[72]. Como advierte el inventario, el original había sido entregado a la Cartuja de Santa María de las Cuevas, muy posiblemente para decorar la impresionante capilla familiar que uno de los antepasados del duque fundó en ese lugar en el siglo xv. El contacto entre Artemisia y el duque sugiere que el traslado de esta a Nápoles en 1630 estuvo relacionado con la llegada a la ciudad del sevillano en 1629.

Otras dos obras de autoría conocida entraron en la colección en este momento, aunque su procedencia romana no es tan clara. La primera es el *Prendimiento de Cristo*, del Cavaliere d'Arpino [I.4], que quizá fuera una de las varias copias y versiones que hizo de la pintura de la Galleria Borghese. Hay copias de esta composición en las colecciones de la catedral de Toledo y del convento de la Encarnación en Madrid, lo que ha llevado a postular la existencia de un original autógrafo de la pintura en España en fecha anterior[73]. Desconocemos si la que poseía el duque era original o copia.

La segunda pintura se menciona como «un lienzo grande de nra. Sa. con su hijo en los

7. Artemisia Gentileschi, *Santa María Magdalena, ca.* 1622,
Tesoro de la Catedral, Sevilla.

braços y unos peregrinos que es copia de Michael Angel Carabacho q[ue] está en San Agustín de Roma» [I.5]. Esta es obviamente copia de la *Virgen de Loreto,* sin que podamos determinar si la compró en Roma en 1625 o en fecha anterior. Este detalle reviste cierta importancia puesto que esto la convertiría en la primera pintura de Caravaggio o basada en obra suya llegada a Sevilla y marcaría el momento en que empezó a ser conocido en la ciudad[74]. El instinto nos sugiere que concuerda más coherentemente con el patrón de obras que adquirió en Roma y no tanto con las «españolas» de entre 1603 y 1625. Su evidente gusto por la pintura de los seguidores de Caravaggio se retrotrae a su primer viaje a Italia, y además la mención que se hace del lugar donde se encon-

traba el original da a entender que la obra pudo ser vista *in situ.*

El tercer lugar que se nombra en el inventario es Nápoles, donde la colección se amplió con al menos una pintura notable, *Los preparativos para la crucifixión de Cristo,* de Ribera [I.6] [8], regalo del duque de Alba[75]. Por lo que sabemos, esta obra fue la que dio inicio a la relación entre el artista y el que iba a ser uno de sus protectores más relevantes. Es también la primera noticia que tenemos del contacto entre Ribera y el duque de Alba, virrey entre 1623 y 1629.

La última adquisición italiana del duque de Alcalá no figura en el inventario, sino en una carta que envió al prior de la Cartuja justo antes de marchar de Sevilla en dirección a Nápoles.

8. José de Ribera, *Los preparativos para la crucifixión de Cristo,*
1630-1634, iglesia de Santa María, Cogolludo, Guadalajara.

Fechada el 1 de febrero de 1629, acompañaba a una donación que realizó para la capilla familiar y hace referencia a un interesante grupo de pinturas de los doce apóstoles y Cristo[76]. Tal y como detalla, cada pintura fue encargada «de diferente pintor, de los más insignes que se hallaron en Italia aquel año [1625] a quienes con este intento los hize pintar». Una o dos copias de obras pertenecientes a esta serie sí que aparecen en el inventario, sin que ello compense la pérdida de un grupo de obras tan original —y, posiblemente, muy instructivo.

El número de pinturas de las que desconocemos lugar y fecha de adquisición sobrepasa con mucho el de las obtenidas en España e Italia con anterioridad a su nombramiento como virrey y de las que sí se señala su procedencia. Algunas de estas están atribuidas a pintores conocidos, incluso célebres, como *La Asunción de la Virgen* de Rubens [I.12], una de las primeras muestras de su obra en Sevilla, o una de *Adán y Eva* asignada a Frans Floris [VII.4][77]. Igualmente interesantes son otras obras sin autor expreso que abarcan un amplio espectro de temas que reflejan el interés del duque de Alcalá por las letras y la Antigüedad clásica. Ejemplar entre ellas es un pequeño conjunto de retratos de poetas como Dante, Marino y Góngora (este último enviado desde Madrid por Sarabia, agente del duque, y que de inmediato nos trae a la mente el famoso retrato que Velázquez hizo del literato) [II.30]. Hay otros retratos de filósofos anónimos, señal de que el duque ya sentía predilección por este tema antes de su período napolitano, cuando encargó a Ribera sus famosos «mendigos filósofos». No faltan tampoco paisajes, bodegones y escenas de género, como la pintura de sugerente título llamada «pescadería […] donde está un niño llorando q[ue] le a mordido un cangrexo» [III.9], «dama tañendo con un clavicordio y unos dançando» [III.31] o «lienço Grande […] de una Carniçera» [V.2][78]. El inventario nada dice acerca del lugar y la fecha de adquisición de estas pinturas, tan solo informa de que se hallaban en la Casa de Pilatos antes de que comenzara su breve mandato de virrey en Nápoles.

Durante esos veintiún meses en Nápoles, el duque sumó unas setenta y seis pinturas a su colección. En sí misma, la cantidad no es exagerada si tenemos en cuenta las cifras que movía el coleccionismo del siglo XVII. Pero de haber mantenido este ritmo de adquisiciones durante un período largo, habría resultado una colección muy considerable incluso para los estándares actuales. Obviamente, un comprador como el virrey no desaprovechó la oportunidad de residir en Italia.

En parte, el duque se centró en mejorar su colección haciéndose con obras de notorios artistas del siglo XVI italiano. Antes de 1629 ya poseía algunas obras de Tiziano y Bassano, pero la ausencia de las obras de grandes maestros era una falla significativa que había que compensar. Centró su atención, como era de esperar, en los nombres más célebres (Tiziano, Rafael, Miguel Ángel y Leonardo), pero hoy nos es imposible verificar hasta qué punto tuvo éxito. Como es sabido, la demanda de ejemplares de obras maestras de estos artistas produjo un incremento en la oferta en forma de atribuciones erróneas o copias. El inventario afronta este problema de manera honesta. De las cuatro entradas en que se menciona a Rafael, en dos se nos dice que son copias. Pero es imposible evaluar la calidad de una pintura que aparece registrada como «Una nuestra sra. de Raphael de la manera de la de Pedro perugino» [III.22], ni tampoco identificarla. En cuanto a Miguel Ángel, hay una obra descrita sencillamente como «un xpo […] en tabla» [I.24], y otra, como «un christo crucificado en tabla» [III.43], ambos dos temas tan comunes que no es viable establecer su atribución de manera ni siquiera indiciaria. Lo mismo puede decirse de las cinco pinturas atribuidas a Tiziano y del «rretrato de un clérigo de leonardo de Vince en tabla» [VII.23].

El duque puso sus miras en la obra de maestros italianos algo menos conocidos, como Palma el Joven, Perugino, Beccafumi y Pulzone. En una *Sagrada Familia,* que llegó a Sevilla aún anónima, Pacheco, al ser consultado, reconoció en ella felizmente la «muy famosa» mano de Tintoretto [VII.34]. La única obra italiana del siglo XVII que acertamos a identificar, al menos tipológicamente, es «Un sacrificio de Abraham en tabla de Andrea del salto [Sarto]» [VII.7] que recibió como presente del príncipe del Colle d'Anquiso. Esta bien podría ser la versión del Museo del Prado —que en torno a 1630 se hallaba en Nápoles— o la de Dresde —a la venta en Madrid en 1644 y enviada posteriormente a Florencia[79].

Aparte de pintura italiana, los artistas del norte también atrajeron la atención del duque. El inventario incluye cinco obras atribuidas a Durero y tres a Lucas van Leyden («Lucas de olanda»), dos nombres que no era raro encontrar asociados a pinturas alemanas u holandesas de todo tipo. Su valor radica en que evidencian que el duque de Alcalá estaba dispuesto también a ampliar su colección con pinturas de fuera de Italia si se daba la oportunidad.

Más reveladora es su colección de pinturas de artistas vivos, empezando por aquellos a los que tuvo a disposición en Nápoles. El primero de ellos es, obviamente, José de Ribera, y sus vínculos con el duque son conocidos de antiguo[80]. Sin embargo, hasta la fecha solo se podía asociar a ciencia cierta una obra al patrocinio directo del duque de Alcalá, la célebre *Magdalena Ventura con su marido e hijo («La barbuda»)* de 1631 [**9**], en la que una extensa inscripción detalla el origen del encargo [V.19][81]. Otras cuatro pinturas de Ribera están presentes en el inventario, todas ellas retratos de filósofos. La exis-

9. José de Ribera, *Magdalena Ventura con su marido e hijo («La barbuda»),* 1631, Fundación Casa Ducal de Medinaceli, Toledo.

tencia de este conjunto confirma la hipótesis de Delphine Fitz Darby, que defendía que fue a través del duque que Ribera como empezó a cultivar este tema. No está claro si, como esta autora sugería, Ribera adoptó el tema del «mendigo filósofo» a petición del propio duque, aunque el inventario testimonia la existencia en la colección de dos cuadros de filósofos ya antes de 1629. Uno es citado como «Dos Philósofos con un compás y espera» [III.5] y atribuido a un tal Don Blas (un pintor desconocido autor de varias obras en la colección del duque), y el otro, como «Un rrettrato de un Philósopho en pie con un libro abierto» [VI.2]. Nada impide que en ella figuraran ataviados con indumentaria antigua, aunque lo que está claro es que, fuera como fuese, el duque apreciaba las representaciones de filósofos. En el inventario se citan ocho retratos sencillos o dobles de filósofos, que, de haber colgado todos juntos, habrían dado lugar a un conjunto fascinante. Pero no fue así, porque las ocho pinturas se repartieron por cuatro estancias diferentes. Ni siquiera las pinturas de Ribera permanecieron juntas, sino dispuestas por pares en dos habitaciones separadas.

Solo de manera tentativa podemos aventurarnos a identificar las obras de Ribera, ya que nada dice el inventario de sus dimensiones. Pero la pintura del Museo del Prado en la que Darby cree ver una representación de *Demócrito* y que está fechada en 1630 es probablemente la misma que en el inventario aparece como un filósofo sosteniendo un compás [VIII.9], mientras que su compañera, un filósofo escribiendo, bien podría ser *Aesopo,* igualmente en El Prado. El otro par de pinturas restante es «dos Philósofos de mano de Josephe de Rivera que el uno tiene avierto un libro y el ottro tiene dos libros cerrados torcidos los ojos del uno» [III.24]. Un posible candidato para la primera de ellas sería el original de la obra de taller hoy en Tucson, mientras que la segunda se conoce solo por medio de copias[82].

Otra artista favorecida por el duque de Alcalá fue Artemisia Gentileschi, de cuya obra tuvo conocimiento ya en Roma, como mencionamos antes. La presencia de Artemisia en Nápoles está documentada el 24 de agosto de 1630, cuando en un escrito informa de que se encuentra trabajando en unas obras para la emperatriz María[83]. Cabe postular que Artemisia marchó a Nápoles a petición del virrey, quien además compró otras tres pinturas asociadas a su nombre. Una de ellas es un *San Juan Bautista* por identificar [III.45] y las otras dos están descritas como «Retratto de Artemissa gentilesca» [II.17, III.10]. Nada se dice del autor de esos retratos, pero es plausible suponer que se tratara de autorretratos. No es posible establecer relación entre estos y sus dos autorretratos conocidos en Hampton Court y Palazzo Corsini, Roma[84].

Durante su breve estancia en Nápoles, el duque no tuvo suficiente tiempo de extender su mecenazgo a otros pintores de la zona. Consta solo otra obra relacionada con un pintor napolitano, «Bernardino», autor de una imagen de *San Genaro* con que se le recibió a su llegada a la ciudad [III.23]. Bernardino bien podría ser Azzolino, el suegro de Ribera.

Para terminar, hallamos dos pinturas más de dos artistas famosos de fuera de Nápoles. Una es *Cleopatra* de Guido Reni [III.27], y la otra, un lienzo de grandes dimensiones de la *Cura de san Sebastián* atribuido a Guercino [III.35] y no identificado[85, 86].

Como relatamos anteriormente, el duque de Alcalá fue relevado del virreinato y tuvo que regresar a España. Pero en 1634 estaba de vuelta en Italia en calidad de virrey de Sicilia, donde permaneció hasta 1636. Palermo no era un centro tan favorable a sus intereses como coleccionista como Nápoles, pero este inconveniente lo solventó contratando a un agente en esta última ciudad, un hombre llamado Sancho de Céspedes. Se han publicado una serie de cartas entre el duque y su agente, casi todas relativas al encargo de un grabado y una pintura de la Virgen María a Ribera[87]. Una carta inédita que el duque envió a Madrid confirma que seguía activo en el mercado del arte, esta vez actuando en representación del rey[88]. La carta, fechada el 3 de junio de 1635, iba dirigida a Alonso de Cárdenas, el que un día sería embajador en Inglaterra e importante comprador en la almoneda de la Commonwealth. En su carta Cárdenas acusa recibo de un «modellico» de Miguel Ángel y de un retrato de Rafael, que da por auténticos. Pero la prueba más concluyente de su interés continuado en el coleccionismo se encuentra en el informe que de la venta de sus bienes en Génova se elaboró después de su muerte en Villach.

Como se indica en él, la venta se celebró con destacable parsimonia entre el 19 de mayo y el 12 de junio de 1637, y comprendía pinturas y esculturas, así como mobiliario y armas. Se remataron alrededor de 130 pinturas, de las que solo diez llevaban el nombre de autor alguno. Una de ellas era la Virgen que había solicitado a Ribera el 3 de septiembre de 1634, y que pidió se representara «trabadas las manos y el rostro más angustiado que pueda. El rostro ha de mirar hacia la mano izquierda […]». Aunque no hay rastro de esta pintura, una versión autógrafa de 1638 parece seguir esta fórmula. Otra de las pinturas anónimas recuerda a una conocida composición de Ribera, *Apolo desollando a Marsias,* de la que se conservan en Nápoles y Bruselas dos versiones firmadas, ambas de 1637.

El duque poseía también una obra que se tenía por auténtica de Caravaggio y que complementaba a la *Virgen de Loreto.* Se la anota sencillamente como «un milagro de una santa», y resulta imposible trazar su paradero. De otros pintores de Nápoles encontramos una pintura de Caracciolo, pero el inventario frustra cualquier intento de búsqueda: se refiere a ella como «una pintura».

Sin duda alguna, los lotes más interesantes son la «pequeña pintura» y «pintura más grande» que se atribuyen al Bamboccio, el pintor holandés Pieter van Laer. Hasta ahora la conexión de este con el duque de Alcalá se conocía solo por la serie de ocho grabados de temas pastoriles que el artista le dedicó en 1636[89]. Cómo entraron en contacto es un misterio, pero el gusto del aristócrata por las escenas de género de Van Laer explicaría la presencia de los dos *bodegones* de Velázquez y de un número elevado de pinturas de género en ambos inventarios.

En total, los dos listados suman aproximadamente 464 pinturas, cantidad que coloca al duque de Alcalá en un puesto singular entre los coleccionistas españoles más activos. Aunque ni por cantidad ni por calidad se acerque a las colecciones del marqués de Leganés y el marqués del Carpio (Gaspar de Haro), y su calidad sea menor que la de Luis de Haro, armar una colección de ese calibre representaba un logro muy considerable. La distribución de temas es pareja a la de otras colecciones. El inventario de la Casa de Pilatos, donde se dividían las pinturas por temas, nos permite concluir que los asuntos profanos tenían un mayor peso en su colección. Los retratos constituían un veintiséis por ciento del total de pinturas; los paisajes, un diecinueve, y el género y los bodegones, un diez. Por el contrario, aproximadamente un veintiséis por ciento de las obras eran imágenes religiosas. Esta partición temática corrobora lo que se extrae de estudios recientes de colecciones españolas del siglo XVII: que la demanda de arte secular en el sector privado superaba la de obras de contenido religioso. Esta conclusión difiere de la visión imperante del mercado artístico español de esta época, que se cree monopolizado por imágenes religiosas. La situación real era con bastante seguridad más compleja.

Los artistas en España atendían a un mercado compuesto en lo esencial por instituciones eclesiásticas y devotos particulares. Su producción, por tal razón, consistía básicamente en temas religiosos. Pero existía otro sector de la población, reducido en tamaño pero significativo en influencia, que el duque de Alcalá ejemplifica como tipología, y que tenía gustos no muy diferentes a los de los coleccionistas de élite de otros núcleos culturales importantes en Europa. Lo que buscaba este tipo de coleccionista eran obras de los artistas más prestigiosos, cualquiera que fuese su tema, y compraban las que se ponían a su alcance. Como muestra la colección del duque de Alcalá, lo que caracterizaba al arte del siglo XVII en España no era tanto la escasa presencia de temas seculares como la escasez con que los artistas españoles los representaban[90].

En tan solo un aspecto se apartaba esta colección de lo habitual: en la inclusión de obras de escultura y, especialmente, bronces de pequeño formato. Hay referencias dispersas a esculturas en medios diversos en el inventario de Casa de Pilatos, pero en una zona en concreto de la casa, el «camarín grande», aparecen expuestas a modo de *Kunstkammer* casi sesenta esculturas de bronce y una colección de medallas, además de piedras semipreciosas, muebles con incrustaciones, unas pocas esculturas en otros formatos y algunas pinturas. Siete de esas estatuillas de bronce se atribuyen a Giovanni Bologna, que podemos reconocer al menos por su tipología[91]. Entre ellas se encontraban ejemplares del *Jabalí*, el *León*, *Mujeres en el baño*, *Hércules y Anteo* y el *Rapto de las Sabinas*. Parece que gran parte de las piezas restantes eran reproducciones del siglo XVI de obras clásicas, un gusto que enlazaba con la colección de esculturas antiguas de gran tamaño que heredó de los anteriores ocupantes de la Casa de Pilatos. Entre las cuatro paredes de su «camarín grande», rodeado de objetos preciosos y ante su bastidor con maderas incrustadas, el duque representaría la viva imagen del aristócrata aficionado del arte.

Otro aspecto de su colección merece nuestra atención. Desde 1632, y por un período de al menos cinco o seis años, gracias a los esfuerzos del duque, Sevilla disfrutó de una colección de pinturas y esculturas con obras de algunos de los más importantes pintores del siglo. Es natural preguntarse qué influencia pudo tener este hecho en los artistas de la zona. Aun sin dar por sentado que cualquiera pudiera tener acceso franco a ella, Pacheco, amigo del duque, la debió de conocer muy bien, como indican las múltiples referencias que hace a la colección en su tratado. Es posible que este estuviera en disposición de facilitar la visita a otros pintores, especialmente mientras su propietario se encontraba en Italia. En cualquier caso, es razonable asumir que en la comunidad artística de la Sevilla del siglo XVII, donde todos se conocían, no había nadie que, ni tan siquiera de oídas, fuera sabedor de la reputación de la colección.

Cuestión diferente es el aprovechamiento práctico que los pintores más importantes de la década de los años treinta del siglo XVII hicieran de esta influencia —me refiero a Zurbarán, Cano, Herrera el Viejo y Juan del Castillo. El retablo de san Pedro de la catedral de Sevilla, el *Apostolado* para san Vicente de Fora (hoy en Lisboa, Museu de Arte Antiga) y la *Tentación de san Jerónimo* (Guadalupe, capilla de la sacristía) testimonian que Zurbarán estaba al menos familiarizado con la obra de Ribera y la impresión que causaron en él sus tipos humanos. Nada en la obra de Herrera, Castillo y, por supuesto, el ya anciano Pacheco nos lleva a pensar que las pinturas de la Casa de Pilatos alteraron su curso artístico. Solo en el caso de Alonso Cano se evidencia un intento de asimilar ciertos elementos estilísticos y compositivos de algunos de los artistas representados en la colección. De hecho, la existencia de estas obras italianas nos ayuda a comprender el sorprendente avance que se produce en el arte de Cano antes incluso de su marcha a la corte en 1638. Por citar un ejemplo, la iluminación y la composición de su *Cristo camino del calvario* parecen sin ninguna duda inspiradas en los *Preparativos de la crucifixión* de Ribera, obra que estaba en Sevilla desde 1626[92]. Como pupilo de Pacheco que fue, es cosa segura que tuvo oportunidad de visitar la colección. Sin embargo, y exceptuando a Cano, la pintura sevillana no varió su curso gran cosa tras la llegada de las obras italianas del duque de Alcalá. Todavía habrían de pasar veinte años hasta que se produjese la ruptura definitiva con un estilo que llevaba en lenta evolución desde finales del siglo XVII.

Si damos esta valoración por correcta, entonces procede replantearse de nuevo el problema de la presunta influencia de los artistas italianos en la pintura sevillana (y, consecuentemente, en la de otros centros artísticos en Europa). ¿Fue suficiente la presencia de un puñado de cuadros de artistas famosos o de copias de ellos para alterar las tan arraigadas y marcadas tradiciones de la pintura sevillana? No es descartable que las dos pinturas de Guido Reni de dicha colección nunca abandonaran Italia. Igualmente interesante es el impacto en esta comunidad artística, como mucho, limitado, de Ribera, pintor español y que figura en la colección con seis obras auténticas. Aunque sus seguidores napolitanos no tardaron en copiar sus pinturas de filósofos mendigos, en Sevilla ni siquiera estas novedosas composiciones dieron lugar a imitaciones. Por último, está el asunto de Caravaggio, cuya influencia sobre estos pintores, especialmente Velázquez y Zurbarán, se menciona frecuentemente.

Las evidencias que poseemos del conocimiento que se tenía de la pintura de Caravaggio en Sevilla antes de 1626 son exiguas. Pacheco se refiere a él en cuatro ocasiones en su *Arte de la Pintura,* pero siempre de pasada. Una vez lo hace en relación con pintores que fueron nombrados caballeros; otra, poniéndolo de ejemplo de dominio del *rilievo* junto a Bassano, Ribera y El Greco; en el Libro III se cita su figura, así como la de Ribera y la de Reni, para apoyar el precepto de Pacheco sobre la conveniencia de pintar del natural; por último, el sevillano critica sus dotes de retratista y las de Giulio Romano, Perino del Vaga, Parmigianino, Andrea del Sarto, Frans Floris, Heemskerck y «otros muchos». Una sola obra de Caravaggio se cita expresamente, y esta es la *Crucifixión de san Pedro,* que Pacheco conoció por copias, más la copia de la *Virgen de Loreto* propiedad del duque, a la que presumiblemente hubo de tener acceso. Si cuanto acabo de relatar es todo lo que Pacheco conocía de Caravaggio, poco era. No hay que descartar que futuras investigaciones revelen la existencia de otras obras caravaggiescas en Sevilla aparte de aquellas a las que se refiere Pacheco, pero hasta que eso ocurra, su volumen es reducido, así como el peso del argumento que defiende su influencia en la pintura sevillana.

Analizándolo con detenimiento, no debería sorprendernos que el credo de los Ribera, Reni, Gentileschi y Caravaggio no se difundiera entre los pintores sevillanos de un modo más que esporádico y superficial. Aceptamos casi como un axioma que la presencia de un puñado de obras es suficiente para transmitir o alterar una cultura artística al completo. Las relaciones profesionales entre pintores, entre estos y sus clientes y entre aquellos y las tradiciones artísticas de su contexto habitan estratos muy profundos de la creación artística. En el mejor de los casos, una simple pintura podía empujar a un artista a visitar su lugar de creación, siguiendo el ejemplo de todos aquellos que en el siglo XVII se desplazaron a Italia desde sus respectivos orígenes.

Otra oportunidad de cambio se da cuando un artista importante viaja al extranjero y entra en contacto de manera continuada con los pintores de su nuevo ámbito. Esto ocurrió en Sevilla en 1654, con el regreso del joven Francisco de Herrera el Joven tras una estancia de seis años en Madrid. La dinamicidad del estilo con que volvió a Sevilla condujo a Murillo y Valdés Leal a emprender la renovación de su pintura, y a Zurbarán, a asumir que hacerlo estaba por encima de sus posibilidades[93]. Por aquel entonces, el preciado universo del arte y del saber que el duque de Alcalá reunió en la Casa de Pilatos era ya tan solo un recuerdo. Con la venta de la colección que dictaminaba su testamento se inició su dispersión, que los litigios que por la sucesión a su título y por sus posesiones se produjeron terminaron de agravar. Encontramos aún restos de aquella colección entre los bienes del IX duque de Medinaceli, que a su muerte en 1711 poseía doce de aquellas pinturas. En el inventario que de la casa, ya abandonada, se recopila en 1751 apenas quedan ecos de aquel ilustrado aristócrata al que, con cierta efusión pero sin mucha exageración, se le recordaba como *verus alter Maecenas*, «un verdadero y nuevo Mecenas»[94].

Apéndice:

El inventario de la colección artística del duque de Alcalá

En el siguiente inventario se enumeran las pinturas y otros objetos artísticos que se encontraban en la Casa de Pilatos poco después de la muerte del duque en 1637. El original puede consultarse en el Archivo Zabálburu Basabe (Madrid), legajo 215, n. 1 (sin paginar). Se reproduce aquí íntegramente, exceptuando los contenidos de la armería, que se han suprimido por razones de espacio. Distinguiremos con un número romano cada una de las habitaciones que se registran en el inventario, y con el arábigo asignado en manuscrito original, cada una de las obras de arte. La ortografía es también la original actualizando la acentuación:

Mem[ori]a y entrego general que se hiço a don Joan de Arroyo de todas las pinturas en lienço tablas láminas yluminaciones y de las estatuas de bronce grandes y pequeñas y demás cossas curriosas que el Exmo Señor Duque de Alcalá mi señor dejó en sus cassas y palacio quando salió de esta ciudad para exerçer el cargo de Virrey de Nápoles y en esta memoria van inclussas todas las pinturas y demás cossas que en la villa de Madrid entregó su Exª. al dho don Joan de Arroio en veinte y quatro caxas.

I. *En el oratorio alto pieça prim*ª

1. Un altar y en él un rretablo dorado todo con quattro ymágines de Dios Padre San Joseph San Andrés y san Francⁿ de mano de el clérigo[95].

2. Un lienco flamenco de la huyda al egypto de nuestra señora con g[uarnici]ón dorada

3. Una Mag[dale]na sentada en una silla durmiendo sobre el braço de mano de artemissa Gentileça pintora romana[96]

4. Una tabla del prendimiento de xpo de mano de Joseph de Arpino con gⁿ dorada[97]

5. un lienco grande de nra. Sª. con su hijo en los braços y unos peregrinos que es copia de Michael Ángel Carabacho q está en San Agustín de Roma sin guarnición[98]

6. Ottro lienço grande desnudando a xpo nuestro Señor y disponiéndole la cruz. sin guarnición. es de mano de Joseph de R[iber]ª Valenc[ian]º que vive en nápoles y le dio al Duque mi Sºr. el Señor Duque de Alva en Nápoles el ano de 1626[99].

7. un lienco de un Salvador con la mano derecha sobre unos muchachos que es copia del original de artemissa que está entre los que su Exª. trujo de Ytalia para la cartuxa[100].

8. Una Ymagen de nuestra Señora con el niño embraços sentado sobre una almohada de lienço blanco en tabla con guarnⁿ dorada.

9. Una Ymagen de Nra Señora sentada sobre unas nuves y la luna con su hijo embraços con guarnⁿ dorada.

10. Ottro lienco de San Joan evangelista sin guarnⁿ copia de ottro q dio su Exª. a la cartuxa[101].

11. un lienco donde está s Pedro y la esclava y unos soldados jugando a los dados de mano de [en

blanco] sin guarn^{ón} que dio a su Exª el cardenal escalla (Scaglia)[102].

12. Un lienço de la Asump ^{done} nra S^a. de mano de Rubenes con g^{ón} dorada

13. Una Ymagen de nra. S^a. su hijo y san joseph con g^{ón} dorada y leonada que copió [Diego de] Rómulo en m[adri]^d de otra que tenía mi s^{ra}. la Duquesa del Ynfantado[103].

14. Un lienço sin guarn^{ón} redondo por arriva de un despossorio de nra S^a.

15. Un lienço de xpo con lacaña en la mano de Baçán g^{ón} dorada y negra

16. Un lienco de nra señora su hijo san Joseph y unos niños ynocentes con g^{ón} dorada

17. Un medio cuerpo del S^{tp}. Patriarcha David con una harpa en la mano de mano de Artemissa Gentilesca sin g^{ón} [104].

18. Una Ymagen de nra S^a. puestas las manos adorando a su hijo con guarn^{ón} obada dorada de mano de guido bolonés diolo a su Exª. el cardenal Ludovico el año de 1625[105].

19. Unas tablas de unas figuras de cíngaro de un milagro de Sanct Bernardo curanda una maga que se compró de un Labrador vino en el caxón n.º 4.

20. Una Ymagen de nra S^a. Antigua de Luca de olanda con muchas figuras en tabla cassi borrada que se compró de un labrador en el caxón no. 5.

21. Un S. Fran^{co}. de brija [sic: por Borja] que es de los del enrrollado segundo q vino en el caxón no. 7[106].

22. Un xpo arrodillado con la cruz acuestas del Parma con g^{ón} dorada y leonada gravada vino en el cax^{ón} n.º 5[107].

23. Una Ymagen de nra S^a. con su hijo y la ymagen tiene un conejo blanco en la mano con g^{ón} dorada.

24. un xpo que viene de Michael Ángel bonarrotto que está en tabla y en cortina verde. vino en el caxón n.º 6.

II. *Quadra Segunda donde dormía su Exª.*

1. Un retrato de el Marq^s de Tarifa mi s^{or}. Padre de el Duque mi señor de me[di]^o cuerpo sin g^{ón}

2. Un rretrato entero de su Exa del año de 1608 de mano de Juan Pantoxa de la cruz sin g^{ón}

3. otro rretrato de su Exa de la mesma mano y suerte del año de 1599

4. Un rretrato entero sin g^{ón} de mi s^a la marq[uel]^{sa} de Priego hermana de su ex^a. de mano de Di[eg]^o de rroómulo sin g^{ón}.

5. Un rretrato del s^{or}. Marq^s de Castil R[odrig]^o copiado de Rómulo sin g^{ón}

6. Un lienco grande sin g^{ón} con dos rretratos de los señores marqueses de Santillana

7. Un rretrato del s^{or}. don fernando de Rivera de mano de Di^o de rrómulo sin g^{ón}

8. Otro Retrato de mi s^a Dª Antt^a Hirón hermana del s^{or} Duque de Osuna que vive oy entero copiado de Di^o de rrómulo sin ornato sin guarn^{ón}.

9. Un rretrato de mi s^a. D^a. María quando era niña entero de mano de Rómulo sin g^{ón}.

10. Ottro Retrato del Marq^s de tarifa mi s^{or}. siendo de dos años con el enano portalatina de mano de Rómulo sin guarn^{ón}.

11. Ottro rretrato entero de mi s^{ra}. la Duq^{sa}. de Frías tía del Duque mi S^{or}. hermana de mi S^{ra}. la Marq^{sa}. de mano de Al^o Sánchez sin g^{ón}.

12. Ottro Retrato de la mesma manera y mano de mi s^{ra}. la Marq^{sa}. de peñafiel hija del Condestable de Castilla y abuela del Duque de Osuna Don Joan que oy vive sin g^{ón}

13. Ottros como los dhos de mi s^{ra} la Marq^{sa} de Tarifa Madre del Duq^e mi señor.

14. Un rretrato senttado el señor Duq^e de Alcalá don Pedro Virrey de Nápoles sin g^{ón} es copia de uno que tiene en gran[ad]^a su hijo de Baltassar de Torrez Cámaras q fue de su ex^a.

15. Un rretrato de m[edi]^o cuerpo del s^{or}. marq^e. de el valle fernán cortés visabuelo de su ex^a.

16. Un rretrato de Torcata el tasso q vino en el enrrollado segundo de los 16 liencos caxón n.º 7.

17. Retratto de Artemissa gentilesca pintora Romana vino en el enrrollado dho[108].

18. Retrato de Céssar Caporali p^{ta}. Perugino

19. Retrato de fer^{do} Rey de nápoles

20. Retratto de fernd^{do} seg^{do} Rei de nápoles

21. Retrato de Alfonso seg^{do} Rei de Nápoles

22. Retratto de Ph[elip]ᵉ Primero Rey de españa
23. Retrato de Juº bapᵗᵃ marino poeta napolitano
24. Retratto del Dantte Poeta
25. Un rretrato con cuello pequeño y unas martas de quattro palmos vino en el enrollado 3⁰ caxón n.º 7.
26. Un Retratto de muger que dice insigni sum Gerónimi Cassii.
27. Otro rretrato de una Gorra millanesa con Ropa negra
28. Ottro rretrato de Petrus navarro.
29. Ottro rretrato de Gabriel el enano que embió Rodrigo Saravia de M[adri]ᵈ quando se partió el Duque mi sᵒʳ¹⁰⁹.
30. Ottro rretrato de Don Luis de góngora con su bastidor que embió Sarabia.

III. *Tercera quadra que sale la puerta al corredor del Jardín*

1. El sancto Rey fernando enttero con gᵒⁿ dorada y canttoneras Realçadas q vino en el caxón nº. 8.
2. Una Transfiguración en lámina q viene de Raphael es copia la que está en Sant Pedro monttorio en Roma y vino en el caxón nº. 5 con guarᵒⁿ de évano corttina verde.
3. Dos rramilleteros de miniattura con gᵒⁿ de évano y vidrios que son las del Señor Duque de montalto y vieneron en el caxón nº. 6.
4. Un espejo de tres quartas la lumbre con gᵒⁿ de évano y tapa de lo mesmo vino en caxón nº. 11. [nota al margen: hallose quebrado]
5. Dos Philósofos con un compás y esphera en un lienzo sin gᵒⁿ son de mano de Don Blas¹¹⁰.
6. Un lienco de Jacob con unas obejas de don Blas ambos vinieron en el enrollado primº del caxón nº. 9.
7. Un lienco grande de nápoles mirada de Piçifalcón [Pizzofalcone] de Jacome sin gᵒⁿ vino en el caxón nº. 9.
8. Un lienço grande del arca de noé con guarniciones doradas.
9. Un lienco grande de una pescadería con gᵒⁿ dorada donde está un niño llorando q le a mordido un cangrexo.

10. Un rretrato de Artemissa gentilesca q vino en el enrollado segundo de el caxón no. 7¹¹¹.
11. Un lienco de medio cuerpo que tiene sacada la lengua y está vailando (7)
12. Un lienco Pequeño de un coçina donde está majando unos ajos una muger es de Dieº Velasqˢ sin gᵒⁿ.
13. Una Sancta Cathalina haziendo oración delante de una ymagen de nuestra sª de rrodillas sobre un almohada de terciopelo sin gᵒⁿ.
14. Un rretrato de una beata con un rrossario en la mano en tabla es la muger de Alberto durera es de su m[an]º. vino en el caxón nº. 6.
15. Un rretrato de Carlos quinto Pequeño en ttabla de mano de el Tiçiano con cortina verde vino en el caxón nº. 6.
16. El rretratto de Michael Ángel bonarrotta de mano de un sudiscípulo en tabla con gᵒⁿ de évano vino en el caxón nº. 3.
17. Un Xpto crucificado de mano flamenca con gᵒⁿ negra vino en el caxón nº. 5 y es en ttabla.
18. Un rretrato de Luca de olanda de su mano en tabla con cortina verde vino en el caxón nº. 6.
19. La dama de Alverto durero en papel es la que está en el rre- tablo de s. Pedro monttorio y vino en el caxón nº. 6.
20. La madre luissa de la Asunçión monja en Carrión vino en el caxón nº. 8. [nota al margen: dize se llevó a la ynquisizión]
21. Un rretrato de un tuerto en tabla de mano del Ticiano de mº cuerpo. con gᵒⁿ dorada vino en el caxón nº. 4.
22. Una nuestra srª. de Raphael de la manera de la de Pedro perugino su maestro comprose de Josephe miller y vino en el caxón nº. 4 con gᵒⁿ dorada.
23. San Jenaro con gᵒⁿ dorada y cortina de ormessí es el que se dio a su exª en la primera fiesta en Nápoles es de mano de Bernardino y vino en el caxón nº. 9 y la gᵒⁿ en el caxón nº. 13¹¹².
24. Dos Philósofos de mano de Josephe de Rivera que el uno tiene avierto un libro y el ottro tiene dos libros cerrados torcidos los ojos del uno ambos sin gᵒⁿ y vinieron en el caxón nº. 1¹¹³.
25. San Benito de mano de un fraile de su horden y vino en el enrollado tercero del caxón nº. 7.

26. San Franco de borja vino enrollado tercero del caxón n.º 7[114].

27. Una cleopatra de guido Bolonés en lienCo con guarn[ón] dorado y negra y corttina de tafetán vino en el caxón n.º 1[115].

28. Una Benus del natural con el cupido del mecarino de siena en tabla con g[ón] dorada vino en el caxón n.º 1[116].

29. Un país quadrado con g[ón] dorada y negra.

30. Ottro un poco menos con la mesma g[ón].

31. Un lienço donde está una dama tañendo con un clavicordio y unos dançando con g[ón] dorada y leonada

32. Otro del rico avariento de el mesmo tamaño[117].

33. Un lienco grande de diversos pescados de mano de Pedro Longo sin g[ón].

34. Un lienço del arca de noé del Baçán con g[ón] dorada

35. Un lienço grande de S. Sevastián de Guarchin [Guercino] de Archento de quando le curava al sancto vino en el caxón n.º 9[118].

36. Una Ymagen de nra. S[a] con unos niños y otras figuras en tabla de mano de Pedro Perugino maestro de Raphael vino en el caxón n.º 2.

37. Un rrettrato antiguo en tabla con unos guantes en la mano que dio el fiscal mastuto es de m[o] cuerpo y vino en el caxón n.º 4.

38. La lámpara de Sant Antt[o]. que dio el Duque mi s[or]. dejaime (?) vino en el enrollado prim[o] del caxón n.º 3[119].

39. La huyda a egipto de nuestra sefiora en tabla de mano de luca de olanda famosso. Este se mal trato la pintura no en los rrostros. bino en el caxón n.º 6.

40. Un nacimiento de Alverto durero en ttabla con g[ón] de évano y cortina carmessí es el que fue de filiverto hijo del Duque de Saboia vino en el caxón n.º 6 - digo n.º 2[120].

41. Una imagen de la soledad de mano del tiçiano en ttabla con cortina morada. vino en el caxón n.º 6.

42. Un xpo con la cruz acuestas del mesmo con corttina morada vino en el caxón n.º 6.

43. Un christo crucificado en tabla con g[ón] de évano de michael Ángel vino en el caxón n.º 6.

44. Un ecce homo de Cipión gaietano en ttabla con g[ón] de évano. era de la Princessa desquilache vino en el caxón n.º 6[121].

45. Un S. Juan Bap[ta]. de Artemissa Gentilesca vino en el caxón n.º 9.

46. Un lienço en que está pintado la sala del senado de Venecia con el dux y los senadores comprolo su ex[a]. en Venecia el año del 1626.

47. Un lienco de medio cuerpo de un moço tanendo una flautta.

48. Ottro del mesmo tamaño que le pica un cangrejo en la mano.

49. Un bufete de évano y marfil.

50. Un escritorio grande contra hecho de évano y marfil que dio el Padre melgar p[a] monedas vino en el caxón n.º 31.

51. La havada en su caxa quedó por imbenttariar.

52. Un escritorio de ébano y coaba en q el papa dio a su ex[a]. las reliquias está en su caxa de baqueta argenttada.

53. Seis papeles de pinturas del Baçán.

54. Tres muchachos de bronze dancando sobre una paena del évano.

IV. *quadra quarta donde estava el cancel con la chimenea negra de piedra*

1. La quadra del lienço de la adoración de los Reyes que está en castilnobo de mano de Jacome vino en el caxón n.º 8.

2. Un rrettratto de medio cuerpo del ariosto que tiene un rrelox de arena en la mano es copia de uno de Raphael que está en Génoba[122].

3. Dos liencos de abara de unas rruinas antiguas.

4. Dos países en ttabla sin g[ón].

5. Un lienço del campodelio de Roma.

6. quattro Retratos de Venecianos.

7. Un país con g[ón] leonada y dorada.

8. el toro de tres quernos de Jacome vino en el caxón n.º 9.

9. Un lienço en que está pinttada la fortuna de Tréveris de Roma.

10. quattro Retratos de veneçianos.

11. Un país con g^{ón} dorada.

12. Dos Philósofos el uno con esphera compás libro y anttojos y el ottro con Ropa amarilla i gorrachata guantes en las manos y ambas puestas ençima de un libro binieron en el enrrollado seg^{do}. del caxón n.º 7.

13. Dos Liencos de unos rríos [h]elados corriendo por ellos.

14. Un Sanct Gerónimo del carducho con g^{ón} dorada dándosse con una piedra en los pechos mirando un xpo.

15. Un rretrato deel P[adr]^e Polanco muerto q residía en la capilla del antigua.

16. Un lienço en que están jugando dos moços y un fullero mirándolo sin g^{ón}.

17. Un lienço de frutas de los que vinieron en el caxón n.º 9.

18. quatro Retratos de Benecianos.

19. Un país con g^{ón} dorada.

20. Un lienco grande de S. Miguel [nota marginal: no se alla ni ay quien le aya vista en casa].

21. Un lienço de frutas de los tres q vinieron en el caxón n.º 9.

22. Dos rretratos de Veneçianos.

23. Un rretrato del bufón que se come todo lo que tiene pintado en el plato hiço le rretratar su Exª. el año de 1625. es de Diego de Rómulo.

24. Un lienço pequeño de una muchacha con un sayuelo colorado. no quedó inventariado.

25. Un bufete de caoba y encima un xpo de bronze de mano de Joan de Bolonia que él embió a Génoba a un pintor famosso llamado el pagii [Paggi] y por su muerte la ubo agora el Duque mi s^{or} quando passó por Génoba. vino en caxa en forma de cruz[123].

26. Dos muchachos de madera con unos candelarios de madera en la caveças. están encima dela cornisa dela chimenea de piedra negra.

27. Un bufete de rrais de ençina y évano

28. Encima un relox de pirámide que hixo Juanelo. quedó por ynventariar[124].

29. Dos muchachos de madera sobre unos delfines.

30. Una Imagen de medio relieve de mármol con moldura negra.

31. Un Retratto de piedra del arietino [Aretino] con moldura negra vino en el caxón n.º 12.

V. *Quadra quinta donde comía el Duq^e mi s^{or}.*

1. Un Rettratto de el señor Duque don Pedro Virrey de Nápoles de m[edi]^o cuerpo que se pintó en Nápoles y fue del señor Patriarcha de Valencia su hijo.

2. Un lienço Grande sin guarnición de una Carniçera.

3. Nuestra S^{ra}. San Joseph y un niño de Parma moço que hera dela marq^{sa} de charela vino en el caxón n.º 8[125].

4. Un país de un bosque y unos caçadores con g^{ón} dorada.

5. Una Ymagen de nuestra Señora antigua y quatro figuras. no es cossa de estima. vino en el caxón n.º 3.

6. Sancto Domingo Soriana de la horden Dominica vino en el caxón n.º 8.

7. Un lienço que quedó arrollado y agora está en bastidor de unas obejas copia de Oreme[126].

8. Un país con g^{ón} leonada y dorada en tabla.

9. Un lienço del colisseo de Roma.

10. Un país Grande en tabla sin g^{ón}.

11. Un lienço con unas obejas y Jacob copia de Oreme.

12. Una Veneçiana desnudos los pechos los bracos y en la mano derecha unas yerbas sin g^{ón}.

13. Un país pequeño con g^{ón} dorada leonada.

14. Un lienço de herodias conla caveça de San Joan sin g^{ón}.

15. Un lienço anttiguo de una rruina. con g^{ón} dorada.

16. Un lienco de S. Ger^{mo}. cassi saltado todo.

17. Un lienço de fruttas compañero de los ottros que están en la sala antes de esta. vino en caxón n.º 9.

18. Dos Retratos de Alverto durero de su hija y su ierno en tabla de medios cuerpos vinieron en caxón n.º 6.

19. Un lienço grande de una muger Barbuda con su marido de mano de Joseph de rrivera vino en el enrrollado primo del caxón n.º 9[127].

VI. *Quadra sexta donde está el candil de la bola y asistía el Bordador.*

1. Un Retratto del Rey Philipe 2º. de mano de Anttº. Moro con gón forada y leonada[128].
2. Un rrettrato de un Philósopho en pie con un libro abierto con gón dorada.
3. Once Emperadores a cavallo con unos palos por Guarniciones.
4. Un lienço sin gón de dos hombres de medio cuerpo con un Jarrito vidriado es de Dieº Velázquez.
5. Un lienço de nuestra señora Pequeño del Tiçiano que vino en el arrollado del caxón 3º nº. 7.
6. Un lienço de los tres perros de mano de Jacome vino en el caxón nº. 9.
7. Un Mapa del Reyno de nápoles vino en el caxón nº. 8 y la cornisa.
8. Un mapa General.
9. Un mapa de españa.
10. Ottro que dice (Regni. Lagni) q vino en el arrollado 3º del caxón nº. 7.
11. Un rrettrato del francia con paissicos con gón dorada vino en el caxón nº. 5.
12. Un lienço de el Baçán que parece un cortijo donde ay diversas figuras con gón dorada.
13. Una estampa de Sevilla en papel.
14. Un paissico hordinº en lienco q vino en el caxón nº. 6.

VII. *Camarín pequeño donde el Duque mi señor Recevía vissitas*

1. Cattorce lienços de Pintturas con unos cestos de frutas del moedano [Mohedano] con guarniciones doradas[129].
2. Un lienço de Andrómeda desnuda con moldura leonada y dorada.
3. Ottro lienço de una Venus con Cupido y un marte tañendo un clavicordio con moldura dorada.
4. Ottro quadro de Adán y Eva caín y avel en tabla de mano de Francº Flores [Floris] con moldura como la de Venus1[130].
5. Una lámina de bara en quadro de la historia de Oresso [sic por Orosio] con su moldura dorada[131].

6. Un rrettrato de medio cuerpo de mi sra. Da. Joana Corttés Duquessa de Alcalá abuela de su exa.
7. Un sacrificio de Abraham en tabla de Andrea del salto [Sarto]. diole el Prine. de cole de Anquiso vino en el caxón nº. 3[132].
8. Una Imagen de nra Sra. con un niño San Joseph San Juan y ottras figuras con un canastillo una en la mano y unas Palomas en ttabla de Raphael urbino vino en el caxón nº. 2.
9. Dos Philóssophos el uno escriviendo y el ottro con un compaz de joseph de Rivera vinieron en el arrollado primº del caxón nº. 7[133].
10. Un lienzo de la batalla de loberto con guarón negra quedó por inventariar.
11. Ottro lienço con gón dorada de una Dança de muchachos quedó por inventariar.
12. Una ttabla de una pespectiva de un templo grande con gón dorada y leonada quedó por inventariar.
13. Un rrettrato del señor Patriarcha Don Joan de Rivera vino en el caxón nº. 8.
14. Un prendimto de xpo en piedra negra q vino en el caxón nº. 6.
15. Una caveça de un muchacho en tabla del franchael de bonetillo colorado y con cortina, vino en el caxón nº. 6.
16. Un país empiedra de S. Franco con gón y tapadora de évano diole el Conde de lachiera vino en el caxón nº. 6[134].
17. un rretrato de un frayle del carmen Pequeñito. diole Barme Imperiale en tabla. vino en el caxón nº. 6[135].
18. Una perdis en miniatura que dio el dho y vino en el caxón nº. 6.
19. un conejo en tabla con gón dorada diole él mesmo y vino en el caxón nº. 6.
20. Una Ymagen de la concepón en piedra con gón negra vino en el caxón nº. 6.
21. Una adorazión de Reyes de bronze de mº relieve en su caxa de évano con ttapadera vino en el caxón nº. 5.
22. Un xpo con la cruz acuestas de bronze de el mesmo tamaño. son ambos de un escultor de Génoba y viene en la mesma caxa en el caxón nº. 5.

23. Un rretrato de un clérigo de leonardo de Vince en ttabla es pequeño menor que un palmo y vino en el caxón n.º 5.

24. Una estampa en papel con g^{ón} negra vino en el caxón n.º 5.

25. Un rrettrato del Papa Urbino de ma[n]º de Diº de Rómulo[136].

26. Sancta Ynés pequeño de mano de un Pintor de Barcelona vino en el enrrollado tercero del caxón n.º 7.

27. quattro Países pequeñas con las minas [láminas] y guarniciones doradas y leonadas.

28. Seis países Pequeños con guarniciones de évano.

29. Una lámina de yluminación de S. Benito de un fraile de su horden vino en el caxón n.º 5.

30. Dos países de miniatura con sus figuras de un alemán que dio el flamenco vinieron en el caxón n.º 5.

31. Un paisico quadrito con muchas figuritas que dio el mesmo flamenco vino en el caxón n.º 5.

32. Un s. Ger^{mo}. flamenco que era del Príncipe de Carpinano vino en el caxón n.º 6[137].

33. Ottro que dio del mesmo tamaño y mano de S. P^o. y en la mem^a. viene por S. Ger^{mo} en el caxón n.º 6.

34. Una Imagen de nra. S^a con un niño S. Joseph y otros dos figuras del tamaño de mº [illegible] buelto con g^{ón} de ébano cortina verde. no viene en la mem^a dijo pacheco era del tintoreto y muy famosa vino en el caxón n.º 5[138].

35. Dos tablas con unos naves una con borrasca y otra em bonança con g^{res} de nogal de mano de Burque.

36. Dos quadros el uno un paisico de piedra sobre un papagaio y el otro nra Señora del carmen bordada.

37. Dos caveças de nra. S^a. y San Joseph en tabla con g^{ón} negra vinieron en el caxón n.º 6.

38. Una torre de Babilonia de miniatura. con g^{ón} de ébano era del Alemán vino en el caxón n.º 6.

39. Dos figuras de Ju^o Bernardino de greda cocida con sus cornijas y vedrieras la una es S. Sebastián y la otra una Sancta. vino en el caxón n.º 6.

40. Una conversión de la Mag^{na}. de cera en su caxa del évano de Tillio de gra^a en caxón n.º 6.

41. Un San Eustachio en piedra vino en el caxón n.º 6.

42. Dos piedras negras pintadas en la una una battalla y en la otra un rrobo de proserpina ambas del Tempa con g^{nes} doradas y negras[139].

43. quattro países Pequeños con g^{nes} doradas ttodos.

44. Una lámina de un hechicera con g^{ón} de évano.

45. Una lámina pequeña del Juicio de paris con g^{ón} de ébano.

46. Dos tafettanes de conclusiones q vinieron en el enrrollado tercero caxón n.º 7.

47. Un Relox de bolillas con su pie de nogal.

48. Dos piedras quadradas p^a lácrimas sobre los sepulcros con unos agujeros en medio.

49. Un espejo rredondo de acero con g^{ón} y pie de nogal

50. Un cupidillo de piedra con sus armas durmiendo.

51. Una piedra rredonda de mármol blanco con unos muchachos que juegan con una tigre con su çerco de piedra negra y pedestal de los mesmo.

52. Un bufete de évano y marfil que tienen un juego devaxo.

53. Un bufete de ébano y Raíz.

54. Un escritorio blanco como arquillas de monedas que se com- pró de un fraile carmelita descalco vino en el caxón n.º 51.

55. Un escriptorio de terciopelo verde con galones de oro que dio el S^{or}. Duque de Montalto vino en el caxón n.º 52[140].

56. Un bufete de baqueta con pies de caoba (nota marginal: dize (está en las [monj]as descalzas)

57. Un xpo de marfil grande sobre un colchón derrazo carmessí hera del Cardenal Ursino hermano del Duq^e de Brachano está sobre un bufete. con su cortina encima que vino en caxón n.º 46[141].

58. un lienco de un salvador g^{do} dévano de mano de [en blanco]

59. En esta camarín está el caxón n.º 54 con un escritorio de ébano con medallas el que era de don Joan devora. ottro pequeño como escrivanía con medallas. ottro escriptorio de Évano compañero de ottro m^{or} que era de mi s^{ra}.. Uno de nogal pequeño que se hizo en Génoba. una caxa de unas piegas deaxedre labradas (nota: estas faltan.) otro caxuela pequena de [en blanco] con medallas. un espejo para ver a lo largo de nápoles. un espejo

que el marq[s] de montoro dio y díçesse que era maxico dos cajuelas. Dos caxuelas de aquellos páxaros de francia.

60. Tres sillas de baquetta de moscobia traydas.

61. Un escriptorio negro que era del Rey Phelipe 2º. De monedas. vino en el caxón n.º 53.

62. Un espexo de acero Redondo g[do] de nogal con su tapadera que embió Saravia de M[adri]d quando el Duq[e] mi s[or]. se partió.

VIII. *quadra Grande donde está el candil de bola y es rrezevim[to]*

1. Un quadro de las nueve musas grande de mano de Ju[o] Baptista.

2. ottro grande de Europa quando la goçó el toro.

3. Ottro de la mesma historia.

4. Ottro de Venus y cupido en tabla todos con g[es] negras no quedaron inventtariados ningunos destos.

5. Dos morillos de bronze labrados de figuras con ttodo el rrecaudo de aticar la chiminea

6. Un calenttador de comida con su braçero y campana de cobre.

7. Una bava grande de cobre con perrillas a la rredonda.

8. Un caxón de hueso de Gigante

IX. *Camarín Grande y corredor y dos rretrettes*[142]

1. Un estante dorado y negro.

2. Un jabalí de bronze de Ju[o] de Bolonia con su pedestal[143].

3. Un Hércules de bronze con las tres mançanas hespereas doradas en lamano derecha y cargado sobre la maça.

4. Un león de lo mesmo de Ju[o]. de Bolonia con su pedestal.

5. Una Palas de bronze.

6. Una figura de bronze desnuda con un marrión y un braço alçado. parece Venus.

7. ottra figura de bronze de muger sin manos estoliada.

8. Un pichel antiguo de bronze.

9. una figura de bronze con un tocado a lo Romano.

10. un hércules de bronze como el dho.

11. Una muca de bronce con un instrumen[to] músico.

12. otra figura sin un braço de bronce dada de verde la parece de Pallas.

13. Un rromano en cueros de bronçe con la rropa al ombro el antino.

14. Un mercurio de bronze.

15. una mug[e]r de bronçe con dos rretalos en las manos.

16. una Venus en cueros pequeña de bronze.

17. una figura de bronçe con umbaco en la mano buelto avajo.

18. una fama de bronze.

19. otra fama de antigua de bronçe con una guir[nal] d[a] en una mano.

20. un león hueco de bronçe de un dios.

21. un Hércules de bronze.

22. un mercurio de bronze con alas en los pies y en la caveza.

23. una estatua de una ninfa senttada em bronze con vestidura dorada.

24. un muchacho sátiro de bronçe con un jarrillo al ombro.

25. una sátira de bronze con un muchacho en los braços.

26. un muchacho de bronze con me[di]os braços.

27. otro muchacho de bronçe sacándose una espina.

28. una venus de bronçe con un pafio en los pechos de Ju[o] de bolonia.

29. un aguamanil de bronçe con un tigre por asa.

30. otra venus con un paño en los pechos de bronze.

31. un toro de bronçe con su peana antiguo.

32. ottro toro antiguo de bronze en coxido un braço.

33. un Apolo de bronze con una alhaba al hombro antiguo.

34. una figura con m[edi]os braços de bronce antigua.

35. dos caveças de bronze una con morrión.

36. un muchacho de bronze con el dedo en la boca.

37. un hércules de bronze con la quixaba en la m[an]º y un hom[br]e a los pies de Ju[o] de bolonia.

38. un candil de bronze antiguo.

39. ottro cantil de bronze antiguo diferente.

40. una ninfa sentada con un libro a los pies de bronze.

41. un centauro de bronçe con una mug[e]ᵣ en los braços antiguo.

42. la fortuna con um mundo a los pies y una bela de plata.

43. un hombre de bronze amarrado a un árbol antiguo.

44. una coluna dorada y negra con una coluna de bronze encima antigua.

45. un ydolo de plata con un pescado al hom[br]° y su pedestal de las Yndias.

46. un pedestal de bronze suelto.

47. veinte medallas grandes dorradas aobradas y rredondas con historias de m[edi]° relieve.

48. dos ochavados de piedras de colones.

49. dos pies de candiles anttiguos.

50. una bola sobre me[di]ᵃ campana.

51. una bola de yerro hueca.

52. un niño jesús de bronze.

53. una figura de marfil quebrada.

54. quarenta y nueve figuras antiguas echadas en la messa y tablas deste estanttes.

55. una messa de jaspe diferentes colores.

56. veinte y nueve bolas de jaspe grandes y pequeñas.

57. tres piedras para papeles.

58. dos peanas pequeñas de jaspe.

59. una culebra de piedra.

60. un baso grande antiguo de barro colorado rredondo con esta inscripción alrrededor: *Colonia eaugustae feliciter ordini caessa Robrigens Lunfei.* En otro çírculo menor en el mesmo basso: *Exsofeicina Valericapitonis Tritensis.*

61. una figura quebrada y una caveça de piedra.

62. un espejo de christal con g°ⁿ de évano de tres quartas en quadro.

63. Dies y ocho papeles de pinturas de animales de el Baçán que lo trujo su Exᵃ. de Venecia.

64. una caxa con una mandrágula.

65. un barretón de plomo con una canal en medio honda y una inscripçión en ella que dize assí: *en numissi en Viriato.* todo antiguo que trajo su exᵃ. de cartaxena de lebante.

66. nueve pinturas de las musas con molduras doradas de Al° Vásquez[144].

67. una dánae grande con moldura dorada copia de Ticiano[145].

68. una herodias con la caveça de S. Ju°. con moldura diçen que es de céspedes Racion[er]° de Córdova[146].

69. ottra muger con una caveza en la mano.

70. un rretrato de mi sᵃ. Doña Margarita embastidor.

71. quattro rretratos pequeños embastidor una del Duque de osuna mi s°ᵣ abuelo de su exᵃ. de mano de [en blanco] y otra copia dél y los ottros dos copia de eráclito y demócrito de allá adentro.

72. dos berónicas pequeñas embastidor.

73. una batalla en lámina.

74. un país grande.

75. una lámina con g°ⁿ de ébano azotando una vieja a la peresa.

76. un lienço de s°to thomás de V[ill]ᵃnueva sin bastidor apolivado.

77. una mapa.

78. un rretrato del s°to Fr. P°. de Alcántara.

79. ottro rretrato de una baca.

80. ottro retratto del Duqᵉ mi s°ᵣ siendo de un año.

81. Ottro rretrato de dos hombres con una olla.

82. Ottro retrato del Marqˢ de Tarifa mi s°ᵣ.

83. un lienço aparejado.

84. Una caxa con un s. Juan Evangelista de çera detrás de una vidriera.

85. Un cuerno grande pᵃ pólvora.

86. Un atado de papeles de estampa y dibujo.

87. Cinco sillas de tela vieja.

88. Dos sillas de terciopelo carmessí.

89. Una berde bordada con las armas de R[iber]a.

90. ottra silla de baqueta negra.

91. un lienço grande q vino de rroma con g°ⁿ grande dorada de un esponsaliçio y una tabla devajo con una iscripción de lienzo[147].

92. quatrro países y figuras con molduras doradas.

93. una pintura grande antigua de la paciencia con moldura dorada y negra.

94. una pintura de el rrico avariento y moldura dorada[148].

95. dos quadros de fábulas una de las ledas que es copia del conbcio (?) y la otra de Anteón con moldura doradas.

96. un quadro de pespectiva en tabla pequeño con moldura dorada.
97. una batalla en lámina con g°ⁿ dorada estofada.
98. una lámina pequeña de una fábula de Anttéon.
99. un rretrato del p°. fr. P°. de cárdenas¹⁴⁹.
100. ottro de hetias el enano.
101. un rretrato del Ticano hecho por él.
102. ottros dos de Antº el de portugal copia uno de otro y el orig[ina]ˡ es de [en blanco].
103. un ece homo con g°ⁿ negra.
104. un rretrato del gran capitán¹⁵⁰.
105. ottro del mesmo tamafio de un estranjero.
106. ottro de un niño embastidor del Rey Phelipe 3º.
107. Dos rretratos grandes una de mi sª y otro del sºʳ marqˢ de Tarifa P[adr]ᵉ del duqᵉ mi sºʳ.
108. un rretrato de un Apóstol con una cruz en la mano.
109. un mapa de Cataluña con g°ⁿ negra.
110. un lienço sin pintura.
111. una tablilla pequeña de pespectiva con g°ⁿ negra.
112. tres lienços embastidor sin pintura.
113. Dos cavecas de nra. Sʳᵃ. y una antigua de un viejo.
114. siete guarniciones redondos y una quadrada.
115. un rretrato del Duqᵉ mi sºʳ. a cavallo de bronze.
116. Dos figuras de bronçe de hércules y Anteón ambas de Juº de Bolonia sobre una Peana de ébano y marfil.
117. un rretrato de el tasso caveca solas.
118. un rretrato de Doña Aquella dama de palacio de las historias de D. Gonº chacón.
119. Dos figuras de bronze abrassadas con su peana que es una rretrato de las sabinas también de Juº de Bolonia.
120. otras dos figuras de bronçe abraçadas una de otra también de Hércules y Anteo.
121. dos Taburetes franceses de madera.
122. un manaquí de madera.
123. una figura de stuque con la m[an]º de la caveza.
124. un pie de Blandón de bronze.
125. un morttero de piedra de pórfido.
126. un lanternón grande.
127. un cupidillo sobre pedestal de madera.
128. un Relox grande de minuttos.
129. un nino de piedra con un hacho¹⁵¹.
130. trece pies de escriptorio de Granadillo.
131. cinco imágines de cera gᵈᵃˢ de évano de S. Juº. bernardino las qu[atr]º ánimas y una agoniçando.
132. dos bufetillos de caoba.
133. un bufete de caoba con caxón.
134. cinco sillas de baqueta coloradas.
135. dos bufetes de évano y marfil iguales.
136. un escritorio de ébano y bronçe con barandillas.
137. un salero dorado de bronce antiguo con su caxa [nota ilegible].
138. dos escritorios pequeños yguales de évano con sus gⁿᵉˢ de bronce.
139. una Imagen de nra. Sª. de bronce dorada con su caxa.
140. tres picarras con letreros antiguos que trujo el Duque mi sºʳ de Tarragona.
141. dos piedras quadradas de Jaspe una negra y otra de color.
142. un clavo de la Rotunda de Roma.
143. una figura de estuco quebrada.
144. tres medallas de piedra antiguas con sus figuras relevadas.
145. una caveza de piedra hueca con peana embucida de piedras figura antigua de la comedia.
146. otra figura de stuco quebrada.
147. un escriptorio blanco de Alemania.
148. un belador de madera grande.
149. una urna de pórfido con unos grifos de plata por asas y supeal de lo mesmo.
150. una coluna de ébano marfil y bronçe con una figura de lo mesmo ençima.
151. quattro frutas contrahechas.
152. un pedaço de marfil.
153. un candelero gravado y un candil antigua.
154. una bola de yerro pª perfumar los aposentos.
155. diez y ocho bolas de Jaspe grandes y pequeñas y once pies de ellas.
156. una bola de ágata con su bolsa de terciopelo.
157. un desempondio de piedra negra egipcia con estas letras: Ex autoritate q Junii Rustici Pra fe Prae. eurB.ᶜ

158. una bola de oja de lata que es fuertte.
159. un instrum^to de hierro p^a poner los dedos.
160. un anullo astronómico con su caxa.
161. un vidrio rredondo con bustorio con su caxa.
162. una brúsula de madera y papel.
163. un maco de flecas de Yndias.
164. una tablilla rredonda con un país.
165. dos escudos de doseles de tela de oro uno de las armas de R[iber]^a y otro de ponces de león (nota al margen: destos falta el uno q es de los ponzes se le dio a su dueño).
166. una caveça de carn^to [?] de barro antiguo con una assa que parece tapadera de alguna urna.
167. una urna de plomo antigua con cenias [cenizas?] de ana Antonia Lais que se halló con unas antiguallas de cádiz.
168. dos botijuelas de barrochatas antiguas q se hallaron en Aguilar.
169. quatro candiles de barro antiguos.
170. cinco lacrimatorios de vidrio antiguos.
171. cinco losetas de mármol antiguas con inscripciones de Sepulcro.
172. un pato de bronçe antiguo q sirve de candil.
173. una caveza de mármol blanco antigua.
174. una loçeta de mármol como caseta p^a moler antigua.
175. dos cavezas de lambiques de vidrio.
176. una rredomica de agua del río Jordán.
177. un corneta de marfil de una pieça.
178. dos chapines de cuero blanco que trajo su ex^a. de Benecia.
179. un lienço de los dos Philósophos eráclito y demócrito.
180. una tabla de S. Ju^o. evangelista de la Grecia.
181. un espejo que rrepresenta tres figuras.
182. un yerro de lança de cobre que se halló en almuñécar en un sepulcro.
183. una historia de Píramo y Tisbe labrada de seda con g^ón de hévano.
184. una lámina de Troia con g^ón de évano.
185. una Ymagen de nra. S^a. de marfil con el niño embraços con una caxa blanca de madera.
186. dos Ymágines de pluma de las Yndias.
187. una botija de madera de las de Roma.

188. una escalerilla de marfil torneada en una caza de madera.
189. una aiguilla negra forrada embaquetta con una caxa dentro aforrada embaquetta.
190. unos Pessos.
191. un caxón con unos vidrieras.
192. una tablilla con una frutas de flandes.
193. un instrumento p^a abrir rrexas y es de yerro.
194. una caxuela con un rretrato pequefio de una Veneçiana.
195. una figura desnuda de bronze antigua con orejas de sátiro y un cabistallo en la boca.
196. dos urnas de cobre grandes con sus tapas.
197. un caballete de pintar embutido de diversas maderas.
198. um bufete de hévano y rraís.
199. ottro bufete de enzina y ébano y una papelera de lo mismo.
200. una piedra redonda de una amatista.
201. una figura de un Apóstol de barro.
202. una bola de hierro grande con un agujero en me[di]^o toda hueca.
203. un caxón n.º 44 q vino de nápoles en la memoria que los veinte y qu[atr]^o y tiene dentro las medallas que estaban en el baulillo y un escritorio también de monedas.
204. un papel en que está pintada Sevilla puesto en um bastidor.
205. trece países en tabla al temple con g^nes negras de peral i tapaderas que embió Saravia qdo se fue el Duque mi s^or de M[adri]^d152.
206. una Ymagen de nra. S^a. antigua abraçada con el niño empié con g^ón dorada que pareze aver tenido puertas que embió Saravia al mesmo tiempo q se fue su ex^a.
207. Una Ymagen de nra. S^ra. antigua con el niño en las faldas adorándole los Reyes y S. Josephe con g^ón dorada y blanca.
208. Un quadro en tabla que tiene me^a buelta redonda de la Mag[dale]^na con g^ón dorada/
209. un quadro de lienço de S. Bernardo dorada y azul.
210. una piedra redonda sefialadas tres reloxes con sus Gusomoles [?] en medio.

211. una bolsa de hormessí verde con unas estampas del Emperador Carlos quinto[153].

212. Dos palos delgados de un árbol de un Árbol del Río Jordán.

213. un rretablo en tabla de Sta. Joana (nota al margen: este falta).

214. tres libros de aforismo de D. Diego Gaitán de Vargas escritos de mano q se le an de bol-ver. (nota al margen: estos dize se bolvie-ron)

Con cuerda con su original que queda en la contaduría del exmo. Prín[cip]e de Paterno Duque de Alcalá mi sor . . . fecho en dies e siete de nobi[embr]e de mill seis[cient]os treinta i siete años. [firmado]

Martín de Valdés [ilegible]
Cavallero don Juo de aroyo

3
Mecenazgo y piedad:
el arte religioso de Zurbarán

Hay artistas que redefinen su entorno y otros que lo reflejan. En la España del siglo XVII, Diego de Velázquez plasmó, en imágenes de audaz originalidad, la vida estratificada de la corte madrileña. Francisco de Zurbarán, establecido en Sevilla, reflejó en sus cuadros las creencias religiosas y las aspiraciones de su clientela, compuesta por eclesiásticos conservadores. Velázquez vio el mundo a través de un microscopio y lo representó en sus cuadros bajo ese nuevo aspecto, mientras que Zurbarán lo reprodujo como en un espejo.

Sin embargo, la carrera de Zurbarán como pintor religioso —solo pintó unos pocos cuadros de temas profanos— no estuvo exenta de avatares. Vivió y trabajó durante una época de cambios dinámicos, sucumbiendo, al final, a la volubilidad de las circunstancias. Partiendo de humildes comienzos, ascendió espectacularmente a cimas de exaltación para ser arrastrado suavemente en descenso, como si de una pluma se tratara, hacia un final en el que predominaba la melancolía. Los cambios en los gustos y en los mecenazgos que tuvieron lugar en Sevilla entre 1626 y 1658 —fechas de la estancia de Zurbarán en la ciudad— ayudan a explicar la trayectoria de su vida artística y el carácter y evolución de su arte religioso.

PRIMEROS AÑOS EN LLERENA Y CONQUISTA DE SEVILLA

A primera vista, parece difícil entender la decisión de Zurbarán de abandonar Sevilla, en 1617, al terminar su aprendizaje, ya que se trataba de la ciudad más rica de la monarquía española y la tierra de las oportunidades. Pero no estaba al alcance de todos; los gremios y las familias controlaban estrechamente el comercio de la pintura, así como el comercio con el Nuevo Mundo, lo que hacía muy difícil el acceso a intrusos[1]. Zurbarán, extremeño de nacimiento, decidió entonces regresar a su tierra natal para ejercer su arte.

Eligió Llerena, una villa de mercado, de tamaño e importancia modestos[2]. Las oportunidades allí eran limitadas, pero también lo era la competencia, que consistía en otro pintor y un escultor. Al poco tiempo de su llegada, Zurbarán se casó con María Páez, hija de un oficial agrícola de la Corona. En los años que siguieron, el artista vivió como un pintor artesano, aceptando toda clase de encargos menores por los que era escasamente remunerado. Era, indudablemente, una vida decorosa, pero ofrecía pocas perspectivas de gloria para un pintor de talento.

La salvación artística de Zurbarán le llegó a través de la tragedia: la muerte de su esposa en 1623 o 1624. Al volver a casarse, en 1625, cambió drásticamente su destino. Su segunda esposa, Beatriz de Morales, pertenecía a una familia local de terratenientes y comerciantes que animó al artista a aspirar a metas más altas y le facilitó el dinero necesario para fundar un taller desde donde atender encargos a gran escala. Así, el 16 de enero de 1626, a los pocos meses de su boda, Zurbarán firmó un contrato para realizar un grupo de pinturas destinadas al monasterio de los Dominicos de San Pablo, en Sevilla[3]. Desde provincias, el pintor iba a procurar distinguirse en la ciudad en la que, diez años antes, no había dejado ningún rastro.

El encargo de los Dominicos de San Pablo es el primer punto crucial de la carrera de Zurbarán. El contrato, cerrado con el prior, fray Diego de Bordas, estipulaba la realización de veintiuna pinturas: catorce sobre la vida de santo Domingo, retratos de los cuatro doctores de la Iglesia Latina (santos Gregorio, Ambrosio, Jerónimo y Agustín) y retratos de los santos Buenaventura, Tomás de Aquino y Domingo. De estos trabajos, solo se conservan cinco: dos de las escenas de la vida de santo Domingo (Sevilla, iglesia de la Magdalena) y los retratos de los santos Ambrosio, Gregorio y Jerónimo (Sevilla, Museo de Bellas Artes).

Es interesante considerar las circunstancias que condujeron a este encargo.

La primera pregunta que se plantea es cómo consiguió Zurbarán que le fuera encomendado el trabajo. La respuesta nos la da el importe total de la remuneración recibida, que fue de 4.000 reales para catorce *historias* y siete retratos. Si contamos los retratos como equivalentes a dos *historias* (en aquella época el coste de un cuadro solía estar basado en el número de figuras), descubrimos que cada cuadro costaba solamente 250 reales, precio muy por debajo del habitual de los artistas consagrados. Además, el artista aceptó la exigua cantidad de ocho reales como adelanto para los gastos, lo que viene a confirmar que la familia Morales estaba financiando su incursión en el nuevo mercado. En otras palabras, el artista utilizaba la estrategia, bien conocida en nuestros días, de hacer concesiones económicas para introducirse en el mercado.

Otro punto importante se refiere al cliente. Hacia 1626, Sevilla, que tenía a la sazón 120.000 habitantes, estaba bien abastecida de clero regular[4]. Desde mediados del siglo XVI, muchas órdenes religiosas habían acudido en tropel, atraídas por la prosperidad e importancia de la ciudad. Se estima que, hacia el año 1600, había dieciséis monasterios de hombres y veintiún conventos de religiosas.

Durante el primer cuarto del siglo XVII, se establecieron quince nuevas fundaciones. En la época en que Zurbarán empezó a trabajar para los dominicos, los monasterios y conventos de Sevilla (muchos de los cuales poseían considerable riqueza) comenzaban a sobresalir como importantes patrocinadores artísticos, por lo que, si el trabajo gustaba, había un vasto mercado potencial para explotar.

Por otro lado, los clientes monásticos mantenían un estricto control de los temas pictóricos. En la España de la Contrarreforma se valoraban mucho la ortodoxia y el decoro, y en ello insistían explícitamente los contratos, como vemos en el que firmó Zurbarán el 26 de enero de 1626, una de cuyas cláusulas reza: «Y si algunos de ellos (los cuadros) no satisfacen al mencionado Padre Prior, me pueden ser devueltos y convengo en aceptar (la devolución de) uno, dos o más cuadros que me comprometo a rehacer».

Los encargos procedentes de los monasterios se ceñían a modelos establecidos. En las iglesias tenía que haber un altar con escenas de la vida de Cristo y, a veces, una imagen relacionada con la orden. Las sacristías, al ser el lugar donde los sacerdotes se ponían las vestiduras para la celebración de la misa, se fueron convirtiendo en lugares cada vez más adornados. Las diferentes dependencias del monasterio —claustro, refectorio, celdas— estaban igualmente decoradas con cierto tipo de imágenes. Por ejemplo, en el claustro solía haber una serie de lienzos que representasen la vida del fundador, como en San Pablo. En la biblioteca o en la sala capitular solían exhibirse retratos individuales en memoria de los miembros de la orden que se distinguieron por su piedad, sabiduría, caridad o sufrimiento. Esta uniformidad de requisitos en los monasterios y conventos tenía sus ventajas y sus desventajas, ya que era fácil para el pintor caer en la repetición, pero también podría provocar una cadena de encargos si las obras eran convincentes.

Esto no quiere decir que los monjes, frailes y monjas fueran indiferentes a la calidad. Su vida transcurría entre imágenes, ante las cuales pasaban muchas horas en oración, por lo que los cuadros tenían que inspirar devoción y expresar de forma conmovedora el drama sacro de la vida y la resurrección de Cristo, así como demostrar las recompensas obtenidas por los seguidores de su ejemplo. Una imagen mediocre puede inspirar pensamientos elevados, pero el espíritu se conmueve más fácilmente ante la belleza. Hay que recordar además que los superiores de los monasterios, especialmente de aquellos que ejercitaban su misión en el mundo, eran generalmente hombres cultos y sofisticados capaces de distinguir lo bueno de lo malo en lo que respectaba al arte.

Es una lástima que la mayoría de cuadros hechos en 1626 para San Pablo hayan desaparecido o estén deteriorados porque, como sabemos ahora, supusieron el lanzamiento de Zurbarán como pintor religioso de reconocido éxito. Sin embargo, al año siguiente, realizó otro cuadro para los dominicos —*El Cristo crucificado* [10]— que nos ha desvelado el secreto de su éxito. La iconografía de esta pintura, que se distingue porque el cuerpo de Cristo está sujeto a la cruz con cuatro clavos en lugar de tres, sigue las pautas ultraortodoxas estipuladas por el pintor-teórico Francisco Pacheco[5]. En su famoso tratado *Arte de la Pintura* (Sevilla, 1649), Pacheco analiza los argumentos de los teólogos y de los eruditos sobre el tema y estipula una pintura de 1614 como modelo que fue seguido escrupulosamente por los pintores sevillanos hasta después de mediados de siglo. Ciertamente, la imagen de Zurbarán no se limita a ser una copia, sin vida, de la de Pacheco: es una obra mayor. Zurbarán infunde nueva vida a la fórmula de Pacheco combinando de forma armónica un misterioso realismo y una majestuosa abstracción que representan al Salvador a la vez como humano y sobrenatural. *El Cristo crucificado,* de tema conservador pero de estilo moderno, ofrece una síntesis perfecta de las tendencias artísticas y espirituales requeridas por las comunidades religiosas de Sevilla.

Zurbarán permaneció en Sevilla hasta finales de agosto de 1626, fecha fijada en su contrato con San Pablo para la terminación de su obra, y probablemente regresó a Llerena. Sin embargo,

10. Francisco de Zurbarán, *El Cristo crucificado,* 1627,
Art Institute of Chicago.

el 28 de agosto de 1628, el pintor estaba de nuevo en dicha ciudad firmando un contrato con el
monasterio de mercedarios calzados para la realización de veintidós escenas de la vida de san
Pedro Nolasco destinadas a uno de sus claus-
tros[6]. Como en el caso anterior, el artista aceptó
el control del prior, comprometiéndose a «poner
en cada uno (de los cuadros) las figuras y otras
cosas que el Padre Comendador me mande, ya

sean muchas o pocas». La cantidad que Zurbarán cobró por este encargo viene a apoyar la hipótesis de que el artista había hecho una concesión a
los dominicos de San Pablo, ya que suponía más
del triple por cuadro (800 reales o 16.500 por
toda la obra). Además, el prior acordó facilitar
alojamiento y pensión en el monasterio al pintor
y a sus ayudantes durante la realización del trabajo (septiembre de 1628-agosto de 1629).

La Orden de la Merced fue fundada en Barcelona por Pedro Nolasco, en 1218, en el momento culminante de la Reconquista de España
a los musulmanes[7]; su finalidad era redimir a los
cristianos cautivos en poder del enemigo, pagando el rescate o intercambiando miembros de la
orden por prisioneros, algunos de los cuales habían sido llevados a territorios del islam, en Áfri-
ca. Estos sustitutos de prisioneros tenían pocas
oportunidades de sobrevivir y solían sufrir es-
pantosas muertes en tierras de los infieles. Con
el fin de la Reconquista en 1492, la Merced perdió su razón de ser y se transformó en otra de las
órdenes mendicantes.

En 1628 tuvo lugar el gran momento de la
historia de los mercedarios: la canonización de su
fundador. Este acontecimiento impulsó a la Merced de Sevilla a encargar a Zurbarán la serie densamente ilustrada sobre Pedro Nolasco, encargo
que, como ya había sido discutido con anterioridad, fue al final compartido con otro artista. Parece que la Orden de la Merced había previsto el
problema que se les podía plantear a estos pintores o a otros a los que se iba a pedir que plasmaran
escenas de la vida de un santo sin una iconografía
reconocida. El año anterior, Jusepe Martínez, un
pintor aragonés, a la sazón residente en Roma,
realizó dibujos de veinticinco escenas de la vida
del santo para ser grabadas por grabadores locales.
Es probable que un juego de estas estampas fuera
entregado a Zurbarán y a su colaborador, que los
adaptaron a las pinturas[8].

11. Francisco de Zurbarán, *Aparición de san Pedro apóstol a san Pedro Nolasco,* 1629, Museo Nacional del Prado, Madrid.

No se conservan ni todas las estampas ni todas las pinturas, pero afortunadamente se conoce el grabado que inspiró la obra maestra de la serie, *Aparición de san Pedro apóstol a san Pedro Nolasco* [11]. Pedro Nolasco era un ardiente devoto de su homónimo, el apóstol san Pedro, y soñaba, en vano, con visitar su sepulcro de Roma. Al final, el apóstol recompensó su devoción apareciéndosele en la forma en que había sido crucificado, al mismo tiempo que le decía: «He venido a ti, ya que tú no puedes venir a mí», y le

exhortaba a permanecer en España continuando su labor.

Desde un punto de vista estrictamente iconográfico, se puede ver que Zurbarán contribuyó muy poco a la formulación de este momento tan intenso de la vida del santo. Sin embargo, como obras de arte religioso, el grabado, más bien corriente, y la pintura, extraordinaria, son mundos aparte. En la pintura de Zurbarán, el intenso realismo de la milagrosa aparición transporta y embarga al santo, así como al espectador, anulando cualquier impresión de composición meramente física. El gesto de asombro y sorpresa de Pedro Nolasco refleja un momento de gran trascendencia espiritual, con el mínimo de medios.

Mientras trabajaba para los mercedarios, Zurbarán recibió un importante encargo de otro cliente monástico: los franciscanos del Convento Grande. Los planes que había elaborado para el futuro se cumplían, y su reputación empezaba a extenderse con rapidez. El Convento Grande de los franciscanos se encontraba entre las casas religiosas más importantes de Sevilla, quizá porque estaba situada cerca del Ayuntamiento, lo que era un aliciente para los donantes y benefactores que querían hacer pública su generosidad. Entre 1622 y 1626, los franciscanos habían añadido al vasto complejo de edificios un colegio dedicado al gran erudito franciscano san Buenaventura[9]. Para decorar la iglesia del colegio fue elegido Francisco de Herrera el Viejo, uno de los principales pintores de la generación de Zurbarán. Herrera realizó primero la decoración de los frescos y estuco y después, el 30 de diciembre de 1627, recibió el encargo de pintar una serie de seis escenas de la vida del santo patrón. Sin embargo, ampliaron el encargo a ocho cuadros, redujeron la parte de Herrera a cuatro y asignaron el resto a Zurbarán, que realizó una de las pinturas en 1629.

Hay ciertas razones para creer que este ajuste en el encargo del trabajo tuvo lugar en 1628. Herrera se había comprometido a entregar un cuadro cada noventa días; si se ceñía al programa, habría tenido que entregar su quinta obra a mediados de agosto de 1628, que es cuando Zurbarán apareció en Sevilla para firmar el contrato con los mercedarios. Estas circunstancias pueden explicar la razón del cambio de planes de los franciscanos. Quizá Herrera falló en el cumplimiento de los plazos justo cuando apareció en escena Zurbarán, circunstancia que aprovechaban los franciscanos para despedir a uno y contratar al otro. Suponemos que Zurbarán no se pudo resistir a la oportunidad de trabajar para los franciscanos.

La serie de ocho cuadros está dividida en dos partes iguales: una describe la juventud de san Buenaventura (de Herrera), y la otra, su vida como distinguido hombre de iglesia y una escena de su muerte (de Zurbarán). La interpretación que estos trabajos nos ofrecen sobre la vida de Buenaventura (1221-1274) es altamente selectiva. El santo era un hombre polifacético: filósofo, teólogo, administrador de su orden, cardenal de la Iglesia y un modelo de piedad. Teniendo en cuenta el contexto en que transcurrió su vida —la iglesia de una institución franciscana del más alto nivel de erudición—, es raro que se desconozca virtualmente la gran labor de Buenaventura en el campo de la docencia y de la erudición.

En *San Buenaventura visitado por santo Tomás,* Buenaventura contesta a una pregunta sobre la fuente de la sabiduría, haciendo caso omiso de los libros y descubriendo, detrás de una cortina, una imagen llena de realismo de un Cristo crucificado. La *Oración de san Buenaventura* ilustra un hecho acaecido en 1279, en el que encuentra la solución a la elección de un nuevo papa que estaba en punto muerto desde hacía mucho tiempo. Una gran prueba diplomática —ya que el colegio llevaba tres años deliberando— se transforma así en un incidente de inspiración divina.

Las dos escenas restantes ilustran el final de la vida del santo. En 1274 Buenaventura presidió el Concilio de León y consiguió un triunfo tan notable como transitorio al reconciliar a las Iglesias Griega y Latina. Murió de repente, durante las sesiones del concilio, y se dice que por envenenamiento. Su funeral tuvo lugar a la tarde siguiente y a él asistieron el papa Gregorio X y el rey Jaime de Aragón, representados ambos en el cuadro de Zurbarán. En estas dos obras Buenaventura nos es presentado como un hombre de Estado y como una figura venerada por las más altas autoridades seglares y religiosas.

Las pinturas de Herrera y Zurbarán, a pesar de su eficacia narrativa y de su claridad, dejan una gran laguna en la vida y carrera de san Buenaventura. Está muy bien la insistencia en su piedad y en su diplomacia, pero es inexplicable la ausencia de escenas sobre su sabiduría. Este lapsus se explica con los frescos de Herrera. En la cúpula, se pueden ver ocho retratos de santos franciscanos presididos por san Buenaventura, mientras que en la bóveda de la nave hay retratos de diez grandes eruditos franciscanos, entre los que figuran Juan Duns Scoto, Guillermo de Ockham y Alexander de Hales, y brilla por su ausencia Buenaventura como erudito. Ahora que los óleos no están en la iglesia, es imposible desenmarañar la trama del significado, pero, una vez restaurados, se verá que los cuadros y los frescos tenían la finalidad de complementarse unos a otros.

Mientras Zurbarán trabajaba en los cuadros de san Buenaventura, tuvo conocimiento de que su conquista de Sevilla estaba asegurada. El miércoles 27 de junio de 1629, se leyó en el Cabildo de la ciudad una moción invitando al artista a trasladar su residencia a Sevilla[10]. El consejero Rodrigo Suárez se dirigió a la asamblea ensalzando los cuadros «que ha terminado» para los mercedarios, así como *El Cristo crucificado* pintado para San Pablo. A la vista de estas muestras, se podrá juzgar que Zurbarán era un «consumado artífice destas obras». La moción fue aceptada y, al final del año, el pintor y su familia se establecieron en la ciudad.

ILUSTRACIÓN E INSPIRACIÓN: HALLAZGOS MONÁSTICOS DE LA DÉCADA DE 1630

Fue una década de éxitos insuperables en la carrera de Zurbarán, ya que le llegaban encargos de todos los rincones de la Sevilla religiosa: los carmelitas, los jesuitas, los cartujos y los mercedarios descalzos siguieron el ejemplo dado por otras órdenes a finales de la década de 1620. Parroquias, corporaciones de comerciantes de las Indias, colegios religiosos y particulares piadosos requerían también sus servicios. Pero la fama de Zurbarán le venía como pintor monástico, y esta clientela seguirá siendo la piedra angular de su trabajo durante los diez años siguientes[11]. Con tantos encargos, la elección no debía de ser fácil; sin embargo, parece haber unanimidad en que el artista alcanzó la cumbre de su capacidad en dos obras de gran magnitud ejecutadas, ambas, en el mismo período de tiempo, de 1638 a 1640; se trata de una serie para la Cartuja de Jerez de la Frontera y otra para los jerónimos de Guadalupe.

Los encargos de estos dos monasterios son sintomáticos de cómo se propagaba la fama del pintor, que atraía a clientes no solo de Andalucía y Extremadura, sino también de Portugal. Como consecuencia del aluvión de trabajo, el taller de Zurbarán creció de forma considerable, disminuyendo lógicamente su participación en la producción.

La Cartuja de Jerez de la Frontera fue fundada en 1463 gracias a una piadosa donación de Alvar Obertos de Valeto[12]. Según el documento de fundación, el monasterio debería llamarse de Santa María de la Defensión en honor de una milagrosa aparición de la Virgen María en 1370, en una ermita cercana de El Sotillo. Un grupo de soldados españoles estaba a punto de sufrir una emboscada por parte de un grupo de musulmanes, al amparo de la noche, cuando la Vir-

12. Francisco de Zurbarán, *La circuncisión,* 1639, Musée de Grenoble, Grenoble.

gen iluminó el lugar, permitiendo a las tropas españolas descubrir al enemigo y vencerlo.

A causa de un pleito incoado por los herederos del donante, la construcción del monasterio se demoró durante veinticinco años, pero el edificio quedó finalmente terminado, incluyendo una elegante iglesia de una sola nave de estilo gótico final. En la década de 1630 los cartujos, al igual que muchas órdenes religiosas de la región, decidieron modernizar la iglesia, sustituyendo algo de la decoración medieval por obras de estilo contemporáneo. Entre los artistas involucrados en esta tarea se encontraba Zurbarán, a quien se le encargó hacer pinturas para tres luga-

res: el nuevo altar mayor, los pequeños altares en el coro de los hermanos legos y un pasadizo que unía los lados del altar mayor con una pequeña retrocapilla llamada el sagrario, donde se guardaba la sagrada forma. Aunque no se han encontrado documentos relativos al encargo, hay dos cuadros fechados en 1638 y 1639.

Para el gran altar de tres pisos se le encargaron a Zurbarán once cuadros: cuatro escenas del Evangelio, una representación del milagro de El Sotillo y retratos de los cuatro evangelistas más san Lorenzo y san Juan Bautista[13]. La iconografía de las principales escenas ilustra la vida de Cristo y refleja también la especial devoción de los cartujos a la Virgen María, que aparece en cuatro de los cinco cuadros principales. En la *Anunciación* esta devoción queda patente en la actitud reverencial con que el arcángel Gabriel saluda a María, cuando la costumbre que imperaba era representar a Gabriel con un brazo levantado como si tratara de llamar la atención de la Virgen. Incluso en *La circuncisión,* en la que no aparece María, está implícitamente presente.

La versión que hace Zurbarán de *La circuncisión*[14] es poco común en muchos aspectos[14]. No es frecuente encontrar esta escena en altares del siglo XVII, excepto en fundaciones jesuitas. Además, la ausencia de la Virgen es digna de mención porque aparece invariablemente en las representaciones de ese tema y demuestra la intención del artista de describir el episodio ateniéndose a las leyes y costumbres judías. Por supuesto que los cartujos, por su propio interés, no querían alterar el ritual judío; más bien pretendían alcanzar la exactitud arqueológica o el decoro, como se llamaba a la razón, que se estimaba necesario para mantener los más altos niveles en el arte cotidiano. Por ello, todos los participantes en la ceremonia, así como los espectadores, tienen rasgos semíticos estereotipados, y el rito de la circuncisión es llevado a cabo por un sacerdote especial, el *mohel,* mientras el Niño Jesús es sostenido por el rabino. Siguiendo esta misma línea de deseo de exactitud, la Virgen tiene que estar ausente necesariamente, ya que la ley judía prohíbe la entrada al templo de la madre durante la cuarentena del nacimiento de un hijo varón (Levítico, 12: 3).

Sin embargo, la Virgen María estaba presente en espíritu, porque las oraciones de la Fiesta de la Circuncisión (1 de enero) hacen especial referencia a ella. Las contestaciones y antífonas del oficio son las adecuadas para sus festividades, y en la colecta se pide que interceda por los fieles con sus plegarias.

El complejo sentido de la circuncisión comporta también un significado apropiado para los cartujos o para cualquier orden monástica. En la religión judía, la circuncisión es un rito que revela la alianza entre Dios y Abraham, y se interpreta también como poder de salvación, del que Cristo, incapaz de pecado, no tenía necesidad. Sin embargo aceptó la ceremonia para demostrar su acatamiento de los deseos del Padre[15]. La circuncisión, por lo tanto, es un alarde de virtud de obediencia que los carrujos practican con más dedicación que ninguna otra orden religiosa.

En el coro de los hermanos legos se dan nuevas formas a los temas básicos del altar mayor. La devoción de los cartujos a María vuelve a quedar patente en un cuadro que muestra a la Virgen del Rosario como reina del Paraíso adorada por los monjes blancos; san Bruno, el fundador, está representado en una imagen sobresaliente [**13**] que le muestra dando la espalda a los símbolos del saber y del servicio a la Iglesia (la mitra y el báculo) y buscando inspiración en el Cielo.

El tercer componente del encargo es el más original. Directamente detrás del altar mayor se encontraba el sagrario, al que se accedía por dos estrechos pasadizos que partían de ambos lados del altar. En las paredes, cuatro a cada lado, ha-

13. Francisco de Zurbarán, *San Bruno en éxtasis,* 1638-1639, Museo de Bellas Artes, Cádiz.

bía retratos individuales de miembros distinguidos de la orden[16]. En teoría, la serie se ajusta a la costumbre establecida por las órdenes monásticas de glorificar su historia espiritual y seglar con una galería de retratos de humanos ejemplares, pero en la práctica los retratos del pasadizo están más bien colgados sin orden ni concierto[17]. *San Bruno* y *San Hugo de Grenoble* aparecen como fundador y primer patrón de los cartujos, res-

14. Vista de la sacristía del monasterio de Guadalupe.

pectivamente. *San Antelmo, San Hugo de Lincoln* y el *Beato Nicolás Albergati* recuerdan a los miembros de la orden que llegaron a ser altos dignatarios de la Iglesia. *San Artaldo* es el modelo de ascetismo cartujo: fue nombrado obispo de Belley cuando tenía ochenta años pero dos años después renunció y volvió al claustro, donde todavía vivió veintitrés años más. El *Beato John Houghton* fue un hermano cartujo brutalmente martirizado por Enrique VIII por negarse a acatar el Acto de Supremacía.

Resulta difícil admitir que todos estos exquisitos retratos estaban destinados a ser vistos en las peores condiciones de luz y espacio. Zurbarán había demostrado su maestría en la ejecución de retratos de imágenes con la espléndida serie de doctores de la Orden de la Merced reali-

zada al principio de la década. Aquí, la variedad de tipos físicos y los matices de personalidad y expresión son incluso mayores e infunden nueva vida al significado de la historia de la Cartuja.

El artista encontró otra ocasión de demostrar sus dotes como retratista imaginero al realizar las majestuosas pinturas para la sacristía de la iglesia de Guadalupe. Esta serie se ajustaba a un programa bien estructurado que relacionaba unos cuadros con otros siguiendo una idea específica[18].

Casi desde sus comienzos, a mediados del siglo XV, la Orden de los Jerónimos había establecido estrechos vínculos con los reyes de Castilla. Vínculos que, con los años, se fueron afianzando al adoptar los monarcas el monasterio de Guadalupe como uno de sus primeros centros espirituales. La relación se basaba en la creencia de que la Virgen de Guadalupe podía asegurar el triunfo de los cruzados españoles sobre los musulmanes. Con el generoso mecenazgo de los monarcas, el monasterio prosperó durante el siglo XV y principios del XVI.

En 1492, Fernando e Isabel consiguieron la rendición del Reino de Granada, conduciendo la Reconquista hacia un final triunfante. Este acontecimiento fue agridulce para Guadalupe, ya que, al entrar España en la fase imperial de su historia, el monasterio, situado en un remoto punto de Extremadura, perdería su importancia en el mundo seglar. De poco consuelo sirvió a los monjes que Felipe II confiara a su orden el nuevo monasterio de El Escorial, cuya construcción había comenzado, destinado a ser nuevo templo imperial (1563).

Una de las reacciones que este cambio de fortuna provocó fue un programa de nueva construcción que empezó hacia 1595 y culminó con la edificación de la sacristía [14] entre 1638 y 1647. Tan pronto como estuvieron los planos, se envió un delegado a Sevilla para que encargara a Zurbarán una serie de ocho grandes cuadros. El contrato fue firmado el 2 de marzo de 1639, después de que el artista terminara satisfactoriamente una pieza de muestra en 1638. Como era habitual, se facilitó al pintor un memorándum sobre los temas que debía pintar[19].

Resumiendo, los cuadros describen acontecimientos de las vidas de ocho monjes de Guadalupe. Al contrario de la serie para la Cartuja, estos cuadros, a excepción de uno, están concebidos de forma narrativa. Otra diferencia estriba en el hecho de que no se incluían jerónimos de otros conventos ni de otro período que no fuera el siglo XV (los cartujos representados en Jerez pertenecían a monasterios franceses, ingleses e italianos y vivieron en el período comprendido entre los siglos XI y XVI). Esta limitación provenía del deseo de concentrarse en el período de mayor in-

15. Francisco de Zurbarán, *Fray Gonzalo de Illescas,* 1639, monasterio de Guadalupe.

fluencia mundial de Guadalupe, y ello queda reflejado en cuadros como el que muestra a *Fray Fernando Yáñez rechazando la archidiócesis de Toledo* (sede del primado de España), del rey Enrique III o el retrato de *Fray Gonzalo de Illescas* [15], que fue obispo de Córdoba y consejero del rey Juan II. También se quiso hacer patente la espiritualidad de los jerónimos. La *Aparición de Jesús al padre Andrés de Salmerón,* en la que Cristo figura en medio de un ciclón de nubes doradas, es la representación más conmovedora de una visión mística pintada en la España del siglo XVII.

La capilla aneja a la sacristía se dedicó a san Jerónimo, en cuyo nombre se había fundado la orden. En un pequeño altar está la famosa estatua de *San Jerónimo,* de Pietro Torrigiano, sobre la cual hay un cuadro de Zurbarán que representa la apoteosis del santo[20]. La predela lleva pequeños retratos de jerónimos sin identificar, realizados por los ayudantes del pintor, en algunos de los cuales se han copiado las actitudes de los retratos de la Cartuja de Jerez. Afortunadamente la mediocridad de los cuadros del altar mayor queda redimida por dos obras maestras de Zurbarán: la *Flagelación de san Jerónimo* y la *Tentación de san Jerónimo*.

Los cuadros que pintó Zurbarán para Jerez y Guadalupe demuestran cuán profundamente captó el espíritu de la vida monástica. A pesar de las importantes diferencias entre el carácter de las dos órdenes, cartujos y jerónimos compartían el mismo orgullo por su historia pasada y el mismo deseo de servir a Dios con todos los medios a su alcance. El genio de Zurbarán en pintar para su clientela monástica radicaba en su capacidad de expresar su gloriosa historia y su apasionada fe, de forma a la vez gráfica e inspiradora.

La serie de Hércules y los trabajos de Zurbarán

Hacia 1634, la reputación de Zurbarán había llegado a la corte de Madrid, a la que fue convocado para pintar para el rey. El año anterior se había inaugurado, en las afueras de Madrid, un nuevo palacio real llamado del Buen Retiro.

La decoración de una de las salas principales, conocida como Salón de Reinos, fue encomendada a los pintores de la corte: Velázquez, Vicente Carducho, Eugenio Cajés, y a sus ayudantes. La invitación hecha a Zurbarán para incorporarse a este grupo privilegiado fue un señalado honor, teniendo en cuenta, además, que el pintor era el único de fuera de Madrid.

La decoración del Salón de Reinos estaba destinada a ensalzar la gloria de Felipe IV y de su ministro, el conde-duque de Olivares, y se componía de dos partes[21]. Entre las diez ventanas de la estancia, se conmemoraban doce victorias militares del reino representadas en otros tantos grandes cuadros de batallas. Sobre cada una de las ventanas iba una escena de la vida de Hércules, el mítico antepasado de los Habsburgo españoles y ejemplo de virtud principesca.

Las esperanzas puestas en Zurbarán debían de ser muy grandes, ya que se le asignó la mayor parte de la obra: las diez escenas de Hércules [16] y la *Defensa de Cádiz contra los ingleses*. Desde nuestra posición ventajosa, esta distribución del trabajo es difícil de entender. Zurbarán tenía poca experiencia en pintar desnudos en acción, y no existe figura desnuda más activa que Hércules. En consecuencia, no es sorprendente que estos cuadros hayan sido siempre menos apreciados que sus pinturas religiosas.

El Hércules de Zurbarán es una figura brutal de recios músculos que se tensan para conquistar enemigos y vencer obstáculos. La propia torpeza de las posturas, algunas de las cuales fueron copiadas de grabados, sirve para considerar las pinturas como emblemas esquemáticos de poder sobrehumano más que como ilustraciones idealizadas de un héroe clásico. Hay que recordar que su emplazamiento tendría lugar a cierta altura del suelo, por lo que las posturas estereotipadas y los fuertes contrastes entre la figura y el fondo harían las escenas más fáciles de interpretar.

En el siglo XVII, una llamada de la corte era el sueño dorado de cualquier pintor español. Probablemente nunca sabremos si Zurbarán, después de la realización de ese sueño, regresó a Sevilla porque no fue invitado a quedarse en Madrid o porque se mostraba reacio a abandonar un casi monopolio de encargos artísticos en su ciudad

16. Francisco de Zurbarán, *Hércules vence al rey Gerión,* 1634, Museo Nacional del Prado, Madrid.

adoptiva. En cualquier caso, a finales del año estaba de nuevo en casa inundando de muestras de su arte un mercado aparentemente insaciable.

DEVOCIONES DE LOS PARTICULARES

Los encargos monásticos están considerados la mayor fuente de su éxito, aunque son solo una parte de su producción, y no la más grande, en la década de 1630. De hecho, muchas de sus obras iban destinadas a clientes particulares y se ajustaban a las devociones de cada uno, aunque, desgraciadamente, tenemos poca documentación al respecto. La cantidad de cuadros conservados, así como las numerosas repeticiones de temas populares, nos indican que el taller llegó a convertirse en una fábrica de imágenes piadosas. Estos cuadros son muchos y muy variados como para ser considerados en su totalidad; el estudio de algunos temas seleccionados nos puede servir para saber de

17. Francisco de Zurbarán, *Inmaculada Concepción*, 1628-1620, Museo Nacional del Prado, Madrid.

qué forma satisfacía Zurbarán la gran demanda de sus obras.

La Inmaculada Concepción[22] era uno de los temas más queridos de los sevillanos. Se puede explicar, en parte, esta popularidad por la gran devoción mariana, tradicional en toda España y especialmente en Sevilla. Pero la chispa de la devoción a María Inmaculada estaba inflamada por una apasionada controversia sobre la doctrina de la Inmaculada Concepción de la Virgen. Este debate giraba en torno a si María había sido concebida libre del pecado original o si había sido concebida en el pecado y luego purificada por Dios en el seno de su madre (la llamada doc-

trina de santificación). Durante cientos de años, los que proponían la doctrina de la Concepción Inmaculada habían tratado de elevarla a dogma de la Iglesia Católica, provocando la fiera aparición de los que creían que Jesús era el único que estaba libre del pecado original.

Durante el siglo XVII, la controversia llegó a ser de interés público en España, y los monarcas hicieron repetidas peticiones a los papas para que se pronunciaran a favor de la Inmaculada Concepción de la Virgen. El populacho sevillano, bajo la influencia del favor de la Corona y de sus asesores teológicos, se echaba a la calle lo mismo cuando la doctrina era rechazada por sus detractores que cuando era exaltada por sus defensores. Por ejemplo, en septiembre de 1613, en la festividad del Nacimiento de la Virgen, un fraile dominico pronunció un sermón en favor de la doctrina de santificación que fue contestado por una masiva manifestación de inmaculistas a través de las calles de Sevilla. Como consecuencia de todas estas circunstancias, no es de extrañar que siempre hubiera demanda de cuadros de la Inmaculada Concepción.

Muchas de las interpretaciones que Zurbarán hizo del tema, en la década de 1630, son imágenes didácticas que reflejan la polémica generada por el debate [17]. A principios del siglo, Francisco Pacheco hizo varias versiones del tema, con incorporación de todo el aparato simbólico que se había desarrollado en el siglo XVI. Esta iconografía, codificada más tarde en los tratados de Pacheco, llegó a ser el modelo a seguir por los pintores que trabajaban en Sevilla en la primera mitad del siglo. Así, en un cuadro que se supone fue hecho por el Cabildo de Sevilla en 1630, Zurbarán representa a una joven María, sobre una luna creciente, con la cabeza rodeada de doce estrellas y cuyos rasgos han sido extraídos de la aparición de la mujer del apocalipsis a san Juan (Rev. 12: 1-2). Está flanqueada por los símbolos de su fuerza extraídos de las letanías de la Virgen: el espejo de justicia, la puerta del cielo, la escala de Jacob y la estrella del mar. Por debajo de sus pies hay un paisaje naturalista con más símbolos de pureza, el ciprés de Sion, el pozo de las aguas vivas, la torre de David, el jardín cercado y otros. Aún más icónico y explícito es un cuadro de la Inmaculada con dos jóvenes donantes. A cada lado de María hay un angelote que porta rosas y lirios y tablillas con citas de los Cánticos 6: 10, un texto que se emplea comúnmente para exaltar la pureza de la Virgen. Inmediatamente debajo, en nichos abiertos en el cielo, aparecen algunos de los símbolos familiares de las letanías, otros de ellos formando parte del paisaje del fondo.

Otro tipo pictórico que Zurbarán adoptó y transformó para sus clientes privados fue la Virgen mártir con traje contemporáneo[23]. El tema había sido popular en Sevilla a finales del siglo XVI y en el XVII, cuando fue presentado este ejemplo del tipo. De las manos de Zurbarán, las jóvenes mártires adquieren personalidad y modas de vestir que las distinguen, pasando del estilo opulento al rústico.

Zurbarán se especializó también en pintar santos varones, bien de pie o en oración, siendo los más conocidos y también los más logrados los dedicados a san Francisco [18]. La iconografía de este santo había sufrido un cambio significativo en el siglo XVI, al transformarse el benévolo hombre de la Caridad en un ferviente penitente que porta una calavera para recordarle la vanidad de la vida terrenal[24]. Esta versión de san Francisco fue popularizada en España por El Greco, pero la representación definitiva del género es sin duda el famoso cuadro de Zurbarán, que combina efectivamente un esmerado realismo con una solemnidad monumental.

18. Francisco de Zurbarán, *San Francisco meditando,* 1639, National Gallery, Londres.

NUEVOS MERCADOS EN EL NUEVO MUNDO

Pasando revista a los patrocinadores de Zurbarán entre 1626-1640, podemos establecer que el artista cultivó tres mercados para sus obras, aunque el principal de ellos fue el que conformaban los establecimientos religiosos de Sevilla. Una vez que un pintor se había forjado su reputación entre este grupo de patronos, podía recibir encargos de toda la región, puesto que las ciudades más pequeñas querían emular el estilo de las metrópolis. Por ello, a mediados de la década de 1630, Zurbarán dominaba también los

19. Francisco de Zurbarán, serie de *Los 12 hijos de Jacob* (detalle), *ca.* 1640, Auckland Castle, Bishop, Durham.

mercados regionales. Entre 1636 y 1640 recibió encargos de Llerena (1636), Marchena (1637), Arcos de la Frontera (1637), así como de Jerez de la Frontera y Guadalupe (1638-1639). El tercer mercado en importancia venía del sector privado, con clientes individuales que querían poseer un cuadro.

En teoría, Zurbarán no habría tenido que preocuparse ya por los pedidos de sus cuadros, pero en la práctica la vida no debía de ser tan fácil. Casi cuando acababa de terminar su trabajo para Jerez y Guadalupe, se vino abajo el mercado de encargos eclesiásticos de Sevilla. A partir de 1640, el artista no volvió a recibir ninguna petición importante de ninguna orden religiosa sevillana.

La explicación de este inesperado desenlace se podía encontrar en la confluencia de circunstancias políticas y económicas que tuvieron lugar en España a mediados del siglo XVII[25]. En la década de 1620, la monarquía inició guerras con Italia, Alemania y los Países Bajos, lo que empobreció gradualmente al país. En 1635, comenzó una larga y costosa lucha con Francia, seguida, en 1640, por la rebelión de Cataluña y la de Portugal. Las desesperadas medidas que se adoptaron para conseguir fondos destinados a la monarquía agravaron aún más la situación económica, que aún recibió otro golpe con la inesperada suspensión de remesas de plata desde América, lo que tuvo fuerte repercusión en Sevilla.

Inevitablemente, los problemas financieros alcanzaron a los establecimientos religiosos. Por ejemplo, desde 1640 hasta el final del siglo, solo se fundaron en Sevilla tres nuevos conventos mientras que a los ya existentes les eran reducidas sus donaciones a causa de la deflación y de la mala administración[26]. Al empeorar las condiciones económicas, aumentaba la necesidad de limosnas y se echó mano de fondos que hubieran estado destinados a proyectos artísticos.

Para compensar la pérdida de estos importantes clientes, Zurbarán se dedicó a realizar cuadros destinados a la exportación a las colonias españolas en América.

Los cuadros destinados al Nuevo Mundo solían ser ejecutados basándose en especulaciones, aunque también obedecían a algún encargo específico[27]. Para su venta, allende el Atlántico, los artistas confiaban varias obras a los capitanes de los barcos, quienes, a su regreso, les pagaban lo recaudado descontando su comisión. Las condiciones de este comercio repercutían en la producción, ya que a los pintores no les resultaba rentable realizar obras de gran calidad para un público desconocido y que probablemente no las iba a apreciar, a lo que había que añadir el peligro de que los cuadros se perdieran en el mar o resultaran dañados durante el transporte a remotos lugares tierra adentro. Los temas elegidos debían ser susceptibles de agradar a la mayor cantidad de gente para aumentar las posibilidades de venta.

La producción de Zurbarán, desde 1640 hasta 1656, refleja estas condiciones de mercado de masas para las imágenes religiosas, por lo que aborda temas simples y demuestra bastante mediocridad en la calidad. Los talleres se especializaron también en la realización de grupos de cuadros dedicados a un solo tema, lo que permitía al cliente decorar una iglesia o casa particular con una única adquisición. De esta manera, hay series (generalmente compuestas de una docena, aunque a veces de veinte o más) dedicadas a fundadores de órdenes religiosas, a los doce emperadores romanos y a los doce hijos de Jacob [19], que se creía eran los antepasados de los primeros habitantes de América. Zurbarán envió a América series sobre Cristo y los apóstoles y sobre la vida de la Virgen, y no es necesario decir que esta producción de cuadros al por mayor fue realizada por miembros del taller sobre dibujos del maestro, aunque tuvieron un considerable impacto en el Nuevo Mundo, donde Zurbarán llegó a ser el artista más influyente de su tiempo.

LOS TIEMPOS CAMBIAN, CAMBIA LA FORTUNA

El descenso de clientes institucionales y el aumento del mercado americano se vieron acompañados por otros cambios en la demanda de cuadros religiosos, en Sevilla, a los que tuvo que adaptarse Zurbarán. A principios de la década de 1640, aflora en Sevilla un gusto nuevo en materia de arte religioso. En los primeros años del siglo se insistía en representar fielmente las Escrituras y en interpretar correctamente la doctrina, en la creencia de que la misión más importante del arte religioso consistía en instruir y después en inspirar devoción. En el siglo XVI la ortodoxia era capital, ya que los reformadores protestantes comenzaban a cuestionar algunos de los dogmas principales de la fe católica. Para salvaguardar la fe, la Inquisición de Sevilla nombró un supervisor de imágenes cuya misión era detectar «errores» doctrinales en las obras de arte. Desde 1616 este cargo fue desempeñado por Francisco de Pacheco, ese severo juez de la ortodoxia que publicó sus criterios al respecto en el *Arte de la Pintura*.

La tercera parte de este tratado ofrece normas detalladas para la iconografía de los principales temas de arte católico y nos permite ver en acción la mentalidad de la Contrarreforma. En un capítulo, Pacheco analiza el tema de santa Ana enseñando a leer a la joven Virgen María[28] y apunta con desaprobación que el tema apareció en el arte sevillano hacia 1612, mostrándose ávido de erradicarlo por razones que aparecen en su discusión de una versión de Juan de Roelas sobre el tema. Este cuadro, aparentemente inocuo, es conservado porque comprende detalles naturalistas pero, sobre todo, porque implica la imperfección de la Virgen, quien «desde el momento de su concepción tenía perfecto uso de razón, libre albedrío y de contemplación». En otras palabras, que nació sabiendo leer y que, en conse-

20. Francisco de Zurbarán, *La Virgen con el Niño Jesús y san Juan Bautista niño*, 1662, Museo de Bellas Artes, Bilbao.

cuencia, no necesitaba ser instruida por su madre ni por ningún otro mortal.

Pacheco se refiere al tema como adoptado por el vulgo (por ejemplo, los analfabetos), acusación que no carecía de fundamento. En los primeros años de la Contrarreforma, las autoridades eclesiásticas y los teólogos habían luchado con el problema de la devoción popular, que se caracterizaba por una fe intensamente personal y humanizada, susceptible de prácticas rayanas en la superstición[29]. Sin embargo, poco a poco, algunas devociones populares se fueron incorporando a las prácticas convencionales, y el resultado fue un marcado cambio en la imaginería religiosa, que pasó de lo doctrinal a lo emocional. Esta evolución fue apoyada por la publicación de nuevas e impor-

tantes obras de literatura devocional, cuyo mejor ejemplo fueron los *Ejercicios Espirituales* de Loyola (1548), que incitaban a comprometerse emocionalmente en la práctica de la fe. En los años que precedieron a su muerte, ocurrida en 1644, Pacheco fue el desgraciado testigo de los comienzos de esta tendencia en la pintura sevillana, incluyendo la obra de Zurbarán a partir de 1640.

Ya en la década de 1630, Zurbarán había pintado ocasionalmente algún cuadro que expresaba las nuevas devociones, pero, a partir de 1640, la nueva temática aparece cada vez con mayor frecuencia en sus obras. Un ejemplo es *La Virgen con el Niño* [20], tema que, sorprendentemente, es desconocido en sus primeras obras pero que después aparece con diferentes variantes.

En 1627 había pintado un convincente *Cristo crucificado:* ahora se representa de forma mucho más emotiva, bajándolo de la Cruz y produciendo en el espectador la sensación de que está suplicando compasión.

El rudo ascetismo del penitente *San Francisco* es dulcificado en una versión posterior en la que se introduce un tipo físico menos rústico, mucho más refinado, como el que se encuentra en la Alte Pinakothek de Múnich.

El estilo austero y monumental de Zurbarán no se adapta bien a estos nuevos temas, pero consiguió suavizar sus maneras con bastante éxito. De esta manera, Murillo, que empezaba a emerger gradualmente para convertirse después en el maestro único de la pintura devocional, no resultaba inicialmente una amenaza para la carrera de Zurbarán; el reto decisivo le llegó del arte enérgico y moderno de Francisco de Herrera el Joven.

Herrera regresó a su Sevilla natal en 1655 y el mismo año pintó la *Alegoría de la Eucaristía* para la Confraternidad del Santo Sacramento. Esta obra, junto con *San Francisco recibiendo los estigmas* [21], realizada en 1657, introducía en Sevilla un nuevo tipo de arte religioso en el cual

21. Francisco de Herrera el Joven, *San Francisco recibiendo los estigmas,* 1656-1657, catedral de Sevilla.

la vibrante emoción de la oración privada encontraba un convincente equivalente visual[30]. Esta forma de pintar no estaba al alcance de Zurbarán, y cuando, en 1656-1657, su situación financiera se vino abajo, la única elección que se le planteó fue trasladarse a Madrid para tratar de mejorar su suerte[31].

Ahora sabemos que las esperanzas de Zurbarán eran solo una utopía. La fortuna estaba más avanzada en Madrid que en Sevilla, y cuando Zurbarán realizó una versión de la *Virgen y el Niño* basada en un grabado de Albrecht Durero, estaba firmando su rendición[32]. En sus cuadros de la Inmaculada Concepción eliminó el elaborado mecanismo didáctico de sus versiones anteriores, pero no consiguió dar a la imagen la sensación de arrobo que pedía el público.

Si consideramos la carrera de Zurbarán, vemos que hubo un tiempo en que su estilo casaba perfectamente con la forma de pensar de su clientela y que consiguió dar una expresión noble y digna a una forma heroica de vida y devoción cristianas. Aunque no creemos que Zurbarán fuera un pintor culto, al estilo de Pacheco, el hecho es que demostraba su buen hacer en la interpretación de la historia y el dogma cristianos. Al buscar la fe católica una expresión emocional, la sobria síntesis conseguida por Zurbarán entre las ideas y la espiritualidad dejó de tener valor para su clientela. El artista trató de adaptarse a las nuevas condiciones, pero no consiguió cambiar lo suficiente, por lo que en sus últimos años bajó al mundo sombrío donde moran los que se quedan desfasados.

4

El coleccionismo regio en el siglo XVII

En 1667, un francés que visitaba Madrid tuvo ocasión de comentar la enorme cantidad de pinturas que poseía el soberano español, Felipe IV, que había fallecido poco antes.

> En el palacio [el Buen Retiro], nos quedamos atónitos ante la cantidad de pinturas. Las galerías y escaleras estaban llenas, y lo mismo cabe decir de las alcobas y salones. Os aseguro, Señor, que había más que en todo París. Y no me extrañó en absoluto cuando me dijeron que la principal virtud del difunto monarca era su amor a la pintura y que nadie en el mundo sabía tanto de ella como él.

Esta afirmación nos sugiere diversas cosas. Representa una de las pocas veces en la historia documentada en que un francés encuentra en España algo digno de alabanza. Pero más importante es la comparación que establece el autor entre el número de pinturas que hay en Madrid y en París. Desde nuestra óptica de hoy, el hecho de que el francés reconozca de buen grado la superioridad española puede parecer increíble. El ascenso de Francia a la primacía política y cul-

tural, que se remonta al reinado de Luis XIV (1643-1715), tiñe inevitablemente, al igual que muchas otras cosas, nuestra percepción de la historia del coleccionismo. No hay duda de que durante el siglo XVIII los coleccionistas franceses superaron a sus vecinos del otro lado de los Pirineos. Pero no hay duda tampoco de que nuestro viajero francés estaba en lo cierto cuando señaló que en Madrid «había más [pinturas] que en todo París».

La importancia del coleccionismo de pintura en la España del siglo XVII está siendo cada vez más reconocida por los historiadores de esta disciplina, pero sus auténticas dimensiones solo se pueden medir estableciendo una comparación con otros importantes centros de actividad. Ese estudio comparativo es una tarea plagada de dificultades, entre las que no es la menor el enorme número de cuadros que pasaron de unas colecciones a otras. Igualmente complicado es elegir los términos de comparación. A finales del siglo XVII, el coleccionismo de pintura era una actividad social y económica consolidada en casi todos los centros culturales de Europa. Se nos plantea por tanto el problema de cómo establecer unas comparaciones que sean a un tiempo manejables y significativas.

La respuesta ha de buscarse haciendo referencia a algunos cambios fundamentales que se produjeron a lo largo del siglo XVII. Hoy damos por supuesto que la pintura es, de todos los medios que utilizan las artes visuales, el más prestigioso y por tanto también el más valioso. Sin embargo, antes de 1600 no se daba, en modo alguno, por supuesta la preeminencia de la pintura. De hecho, los coleccionistas del siglo XVI aspiraban en su mayoría a reunir colecciones universales —la llamada *Kunst-und-Wunderkammer* o «cámara de las maravillas»—, con las que se trataba de representar las maravillas del mundo natural y artificial dentro de los límites de un recinto cerrado. Los cuadros estaban presentes en esas colecciones, pero desempeñaban una función secundaria con respecto a los objetos «raros», que como su nombre indica escaseaban y tenían por tanto un alto precio. Los cuadros, que estaban hechos con materiales baratos y abundantes (lienzo y pigmento), no podían competir con los hechos de oro o plata y con incrustaciones de piedras preciosas, y tampoco, evidentemente, con piezas tan extraordinarias como un cuerno de unicornio. Con todo, hacia el año 1700 esas colecciones macrocósmicas ya estaban en general pasadas de moda. Bajo la influencia de la revolución científica, se separaban los especímenes naturales de las curiosidades, para clasificarlos de manera sistemática conforme a categorías científicas como la botánica, la geología y la ornitología. Esas nuevas colecciones iban siendo cada vez más el territorio de científicos aficionados o profesionales, y pueden considerarse los antecedentes de los modernos museos de ciencias.

El hecho de separar los cuadros del resto de los componentes de la colección universal, y de dar al medio pictórico la primacía sobre las demás formas de las artes visuales salvo la escultura antigua, fue un fenómeno que se produjo en las cortes reales a lo largo del siglo XVII. Al disponer de enormes recursos financieros, los soberanos de las principales cortes podían adquirir cuadros a centenares. A este respecto, cuatro destacan de manera especial por el tamaño y la calidad de sus colecciones: Felipe IV, Carlos I de Inglaterra, Luis XIV y el archiduque Leopoldo Guillermo de Austria. Una comparación entre estos coleccionistas no solo pone de manifiesto lo que podríamos llamar el «triunfo de la pintura», sino que también nos permite juzgar los méritos relativos de estas cuatro «megacolecciones».

El caso de Felipe IV merece ser examinado en primer lugar, pues la colección real española era sin duda la mayor colección de pintura que habría en la Europa del siglo XVII. Ha de admitirse, no obstante, que Felipe gozaba de una importante ventaja sobre sus colegas. Había heredado una fabulosa colección que habían iniciado Carlos V y Margarita de Austria y que después enriquecieron notablemente María de Hungría y Felipe II. Es verdad que Rodolfo II de Austria había reunido una importante colección en su castillo de Praga, pero los acontecimientos de la Guerra de los Treinta Años, que culminaron en el saqueo de Praga por los suecos en 1648, habían mermado considerablemente ese conjunto. La colección real española estuvo por fortuna a salvo, guardada en los sitios reales, sobre todo El Escorial, el Alcázar de Madrid y el Palacio de El Pardo. Así, a comienzos de su reinado Felipe IV poseía alrededor de dos mil cuadros, que ya es una cifra extraordinaria.

Durante el decenio de 1620, Felipe, todavía joven, no adquirió muchas obras nuevas. Pero en el decenio siguiente la cifra se elevó radicalmente. Esas nuevas adquisiciones respondían en su mayoría a la necesidad de acondicionar dos nuevas casas reales, el Palacio del Buen Retiro y la Torre de la Parada. Muchos de esos cuadros, es cierto, no eran de gran calidad; su función era simplemente llenar los cientos de metros de muro recién construidos. No obstante, algunas obras sí que destacan por su importancia, como la serie de alrededor de cincuenta composiciones de ermitaños en paisajes realizada en Roma por pintores tan destacados como Nicolas Poussin y Claudio de Lorena. También fue cuando el pintor del rey, Diego de Velázquez, vendió dos de sus obras maestras a la Corona: *La fragua de Vulcano* (Prado) y *La túnica de José* (Patrimonio Nacional). En total, se sumaron a la colección alrededor de ochocientos cuadros para decorar el reino.

En cuanto a la Torre de la Parada, las series de escenas de la *Metamorfosis* de Ovidio creadas por Pedro Pablo Rubens y otros pintores de Amberes son tan famosas que no requieren más comentario. Para la Torre se consiguieron asimismo numerosos paisajes y escenas de caza de artistas flamencos, mientras Velázquez pintaba para ese destino retratos en atuendo de cazador de Felipe IV, el cardenal infante Fernando y el príncipe Baltasar Carlos. Hacia 1640, como resultado de esas compras y encargos, la colección real se había incrementado en alrededor de mil obras.

A lo largo de los veinticinco años siguientes, la colección adquirió un cariz más selectivo. En vez de comprar cuadros por docenas, se concentró en conseguir las mejores obras de maestros reconocidos de los siglos XVI y XVII, especialmente flamencos e italianos. Esas obras entraron en la colección de dos maneras: como compras (obviamente) y en forma de obsequios. Una vez que se supo que al monarca le encantaba la buena pintura, los que trataban de ganarse su favor se aseguraban de regalarle importantes muestras del arte pictórico.

La primera compra importante del decenio de 1640 fue la de un grupo de pinturas del patrimonio de uno de los artistas favoritos de Felipe,

22. Tiziano, *Autorretrato, ca.* 1562, Museo Nacional del Prado, Madrid.

Pedro Pablo Rubens. En 1642 los agentes reales destacados en Flandes adquirieron a los herederos de Rubens veintinueve cuadros, entre ellos *Ninfas y sátiros* y *Danza de campesinos* (ambos del propio Rubens y ambos en El Prado). Otra obra maestra procedente del patrimonio de Rubens era el *Autorretrato* de Tiziano (Prado) [22].

Las mejores incorporaciones del decenio de 1650 fueron regalos de don Luis de Haro, sucesor del conde-duque de Olivares como ministro principal de la monarquía.

Aunque todavía no se le reconoce suficientemente como un coleccionista importante, Luis de Haro fue el principal comprador en la más célebre subasta de arte del siglo XVII, la llamada

«almoneda de la Commonwealth», en la que se puso a la venta la colección de Carlos I de Inglaterra, ejecutado en enero de 1649 por sus súbditos rebeldes. Esta almoneda, que se prolongó de octubre de 1649 a diciembre de 1653, tenía por objeto enajenar las más de mil quinientas pinturas que constituían la colección del difunto monarca. El embajador español, Alonso de Cárdenas, consiguió la mayoría de las obras maestras y

se las envió a Haro, el cual, juiciosamente, obsequió al monarca con muchas de las mejores. De esa manera, entraron en la colección real obras tan importantes como la *Sagrada Familia* de Rafael (conocida como «La Perla» porque se consideraba que era la perla de la colección de Carlos), *El lavatorio* de Tintoretto [23] y *El tránsito de la Virgen* de Mantegna [24] (todas ellas en El Prado).

23. Jacopo Robusti, Tintoretto, *El lavatorio,* 1548-1549, Museo Nacional del Prado, Madrid.

Estos cuadros no son más que una parte de las adquisiciones que se realizaron durante el reinado de Felipe IV. Aunque es difícil estimar el total, la cifra debe de ascender como mínimo a dos mil quinientas. Con comprensible orgullo, y ayudado por su «conservador» Velázquez, Felipe instaló lo mejor de su colección en las principales galerías del Alcázar, especialmente en el Salón de los Espejos, la Pieza Ochavada, la Galería del Cierzo y las Bóvedas de Tiziano (Otros lienzos importantes se enviaron a El Escorial). En 1665, año en que murió Felipe IV, el Alcázar era ya un extraordinario museo de pintura, que marcaba la pauta para los «megacoleccionistas» de otras cortes.

El monarca que recibió de manera más directa la influencia de la colección real española fue Carlos I, que reinó de 1625 a 1649 y que

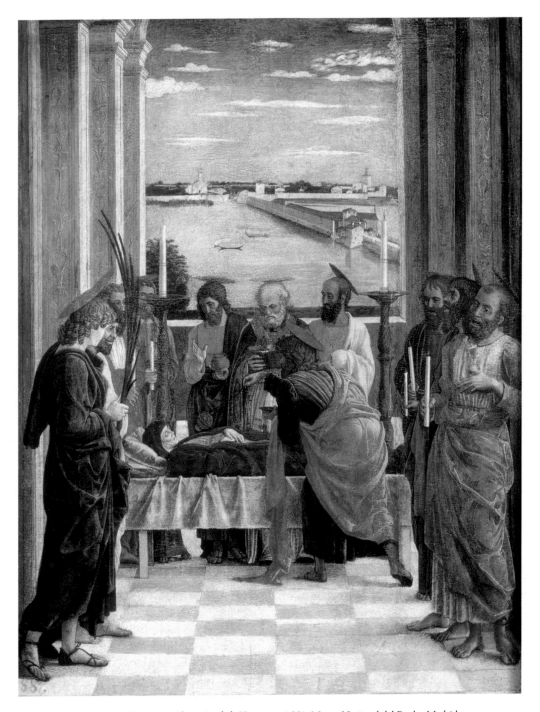

24. Andrea Mantegna, *El tránsito de la Virgen, ca.* 1462, Museo Nacional del Prado, Madrid.

visitó Madrid como príncipe de Gales en 1623. Evidentemente, en esa fecha la colección real española era solo la mitad de grande de lo que llegaría a ser durante el reinado de Felipe IV, pero pese a ello Carlos se sintió profundamente impresionado por lo que vio. Al fin y al cabo, el coleccionismo de pintura en Londres era todavía incipiente; debido a las guerras de religión en el continente, a los ingleses les parecía peligroso viajar al extranjero hasta que en 1604 se firmó el tratado entre España e Inglaterra.

Al igual que Felipe IV, Carlos I sentía un amor innato por la pintura y, tras ocupar el trono en 1625, inició una carrera breve pero intensa como coleccionista. Su mayor adquisición, y una de las más célebres de la historia del arte, fue la de una parte selecta de la colección Gonzaga, en el año 1627 (con una segunda parte, en la que figuraban los *Triunfos de César* de Mantegna, en 1630). Los Gonzaga, duques de Mantua, habían sido mecenas de pintores tan célebres como Mantegna, Tiziano, Giulio romano y Correggio, y ahora una parte considerable de esa colección familiar era cargada en un buque en Venecia con destino al Támesis y Londres. La colección real inglesa, que hasta ese momento había sido insignificante, podía alardear ahora de poseer obras como la *Venus y Cupido con un sátiro* de Correggio, la *Muerte de la Virgen* de Caravaggio [25] y el *Entierro* de Tiziano (todas en el Louvre).

Como en Madrid, el círculo más próximo al monarca compartía la pasión real por el coleccionismo de pintura. Uno de los miembros de ese círculo, Thomas Howard, conde de Arundel, había empezado incluso a coleccionar hacia 1615, y su palacio en el Strand adquirió enseguida fama por sus pinturas y esculturas antiguas (sin olvidar su biblioteca de libros y manuscritos). Arundel poseía alrededor de seiscientos cuadros, elegidos con un buen criterio poco habitual. Aunque le gustaban especialmente los retratos de Hans Holbein el Joven *(William Warham,* Louvre, 1334, y *Ana de Cleves,* Louvre, 1348), su colección de obras de Tiziano, el más codiciado de los «viejos maestros», incluía obras tan admirables como la *Fiesta campestre* y el *Marsias desollado* (Kremsier).

El gran rival de Arundel, George Villiers, duque de Buckingham, fue un coleccionista más ostentoso. En el espacio de diez años, a partir de 1619 y hasta que murió asesinado en 1628, Buckingham, con la ayuda de su conservador Balthasar Gerbier, barrió el continente en busca de hermosos cuadros y consiguió comprar tesoros como la *Piedad* de Andrea del Sarto y la *Presentación de la Virgen* de Tiziano (ambas en el Kunsthistorisches Museum de Viena), así como importantes obras de Rubens.

El tercer coleccionista importante del llamado «Grupo de Whitehall» fue James Hamilton, conde de Hamilton, cuya carrera como coleccionista fue breve pero espectacular. Prácticamente toda su colección la adquirió en 1637-1638 su cuñado, que era embajador de Inglaterra en Venecia. El éxito más importante fue la compra de la colección de un comerciante fallecido, Bartolommeo della Nave, que constaba de doscientos veinticuatro cuadros entre los que estaban *La adoración de los pastores* y los *Tres filósofos* de Giorgione [26] (ambas en Viena). Pero en ese mismo año de 1638 Hamilton dejó de adquirir pinturas; el rey le envió al norte para disuadir a los ingobernables escoceses de la actitud de desafío que acabaría conduciendo a la guerra civil.

La edad de oro del coleccionismo inglés fue sorprendentemente corta, pues no llegó siquiera a treinta años (hacia 1610-1638), pero fue sin duda muy fructífera. La colección de Carlos I contenía más de mil quinientos cuadros, mientras que las de Arundel, Buckingham y Hamilton sumaban entre las tres más o menos otros tantos (alrededor de seiscientas, cuatrocientas y seiscientas pinturas respectivamente). Y el «Grupo de Whitehall» de-

25. Caravaggio, *Muerte de la Virgen,* 1606, Museo del Louvre, París.

26. Giorgio da Castelfranco, Giorgione, *Tres filósofos, ca.* 1506, Kunshistorisches Museum, Viena.

mostró gusto y buen criterio en sus compras. Mas con el inicio de la guerra civil en 1642 este valioso conjunto de cuadros se dispersaría casi por completo, y en el plazo de pocos años. En 1649, el Parlamento ordenó que se vendiera la colección real, y partes considerables de las otras tres colecciones se enviaron a los Países Bajos, donde en 1654 ya se habían vendido en su mayoría. Esta catástrofe para los coleccionistas ingleses constituyó una oportunidad inmejorable para sus homólogos del continente, y gracias a esa tragedia se pudo construir una de las colecciones principescas más importantes de la época, la del archiduque Leopoldo Guillermo de Austria.

Leopoldo Guillermo entró en Bruselas el 11 de abril de 1647 para iniciar su mandato como gobernador de los Países Bajos españoles, que terminó el 9 de mayo de 1656. Parece que antes de llegar a Flandes, el archiduque no poseía más que una colección pequeña y sin importancia.

27. David Teniers, *El archiduque Leopoldo Guillermo en su galería de pinturas,* 1647-1651,
Museo Nacional del Prado, Madrid.

Pero cuando regresó a Viena, era el orgulloso propietario de algo más de mil quinientos cuadros, seiscientos diecisiete de maestros italianos y ochocientos ochenta y cinco de maestros norteños. Lo mejor de la colección se adquirió en 1649-1650, en el que fue sin duda el mayor «golpe» del coleccionismo en el siglo XVII. En rápida sucesión, el archiduque pudo adquirir la mayoría de los mejores cuadros italianos de las colecciones de Buckingham (vendida por su hijo) y Hamilton (vendida por su hermano). En 1659

se realizó un inventario detallado de la colección del archiduque, cuya lectura es tediosa salvo para los especialistas más interesados. No obstante, el conservador del archiduque, el pintor David Teniers el Joven, nos dejó unos documentos visuales en sus representaciones de gabinetes de pintura, con las que Leopoldo Guillermo daba a conocer entre las otras colecciones principescas de Europa sus brillantes éxitos (para la versión enviada a Felipe IV, véase *El archiduque Leopoldo Guillermo en su galería de pintura* [27], Museo del

Prado, y su análisis por Matías Díaz Padrón y Mercedes Royo-Villanova en *David Teniers, Jan Brueghel y los gabinetes de pinturas,* Madrid, 1992). Todas las obras que aparecen en esta copiosa exhibición de riqueza pictórica proceden de la colección de Hamilton e incluyen ejemplos tan notables como la *Santa Margarita* de Rafael, la *Ninfa y sátiro* de Tiziano y una versión de la *Diana y Calisto* de Tiziano (todas ellas en el Kunsthistorisches Museum). (Alrededor de 100 cuadros de la colección de Buckingham se enviaron a Praga, para reponer la colección que había sido diezmada por los suecos en 1648). Cuando murió en 1662, el archiduque le dejó la colección a su sobrino el emperador Leopoldo I, y hoy esos cuadros constituyen el núcleo de los fondos italianos del Kunsthistorisches Museum.

Pese a todos sus éxitos en la adquisición de cuadros procedentes de Inglaterra, Leopoldo Guillermo no fue el único beneficiario de la dispersión de las colecciones de Whitehall. Dos coleccionistas franceses también participaron de ese éxito: el cardenal Julio Mazarino, ministro principal de Francia entre 1643 y 1660, y un banquero alemán que vivía en París, Everhard Jabach, personaje menos conocido pero más extraordinario como coleccionista. Mazarino y Jabach fueron los primeros coleccionistas de pintura auténticamente importantes que hubo en París, pues, al igual que en Inglaterra, en Francia el coleccionismo de pintura a gran escala fue prácticamente inexistente antes del siglo XVII (aunque Francisco I había sentado sin duda un precedente). De hecho, el coleccionismo de pintura en Francia se inició más tarde que en Inglaterra. Por un lado, los monarcas no aportaron mucha iniciativa a este respecto. Enrique IV fue asesinado en 1610 y sucedido por su joven hijo el futuro Luis XIII, que nunca demostró interés por las artes visuales. Al igual que en los asuntos políticos, el ejemplo lo dieron los validos.

La primera colección importante de Francia fue la reunida por el cardenal Richelieu, aunque sus logros resultan bastante modestos cuando se sitúan en el contexto de sus contemporáneos de otras cortes. A su muerte en 1643, no colgaban más que doscientos setenta y dos cuadros de su residencia parisina, el Palais Cardinal (hoy Palais Royal). (Otros estaban en su *château* de Richelieu, en el Poitou). Hay que reconocer no obstante que sí tenía algunas grandes obras, como *La Virgen y el Niño con santa Ana* de Leonardo [28] y la *Cena de Emaús* de Veronés (ambas en el Louvre), así como toda la decoración pictórica del *studiolo* de Isabel de Este, con sus obras de Mantegna y Perugino (Louvre).

No obstante, fue el cardenal Mazarino el que inició el coleccionismo de pintura en la corte francesa a una escala relativamente grande. Italiano de nacimiento, Mazarino había estado una temporada en la corte del papa Urbano VIII, donde recibió la influencia de los célebres mecenas de las artes que fueron los Barberini. Una vez instalado como favorito en 1643, Mazarino logró acumular una enorme fortuna, parte de la cual destinó a reunir una importante colección de pinturas y esculturas antiguas. Por desgracia, el cardenal no pudo participar en la «almoneda de la Commonwealth»; justo cuando esta se iniciaba, el *Parlement* de París inició la rebelión conocida como la Fronda, que se prolongaría hasta 1652. Para entonces el embajador español había comprado la mayoría de las mejores obras. No obstante, y pagando elevados precios, el agente del cardenal logró obtener joyas como la *Alegoría de la virtud* y la *Alegoría del vicio* de Correggio y la *Venus de El Pardo* de Tiziano (todas en el Louvre), la última de las cuales se la había regalado Felipe IV al príncipe de Gales en 1623.

Cuando murió en 1660, Mazarino poseía ochocientos cincuenta y nueve lienzos, de los que algo más de quinientos están descritos en su

28. Leonardo da Vinci, *La Virgen y el Niño con santa Ana*, 1503-1519, Museo del Louvre, París.

inventario como originales. Aunque más pequeña que las grandes de la época, la colección de Mazarino era mayor que la del rey. Pero por entonces la colección real francesa, que durante decenios había venido languideciendo en la indiferencia, iba a pasar al primer nivel coincidiendo con el predominio de la propia monarquía francesa en Europa.

El agente del cambio no fue el rey, a quien al parecer le interesaban poco las artes pictóricas, sino su ministro Jean-Baptiste Colbert, hombre excepcionalmente capaz. Con la colaboración del *peintre royal,* Charles Le Brun, Colbert utilizó un método eficaz para mejorar la colección real, que era comprar colecciones enteras o partes considerables de ellas a nobles y comerciantes de pintura de París.

De ese modo la Corona adquirió pequeñas partes de las colecciones de Richelieu y Mazarino, y del sobrino del primero, el duque de Richelieu, que consiguió un grupo selecto de obras de Poussin. No obstante, el principal proveedor de Colbert fue el inteligente banquero Everhard Jabach, que era un «marchante» a una escala colosal. Jabach nació en Colonia hacia 1610, y su padre era un sólido banquero internacional.

En 1647 se trasladó a París, donde se hizo aún más rico.

Aunque su negocio era el bancario, el coleccionismo y el comercio con obras de arte eran su pasión. Jabach fue un *connaisseur* respetado, que alardeaba de la agudeza de su «ojo», y fue el único comprador en la «almoneda de la Commonwealth» que compitió con Alonso de Cárdenas. En 1662 hizo su primer negocio con Colbert: vendió a la Corona cien cuadros, en su mayoría italianos, y muchos de ellos de altísima calidad. Nueve años después vendió otro lote importante a Colbert, con ciento y un cuadros excelentes y con la asombrosa cantidad de cinco mil quinientos cuarenta y dos dibujos, que

constituyen hoy el núcleo del Cabinet des Dessins del Louvre.

En 1683 Le Brun redactó un cuidado inventario de la colección real, que resume veintitrés años de coleccionismo. Luis XIV tenía a la sazón cuatrocientas ochenta y tres obras, la mayoría de ellas elegidas con excelente criterio. (Alrededor de otras quinientas, de menor importancia, estaban en el guardarropa). Desde este momento hasta la muerte del rey en 1715, el ritmo de adquisición descendió radicalmente. La última compra importante data de 1693, año en el que el jardinero real, André Le Nôtre, legó al monarca su colección de veintiún lienzos. Si bien es cierto que el inventario final de la colección real, realizado en 1709-1710, contiene casi dos mil cuatrocientas piezas, el incremento se debió en su mayor parte a obras encargadas para la decoración de las residencias reales. De este documento se deduce evidentemente que para el soberano francés los buenos cuadros eran un atributo más de la majestad, y así delegaba la formación de la colección en subordinados que merecían su confianza.

Son muchas las conclusiones que se pueden extraer de este esquemático recorrido por el coleccionismo real del siglo XVII, pero parece conveniente reservarlas para el estudio más amplio en el que se basa el presente ensayo. Pero sí merece la pena reiterar una cuestión general, ya señalada en los párrafos iniciales: la explosión del coleccionismo de pintura a gran escala, del «megacoleccionismo», elevó el arte de la pintura al más alto nivel de estima, que compartió únicamente con la escultura de la Antigüedad. El valor primordial que hoy damos a este medio artístico tiene su origen en las extraordinarias colecciones de pintura que acumularon los príncipes europeos del siglo XVII. Hay no obstante otra cuestión que lógicamente se plantea en el contexto de esta exposición: la comparación de la colección de Felipe IV con las de sus rivales de Londres, París y Bruselas (hay que señalar que ni en la República de Holanda ni en Italia se reunieron por esta época colecciones de pintura a una escala equivalente). Desde el punto de vista estrictamente cuantitativo, la respuesta es clara. La colección real española era con mucho la mayor, pues contenía más del doble de cuadros que la colección real francesa, que era su rival más próximo (si agrupamos las obras coleccionadas y encargadas).

La estimación cualitativa es mucho más complicada, e inevitablemente se ve teñida por consideraciones chauvinistas y cuestiones de gusto. Tras muchos años de estudiar la colección real española, mi opinión va a ser obvia y por tanto nada sorprendente. A mi juicio, la colección real española era la mejor, y Felipe IV fue el mayor coleccionista de pintura del siglo XVII y uno de los mayores de todas las épocas. Para apoyar esta opinión en solamente un dato estadístico, permítaseme citar la lista de los grandes maestros que estaban presentes en el Alcázar se-

gún el inventario de 1686, junto con el número de sus obras que se exponían en aquel venerable palacio: setenta y siete cuadros de Tiziano; sesenta y dos de Rubens; cuarenta y tres de Tintoretto; cuarenta y tres de Velázquez; veintinueve de Veronés, y veintiséis de los Bassano. Aun cuando no todas las atribuciones han pasado la prueba del tiempo (y no todos los cuadros han llegado hasta nosotros), un notable número de esas obras siguen figurando entre las mejores de sus autores.

No obstante, no es necesario aceptar mi opinión. La comparación puede hacerla todo aquel que se moleste en estudiar los inventarios publicados de estas colecciones reales y disponga del tiempo y los recursos económicos suficientes para visitar el Museo del Prado, el Museo del Louvre y el Kunsthistorisches Museum, donde en última instancia están depositados muchos de los cuadros que coleccionaron Felipe IV, Luis XIV, Leopoldo Guillermo y, por desgracia para los ingleses, también Carlos I y los nobles de su corte[1].

5

El mecenazgo y el olvido:
el caso de Felipe III y el duque de Lerma

Tradicionalmente el mecenazgo en el arte ha estado inspirado por muy distintos impulsos. Un mecenas puede desear expresar una serie de valores personales o de ideales políticos. Otro modo de inspiración puede ser incluido en el ámbito de la filantropía, esto es, el deseo de conferir algún beneficio a una comunidad específica de ciudadanos, o a la sociedad en su conjunto. El mecenazgo puede surgir también de la intención de apoyar la creación artística, dando a quienes a ella se dedican la oportunidad de hacer su trabajo sin excesivas preocupaciones económicas. Está además el deseo de dar realce a la propia vida rodeándose de objetos bellos, que a su vez dan testimonio de la riqueza y la posición social de su dueño. Por último, y esto es lo más importante, se supone que el mecenazgo es una poderosa arma contra el olvido.

La más simple ojeada a la historia basta para justificar la utilización del mecenazgo como una eficaz forma de asegurarse el recuerdo positivo de la colectividad. A Luis XIV se le recuerda como el constructor de Versalles, no como el arquitecto de una desastrosa política exterior. Felipe IV es conocido como protector de Velázquez y cliente de Rubens, aunque también presidió la decadencia de España. Los Medici, unos principillos sin apenas influencia en los asuntos internacionales, se ganaron a buena parte de Europa con su mecenazgo cultural. Georges Pompidou no fue más que uno de los varios presidentes que Francia tuvo durante la posguerra, pero su nombre es pronunciado por las multitudes que visitan cada año el célebre museo de arte contemporáneo del Beaubourg. Y si salimos de los límites de Europa, recordaremos a aquel príncipe indio, Shah Jahan, cuyo único título para la fama descansa en un exquisito monumento, el Taj Mahal.

Resulta por tanto tentador creer que el mecenazgo artístico proporciona un billete abierto para la inmortalidad. Contrata a los mejores artistas, construye grandiosos monumentos, llénalos de piezas importantes y lo demás se dará por antonomasia, la fama futura estará asegurada.

29. Pedro Pablo Rubens, *Retrato ecuestre del duque de Lerma*, 1603, Museo Nacional del Prado, Madrid.

Desgraciadamente, la senda de la posteridad no siempre es recta, ni conduce inevitablemente a la meta deseada. Este extremo puede ser demostrado por un ambicioso aunque fallido ejercicio de mecenazgo a gran escala: el caso de Felipe III (1598-1621) y su más importante ministro, Francisco Gómez de Sandoval y Rojas, duque de Lerma (1552-1625).

Empecemos por Lerma, que en la corte de Felipe III llevó la dirección tanto de los asuntos artísticos como de los políticos. Si bien la casa de Lerma era una importante familia noble, había atravesado momentos difíciles durante el reinado de Felipe II. El duque se empeñó en restaurar la fama y la fortuna de la familia, lo que logró rápidamente tras ganarse el favor de Felipe III. Cuando sus riquezas crecieron astronómicamente, dirigió su atención a crear una serie de monumentos artísticos que confirmarían su poder y su gloria.

El primer lugar que se benefició de su mecenazgo fue Valladolid, adonde, debido a su insistencia, la corte se había trasladado en 1601. Durante el año anterior Lerma había decidido concentrar su actividad constructora en torno al monasterio de San Pablo, que fue puesto bajo su patronazgo y convertido en panteón familiar. (El escudo de armas de los Lerma todavía puede verse en la fachada de la iglesia de esta importante construcción tardogótica).

Al otro lado de la plaza, Lerma empezó a adquirir los terrenos en que se levantó un palacio algo provisional, que albergaría tanto a la familia real como a los miembros del clan Lerma. Más importante fue el proyecto puesto en marcha a las afueras de la ciudad, conocido como La Huerta de la Ribera. La Huerta era una villa situada en medio de amplios jardines que fue restaurada para el uso del duque entre 1602 y 1605. A ella se llevaron dos de las mejores obras de la colección Lerma, *Sansón matando a los filisteos* de Gianbologna (Londres, Victoria and Albert Museum) y *Sansón rompiendo las fauces del león* de Cristoforo Stati (hoy perdido). El interior de la villa se adornaba con unas 600 pinturas, una parte de la gigantesca colección adquirida por el duque poco después de llegar al poder. Entre las mejores figuraba el *Retrato ecuestre del duque de Lerma* (Prado) de Rubens [**29**], ejecutado durante la estancia del pintor flamenco en Valladolid en 1603.

Sin embargo, todo ello quedaba eclipsado por el proyecto más ambicioso: la construcción de una «ciudad ducal» en las propiedades patrimoniales de Lerma. En 1604 el duque encargó al arquitecto real, Francisco de Mora, el trazado de los planos de un complejo de edificios entre los que se incluían un palacio y una plaza, una iglesia colegiata (San Pedro), cinco monasterios y cuatro conventos [**30**]. Este proyecto estaba en gran parte concluido en el momento de morir el duque, y supone uno de los más significativos ejemplos de arquitectura aristocrática del siglo XVII, aunque su actual estado de abandono y decadencia impide casi darse cuenta de su importancia. Solo podría rivalizar con él la ciudad de Richelieu (Poitou), construida por el favorito de Luis XIII.

En 1606 Lerma decidió abandonar su proyecto de convertir Valladolid en sede de la monarquía y la corte regresó definitivamente a Madrid. Antes de partir, Lerma vendió el Palacio Real y La Ribera a la Corona, por los que obtuvo un sustancioso beneficio. Al parecer, había decidido concentrar sus recursos en Madrid y Lerma. Ya en 1602 el duque había adquirido un extenso terreno junto al Paseo del Prado, en el que construyó un palacio y jardines. (El lugar está hoy ocupado por el hotel Palace). Asimismo, se hizo cargo del patronazgo del cercano monasterio de los trinitarios descalzos. Sin embargo, desde aproximadamente 1610 hasta 1618, año en que Lerma fue desposeído del poder,

30. Fachada del Palacio Ducal de Lerma.

parece como si se hiciera a un lado en favor del monarca, que se convirtió ahora en un activo patrocinador de una gran variedad de importantes proyectos.

Es cierto que el mecenazgo de Felipe III recurrió a muchos de los mismos artistas favorecidos por Lerma. A la cabeza del cuerpo de pintores figuraban dos excelentes maestros, Vicente Carducho y Eugenio Cajés, que recibirían numerosos encargos de retablos y frescos. El maestro de las obras reales fue Juan Gómez de Mora, uno de los más laboriosos arquitectos de la historia del arte español.

Gómez de Mora (nacido en 1586), que sucedió a su tío Francisco de Mora como arquitecto real en 1611, era un profesional de energía prodigiosa y carácter emprendedor. Durante los siguientes once años del reinado, y hasta su muerte en 1648, Gómez de Mora creó todos los tipos imaginables de proyectos arquitectónicos y de ingeniería. El exhaustivo estudio de su carrera llevado a cabo por Virginia Tovar Martín nos dispensa de la necesidad de examinar su obra con detalle. Sin embargo, podemos hacernos una idea de su importancia con solo repasar sumariamente los momentos culminantes de su carrera.

Con el regreso de la corte a Madrid, se hizo necesario mejorar el aspecto del Alcázar y sus alrededores. Aunque el Alcázar había sido sometido a constantes mejoras durante el siglo XVI, seguía mostrando una apariencia un tanto destartalada cuando Felipe III volvió a residir en él en 1606. Por tanto, en 1616 encargó al arquitecto los planos para construir una nueva e imponente fachada principal en el lado sur del palacio. La obra, que no se completaría hasta 1630, unificaba y modernizaba a un tiempo el aspecto de este palacio medieval. Aspecto que solo puede juzgarse a través de grabados, pues el Alcázar quedó destruido por el desastroso incendio de 1734, siendo más tarde reemplazado por el Palacio de Oriente [**31**].

En el área contigua Gómez de Mora creó una «zona noble» mediante la construcción de tres nuevos complejos eclesiásticos. Felipe III tenía fama de hombre piadoso y demostraría ser un infatigable patrono de iglesias, monasterios y conventos. La zona noble incluía tres construcciones: el monasterio de San Gil (decorado con pinturas de Carducho), el convento de Santo Domingo el Real y el convento de la Encarnación (también con pinturas de Carducho). De

estos encargos, la Encarnación es el único que se conserva.

Gómez de Mora estuvo igualmente relacionado con proyectos de mejoras urbanas a gran escala, algunos de los cuales fueron patrocinados por la Corona, mientras que otros fueron realizados para la villa de Madrid, a la que él había servido como *maestro mayor* desde 1615. El arquitecto, por ejemplo, trató de crear una «vía real» que uniese la iglesia de San Jerónimo con el Alcázar, siguiendo la carrera de San Jerónimo, atravesando la Puerta del Sol y continuando por la calle Mayor hasta el palacio. Basándose en ideas de regularidad y uniformidad heredadas de Juan de Herrera, el arquitecto de Felipe II, Gómez de Mora puso en la medida de lo posible el sello de su sobrio clasicismo en la heterogénea colección de edificios que se alineaban a lo largo de la ruta. La mayoría de esos edificios no existen ya y la «vía real» es ahora una mezcolanza de construcciones levantadas en los últimos dos siglos.

31. Louis Meunier, *Fachada principal del Alcázar de Madrid* (grabado), 1665-1668, Museo de Historia de Madrid.

32. Plaza Mayor de Madrid.

Todavía sobrevive, aunque muy alterado, el más importante encargo urbanístico del reinado de Felipe III: la Plaza Mayor, que tuvo las funciones de plaza de mercado, teatro y residencia de funcionarios de la corte y otras personas [32]. Aunque este foro público había sido imaginado por Felipe II y Juan de Herrera, su construcción no se inició hasta 1617, bajo la dirección de Gómez de Mora, que posiblemente seguía un proyecto realizado por Francisco de Mora antes de morir en 1610. Tan solo dos años más tarde la construcción había concluido. Sin embargo, resultó dañada por un incendio en 1631, tras lo cual el arquitecto rediseñó y regularizó el impresionante espacio público. Como tantas otras obras de Gómez de Mora en Madrid, la Plaza Mayor no estaba destinada a durar. Un devastador in-

cendio consumió buena parte de ella en 1790. La reconstrucción, dirigida por Juan de Villanueva, alteró fundamentalmente el trazado, de forma que de la estructura edificada por el arquitecto de Felipe III no quedó otra cosa que un persistente recuerdo.

Aunque las obras de los principales pintores reales, Carducho y Cajés, sí han llegado hasta nosotros en número considerable, raramente han recibido el reconocimiento que merecen, al menos en lo que se refiere al público en general. Carducho fue nombrado pintor real en 1609, Cajés en 1612, y los dos produjeron numerosas obras con destino a los reales sitios a las iglesias que gozaban del patronato regio.

En el ámbito más amplio de la historia de la pintura española, Carducho y Cajés desempeñaron un papel fundamental en la evolución del naturalismo castellano. Los dos eran de origen toscano y participaron de la auténtica oleada de arte toscano que barrió la corte de Felipe III. Carducho, sobre todo, era un excelente pintor. Siguiendo sus modelos toscanos, combinaba una reserva y un decoro clásicos con una mirada muy atenta a las particularidades de las apariencias naturales. Por desgracia, la mayoría de las obras que se le encargaron para decorar iglesias y monasterios han sido trasladadas a museos, perdiendo así la fuerza que tenían en sus emplazamientos originales. En Madrid, solo la Encarnación conserva todavía las pinturas realizadas por Carducho en los últimos años del reinado de Felipe III.

A pesar de su brevedad, este repaso del mecenazgo en la corte de Felipe III sugiere que aquel período no fue en modo alguno pobre en este tipo de actuaciones. Al contrario, en Valladolid y también en Madrid, artistas excelentes crearon importantes obras para el rey y su ministro. Se gastó dinero, se hicieron proyectos, se consiguieron algunos resultados. Y, sin embargo, la imagen que ha quedado de Felipe y su favorito es de lo más desdibujada. Si lo que intentaban con su mecenazgo artístico era asegurarse un recuerdo duradero de sus logros y sus personalidades, la verdad es que no tuvieron éxito.

¿Cómo explicar este fracaso, cuáles son las lecciones que podemos sacar de él? Una parte de la explicación constituye un auténtico subtexto de este ensayo. Los monumentos creados por el rey y el duque no sobrevivieron o fueron drásticamente transformados. Es casi como si hubiera habido un plan sistemático para hacer desaparecer los vestigios físicos de aquellos mecenas, aunque en realidad esa desaparición fue normalmente el resultado de una decisión individual de demoler un edificio dado. Cada una de esas decisiones tuvo su razón de ser, aunque todas estuvieron guiadas por la falta de respeto hacia el pasado y

por el convencimiento de que las necesidades y los criterios del momento presente tienen prioridad sobre los imperativos de la conservación y la restauración. En ocasiones, hasta los más espléndidos edificios son rehenes de la fortuna o del cambio en las ideas acerca del gusto y la utilidad. Su muerte se adelanta cuando, como a menudo ocurre, no hay dinero, cuando los especuladores ofrecen recompensas a quienes deberían actuar como guardianes de la cultura o cuando los objetivos de la sociedad cambian, volviendo superfluos determinados aspectos del pasado. En el siglo XVII las iglesias recibían donativos para misas y para los capellanes que las decían, pero normalmente no para el mantenimiento del edificio. Dejados sin protección frente a los accidentes, el deterioro y la depredación, incluso los más esplendidos edificios pueden venirse abajo y desaparecer. En resumen, los edificios deben contar con algo más que piadosas esperanzas y deseos, y tienen también que gozar de cierta cantidad de buena suerte.

La segunda razón de que el mecenazgo de Felipe III fracasara es más prosaica todavía. En cuanto gobernante y mecenas, Felipe III queda eclipsado por su padre y por su hijo. Sin embargo, no es que el pobre Felipe no hiciese denodados esfuerzos en este terreno, lo mismo que los hizo Lerma. Trabajaron para ellos los mejores artistas disponibles, solo que, por desgracia, a juicio de la historia, esos artistas no eran suficientemente buenos. Juan Gómez de Mora queda eclipsado por Juan de Herrera, mientras que Vicente Carducho no puede compararse con Velázquez. En teoría, Felipe y Lerma pudieron elegir a otros. Después de todo, Rubens estuvo en la corte española en 1603, y seguramente se habría podido atraer a algún arquitecto italiano de prestigio. Todo está muy claro cuando vemos las cosas retrospectivamente; sin embargo, en aquel entonces los artistas locales parecían buenos, y sin duda lo eran. Solo que no eran lo suficientemente buenos como para ganarse la admiración universal de la historia.

La selección de artistas es, por consiguiente, tan fundamental como siempre ha sido. Los mecenas tienen poder sobre los artistas en el momento de la creación, pero a partir de entonces la relación sufre un vuelco. ¿Quién sabe cuáles son los pintores, escultores y arquitectos de hoy que se considerarán importantes en el año 2295? El mecenazgo es un salto en el abismo del tiempo, y por cada Felipe II hay un Felipe III.

6

Entre tradición y función:
Velázquez como pintor de corte

Seguramente no hubo en el siglo XVII un pintor de cámara con una hoja de servicios más larga que la de Velázquez. Nombrado «pintor real» por Felipe IV el 6 de octubre de 1623, sirvió a su soberano hasta que le sobrevino la muerte el 7 de agosto de 1660, cuando solo le faltaban dos meses para cumplir treinta y siete años en el puesto. Su único rival en antigüedad parece ser Charles Le Brun, que trabajó para la corte francesa desde 1646 hasta su muerte en 1690; pero el servicio activo de Le Brun no comenzó hasta 1661, con la llegada de Colbert al poder, y empezó a declinar cuando murió su protector en 1683. Sea como fuere, parece claro que Velázquez se lleva la palma en cuanto a años de empleo con un mismo monarca.

Hace tiempo que se reconoce que esa relación con Felipe IV fue un factor determinante de su carrera. No menos importante, aunque sí menos evidente, es la tradición de los Austrias en lo relativo al arte de la pintura. El propósito de este ensayo es enmarcar la carrera artística de Velázquez en el contexto de esa tradición, y también analizar cómo repercutieron las obligaciones de su posición en el cumplimiento de los deberes propios de un pintor de cámara. Cuando en el otoño de 1623 cruzó los umbrales del Alcázar madrileño como servidor del rey, entró en un mundo de producción artística con fronteras muy marcadas. Había transcurrido ya casi un siglo desde que el emperador Carlos V empezara a establecer una serie de objetivos para la pintura de corte que los Austrias siguientes no hicieron sino desarrollar. Velázquez pretendió continuamente extender su campo de acción dentro de aquel mundo ordenado. Es cierto que a través de su técnica innovadora pudo introducir pequeños cambios, pero no cabe duda de que su carrera oficial se vio configurada por las tradiciones y las exigencias de la monarquía española.

La propia definición de sus responsabilidades artísticas emanaba de la costumbre inveterada de distribuir a los pintores reales en dos áreas

33. Antonio Moro, *El emperador Maximiliano II*, 1550, Museo Nacional del Prado, Madrid.

34. Antonio Moro, *La emperatriz María de Austria*, 1551, Museo Nacional del Prado, Madrid.

de especialización: la pintura de retratos y la pintura de historias. La demarcación de esas dos áreas fue obra de Felipe II, y significó un cambio respecto al uso de Carlos V, que había concentrado sus encargos más relevantes en las manos de un solo artista, Tiziano. También Felipe II fue mecenas importante del maestro veneciano[1]; pero desde el encargo en 1550 de las *Poesías,* la famosa serie de seis pinturas basadas en textos clásicos, Tiziano solo hizo para su real señor mitologías y composiciones religiosas.

Por las mismas fechas Felipe trasladó la responsabilidad de los retratos al pintor neerlandés Antonio Moro *(ca.* 1516/1520-*ca.* 1576) [**33**] y [**34**][2]. Moro mantenía contactos con la corte española desde 1549, cuando aparece mencionado como pintor de Antoine Perrenot de Granvela, obispo de Arrás. Granvela le presentó al príncipe Felipe, y este le nombró pintor real el 20 de diciembre de 1554. El artista viajó a España con Felipe ya rey en 1559, pero en 1561 estaba de vuelta en los Países Bajos. De todos modos, la división del trabajo entre pintores de retratos y de historias era ya un hecho que se mantendría a lo largo de los ochenta años siguientes.

Tras el regreso de Moro al norte, se le encontró un sucesor de extracción local en la persona de Alonso Sánchez Coello (ca. 1531/1532-1588), que había estudiado con Moro en Bruselas a comienzos de la década de los cincuenta[3]. Luego de permanecer algunos años como pintor de corte en Lisboa, pasó a la de España para llenar la vacante dejada por el holandés (era lo lógico, claro está, que el pintor retratista residiera en la corte). Aunque Sánchez Coello pintó algún que otro cuadro religioso, su misión principal consistió en retratar a la familia real [35], cosa que hizo siguiendo las pautas jerárquicas que Moro había consolidado[4].

La pintura de asuntos mitológicos y religiosos quedó básicamente en manos italianas. Tiziano, que falleció en 1577, recibió un encargo tras otro de Felipe II, mientras la decoración de El Escorial, la principal empresa artística del reinado, se confiaba en su mayor parte a italianos, de los cuales fueron los más renombrados Luca Cambiado, Federico Zuccaro y Pellegrino Tibaldi, aunque también artistas españoles como Juan Fernández de Navarrete desempeñaron un papel importante.

Tras la muerte de Sánchez Coello, los encargos de retratos acabarían pasando a Juan Pantoja de la Cruz (ca. 1553-1608), nombrado por Felipe III al inicio de su reinado en 1598[5]. Muerto Pantoja le sucedieron como principales retratistas su seguidor Bartolomé González (ca. 1564-1627), pintor real desde 1617[6], y Rodrigo de Villandrando (activo entre 1608-1622), en tanto que la producción de cuadros de historia permanecía

en manos de parientes y descendientes de los italianos que habían trabajado en El Escorial. Los más importantes fueron Vicente Carducho (ca. 1576-1638) y Eugenio Cajés (1575-1634), hermano e hijo, respectivamente, de pintores italianos venidos a España bajo Felipe II.

Esa era la situación que encontró Velázquez al ser nombrado pintor real en 1623. Las circunstancias de su nombramiento indican claramente que se le quería como retratista. Fue la muerte de Villandrando en 1622 lo que le abrió el camino, y, si hemos de creer a Pacheco, en el nombramiento se le distinguió con el derecho exclusivo de retratar al rey del natural. Por consiguiente, las primeras pinturas que Velázquez ejecutó en Madrid fueron retratos de la familia real o de miembros destacados de la corte. Hasta que, en 1627, trató de hacer extensiva su hegemonía a la pintura de historias.

35. Alonso Sánchez Coello, *El infante don Diego,* 1577, Lichtenstein Museum, Viena.

La ocasión fue la famosa competición entre cuatro pintores reales para representar la expulsión de los moriscos de España por orden de Felipe II[7]. La obra ganadora sería instalada en la pieza principal del Alcázar, junto a iconos de los Austrias como el *Carlos V en Mühlberg* de Tiziano y su alegoría de *La religión socorrida por España* (ambos en El Prado). Los contrincantes de Velázquez eran tres miembros del bando italiano: Carducho, Cajés y Angelo Nardi. El español venció con una pintura ahora perdida que no solo dio solidez a su posición en la corte, sino que además abrió el camino para poner fin a la división entre retratistas y pintores de historias, reuniendo ambas cosas en un único par de manos como no se había vuelto a ver desde que Felipe II repartiera la producción artística entre Tiziano y Moro.

Sin embargo, en el momento en que el monopolio parecía estar a su alcance, vino a arrebatárselo un competidor de donde menos esperaba, Pedro Pablo Rubens, llegado a la corte española en agosto de 1628. Aunque el motivo primordial de la visita de Rubens era diplomático, no por ello dejaba de traer consigo su oficio de pintor. En su equipaje venían ocho cuadros de temas bíblicos, mitológicos y cinegéticos, que, inmediatamente adquiridos por el rey, pasaron a ocupar un lugar de honor en el Salón Nuevo del Alcázar[8]. Durante su estancia, el flamenco pintó retratos de la familia real para su mecenas, la infanta Isabel Clara Eugenia, y un retrato ecuestre de Felipe IV, que sustituyó al que Velázquez había ejecutado un par de años antes[9].

No contento con romper el monopolio de Velázquez sobre los retratos reales, Rubens procedió a pisarle el terreno de la pintura de historias. A lo largo de la década de 1630 recibió encargos reales tan importantes como las mitologías para la Torre de la Parada y los cuatro temas clásicos para el Salón Nuevo (más tarde Salón de los Espejos). Velázquez no tuvo otro remedio que aceptar el éxito de su amigo y mentor, cuyo enorme prestigio le ponía a cubierto de cualquier represalia. En todo caso, el daño era limitado, porque Rubens en Amberes no suponía amenaza para el dominio de Velázquez en Madrid.

Así, Velázquez pudo afianzarse en el poder gracias a una serie de circunstancias en las que a simple vista no parece que hubiera manipulación. A medida que los pintores reales de más edad se fueron muriendo, sencillamente no se les sustituyó. La primera etapa de ese proceso se observa en 1627, cuando, a la muerte de Bartolomé González, se pidió a Velázquez, Carducho y Cajés que juzgasen los méritos de los diez pintores que solicitaron la plaza[10]. Los tres coincidieron en que Antonio Lanchares era el mejor candidato, pero la vacante no se llenó, por una razón declarada sin rodeos: no se consideraba económicamente sensato pagar un salario a un pintor real además de los honorarios correspondientes a cada obra que ejecutase para la Corona. (Ni que decir tiene que esos eran los términos del contrato de Velázquez: un estipendio más una suma por cada encargo). De modo que el puesto de González se suprimió.

Otro tanto había de suceder tras la muerte de Cajés en 1634 y la de Carducho en 1638. El resultado fue que, transcurridos quince años desde su entrada en la corte, Velázquez logró por fin enterrar a todos sus rivales excepto a Rubens. Dos años después también Rubens había desaparecido, y Velázquez quedó rey y señor. Cuando en 1623 se le nombró pintor real, hacía el número siete en la lista; ahora estaba solo. Abandonada la escena por los veteranos, la vía estaba expedita para reconstruir el cuerpo de pintores oficiales con su propia gente, lo cual, dado el bloqueo de nuevos nombramientos con categoría de pintor real, se hizo mediante subterfugios. En 1638 fue

36. Sofonisba Anguissola, *Felipe II, ca.* 1582, Museo Nacional del Prado, Madrid.

nerables fórmulas de representación de la realeza se mantenían en pleno vigor, y, como bien sabía Velázquez, había que seguirlas. La fórmula del «retrato de la Casa de Austria», según la definió sucintamente Juan Miguel Serrera en un estudio pionero, se caracteriza por la figura de pie, mostrada de cuerpo entero o de tres cuartos[11]. En el fondo se disponen ventanas, cortinas o columnas. Junto a la figura se ven mesas, sillones o perros. Las mesas se suelen cubrir con un tapete de terciopelo, a menudo rojizo, en el que, si el retratado es un hombre, descansa una espada, un bastón de mando o unos guantes; si es una mujer, sostiene en las manos un devocionario, un pañuelo o unos guantes. Estos elementos admiten distintas combinaciones, pero son los componentes indispensables del retrato real de los

traído a la corte Alonso Cano, compañero de aprendizaje de Velázquez en Sevilla, como pintor del conde-duque de Olivares. Cinco años después, su yerno y sucesor Juan Martínez del Mazo vino a ser pintor del príncipe Baltasar Carlos. Ese cuadro de amigos y parientes, reforzado con ayudantes de taller, permitiría a Velázquez tener firmemente asidas las riendas de la producción pictórica hasta el fin de sus días. Habría que esperar a 1656 para un nuevo nombramiento oficial de pintor real, que recayó en Francisco Rizi (1614-1685), otro de sus protegidos.

Hasta ahí pudo llegar Velázquez con impunidad porque gozaba del favor del rey y de su ministro Olivares. Sin embargo, la victoria sobre la vieja guardia no le daba carta blanca. Las ve-

37. Sofonisba Anguissola, *Ana de Austria, ca.* 1575, Museo Nacional del Prado, Madrid.

38. Juan Pantoja de la Cruz, *Felipe III, ca.* 1606, Museo Nacional del Prado, Madrid.

39. Juan Pantoja de la Cruz, *Margarita de Austria, ca.* 1606, Museo Nacional del Prado, Madrid.

Austrias. Otra exigencia fundamental era la verosimilitud. Los Habsburgo españoles entendían el retrato como manera de reflejar la fisonomía del retratado, no de disfrazarla ni mejorarla. Consecuentemente, en los retratos pintados para la corte española no se desplegaba un complicado aparato alegórico o simbólico. La imagen del rey era la imagen de la majestad real, y no hacía falta más elaboración.

Los orígenes inmediatos de esa fórmula se pueden situar en los retratos de Tiziano y Moro, pero su codificación data del reinado de Felipe II[12]. Fueron las efigies de este rey y de sus esposas ejecutadas por Alonso Sánchez Coello y Sofonisba Anguissola [36 y 37] las que sirvieron de plantilla a los futuros retratistas de cámara, que a menudo aprendían el oficio copiando las obras de sus predecesores eminentes. En general, para el retrato masculino había dos modelos dominantes, que podríamos llamar «el belicoso» y «el pacífico». La distinción entre uno y otro no puede ser más sencilla: en el primero el rey aparece armado, y en el segundo viste un sencillo traje negro, como fue el habitual en Felipe II desde su madurez.

Los retratos de Felipe III por Pantoja de la Cruz [**38** y **39**] corresponden casi todos al modelo belicoso, elección que no resulta fácil entender, toda vez que España había hecho las paces con Inglaterra en 1604 y con las Provincias Unidas en 1609. En cambio sus imágenes de la realiza femenina son canónicas, salvo en la extraordinaria opulencia del atavío.

Esa tradición fue la herencia de Velázquez, y en general la conservó; no podía hacer otra cosa. Así, todos sus retratos formales, de cuerpo entero, de Felipe IV y sus dos esposas, Isabel de Borbón y Mariana de Austria, se ajustan a la tipología de sus predecesores. (Tal era la fuerza de esos prototipos que los retratos de la familia real española que Rubens ejecutó durante su paso por la corte en 1628-1629 se ajustaron a ellos en todo)[13]. No obstante, a pesar de la semejanza global con los modelos «oficiales» de los Austrias, Velázquez logró anotarse algunos tantos en la renovación del retrato regio.

Por ejemplo, el más antiguo de Felipe IV [**40**], que puede parecer sencillo hasta la exageración, dio una clara señal para los contemporáneos de que el nuevo rey se iba a diferenciar de su predecesor. En 1623 Felipe, a instancias de Olivares, y como parte de un ambicioso programa de reformas, promulgó unas leyes suntuarias que prohibían el uso de los lujosos cuellos de encaje llamados «lechuguillas». En su lugar se emplearía un cuello liso, la golilla, que es el que se ve en el retrato velazqueño. No menos elocuente es el traje negro sin adornos, restauración deliberada del que solía usar Felipe II, a quien se trataba de exaltar como símbolo de la mejor época de la monarquía y modelo para que España recobrase su poderío[14].

Un proceso comparable de modificación milimétrica se descubre en el *Baltasar Carlos con*

40. Diego Velázquez, *Felipe IV*, 1623, Museo Nacional del Prado, Madrid.

enano [**41**] pintado en torno a 1632 para conmemorar el juramento del príncipe, que tuvo lugar en ese año. La fórmula establecida de mostrar al joven heredero del trono con juguetes bélicos se encuentra en varios retratos de Sánchez Coello. El infante don Diego, que era entonces

41. Diego Velázquez, *Baltasar Carlos con enano, ca.* 1632, Museum of Fine Arts, Boston.

42. Diego Velázquez, *Felipe IV a caballo,* 1635, Museo Nacional del Prado, Madrid.

43. Tiziano, *Carlos V en Mühlberg,* 1548, Museo Nacional del Prado, Madrid.

el heredero (murió en 1582), aparece ahí con un caballo de juguete y una pequeña pica, en alusión a la capacidad militar que debía poseer un gran rey[15]. Baltasar Carlos está mejor aviado para la guerra: ciñe espada, sostiene bastón de mando, viste peto y se adorna con banda roja de capitán general. Para realzar la perfección del príncipe, Velázquez introduce la figura de un enano, adoptando una fórmula de contraste de lo perfecto con lo imperfecto que también se encuentra en retratos cortesanos de Sánchez Coello.

Otra variación sobre un patrón venerable se observa en el *Felipe IV a caballo* [42], concluido en 1635 como parte de la decoración del Salón de Reinos del Palacio del Buen Retiro. Aquí el prototipo es el *Carlos V en Mühlberg* de Tiziano [43], obra maestra del retrato ecuestre y una de las imágenes más reverenciadas en la iconografía de los Habsburgo[16]. Velázquez debió de responder a este encargo como a una cita con el destino. Su anterior retrato ecuestre de Felipe IV, pintado en 1625 para acompañar al de Tiziano, había sido un fracaso. Criticado por sus rivales, y al parecer no sin razón, apenas tres años después fue sustituido por una composición de Rubens. El cuadro de Rubens no se conserva, pero conocemos su traza por una copia hecha algunos años después. Como era de esperar, Rubens ideó una alegoría que proclamara la piedad, el poderío y la virtud del monarca.

Velázquez, consciente de la aversión de los Austrias al género alegórico, honra a la vez a Carlos V y a Tiziano. La concepción jeroglífica del modelo ideada por Tiziano está, si cabe, reforzada en Velázquez, que presenta a su soberano de absoluto perfil. Carlos cabalga al paso; Felipe ejecuta sin esfuerzo una levada, maniobra difícil de alta escuela que pone de relieve su dominio de la montura y evoca la metáfora del buen gobierno. La idea que Tiziano transmite de Carlos V como guerrero piadoso y defensor de la fe está aparentemente ausente de la obra de Velázquez, pero hay que recordar que este *Felipe IV a caballo* presidía una sala ornada con pinturas de sus victorias sobre los protestantes en la Guerra de los Treinta Años.

En algunos casos, sin embargo, Velázquez se limitó a seguir la senda de la tradición: es el caso de los retratos de caza de Felipe IV [44], el infante Fernando y el príncipe Baltasar Carlos creados a mediados de los años treinta para la decoración de la Torre de la Parada. Las efigies del rey de cacería en un exterior son inusitadas en la iconografía de los Austrias, como infrecuente es el retrato de una sola figura de cazador en cualquier contexto. El ejemplo más famoso es el *Carlos V con un perro* de Tiziano (Prado), pin-

44. Diego Velázquez, *Felipe IV cazador,* 1634, Museo Nacional del Prado, Madrid.

tado en 1533, que copia fielmente una composición del artista alemán Jakob Seisseneger realizada en 1532 (Viena, Kunsthistorisches). El cuadro de Seisseneger se inscribe en un tipo germánico de retrato de caza del cual es ejemplo anterior el *Enrique el Piadoso de Sajonia* pintado por Lucas Cranach el Viejo hacia 1514 (Dresde, Gemäldegalerie).

Se ve enseguida que el *Felipe IV cazador* guarda solo un lejano parentesco con su prototipo. En ciertos aspectos está más cerca de la línea de retratos cinegéticos de los Estuardo que comienza con *El príncipe Enrique cazador* de Ro-

45. Diego Velázquez, *Infanta María Teresa, ca.* 1652-1653, Kunshistorisches Museum, Gemäldegalerie, Viena.

46. Diego Velázquez y taller, *Infanta María Teresa,* 1653, Museum of Fine Arts, Boston.

bert Peake (1603; Nueva York, Metropolitan) y culmina en el *Carlos I de cacería* de Van Dyck (hacia 1635; París, Louvre). Ambos comparten con la obra de Velázquez el entorno al aire libre, aunque las composiciones son netamente más complejas. Existe, de todos modos, al menos una imagen española, aunque hay que reconocer que mediocre, que sugiere que la composición velazqueña no era tan novedosa como parece: es un retrato anónimo de *Carlos V cazador,* con un arcabuz en la mano y acompañado de un perro. La tradición, al parecer, era parte inevitable de la vida para un pintor real, por mucha que fuera su inventiva para modificar las fórmulas.

Como también lo era la funcionalidad, dado que el pintor de corte era ante todo un hacedor de imágenes que debían cumplir una

misión[17]. En este aspecto Velázquez no se diferencia de los pintores que le precedieron ni de cuantos trabajaron en las cortes europeas de los comienzos de la época moderna. Pinturas como las ejecutadas para el Salón de Reinos o la Torre de la Parada pertenecen claramente a la categoría de imágenes de glorificación. Su fin era pregonar las regias virtudes del monarca o príncipe y rodearle de un aura de majestad, con arreglo a las normas culturales y políticas de la corte correspondiente.

Más variado en sus aplicaciones era el retrato «informativo», que se hacía para servir a un fin práctico inmediato. Uno de los tipos más conocidos es el retrato prematrimonial, ocasionado por la conveniencia o necesidad de concertar un enlace apropiado para alguno de los vástagos reales. Los Habsburgo en sus dos ramas, la española y la austríaca, creían firmemente en la eficacia de las uniones dinásticas como instrumento político, y también Velázquez fue requerido para esa causa.

En la década de 1650 se puso en juego como candidata al matrimonio a la infanta María Teresa, hija de Felipe IV e Isabel de Borbón, y en 1653 se despacharon retratos suyos a Bruselas, Viena y París, posibles destinos de la infanta, que finalmente sería casada con Luis XIV en 1659[18]. Solo uno de ellos lo había pintado Velázquez, la versión que ahora se encuentra en el Kunsthistorisches Museum de Viena [45], presumiblemente enviada al emperador a finales de aquel año. Una excelente réplica, de la que enseguida hablaremos, se conserva en el Museum of Fine Arts de Boston [46], y probablemente se mandó a Bruselas para que la viera el archiduque Leopoldo Guillermo.

La producción de retratos también podía obedecer a motivos sentimentales. En 1649 Felipe IV se casó con su sobrina Mariana de Austria, hija del emperador Fernando III y María de Hungría. Dos años después, en julio de 1650, Fernando escribía a Felipe pidiéndole un retrato de Mariana; sus palabras dan cumplida cuenta de sus razones:

> Y [si] yo pudiesse tener su retrato en grande me fará grand.mo favor porque me holgará mucho de belle pues de V.M. y de todos entiendo que ha crecido y hechose más mujer[19].

El retrato que se mandó a Viena en diciembre de 1652 es una copia de taller del original de Velázquez en El Prado.

El nacimiento de la infanta Margarita en 1651 ocasionó otra petición imperial de un retrato familiar, que no sería satisfecha hasta 1654, a pesar de recordatorios repetidos con exquisita corte-sía[20]. Una y otra vez declaraba Fernando en sus cartas al rey que sería mejor esperar hasta que la propia niña quisiera ser retratada, encomendándose a una criatura de dos o tres años, aunque bien sabía que el asunto estaba en manos del rey. Hasta el 8 de octubre de 1654 no pudo acusar recibo de la efigie de la infanta, a la que con toda justicia calificó de «lindísima». Este lienzo es el primero de los tres de Velázquez que se enviarían al emperador de allí a unos años (los otros dos también están en el Kunsthistorisches), y acaso no fuera ajeno a su decisión de concertar el enlace de su hijo Leopoldo con Margarita en 1666.

Los obsequios diplomáticos eran otro motivo de demanda de retratos, como el conjunto de quince efigies de los Habsburgo españoles, cuya identidad no se especificaba, que solicitó Ana de Austria, reina de Francia y hermana de Felipe IV. También era habitual regalar retratos a los miembros favorecidos de la corte, en cuyas colecciones aparecen inventariadas con frecuencia esa clase de obras. Los ejemplos abundan, pero quizá basten dos escogidos para confirmar lo dicho. En el inventario de 1689 de don Gaspar de Haro y Guzmán, marqués del Carpio, se citan «un retrato del Rey Phelipe IV [...] de medio cuerpo original de Diego Velázquez» y un retrato de la Reyna nra. sra. [...] original de Diego Belázquez»[21]. Los tasadores, que eran el pintor de cámara Claudio Coello y su excolaborador José Donoso, valoraron cada una de esas pinturas en quinientos cincuenta ducados, dando a entender que las tenían por originales; ahora nos es imposible identificarlas. Pero Carpio era miembro del poderoso clan de Olivares, y sin duda un candidato probable para ser obsequiado con retratos de los reyes.

Otro miembro del clan de Olivares, don Manuel de Fonseca y Zúñiga, conde de Monterrey, era cuñado del conde-duque por partida doble, ya que cada uno de ellos se casó con una hermana

47. Juan Bautista Martínez del Mazo, *Infanta Margarita*, 1666, Museo Nacional del Prado, Madrid.

del otro. Su inventario de 1653 menciona «dos retratos del Rey y Reyna de mano de Velázquez», que el tasador, el conocido pintor Antonio de Pereda, valoró en 500 reales cada uno[22].

De los documentos, y aún más de los cuadros conservados, se deduce que Velázquez organizó una factoría de retratos para satisfacer la demanda de imágenes del monarca más poderoso de Europa. Sin embargo, es muy poco lo que se sabe acerca de su taller, cómo funcionaba o quiénes lo integraron, y ello a pesar de que dirigir ese equipo era quizá la responsabilidad fundamental del maestro. No habiéndose hecho hasta ahora ningún estudio del taller real, las si-

guientes observaciones solo pretenden ser preliminares.

A lo largo del tiempo se ha señalado a distintos pintores como miembros de ese taller, y algunos pueden ser vinculados con seguridad a la empresa. El más conocido es Juan Bautista Martínez del Mazo (*ca.* 1611-1667), yerno de Velázquez y su principal ayudante[23]. Mazo entró en la órbita de Velázquez cuando el 21 de agosto de 1633 contrajo matrimonio con su hija Francisca, y enseguida empezó a cosechar los frutos de tan ventajosa unión. Al año siguiente Velázquez le cedió el puesto de ujier de cámara; el de pintor de cámara lo heredaría Mazo a la muerte de su suegro en 1660. Aunque Mazo fue un excelente pintor, su obra todavía está sin estudiar de forma sistemática. Pero del grueso de su producción identificada se deduce claramente que fue hábil imitador del estilo velazqueño [47].

De Francisco de Burgos Mantilla (*ca.* 1610-1672) sabemos que perteneció al taller en la década de 1650, cuando un contemporáneo le calificó de competente seguidor del maestro[24]. Hay aspectos de la vida y carrera de Burgos que están bien documentados, pero su obra conocida no puede ser más exigua, toda vez que se reduce a un pequeño bodegón conservado en la Yale University Art Gallery, firmado y fechado en 1631, es decir, en los comienzos de su vida profesional. Pero en 1648, según revela un inventario de sus bienes, ya hacía copias de originales de Velázquez, como «un retrato del Rey a caballo» y «dos cabezas, copias de Diego Velázquez, que una es del conde siruela». De todas esas obras se ha perdido la pista.

Para el mundo en general, el ayudante más famoso de Diego Velázquez es Juan de Pareja (*ca.* 1608/1610-*ca.* 1670), objeto del vivaz retrato del Metropolitan de Nueva York. Pareja fue esclavo de Velázquez hasta que en 1650 recibió la libertad, aunque según Palomino permaneció al servicio de su señor. Palomino alaba su «singularísima habilidad para los retratos», y una efigie de un fraile de medio cuerpo, firmada y fechada en 1651, que se conserva en el Hermitage, anima a pensar que no exageraba[25].

Otro ayudante documentado es un italiano del que solo se conoce el nombre: Hércules Bartolussi, mencionado en una carta de pago del 4 de diciembre de 1631 que le identifica como «residente en esta villa y oficial de Diego Velazquez pintor de cámara de su mag.d»[26]. La condición de «residente» de Bartolussi indica que no llevaba el suficiente tiempo viviendo en Madrid para ser vecino de la villa; acaso Velázquez le reclutara en su primer viaje a Italia. Hasta ahora no han salido a la luz otros datos sobre este oscuro personaje.

Se ha relacionado a otros dos hombres con el taller en la década de 1620, aunque nada se sabe de su producción[27]. Uno es el hermano de Velázquez, Juan, año y medio menor que él (fue bautizado el 28 de enero de 1601), de quien consta que estuvo en Madrid como pintor de imaginería. Es muy posible que fuera uno de los ayudantes del maestro, aunque este dato no está explícitamente documentado. El otro es Andrés de Brizuela, que entró de aprendiz de Velázquez el 19 de octubre de 1626. Tenía entonces veinte años, por lo que probablemente llevaba ya aprendidos los rudimentos del arte; y, puesto que los documentos no dicen nada más acerca de sus actividades artísticas, es presumible que se quedara como ayudante en el taller velazqueño.

Más allá de los artistas cuya relación con el obrador está documentada se encuentra otro que merece al menos una alusión de pasada, Juan Carreño de Miranda (1614-1685)[28]. Quince años menor que Velázquez, Carreño gozaba de prestigio cuando en 1658 se le escogió para ayudar a los fresquistas italianos Colonna y Mitelli en la pintura del techo del Salón de los Espejos del Alcázar. En el mismo año declaró a favor de Velázquez en la prueba de limpieza de sangre de este, testificando que hacía casi treinta y cuatro años que le conocía (!).

Que Carreño tomó inspiración de los retratos de Velázquez es indiscutible. Su *Bernabé de Ochoa Chinchetru* (Nueva York, The Hispanic Society of America) le muestra en pleno dominio, técnico y compositivo, del enfoque velazqueño del género. Y al ser nombrado pintor del rey en 1669, y pintor de cámara en 1671, Carreño dedicó mucho de su tiempo al retrato, acreditándose como digno sucesor de Velázquez. Demostrar su participación en el taller real exigiría largas investigaciones, pero un punto de partida útil es la versión bostoniana de *La infanta María Teresa,* copia del original velazqueño de Viena, que ostenta muchas de las características del estilo retratístico maduro de Carreño.

Realmente, el problema de identificar las manos que ejecutaron las numerosas réplicas de los retratos reales de Velázquez no se puede resolver sin un estudio detenido de las dificultades que entraña distinguir las copias de los originales y las intervenciones de distintos ayudantes en las copias. En cualquier caso, algunas observaciones acerca de los procedimientos de taller pueden ayudar a entender cómo organizó Velázquez esa parte fundamental de su actividad de pintor de cámara.

El número de ayudantes que empleó sería un punto de partida obvio, pero, a falta de datos explícitos, solo puede ser oratoria de conjeturas. Una consideración preliminar pero esencial es la de cuánto se tardaba en sacar una réplica de un retrato. Por el *Arte de la pintura* de Pacheco sabemos que, según su experiencia, bastaban tres horas para bosquejar una cabeza del natural: «De las nueve a las doce se podrá debuxar y bosquexar la cabeza, y si quedare algo, otro día a la misma hora se puede rematar»[29]. Como esa es la parte más difícil en la pintura de retrato, cabe suponer que la ejecución del traje y accesorios fuera rápida, máxime tratándose de una copia.

Si esa suposición es correcta, el obrador de Velázquez no sería muy grande; acaso bastasen dos o tres ayudantes para despachar la labor. Pero hay razones para pensar que su número variaría al aumentar las ocupaciones de Velázquez y las peticiones de copias de los retratos reales. A juzgar por el número de réplicas, la demanda máxima se produjo en las décadas de 1630 y 1650. La de 1630 fue la más productiva del artista, pues fue entonces cuando tuvo que completar encargos de múltiples obras para el Buen Retiro y la Torre de la Parada. En la de 1650 sus deberes como aposentador de palacio y «conservador» de la colección real le robaron mucho tiempo. Por consiguiente, serían esas las épocas de máxima actividad para el taller.

La misión del taller era doble. Lo primero, obviamente, era sacar copias de originales. Esto no encerraba mayor complicación, aunque conviene señalar que las mejores copias parecen haber sido las destinadas a las personas más importantes: de ahí la respetable calidad de la *María Teresa* de Boston, enviada al archiduque Leopoldo Guillermo, y de la *Mariana de Austria* solicitada por el emperador Fernando en 1650, ambas ya mencionadas. La copia de *María Teresa* repite el formato de tres cuartos del original. Hay también dos versiones de busto (París, Louvre, y Londres, Victoria and Albert Museum) que son de buena calidad, aunque no se sabe para quién se hicieron. Acaso un destinatario de menos campanillas solo tuviera derecho a una versión reducida de la composición de Velázquez.

En algunos casos los ayudantes gozaron de bastante margen para crear composiciones de retratos que, salvo en la cabeza, eran por completo independientes del modelo del maestro. De vez en cuando, a medida que en el aspecto del rey se iban produciendo cambios notables, se invitaba a Velázquez a pintar una nueva versión de la fisonomía de Felipe, que serviría de modelo hasta que hiciera falta otra (en el derecho a hacer el estudio del natural estaba la clave de su monopolio de los retratos reales). Ese prototipo se instalaba en el taller y se empleaba para todas las representaciones del rey (para la reina se seguía un procedimiento semejante). Por ejemplo, es la misma cabeza la que aparece en *Felipe IV de castaño y plata*, en *Felipe IV a caballo* y en *Felipe IV cazador*, obras todas de los años treinta. También aparece en un tipo de retrato que se conoce como *Felipe IV en un balcón* (1632, San Petersburgo, Hermitage) y cuyos únicos ejemplos no fueron pintados por Velázquez ni se relacionan con ningún original suyo conocido; más bien derivan de una composición de Rubens (conocida en una versión de taller, Génova, Galleria Durazzo Pallavicini).

Ese sistema se hace aún más patente en la década de 1650, cuando Velázquez, bajo la presión de sus obligaciones como aposentador mayor, solo pintó estudios del natural del rey (Madrid, Museo Nacional del Prado, y Londres, National Gallery [inv. 745], separados por unos cuantos años), y dejó la responsabilidad de las composiciones acabadas a sus ayudantes. Por ejemplo, *Felipe IV armado* es uno de los pocos retratos reales que ostentan un atributo simbólico, el león. Más llamativa todavía es una pareja de retratos del rey y la reina en oración, que están documentados por primera vez en El Escorial en un inventario de 1701. Presumiblemente encargados para ese destino, fueron ejecutados en la década de 1650 por ayudantes en su totalidad, y no guardan relación con ninguna composición autógrafa conocida de Velázquez. Es probable que, cargado de ocupaciones de administración y conservación, no tuviera otro remedio que explicar lo que quería, seguramente a Mazo, y delegar por completo el trabajo en su principal ayudante u otro miembro del taller.

Se comprenderá en qué medida recurrió Velázquez a sus ayudantes para despachar su responsabilidad artística primordial si se piensa que solo existen cinco retratos del rey de cuerpo entero que sean autógrafos (de otro más se sabe que se perdió), y que ninguno de ellos sea posterior a 1644. Es un número bajísimo para un pintor que sirvió al mismo monarca por espacio de treinta y siete años. Las implicaciones de este fenómeno son considerables e indican que una investigación sistemática de sus procedimientos de taller debe estar entre las primeras prioridades de los estudios futuros sobre el maestro.

La producción de Velázquez como pintor de escenas religiosas, mitológicas, de batalla y de cacería es aún más reducida que en el campo del retrato. Da la impresión de que, luego de conseguir la primacía entre los pintores reales, apenas hizo uso de las ventajas que esa posición le deparaba. Una vez más, las cifras son elocuentes: contando las obras que se sabe perdidas, principalmente la *Expulsión de los moriscos por Felipe III* de 1627 y las tres telas mitológicas para el Salón de los Espejos, todas las cuales perecieron en el incendio del Alcázar de 1734, sale un total de trece de estos temas pintados expresamente para la Corona[30]. Ese corto número tiene explicación si en lugar de mirar al lado de la oferta miramos al de la demanda.

Cuando pensamos en los encargos más importantes de la pintura de corte en la era barroca, con frecuencia nos vienen a la memoria programas ambiciosos de decoración en gran escala como los de Rubens, Pietro da Cortona y Charles Le Brun. Esas obras se caracterizan por su coherencia, su complejidad y el uso de la alegoría como principal recurso retórico. Programas comparables son prácticamente desconocidos en

la corte de Felipe IV hasta los últimos años del reinado, si se exceptúa el esquema un tanto anticuado del Salón de Reinos.

Parece que Felipe IV era decididamente más partidario de la pintura de caballete, y, como han mostrado estudios recientes, prefirió decorar las salas de sus palacios con grandes obras de maestros famosos, que solo de una manera vaga aludían al tema de la gloria principesca[31]. Es evidente que Felipe creía que una reunión de hermosos cuadros transmitía un poderoso mensaje sobre su propietario, formasen o no un corpus coherente. En esas circunstancias, Velázquez no tuvo nunca la oportunidad de crear el equivalente español del techo de la Banqueting House de Whitehall; como tampoco, por otra parte, la tuvo Rubens. La visita de este a Madrid, a diferencia de su subsiguiente estancia en Londres, no generó ningún encargo importante de exaltación de la monarquía, y las obras que le pidió Felipe IV en la década de 1630 encajan en el mismo esquema: cincuenta mitologías para la Torre de la Parada, que, aparte de estar basadas en las *Metamorfosis* de Ovidio, no están unidas por ningún hilo ideológico, y cuatro pinturas con distintos temas clásicos que debían llenar huecos de forma y contenido en el Salón de los Espejos. Al rey, según parece, le interesaba tanto adquirir cuadros que complementaran las obras maestras que ya poseía como amartillar una idea programática.

Las pocas obras creadas por Velázquez para los palacios reales, principalmente el Alcázar, se ajustan a ese patrón. Por ejemplo, la *Expulsión de los moriscos* de 1627 (perdida) debía complementar el retrato alegórico de Felipe II tras la batalla de Lepanto (*La religión socorrida por España*, Prado), y, claro está, ilustrar la continuidad de los Habsburgo en la defensa de la fe católica. Las cuatro mitologías ejecutadas en sus últimos años, de las cuales solo sobrevive *Mercurio y*

Argos, pusieron toques de gracia en el programa del Salón de los Espejos, pero no es menos importante que fueran brillantes demostraciones nuevas de la tradición pictórica tizianesca que tanto admiraban los Austrias. Otras aportaciones a la decoración de las residencias reales, como *San Antonio Abad y San Pablo, primer ermitaño,* encargada para una ermita del Buen Retiro, y la *Coronación de la Virgen,* para la Capilla Real del Alcázar, son a todas luces convencionales en su función, ya que no en su forma.

En última instancia, pudo ser el amor que el rey sentía hacia su colección lo que impulsara a uno de los mejores pintores de la época a trocar su ambición de artista por la de asesor artístico. Felipe IV fue el más sobresaliente coleccionista de cuadros del siglo XVII, pero no el mayor mecenas[32]. Qué duda cabe de que Velázquez tendría otros motivos para consagrar las dos últimas décadas de su vida a las responsabilidades de velar por la comodidad material del Palacio Real y ayudar al rey a colocar sus colecciones. Pero está claro que los objetivos artísticos de Felipe, a su vez configurados por las largas tradiciones de los Austrias en materia de representación visual, condujeron la carrera de su pintor de cámara por una senda bien marcada.

Cuando en 1623 Velázquez fue nombrado pintor real, tenía los ojos puestos en la categoría y las recompensas que solo el servicio real podía proporcionar. El galardón estaba bien a la vista, y el camino para conseguirlo también. La orgullosa dinastía de los Habsburgo españoles había establecido unas fórmulas eficaces y suficientes que unían sin fisuras su papel de defensora de la fe con el de defensora de sus propios territorios y prerrogativas, y Velázquez conquistó el galardón calculando el punto de equilibrio entre los imperativos de su arte y una sincera reverencia a las tradiciones representativas de la casa de Austria.

II

Culturas y contextos

7

El marqués de Castel Rodrigo
y las pinturas de paisajes del Buen Retiro*

La bella serie de paisajes adquiridos en la década de 1630 para el Palacio del Buen Retiro de Felipe IV ha dado lugar en los últimos tiempos a un animado debate en el que la fecha de ejecución y la identidad de la persona a la que se le confió el encargo han estado en el foco de atención. En nuestro libro *Un palacio para el rey* presentábamos evidencias que mostraban que quien reunió este extraordinario conjunto de pinturas para el monarca, que incluía obras de artistas como Poussin y Claudio de Lorena, entre otros, fue el embajador de España en la Santa Sede, don Manuel de Moura, marqués de Castel Rodrigo[1]. En este punto estamos en disposición de aportar mayores indicios documentales que, aunque no resuelven todos los enigmas, nos permiten conocer algo más acerca de esta historia.

En el Archivo Histórico Nacional de Madrid se conserva un libro de cuentas compilado por orden de Don Francisco de Moura, marqués

de Castel rodrigo, hijo del embajador al que vinculamos con este encargo anteriormente[2]. Una de sus secciones atañe a los cargos en la cuenta secreta de gastos de Roma del marqués de Castel Rodrigo que se produjeron entre el 11 de octubre de 1631 y el 27 de enero de 1641[3]. Bajo el epígrafe «28 oct. 1638-17 enero 1639» se anota el siguiente registro de pago: «A pinturas de veinte y quatro países con sus molduras doradas ynviadas a su Magd con Don Henrique de la Plutt (?), cinquenta mil ocho cientos y cinquenta reales 50.850».

El apunte de un segundo pago figura con fecha de entre el 17 de junio de 1639 y el 27 de enero de 1641: «A pinturas para su magestad por resto de las que se ynbiaron el año de 1639 treçe mil novecientos y cinquenta reales 13.950».

En otras palabras, entre el 28 de octubre de 1638 y el 17 de enero de 1639, el marqués de Castel Rodrigo abonó el primero de los pla-

* Texto realizado junto a John H. Elliott.

zos en que se dividieron los 64.800 reales (cerca de 5.900 ducados) que costaron las veinticuatro pinturas de paisajes que había enviado a Madrid para el rey.

Este dato arroja más dudas que respuestas y por su ambigüedad requiere de un considerable esfuerzo de interpretación, que intentaremos satisfacer en las páginas siguientes. El primer asunto tiene que ver con la identificación de las obras en cuestión. El párrafo no hace mención textual al Buen Retiro, ya que especifica únicamente que las obras se enviaron a Felipe IV. Otras evidencias circunstanciales, sin embargo, apuntan hacia el Buen Retiro como destino de dichas pinturas, pues por aquellos años se encontraba en proceso de decoración y disponía de una considerable colección de paisajes italianizantes (según nos informa el primer inventario de que disponemos, de 1701). Las cuentas del Retiro del año de 1641, que utilizamos en nuestro libro, se refieren a un pago remitido a un agente comercial llamado Enrique de la Fluete —presumiblemente, el mismo Enrique de la Plutt que aparece en el libro de cuentas del marqués de Castel Rodrigo— por el envío que hizo desde Roma el marqués de unas pinturas para la decoración del palacio[4].

Si consideramos veosímil este razonamiento, el siguiente paso es identificar este grupo de veinticuatro paisajes entre el sustancial número de obras de este tipo que se hallaban en el Buen Retiro. Creemos que este grupo de obras, en concreto, formaba parte de la llamada serie de ermitaños o anacoretas, junto a otras pinturas de Claudio de Lorena, Poussin [48], Dughet, Jan Both, Swanevelt y Jean Lemaire, además de otros artistas todavía anónimos[5]. Hasta la fecha se ha podido identificar catorce de ellas, y otras diez de las pinturas citadas en el inventario tienen suficientes características en común con las ya conocidas como para que las incluyamos en esta misma serie. Las dimensiones de las obras justificarían el elevado precio que se pagó por ellas (asumiendo que todos los artistas recibieron la misma gratificación) y que fue de 2.700 reales o 245 ducados[6].

A partir de aquí, los problemas se multiplican. El documento parece probar que quien abonó las pinturas fue el marqués de Castel Rodrigo, pero no certifica en ningún momento que fuera él quien las encargara. Y aunque nos informa de que las pinturas estaban ya acabadas antes del 28 de octubre-17 de enero de 1639, nada dice acerca de su fecha de inicio, o si se ejecutaron a la vez. Postular conjeturas forzadas y, en último término, no concluyentes a estos interrogantes no serviría de mucho, pero quizás sea conveniente que repasemos qué implicaciones tiene este documento para algunos de los asuntos que han sido puestos en cuestión recientemente acerca de estos paisajes.

Desde que en 1959 se identificaran algunos de estos paisajes del Palacio del Buen Retiro, se ha especulado principalmente con dos nombres como posibles responsables del encargo, Giovanni Battista Crescenzi y el marqués de Castel Rodrigo[7]. La primera hipótesis se fundamenta en que el palacio de su familia en Roma estaba decorado con pinturas al fresco de Claudio de Lorena, realizadas alrededor de 1630-1605. Esto significa que Crescenzi, aunque fuera indirectamente, era conocedor tanto del tipo de decoración empleada en el Retiro como del principal contribuidor a la misma. Otro punto a favor es la participación de Crescenzi en el diseño y construcción del Buen Retiro. Es cierto que no consta que regresara a Roma después de 1619, pero Velázquez bien pudo haberle puesto al día de las novedades más recientes al regreso en 1631 de su larga estancia romana[8]. Partiendo de estas premisas, parece razonable aceptar que la idea de una galería de paisajes partió de Crescenzi.

48. Nicolas Poussin, *Paisaje con san Pablo el Ermitaño*, 1637-1638, Museo Nacional del Prado, Madrid.

Esta suposición no implica que el papel de Castel Rodrigo se limitara al de mero administrador y pagador. Al menos dos de los pintores, Gaspard Dughet y Jan Both, no aparecen en escena hasta después de 1635, año de la muerte de Crescenzi. Dughet, nacido en 1615, fue aprendiz de Poussin hasta 1635, mientras que de Both no hay constancia documental de que estuviera en Roma antes de julio de 1638[9]. Baldinucci, por otro lado, nos dice explícitamente que el marqués de Castel Rodrigo le encargó a Dughet dos paisajes de gran tamaño, por los que el artista fue «largamente ricompensato»[10]. Basándonos en esta información, una prudente solución salomónica a este problema sería que Crescenzi diseñó el programa general de la serie

de ermitaños y propuso el nombre de al menos uno de los artistas, Claudio de Lorena, y que el marqués de Castel Rodrigo, el agente desplegado sobre el terreno, hizo los cambios pertinentes y contrató a otros pintores conforme fue haciéndose necesario[11].

No podemos más que estimar aproximadamente las fechas iniciales del encargo y de su realización. H. Diane Russell sugiere, basándose en criterios de estilo, que dos de las pinturas de Claudio de Lorena, *Paisaje con santa María de Cervelló* [49] y *Paisaje con san Onofre* [50], se datan hacia 1633, una fecha quizás demasiado temprana[12]. Hay que recordar que la Galería de Paisajes se hallaba en una zona del palacio construida a toda prisa entre los meses de mayo y no-

49. Claudio de Lorena, *Paisaje con santa María de Cervelló,* 1637, Museo Nacional del Prado, Madrid.

viembre de 1633[13]. La referencia más tempra-na que encontramos en los documentos de en-cargo pictórico alguno con destino a esta zona es de julio de 1634, cuando se expidieron los pri-meros pagos para las pinturas de batallas del Sa-lón de Reinos. No parece probable que el encar-go emitido desde Madrid llegara a Roma antes de finales de 1633 o principios del año siguiente. Disponemos de leves indicios que llevan a pensar en una fecha posterior para algunas de las pintu-ras. La participación de Dughet y Both, por ejemplo, implica una cronología de entre 1635 y 1638, o puede que incluso 1636-1638, si, tal y como algunos autores han sugerido, Dughet se ausentó de Roma entre abril y diciembre

de 1635[14]. La *Tentación de san Antonio* de Clau-dio de Lorena, en razón del orden que ocupa en el *Liber Veritatis,* se fecha generalmente en torno a 1637-1638[15]. Por último, la fecha del primer pago del marqués de Castel Rodrigo a los artistas refuerza la hipótesis de 1635-1638, aproximada-mente. En nuestro libro ofrecíamos abundante información documental acerca del ritmo de tra-bajo frenético que caracterizó a la construcción y la decoración del Buen Retiro en cada uno de sus aspectos. Es muy posible que al marqués de Cas-tel Rodrigo se le trasladara una urgencia similar y que los pintores, ninguno de los cuales era tan eminente como para hacer esperar al rey de Espa-ña, respondieran con prontitud a sus solicitudes.

Por todo ello, defendemos que el encargo inicial se produjo en algún momento entre el 5 de diciembre de 1633, cuando se inaugura el Retiro, y marzo de 1635, fecha de la muerte de Crescenzi, y que las pinturas estaban terminadas antes de octubre de 1638 o enero de 1639, cuando el marqués de Castel Rodrigo satisfizo el primero de los dos pagos que se libraron a los artistas.

Procede referirnos también a un segundo grupo de paisajes, los llamados paisajes verticales. Este conjunto consta hoy día de once piezas —cuatro de Claudio de Lorena, tres de Both y Swanevelt respectivamente y uno de un pintor desconocido—, y sus dimensiones oscilan entre los 209-213 centímetros de alto y los 138-156 centímetros de ancho[16]. Atendien-do de nuevo al orden de los dibujos relacionados en el *Liber Veritatis,* los paisajes de Claudio de Lorena se fechan generalmente alrededor de 1639-1640. Burke ha propuesto una datación similar para los paisajes de Both pertenecientes a este grupo de obras[17]. El documento que registra el pago de 560 ducados a Enrique de la Fluete (o Plutt) el 23 de septiembre de 1641 por el transporte de diecisiete cajas de pinturas enviadas desde Roma por el marqués de Castel Rodrigo, y que citamos en nuestro libro, viene a corroborar esto mismo[18]. Aunque no podamos apoyarnos más que en evidencias circunstanciales, parece indiscutible que detrás del encargo de los paisajes verticales estuvo el marqués de Castel Rodrigo.

50. Claudio de Lorena, *Paisaje con san Onofre,* 1637, Museo Nacional del Prado, Madrid.

LISTA DE LA SERIE DE PINTURAS DE ERMITAÑOS DEL INVENTARIO DEL PALACIO DEL BUEN RETIRO DE 1701

(Archivo de Palacio, Madrid, Testamentaría de Carlos 2°, tomo No. 214, Fols. 474-586), citado en Gloria Fernández Bayton, ed., *Museo del Prado. Inventarios Reales. Testamentaría del Rey Carlos II, 1701-1703,* vol. II (Madrid: Museo del Prado, 1981).

El inventario del palacio se llevó a cabo entre el 14 de mayo y el 20 de mayo de 1701 bajo la dirección del conde de la Estrella, asistido por Antonio Mayers, *conserje de la guardarropa,* e Isidoro Arredondo, *pintor de su Majestad.* Todos excepto uno de los paisajes (el número 430) se hallaban en la Galería de los Paisajes.

Las dimensiones de las obras son estimadas. Veinte de ellas miden dos varas y media de ancho por una vara y tres cuartos de alto (aprox. 2,10 por 1,47 metros), y otras tres, dos varas y un tercio por una vara y media (aprox. 1,96 por 1,26 metros). En uno de los casos no se indicaron las medidas. Hay un desfase por defecto de unos 30/40 centímetros en las dimensiones horizontales de cada una de las pinturas identificadas.

Dieciséis pinturas contienen un solo personaje; ocho de ellas, dos o más. Los valores de tasación varían entre los treinta y los ochenta *doblones (1 doblón = 60 reales),* sin que se aprecie relación alguna entre autoría, cuando nos es conocida, y precio. Arredondo atribuyó ocho pinturas a *El Italiano,* nombre que responde al que creía que era el país de origen del autor.

Hasta la fecha se han podido identificar catorce de las veinticuatro obras. La lista que se acompaña incluye el texto del inventario y una breve reseña sobre la autoría, tema y localización actual de cada pieza. La autoría y el tema de varias de ellas son un asunto complejo cuya resolución dejamos a los especialistas competentes. Cuando no se especifican en el aparato de notas, las referencias bibliográficas completas se adjuntan más abajo.

1. (134) *Ottro País de dos Uaras y media de largo y siette quarttas de altto con San Juan Evangelistta y la Isla de Patmos Con marco dorado y ttallado, ttasado en settentta Doblones: 4.200.*

Barbara von Barghahn, *The Pictorial Decoration of the Buen Retiro Palace and patronage during the Reign of Philip IV,* tesis doctoral, Nueva Yor, New York University Press, 1979, I, pág. 248, identifica esta pintura como Museo del Prado, n. de inv. 3163, en depósito en el Museo de Bellas Artes de Granada, y la atribuye a Dughet.

2. (136) *Un País de dos Uaras y media de largo y siette quartas de alto Con San Benitto desnudo en la Zarza y Con marco dorado y tallado, tasado en Settentta Doblones: 4.200.*

Enrique Valdivieso, *Pintura holandesa del siglo XVII en España,* Valladolid, Universidad de Valladolid, 1973, pág. 376, identifica la pintura como Museo del Prado, n. de inv. 2065, en depósito en el Ministerio de Asuntos Exteriores, Madrid, y sugiere que es de Swanevelt o de Swanevelt y Jan Both.

3. (139) *Ottro País de dos Uaras y tercia de largo y Uara y media de alto Con san Onofre y Unos perros ladrándole con marco y tallado dorado tasado en sesentta Doblones: 3.600.*

Sin identificar.

4. (141) *Ottro País Yttaliano Con Vn sitio en forma de Coliseo y Unas Grutas y Uarias figuras con marco y tallado dorado tasado en sesentta Doblones: 3.600.*

El inventario omite las dimensiones de esta pintura, aunque su valor es similar al del resto de obras. La descripción induce a pensar en la autoría de Jean Lemaire.

5. (142) *Ottro País de dos Uaras y media de largo y Uara y media de alto Con San Gerónimo y Vna grutta de mano del Yttaliano Con marco y tallado dorado tasado en ochenta doblones: 4.800.*

Anthony Blunt, «Pousin Studies VII. A Series of Anchorite Subjects Commissioned by Philip IV from Poussin, Claude and Others», *The Burlington Magazine,* 101, 1959, pág. 389, identifica la pintura como Museo del Prado, n. de inv. 2304, con autoría de Poussin.

6. (144) *Un País del Ittaliano de dos Uaras y media de largo y siette quarttas de alto de Una Puerta [sic,*

por Puesta] *de sol Con Un Santto Hermitaño azottán-dose Con marco y tallado dorado tasado en ochenta Do-blones: 4.800.*

Blunt, «Poussin, Claude and Others», art. cit., pág. 389, y Marcel Röthlisberger, *In Licht von Claude Lorrain. Landschafts-malerei aus drei Jahrhunderten,* Múnich, Haus der Kunst, 1983, pág. 46, identifican la pintura como Museo del Prado n. de inv. 2256, de Claudio de Lorena. Juan J. Luna, *Claudio de Lorena y el ideal clásico de paisaje en el siglo XVII,* Madrid, Museo del Prado, 1984, pág. 140, cree que el protagonista es san Onofre.

7. (146) *Un País de dos Uaras y media de largo y siette quartas de alto con San Pablo el primer Hermita-ño y marco dorado y ttallado tasado en ochentta doblo-nes: 4.800.*

Sin identificar.

8. (156) *Un país de dos Uaras y media de largo y siette quartas de alto de nuestro Señor en el desierto Con marco dorado y tallado tasado en Settenta doblones: 4.200.*

Sin identificar. La inclusión del tema se justifica-ba posiblemente por la representación de Cristo como prototipo de la vida eremítica.

9. (158) *Un País de dos Uaras y media de largo y siette quartas de alto Con Vna hermita y Uarias horta-lizas Con marco dorado y tallado tasado en Settentta doblones: 4.200.*

Valdivieso, *Pintura holandesa, op. cit.,* pág. 377, identifica la pintura como Museo del Prado, n. de inv. 2057, en depósito en el Museo de Bellas Artes de Sevilla, y la atribuye a Swanevelt.

10. (162) *Un País de dos Uaras y media de largo y siette quartas de altto Con Vnas Montañas y dos Santtos Carmelitas en primero y Segundo término Con marco tallado y dorado de el Yttaliano tasado en Settentta do-blones: 4.800.*

Valdivieso, *Pintura holandesa, op. cit.,* pág. 377, identifica la pintura como Museo del Prado, n. de inv. 2058, y la atribuye a Jan Both. James D. Burke, «Jan Both: Paintings, Drawings and Prints», *Outstan-dings Dissertations in the History of Art,* Nueva York y

Londres, Garland Publishing, 1977, pág. 83, se refie-re a ella como «desconocida». Von Barghahn, *The Pictorial Decoration, op. cit.,* citada por Luna, *Claudio de Lorena, op. cit.,* pág. 62, sugiere que el protagonis-ta es san Alberto de Sicilia.

11. (168) *Un País de dos Uaras y media de largo y Siette quartas de alto de noche Con la tenttaçión de San Anttón con marco y tallado dorado tasado en ochenta doblones: 4.800.*

Sin identificar. Anthony Blunt, «Jean Lemaire: painter of Architectural Fantasies», *The Burlington Ma-gazine,* 83, 1943, pág. 389, y Röthlisberger, *Claude Lo-rrain, op. cit.,* I, pág. 46, identifican esta pintura como Museo del Prado, n. de inv. 2258, de Claudio de Lorena.

12. (170) *Un País de dos Uaras y media de largo y siette quartas de ancho Con Vn hermitaño Curando Un brazo a Vn pobre Con marco y tallado dorado tasado en Setenta doblones: 4.200.*

Sin identificar. Von Barghahn, *The Pictorial De-coration, op. cit.,* I, pág. 260, identifica la pintura como Museo del Prado, n. de inv. 2033, en depósito en el Museo de Castellón, pero las dimensiones (0,86 por 120 centímetros) son demasiado reducidas.

13. (172) *Un País de Dos varas y media de largo y siette quartas de alto de el Yttaliano Con Vn San Bruno y Un Berjel Con marco y tallado dorado tasado en set-tenta doblones: 4.200.*

Blunt, «Poussin, Claude and Others», art. cit., pág. 390, identifica la pintura como Museo del Prado, n. de inv. 2064, y la atribuye a Jan Both. Malcolm R. Waddingham, «Herman van Swanevelt in Rome», *Pa-ragone,* 11, 1960, págs. 41-42, a Swanevelt.

14. (174) *Un País de dos Uaras y media de largo y siette quartas de altto con Varias ruinas, Un Mauseolo, Una pirámide, y Un santo Con marco y tallado dorado tasado en quarenta doblones: 2.400.*

Blunt, «Jean Lemaire», art. cit., pág. 245, identi-fica esta pintura como Museo del Prado, n. de inv. 3216, de Jean Lemaire. Von Barghahn, en cita de Luna, *Claudio de Lorena, op. cit.,* pág. 124, sugiere que el representado es san Ignacio de Antioquía.

15. (185) *Ottro País de dos Uaras y media de largo y siette quartas de altto de la misma mano (el Italiano) de Un Bosque y Un hermitaño Zeñido Con Unas Cadenas Con marco tallado y dorado tasado en quarenta doblones: 2.400.*

Von Barghahn, *The Pictorial Decoration, op. cit.,* I, pág. 265, identifica la pintura como Museo del Prado, n. de inv. 2058, y la atribuye a Jan Both.

16. (187) *Un País de dos Uaras y media de largo y siette quarttas de alto Con Una Grutta y Un príncipe pidiendo el Baptismo a San Phelipe con marco y tallado dorado tasado en Zincuenta doblones: 3.000.*

Sin identificar.

17. (189) *Un País de dos Uaras y media de largo y siette quartas de alto con la Magdalena y ttres Niños Con marco y tallado dorado tasado en sessenta Doblones: 3.600.*

Sin identificar.

18. (191) *Un País del mismo tamaño y marco que los anttezedentes con San Juan Baptista y Christo a lo lejos tasado en Sesenta doblones: 3.600.*

Sin identificar.

19. (199) *Un País de dos Uaras y media de largo y siette quartas de alto Con Vn Hermitaño predicando a los Bruttos con marco y tallado dorado tasado en settenta doblones: 4.200.*

Anthony Blunt, «Poussin Studies V: "The Silver Birch Master"», *The Burlington Magazine,* 91, 1950, pág. 70, identifica la pintura como Museo del Prado, n. de inv. 2305, y la atribuye al Maestro del Abedul de Plata, que algunos consideran se trata de Gaspard Dughet, aunque Clovis Whitfield, «Poussin's Early Landscapes», *The Burlington Magazine,* 121, 1979, pág. 16, la cree de Poussin. Von Barghahn, citada por Luna, *Claudio de Lorena, op. cit.,* pág. 100, interpreta esta escena como una representación de san Martín de Tours bendiciendo a los animales.

20. (200) *Ottro País del mismo tamaño que el anttezedentte de mano de el Italiano con Santta Rosalea grauando Su nombre tassado en settenta Doblones.*

Blunt, «Poussin, Claude and Others», art. cit., pág. 390, identifica la pintura como Museo del Prado, n. de inv. 2063, y la atribuye a Jan Both. Waddingham, «Herman van Swanevelt», art. cit., pág. 29, lo hace a Swanevelt. Para Burke, «Jan Both», art. cit., pág. 83, es de artista desconocido.

21. (201) *Ottro País del mismo tamaño y marco Con santta María ejipçiacea y el Abad Soçimas quando la uio Subir al çielo tassado en Settenta doblones: 4.200.*

Paradero desconocido. Blunt, «Poussin, Claude and Others», art. cit., pág. 390, asocia la pintura con un dibujo de Poussin que se encuentra en el Castillo de Windsor aunque, como advierte, este representa a santa María recibiendo la comunión de san Zósimo y no a san Zósimo presenciando la asunción de santa María, como se cita en el inventario.

22. (202) *Ottro del mismo tamaño y marco del Yttaliano con San Guillermo Armado tassado en settenta doblones: 4.200.*

Sin identificar. Röthlisberger, *Claude Lorrain, op. cit.,* I, págs. 156-157, sugiere que el protagonista es san Guillermo de Aquitania.

23. (203) *Ottro del mismo tamaño marco y auttor que el anttezedente Con San francisco tasado en settentta: 4.200.*

Von Barghahn, *The Pictorial Decoration, op. cit.,* I, pág. 270, identifica la pintura como Museo del Prado, n. de inv. 2035, en depósito en la Embajada de España de Estocolmo, y la atribuye a Jan Both.

24. (430) *Un País del Yttaliano de dos Uaras y tterçia de largo y Uara y media de alto Con Vna Santta merzenaria con marco tallado y dorado tasado en treinta doblones: 1.800.*

Blunt, «Poussin, Claude and Others», art. cit., pág. 389, y Röthlisberger, *Claude Lorrain, op. cit.,* pág. 46, identifican la pintura como Museo del Prado, n. de inv. 2259, de Claudio de Lorena. Von Barghahn, citada por Luna, *Claudio de Lorena, op. cit.,* pág. 138, ve en el tema una representación de santa María de Cervelló.

8

Academias de pintura
en la España del siglo XVII

La historia de las academias artísticas en España durante el siglo XVII podría parecernos a primera vista episódica e intrascendente[1]. A principios de siglo hubo un intento serio de fundar una academia, que a punto estuvo de convertirse en un hito de la historia del arte. Pero este intento fracasó y, después de aquello, ya solo encontramos alguna que otra efímera iniciativa, igualmente fallida. Los artistas españoles tuvieron que esperar hasta 1752, fecha de la fundación de la Real Academia de Bellas Artes de San Fernando, para beneficiarse así por fin de las ventajas sociales y profesionales de pertenecer a una asociación académica profesional[2]. Aunque lo normal es que los fracasos no constituyan acontecimientos relevantes para la historia del arte, en ciertas ocasiones pueden llegar a ser muy instructivos, como espero mostrar en la explicación siguiente.

Aparte de Italia, España debió de ser uno de los primeros lugares en que se reconoció la importancia de la academia de arte como institución. En fecha tan temprana como 1567, Felipe II consultó con la Accademia delle Arti del Disegno de Florencia el diseño de la basílica de El Escorial[3]. Ese mismo año el rey envió varios proyectos constructivos a Florencia para que los revisaran y remitieran sus sugerencias. No se ha conservado la respuesta de la Academia, pero el hecho de que se les solicitara su opinión ya indica una actitud favorable hacia la institución, que había sido fundada apenas cuatro años antes. Un breve pero interesantísimo documento redactado diecisiete años más tarde, el 29 de abril de 1584, confirma el interés por fundar una academia de arte[4]. Ese día, el Concejo de la Villa de Madrid, cumpliendo una real orden que estipulaba se facilitara la formación de una «academia de las nobles artes», designó a tres de sus miembros para que, junto al arquitecto real Juan de Herrera, seleccionaran un espacio en el «estudio» municipal a fin de que la futura academia pudiera celebrar allí sus sesiones.

La intervención de Herrera no es extraña, siendo como fue el primer arquitecto-humanista de España y teniendo en cuenta que, sin experiencia previa en el arte de la construcción, llegó a la profesión desde la mecánica y las matemáticas. Sus intereses científicos le diferencian tanto en el plano artístico como en el social del arquitecto español medio —o «maestro de obras», como se les conocía—, además de hacerle sensible a la distinción entre bellas artes y artes mecánicas, uno de los principios del movimiento académico renacentista. El apoyo del rey a la empresa es también fácil de comprender. La dedicación de Felipe II a las artes y a una forma de gobierno centralizado le predispondría a entender la conveniencia de contar con una academia real de arte. De hecho, dos años antes se redactaron las bases de una academia de matemáticas y ciencias náuticas, lo que demuestra que el rey era consciente de las posibilidades que ofrecía el patrocinio estatal de determinadas actividades profesionales de carácter esencial[5]. Pero parece que el plan nunca se llevó a cabo, puesto que no hay constancia posterior de la existencia de academia artística alguna en España en el siglo XVI.

Cinco años después de la muerte de Felipe II, el proyecto de academia volvió a cobrar fuerza, esta vez gracias al impulso de un grupo de pintores. Entre 1603 y 1624 el proyecto de fundación de la que habría sido la primera academia de arte con patrocinio real fue ganando enteros hasta quedarse a las puertas de la realidad. La existencia de la que se hizo llamar «Academia de San Lucas» se atestigua por primera vez en 1603, cuando sus miembros se reúnen para la firma de un documento que autorizaba a una delegación de ellos a presentar una petición al rey pidiendo su apoyo[6]. Una frase contenida en dicho documento da a entender que la academia llevaba ya existiendo desde hacía algún tiempo, si bien no mucho, ya que carecía aún de lugar de reunión fijo, así como de estatutos.

El origen de los pintores que formaban parte de esa delegación confirma que el proyecto de academia madrileña tenía inspiración italiana. Patricio Cajés (Patrizio Cascesi) era un florentino que llegó a España en 1567; Antonio Ricci, natural de Ancona, lo había hecho en 1585 como asistente de Federico Zuccaro. Luis de Carvajal, español, había estado en Roma en 1577, cuando se inscribe en la Academia de San Lucas. El resto de firmantes eran pintores españoles casi desconocidos. Dos nombres sobresalen entre ellos, los de Orazio Borgianni, quien, como es obvio, conocía bien la vida artística romana, y Eugenio Cajés, hijo de Patricio, cuya estancia en Roma en torno a 1595-1598 coincidió con la reforma de su academia que llevó a cabo Federico Zuccaro[7].

La petición que los cuatro pintores enviaron al rey se corresponde, probablemente, con un folio apaisado sin firma ni fecha que lleva el encabezamiento «Este memorial se dio al rey D. Felipe III»[8]. Este breve texto no es sino una *pièce justificatif* de la academia, en el que hay que resaltar el relieve que se le concedía a la pintura como servidora de la religión. A Felipe III no se le admira por muchos motivos, pero uno de ellos es su piedad, lo que explica que los pintores centraran su llamamiento en este punto. «Señor —comienza el texto— los pintores de esta Corte dizen, que cuán necesaria e importante sea la facultad y arte de la pintura, para la noticia, reverencia y alabança de Dios, y de sus Santos». Seguidamente, la petición continúa en su defensa de la importancia que la pintura ostenta como guardiana de la historia y custodio de las apariencias del mundo natural. En ese punto, el texto retoma el argumento religioso: las representaciones de mala calidad de escenas sagradas inducen a los fieles a error, y solo una oportuna instrucción en los preceptos adecuados del arte garantiza que exista buena pintura. Los peligros de la mala pintura, abundante en España, se dice, podrían subsanarse con la fundación de una real academia «para que científicamente se supiesse el arte». El documento concluye haciendo referencia a sus precedentes florentinos y romanos, regidos por «príncipes» elegidos por el gran duque y por el papa, respectivamente.

Pero lo que subyace de manera velada entre los argumentos que justificaban la creación de una academia era una aspiración de orden muy diferente: el deseo de acrecentar la posición social y el prestigio de los artistas en España. En este sentido, los pintores de Madrid no eran muy diferentes de sus colegas europeos. Estas consideraciones de carácter personal se recogen explícitamente en una carta fechada el 15 de mayo de 1610 que el pintor aragonés Jusepe Martínez cita en una sección de su tratado *Discursos practicables del nobilísimo arte de la pintura* (escrito en torno a 1673)[9]. La carta, según el texto, fue enviada por un pintor italiano llamado Pedro Antonio a su amigo Bartolommeo Cavarozzi, que por aquel entonces se encontraba en Roma, ciudad en la que Martínez la vio y copió unos años más tarde. Pedro Antonio, tras visitar Sevilla, marchó a Madrid, en donde

> procuré introducirme con nuestros profesores, que me hicieron mucho agasajo y cortesía, y lo que más me admiró fue ver la poca estimación que de sus naturales pintores hacían, siendo hombres que por sus méritos se les debía toda estimación; mas desengáñome el ver que dos flamencos de muy mediana esfera los hallé que todas sus pinturas eran colores vivas y no más, y con esta bagatela habían adquirido grande opinión, que en nuestro país no hicieran sombra. Condolido de este mísero estado, lo comuniqué con un excelentísimo pintor llamado Eugenio Cajés, a lo cual me respondió: señor mío, muchas son las causas que hay para ello, y la primera es la poca confianza que hacemos nosotros mismos, y en

particular en esta profesión del dibujo, y a los no entendidos en esta profesión les parece que no somos aptos para ello, y como hay tan pocos inteligentes entre tanto vulgo, no viene a ser conocida. La segunda causa es que todos los señores que van fuera de España, procuran traer de las provincias extranjeras mucha cantidad de pinturas, y de España no llevan cosa alguna, que a llevarlas, fuera conocido el valor de los ingenios de acá.

La tercera razón aducida por Cajés era la falta de grabadores que pudieran reproducir las obras de los artistas españoles y difundir la excelencia de sus creaciones.

El resentimiento larvado que la cita de Cajés expresa era el de un pintor que había sufrido en sus carnes el desdén de los coleccionistas españoles. Sus antagonistas son los *señores,* que beben los vientos por todo arte hecho fuera mientras ignoran el de sus compatriotas. En una sociedad eminentemente jerárquica como la española, el patrocinio real de la academia prometía una solución muy eficaz a ese problema, además del provecho que supondría para el perfeccionamiento de las habilidades artísticas de sus miembros. No sorprende, en vista de ello, que el deseo de protección real sobreviviera a la indiferencia con que Felipe III acogió esta petición de 1603.

Nada volvemos a saber de la academia hasta el 17 de noviembre de 1606, momento en que un documento certifica el fracaso de la iniciativa de 1603 (el nombre del rey brilla por su ausencia), así como la determinación con que se siguió adelante con el plan para instituirla[10]. En esta ocasión se trata de un acuerdo entre tres representantes de la academia y el monasterio de San Bartolomé o «de la Victoria», casa perteneciente a la Orden de los Mínimos de San Francisco de Paula. Como ya hiciera la academia florentina, la madrileña convino también en establecerse en

51. Vicente Carducho, *Autorretrato,* 1633-1638, Pollok House, Glasgow.

un centro religioso. El documento de 1606 plasma los términos del acuerdo, a los que los monjes se avinieron de manera más que razonable.

Por parte del monasterio, se cedía el usufructo de un terreno baldío donde la academia podría construir un estudio, a cambio de lo cual los pintores se obligaban a pagar una renta anual de tres reales o un pollo, que cada año habrían de entregar el día de Navidad. En el plazo de un año desde la firma, los pintores se comprometían a satisfacer una cuota inicial que consistía en cuatro pinturas al óleo para el claustro del monasterio, dejando los temas a elección de los monjes. A los pintores se les garantizaba en perpetuidad el uso de dicho espacio a menos que el monasterio precisara de él para sus propias actividades, en cuyo caso se les facilitaría algún otro lugar equivalente en la misma propiedad. La academia acordó igualmente celebrar en la iglesia de la orden todas sus funciones religiosas y dedicar una parte de cada sesión a «cosas espirituales encaminadas al bien de las almas» bajo la dirección del prior y otros religiosos. El acuerdo fue autorizado por el capítulo del monasterio el 27 de noviembre de 1606, fecha en que presumiblemente se inició su actividad.

No hay constancia documental alguna hasta 1624, cuando los pintores de Madrid solicitan a las Cortes de Castilla la fundación de una academia «adonde se enseña científicamente el Arte del Dibuxo». Tras esta petición se encontraban dos figuras que no tomaron parte en el anterior intento de obtener reconocimiento oficial para la academia, y su presencia esta vez traía buenos augurios para la consecución de la empresa[11]. El primero de ellos era el pintor Vicente Carducho [51], presente en Valladolid en 1603-1606 y relevante pintor español, conocido además por ser el autor del tratado *Diálogos de la pintura* de 1633. Más importante aún era su aliado dentro del gobierno, Gaspar de Guzmán, el conde-

52. Vicente Carducho, portada de *Diálogos de la pintura*, 1633, Biblioteca Nacional de España, Madrid.

duque de Olivares. Olivares, que ascendió al poder con la llegada al trono de España de Felipe IV en 1621, inició un activo programa de reformas que buscaba restituir el poder en declive de la monarquía española. En *Diálogos de la pintura* se menciona su apoyo a la academia, confirmado por una nota marginal manuscrita que se halla en un impreso de la petición que los pintores enviaron a Cortes en 1624 [52][12]. Esta petición se conserva en un ejemplar único de la misma, probablemente el borrador de los estatutos enviados a las Cortes para su aprobación. El autor del texto fue, casi con toda certeza, Vicente Carducho, y el proyecto que tenía en mente era extraordinario[13]. Titulado «Memorial que se dio al (Cortes del) Reino por los pintores», consta de diez secciones y una introducción.

Habían pasado ya más de veinte años del primer intento de ganarse el patrocinio real y durante ese tiempo las aspiraciones de la academia habían aumentado considerablemente. En la introducción del texto se definía a la academia como a una institución en la que «se enseñe científicamente la Teórica y prática deste Arte con los preceptos y reglas, y exercicios necessarios», para así corregir abusos y mejorar la práctica artística. No serían los pintores, sin embargo, los únicos beneficiados; Carducho preveía que todas las bellas artes y artes aplicadas se perfeccionarían con ella —desde la fortificación y la arquitectura militar hasta la miniatura, la tapicería, la orfebrería, la platería, la armería, la jardinería y la cantería. Por si fuera poco, la academia cumpliría la función de consejera en la designación de pintores del rey, escultores y arquitectos para protegerla de «las negociaciones y favores, que ordinariamente en estos casos concurren» (¿una referencia velada, quizás, al nombramiento de Velázquez como pintor del rey, que tuvo lugar el año anterior?). Esta atrevida observación, casi rayana en la insubordinación, revela con qué determinación se buscaba instituir no solo una academia sino un nuevo orden en el mundo de las artes en España.

Las secciones iniciales se ocupan casi exclusivamente de la administración de la academia. Pero, una vez más, una de sus frases proclama el afán controlador de sus promotores: «y ansí mediante esta Academia, pretenden no exerçan de oy más esta facultad ninguno que no sea perito y aprovado por ella por tal». El borrador establecía que a los oficiales se les elegiría en votación secreta. Una nota marginal escrita junto al pasaje referido a la elección del presidente y su mandato revela que Olivares pretendía dominar su funcionamien-

to. En un principio, el presidente había de ser un pintor elegido por la academia por un período de tres años. La apostilla sustituye este método por otro bien diferente: «el Conde desea que el presidente sea un caballero y le sirva a su placer»[14].

Los futuribles estudiantes solicitarían su admisión a la junta de gobierno y, una vez aceptados, abonarían treinta reales por la clase de dibujo natural con que se iniciaba el currículo. La clase tenía lugar cada noche durante dos horas y comenzaba dos días después de San Lucas (el 20 de octubre) para concluir el Domingo de Ramos, con excepción de los días de fiestas de guardar, cuando, por mor de la decencia, se recurriría a Vesalio o a la copia de esculturas para el estudio de la anatomía.

El segundo curso tomaba inicio el lunes siguiente al primer domingo de Pascua. Se dividía en dos clases de una hora, una dedicada a la perspectiva y la anatomía, o bien a la simetría y a la fisionomía, y otra a las matemáticas, geometría y astronomía.

Hasta aquí, la academia seguía un plan de estudios para la enseñanza del dibujo y la pintura bien estructurado. La verdadera novedad era su propuesta de monopolizar la práctica artística. Tan pronto como las ordenanzas fueran promulgadas, todo artista con taller propio habría de personarse en la academia y solicitar su licencia. En un principio, se pensaba eximir a pintores artesanos o a aquellos escasos de medios, pero esta provisión se tachó en el borrador. A los artistas que violaran esta orden les serían confiscadas todas las obras que guardaran en su casa o taller y sus herramientas de trabajo. A los reincidentes se les volvería a castigar del mismo modo, y aquellos que fueran sorprendidos por vez tercera ejerciendo sin licencia sufrirían la pena de ¡destierro!

La expedición de la licencia no era una mera formalidad. Las reglas estaban pensadas para que solo aquellos que hubieran finalizado el programa completo de la academia pudieran obtenerla (el memorial no especifica el papel al que quedaba relegada la enseñanza tradicional, si es que se preveía que ejerciera alguno). Los candidatos se someterían a continuación a un examen de conocimientos teóricos y habilidades prácticas ante tres académicos. En la primera sección de la parte práctica, al candidato se le exigía la realización de una *historia* en un dibujo, que pasaba a ser propiedad de la academia. A continuación, se pasaba a un examen de perspectiva, de dibujo de figuras y de una gran variedad de técnicas artísticas, de las que habían de salir airosos quienes quisieran especializarse en géneros como el retrato o el paisaje. A los candidatos que superasen las pruebas se les entregaría un título en pergamino, tras el pago de las oportunas costas, por el que se les daría facultad para la práctica de su arte «en todos los reinos de España». La academia pretendía asimismo el control del diseño de todas las obras públicas, y que todos los planos se les enviaran para su corrección y revisión. Del selecto cuerpo de académicos se entraba a formar parte por elección mediante voto secreto del resto de miembros. Solo podían ser elegidos aquellos «que verdaderamente fueren doctos en la facultad, y generalmente conocidos por tal». Este breve resumen deja ver la fórmula diseñada por la academia, un programa didáctico amparado por el poder estatal, que cuarenta años más tarde iba a implementarse en Francia en el que iba a convertirse en modelo fundacional de la moderna academia de artes. Con el apoyo del rey y su ministro, los pintores madrileños planeaban tomar el control del ejercicio de las artes en todos los dominios de la monarquía hispánica. El 20 de abril de 1624 las Cortes dieron acuse de recibo de la petición de fundación de la academia y nombraron una comisión para su toma en consideración[15]. A diferencia de la petición de 1603, a la

que el rey hizo oídos sordos, la iniciativa de 1624 despegaba de forma prometedora.

Desconocemos qué fortuna tuvo la propuesta en los años siguientes. Un suceso paralelo que tuvo lugar en esos mismos años parecía presagiar el éxito de la academia todavía en ciernes. El 25 de agosto de 1625, un fiscal del Real Consejo de Hacienda solicitó el pago de un impuesto, la *alcabala*, a los pintores de Madrid[16]. La *alcabala* era un impuesto general al consumo cuya aplicación a la pintura los pintores consideraban una indignidad mayúscula para sí y su profesión. Un grupo liderado por Carducho y Cajés, a través de un letrado, Lucas de Ávila Quintanilla, apeló dicha medida y solicitó su exención arguyendo que la pintura era un «arte liberal y la más científica de todas las artes, porque las comprendía a todas…». Su informe del 29 de junio recurría a los clásicos argumentos en favor de la liberalidad del arte, sin al parecer demasiado efecto[17]. Cuando el procedimiento se enquistó, Carducho reclutó a lo más granado de la intelectualidad madrileña en apoyo de su causa. En 1629, una serie de escritores eminentes, entre los que se encontraban Lope de Vega, Lorenzo Van der Hamen y León (hermano del pintor de bodegones), Juan de Jáuregui y Antonio de León Pinelo redactaron unos escritos en defensa de la nobleza de la pintura, que más tarde se publicaron como apéndice en *Diálogos de la pintura*.

El 13 de noviembre de 1630 la corte del Consejo de Hacienda falló su veredicto, que liberaba del pago del impuesto a los pintores en toda obra realizada por contrato pero lo mantenía para cualquier tipo de venta de pinturas. No fue este un resultado satisfactorio para los artistas, que buscaban la exención total. Carducho y Cajés presentaron apelación, que los jueces estimaron de manera positiva finalmente el 13 de enero de 1633. A partir de entonces, los pintores dejaron de estar sujetos al pago de impuestos sobre sus creaciones, aunque esto no afectaba a la venta por parte de terceros. Los pintores habían ganado esta batalla, pero la derrota final de su proyecto de academia, frustrado por la labor de enemigos internos, amargó el sabor de aquella victoria. Del resultado de todo ello nos informa un diálogo, breve pero rebosante de resentimiento, entre el maestro y el discípulo que protagonizan el tratado de Carducho. El discípulo inquiere acerca de la suerte de ese proyecto de academia que había gozado del apoyo de Olivares y fue tomada en consideración en Cortes. «Deseo saber en que parò todo aquello, que prometía grande cosa». La respuesta del maestro es lacónica pero concluyente: «Suspendiose entonces por ciertos accidentes no de parte de la Pintura, ni por la de sus fauorecedores, sino por opiniones, y dictámenes particulares de los mismos de la facultad (qué lástima!)»[18].

El significado de este pasaje es bastante esclarecedor. Como ya sucediera en otras partes, el gremio acabó imponiéndose a la academia; los pintores de filas se rebelaron contra las pretensiones de la élite. La propuesta de 1623 había ido demasiado lejos al poner en juego el modo de vida de demasiada gente y porque antepuso las aspiraciones de dominio y estatus de algunos a las modestas necesidades de la mayoría. La reforma de la pintura, como otras reformas propuestas por Olivares, dotado de tanta altura de miras como de terquedad, se encontró con la implacable y efectiva resistencia de muchos intereses arraigados. Habrían de transcurrir más de cien años hasta la fundación en España de una real academia. A finales del siglo, algunos pintores, ya a título individual, seguían aún batallando contra el gremio, sin apoyos ni muchas esperanzas[19].

Otras pocas academias vieron la luz en España en la segunda mitad del siglo XVII, pero siempre con carácter local y objetivos y duración limitados. De todas ellas, la más importante fue la fundada en Sevilla en 1660, de la que han tratado algunos estudios[20]. Su prestigio obedece al nombre de uno de sus fundadores, Bartolomé Murillo, y se componía de otros miembros como Juan de Valdés Leal y Francisco de Herrera el Mozo, al igual que aquel reconocidos maestros.

Como evidencian sus estatutos, la Academia de Sevilla, a diferencia de su malogrado precedente madrileño, pertenecía a la categoría de lo que Pevsner denominó «taller-academia». Sus fines eran, por tanto, modestos; sus recursos, limitados, y su programa, bien simple. Su acta de fundación se firmó el 11 de enero de 1660 y designaba a Murillo y a Herrera como copresidentes. Estipulaba también que su objetivo era el «exercicio de dibujo». A tal fin se dispuso un espacio en la Casa de la Lonja en el que los artistas se reunirían en sesiones nocturnas de dibujo tuteladas por uno o dos académicos, pintores veteranos de Sevilla por lo general. Pensada para suplementar, más que suplantar, el sistema tradicional de enseñanza artística, la academia no suponía amenaza alguna para el orden establecido. Por otra parte, el carácter informal y facultativo de esta asociación le privó del sustento institucional que precisaba para su supervivencia. A medida que sus fundadores fueron desapareciendo o perdiendo interés, la academia se debilitó. La documentación que conservamos se interrumpe en 1674 y es probable que no subsistiera mucho más allá como organización.

La tercera ciudad importante en España que promovió la creación de una academia fue Valencia, al igual que Sevilla, un cosmopolita núcleo comercial. En Valencia la academia es una creación tardía, de la que poco se sabe excepto por dos documentos de 1686. La ciudad poseía, no obstante, un colegio de pintores fundado, en parte, por las mismas razones que motivaron la institución de la academia de Madrid[21]. El colegio de Valencia, como su nombre indica, era una asociación profesional creada con el fin de otorgar licencias y regular la práctica del arte. A diferencia de una academia, carecía de aspiraciones didácticas. Su preocupación era mejorar el prestigio social de sus miembros y elevar el nivel medio de calidad artística. Estos fines le condujeron al enfrentamiento con varias organizaciones gremiales a las que los pintores valencianos habían pertenecido por tradición.

La historia del colegio comienza en el momento en que recibe el reconocimiento del gobernador general del Reino de Valencia el 7 de abril de 1607. El 19 de octubre se remodeló su junta organizativa, cuyas labores se delegaron en trece pintores, todos hoy desconocidos menos uno, Francisco Ribalta. Casi de inmediato, los gremios de pintores se lanzaron a la defensa de sus derechos, buscando y ganándose el apoyo del concejo de la ciudad. La disputa derivó finalmente en pleito, juzgado por la corte de Valencia el 20 de julio de 1616 a favor del colegio. En agosto se promulgaron sus ordenanzas, que dejaban claro el porqué de la resistencia de los gremios. Uno de los puntos requería que todos los pintores se registraran en un plazo de sesenta días so pena de perder su derecho al ejercicio de sus labores. Otro exigía un aprendizaje de siete años de duración, que concluía con un examen al arbitrio del colegio. En un asunto en concreto el colegio se mostraba aún más receloso de la competencia que los propios artistas gremiales: a los artistas procedentes de fuera del Reino de Valencia no se les permitiría ejercer de ningún modo.

Tras perder el juicio, los pintores gremiales apelaron al rey Felipe III a través de los concejales de la ciudad, pero el monarca impuso su voluntad a la de sus justicias y ordenó la disolución del colegio el 11 de diciembre de 1616. Para aquel entonces, el colegio había comenzado ya la matriculación de pintores y doradores y contaba con cincuenta y cinco maestros y treinta y seis aprendices inscritos. Aunque con posterioridad a 1616 la documentación se interrumpe, el colegio seguía existiendo en 1648, muy a pesar del edicto real. La comparación de sus estatutos con los propuestos por Carducho en 1624 es reveladora. La diferencia más obvia es la ausencia de un programa educativo. Prescindiendo de plan alguno para el estudio científico de las artes, los pintores de Valencia pretendían sustituir simplemente un gremio por otro aún más restrictivo. En otros aspectos ambas instituciones se parecían. En los dos casos, una élite intentó hacerse con el control de todo un cuerpo profesional y, en el intento, se ganó la animosidad de los pintores de a pie. Resulta curioso que los pintores de Madrid fracasaran a pesar del apoyo del ministro del rey y los de Valencia salieran victoriosos a pesar de la oposición del monarca en persona. La explicación a esta paradoja residiría en el hecho de que, en Valencia, el aprendizaje de los artistas se restringía al taller en vez de la academia y era de carácter práctico y no teórico. Cuando en 1686 otro grupo de artistas valencianos se propuso fundar una academia en sentido estricto, se encontró con la oposición implacable del colegio de pintores. Del enfrentamiento entre pintores renovadores y conservadores que caracteriza a la historia temprana de las academias de arte en Europa, en España salen vencedores los artesanos. A primera vista, no parece que el fracaso de la academia tuviera consecuencias de empaque en la historia de la pintura española. En Madrid, el derrumbe de la academia precede inmediatamente a los mayores logros artísticos de Velázquez y, tras su muerte, se suceden las carreras nada despreciables de Carreño de Miranda, Rizi, Antolínez, Coello y otros maestros del Ba-

53. Vista de la Real Academia de Bellas Artes de San Fernando.

rroco tardío. En Sevilla, Murillo y Valdés Leal se hallaban bien establecidos mucho antes del nacimiento de la academia, y sus trayectorias continuaron floreciendo tras el cese de su actividad. Sin embargo, el análisis histórico refleja una situación no tan reconfortante. A partir de 1690 se produce un declive significativo, cualitativamente hablando, de la pintura española, que perdurará hasta la década de 1760, aproximadamente. Las causas de este fenómeno nunca han sido examinadas en profundidad, pero es posible que el fracaso del movimiento académico influyera en ello. Hoy en día, a las academias se las percibe como enemigas de la innovación y la creatividad, pero en el siglo XVII esto no era así. No es del todo descabellado afirmar, por tanto, que la institución de la academia podría haber ofrecido a los pintores españoles la oportunidad de renovar su arte poniéndolos en contacto con las corrientes internacionales que abogaban por el clasicismo en la teoría y en la práctica. Aislados del vasto mundo del arte y confinados en los talleres de maestros locales, los artistas españoles se quedaron sin recursos y atrapados en un letargo de tedioso provincialismo del que solo saldrían con la llegada a Madrid de Corrado Giaquinto y Anton Raphael Mengs [53].

9

«Peut-on assez louer cet excellent ministre?»*
Imágenes del privado en Inglaterra, Francia y España

Si bien los privados ocuparon el centro del escenario en la corte europea del siglo XVII, han sido actores secundarios en recientes estudios de la imaginería cortesana. No obstante el hecho de haberse analizado pormenorizadamente algunas composiciones en particular, no ha habido intento alguno de definir la imagen del privado como categoría del arte cortesano. Hay que reconocer que es un terreno inmenso, demasiado para recorrerlo en un ensayo breve. Con todo, acaso se pueda realizar un comienzo centrándose en las figuras de tres favoritos: el duque de Buckingham, el conde-duque de Olivares y el cardenal Richelieu. Quizá adoptando un planteamiento comparativo en el estudio de sus imágenes resulte más fácil percibir los perfiles de una iconografía del privado.

La elección de estos protagonistas se funda en su papel preponderante en tres de las grandes cortes regias de Europa Occidental; en otras palabras, han sido elegidos por su significación política. Además, la iconografía de estos validos es sobresaliente tanto en calidad como en cantidad. Estos hombres de Estado reconocían la importancia de la imagen visual como forma de definir, resaltar y defender su singular posición en el ámbito público. Reconocían asimismo que los mejores artistas serían los que pudieran elaborar una formulación más convincente de su posición. Así pues, a su debido tiempo, examinaremos obras de Velázquez y Maíno, Philippe de Champaigne y Poussin, y, claro está, de Rubens. Estos privados tenían acceso a la maquinaria de producción de imágenes cortesanas y

---

* «¿Puede este gran ministro ser alabado suficientemente?». *(N. del T.)*

procuraban constantemente dirigirla en beneficio propio.

Otro punto es el relativo al origen social de los privados. Como se ha dicho a menudo, pertenecían a la pequeña o mediana nobleza. Eran arribistas en el círculo más selecto de la corte y en los niveles más altos de una sociedad donde las apariencias, o la conducta pública, estaban fuertemente cargadas de significado. Los cuadros encargados por nuestros validos son proyecciones de las alteraciones que iban experimentando sus estados de realidad. Lo que se pretendía era la autodefinición, cuya finalidad era ofrecer imágenes refulgentes e idealizadas de estas personalidades complejas y muchas veces carentes de simpatías.

Pero no todo era simple representación de un papel. Estos tres privados lucharon continuamente contra enemigos y facciones que les despreciaban y se esforzaban por expulsarlos del poder. Se sigue de ello que algunas de estas imágenes reflejan el incesante combate de quienes encargaron su elaboración. Pese a ello, no pretendo sugerir que un solo modelo se ajuste a las tres figuras. En Londres, París y Madrid se habían elaborado códigos visuales distintos antes de la llegada a escena de Buckingham, Richelieu y Olivares, que determinaron en parte su modo de entender la representación.

Comencemos nuestro recorrido de *la route du favori* en la corte de St. James. En un capítulo muy útil de su libro, *The Great Duke of Buckingham* (1939), Charles Richard Cammell enumera alrededor de ochenta retratos del veleidoso favorito de los primeros reyes Estuardo[1]. Estas imágenes pueden dividirse claramente en dos categorías. En la más cuantiosa con diferencia aparece Georges Villiers de cuerpo entero o medio cuerpo ante un fondo neutro. Sin duda una de las más espectaculares es la versión de la National Portrait Gallery de Londres, pintada por William Larkin, un fascinante retratista que trabajó en el segundo decenio del siglo XVII[2]. Aunque con ademán afectado, este retrato capta admirablemente la belleza de rostro y figura que lanzó a este ambicioso hijo de un caballero de Leicestershire a su meteórica carrera. La ocasión para este encargo fue la investidura de Villiers como caballero de la Orden de la Jarretera en 1616, a los veinticuatro años, y el artista ha hecho lo posible para crear una imagen resplandeciente.

El retrato de Larkin, que precede de forma inmediata el ascenso de Villiers a la categoría de privado, se ciñe a las convenciones firmemente arraigadas del retrato aristocrático jacobita plasmado por Robert Peake el Viejo *(Henry, Prince of Wales,* National Portrait Gallery, Londres). Y esta es precisamente la cuestión: al apropiarse de la pose hierática y la minuciosa ejecución de la complicada ornamentación de los vestidos, que tipifican lo que Roy Strong ha llamado «el icono inglés», Larkin eleva sin dificultad a este caballero advenedizo a la categoría máxima de la nobleza. En esta ocasión, como en su posterior trayectoria, Villiers se revelaría como un astuto manipulador de los códigos visuales de engrandecimiento.

Durante los comienzos de la década de 1620, los retratos de Buckingham siguen la nueva moda de imaginería de estilo holandés introducida en la corte por Cornelius Janssen y otros. Aunque estos retratos se caracterizan por un mayor naturalismo (así como por el bigote y la barba adoptados por Buckingham después de 1620), son peculiarmente poco reveladores del acrecentado poder político del duque. El único retrato en desviarse de este patrón es el extraordinario cuadro pintado por Van Dyck a finales de 1620 o comienzos de 1621 para conmemorar el matrimonio de Villiers con lady Katherine Manners[3]. Este ostentoso cuadro puede considerarse audaz o vulgar, pero, sea como fuere, ciertamente no hace alusión a las hazañas políticas de Buckingham.

Hasta 1625 no encontró Buckingham el pintor que buscaba. Fue este Pedro Pablo Rubens, cabría decir que el más elocuente pintor de corte de su época. Buckingham y Rubens se conocieron en París en la primavera de 1625. El duque había ido para dar escolta a Enriqueta María hasta Londres, y Rubens, para instalar la famosa serie de cuadros dedicados a la vida de María de Medici, obras que evidentemente Buckingham vio y admiró. Lo que Rubens ofrecía era retórica, una forma mucho más eficaz de definir y, si fuere necesario, defender una posición. Y hacia 1625 Buckingham necesitaba la retórica visual más persuasiva que estuviera a su alcance.

Pintor y mecenas acordaron la ejecución de dos cuadros, la *Glorificación del duque de Buckingham* y un retrato ecuestre. Ambas obras fueron destruidas en un incendio en 1949, pero se conocen por fotografías. Además, se conservan los bocetos preparatorios al óleo que hizo Rubens, y es siguiendo la progresión desde la composición preliminar a la definitiva como podemos ver al acosado favorito montando sus defensas frente a una oposición resuelta y creciente en el Parlamento y la corte.

El *Retrato ecuestre,* por el que Rubens recibió la jugosa suma de quinientas libras esterlinas, fue en un principio una obra más bien convencional, como sabemos por el boceto al óleo [54] que se conserva en el Kimbell Art Museum[4]. La postura reproduce la utilizada en un grabado de 1625, obra de Willem de Passe, al que Rubens había añadido las figuras de Neptuno acompañado por una náyade, símbolos del cargo de almirante de la flota ostentado por Buckingham. Se había incluido también una personificación multiuso de un dios de los vientos, que sostiene la trompeta de la fama y la corona de laurel de la victoria. Los vientos favorables auguran fama y gloria al triunfante almirante.

La versión final, enviada al duque en el otoño de 1627 (e inventariada por primera vez en York House en 1635), aparecía ya cargada de simbolismos dirigidos a la creciente legión de detractores, entre ellos los miembros de los Comunes que le sometieron a *impeachment* en los acalorados debates de 1626[5]. A la izquierda se ve a Victoria con una corona de laurel y una cornucopia, mientras que a la derecha está Caritas con un corazón llameante en una mano y arrastrando con la otra el demonio de la Discordia, con espinas de sierpe y claramente derrotado. Los dioses de los vientos, reducidos a cabezas de amorcillos, inflan los mofletes y soplan para crear los céfiros benéficos que transportarán a la flota inglesa a la victoria y silenciarán a derrotistas y detractores.

Los enemigos de Buckingham, claro está, no iban a dejarse rebatir por un simple retrato ecuestre. Por consiguiente, el dúo de Buckingham y Rubens se vio inducido a intentarlo otra vez, y el resultado es una de las más grandilocuentes representaciones de un privado realizadas en el siglo XVII: la *Glorificación del duque de Buckingham.* Actualmente se cree que este cuadro se desarrolló en tres etapas, cada una progresivamente más ampulosa que la anterior[6]. La etapa primera, solo conocida por una copia de un boceto presuntamente perdido, no es particularmente inspirada o enfática. Buckingham, sosteniendo un estandarte, es conducido hacia el templo de la virtud, asistido por Minerva y anunciado por Fama, que toca una trompeta. En el suelo yace un león, que representa la Ira y la Discordia e intenta asir la pierna de Buckingham para hacerle caer. A la izquierda, las Tres Gracias contemplan la escena triunfal y ofrecen una corona al duque.

En la fase segunda, el aparato alegórico ha sido visiblemente enriquecido. Fama se ha transformado en Mercurio, que ayuda a Minerva a conducir al duque hacia una estructura de co-

54. Pedro Pablo Rubens, *Retrato ecuestre del duque de Buckingham*, 1625, Kimbell Art Museum, Fort Woth, Texas.

lumnas salomónicas, donde le aguardan Virtud (cornucopia) y Honor (lanza). Debajo, Ira y Discordia, repelidos por una figura femenina, intentan impedir el ascenso del duque. Las Tres Gracias vuelven a estar presentes y seis amorcillos, que sostienen atributos como la palma de la victoria y las tromperas de la fama, añaden un toque de delicadeza al himno de alabanza. Un *putto* mantiene la trompeta en el aire, pero no la

toca, referencia al deber de refrenar la «mala fama» o la propagación de falsedades. Lo más audaz es la pose del duque, que ha sido identificada como una adaptación de la figura de Cristo resucitado en el cuadro de Correggio *La Resurrección de Cristo* que se ve en la cúpula de la iglesia de San Juan Evangelista de Parma.

La versión final, de forma octogonal, tenía la finalidad de decorar un techo de *my lord's clo-*

set (quizá un aposento privado del duque) y contiene una nueva clarificación de la alegoría. Las Gracias son algo más pequeñas, mientras que se han magnificado el templo de la Virtud y sus guardianes y han aumentado las fuerzas de la oposición con la adición de un dragón y una arpía. El tono más intenso de apología podría considerarse una respuesta a los enemigos de Buckingham en la Cámara de los Comunes, que estaban recurriendo a una retórica extrema. El 10 de mayo de 1626, en el transcurso de un debate sobre su destitución, sir John Eliot, el enemigo más declarado de Buckingham, le había comparado con «la bestia que los antiguos llamaban *Stellionatus;* una bestia tan deforme, tan impura, tan llena de contornos repugnantes, que no sabían qué pensar de ella»[7]. Ante semejantes excesos, la alegoría de Rubens acaso resulte menos jactanciosa. Sea como fuere, los actos, como siempre, eran más elocuentes que las imágenes. La derrota de los ingleses en la isla de Ré en el verano de 1627 coincidió exactamente con la terminación del cuadro y da a la ampulosa retórica de Rubens un aire de táctica vacua y desesperada.

Esta es, claro está, la visión retrospectiva. Pero en 1628 Buckingham estaba convencido de que las imágenes podían contribuir a configurar la percepción de la realidad. El 16 de mayo de 1627, justamente antes de la partida del duque a la campaña de la isla de Ré, se representó ante sus majestades un espectáculo de mascarada en York House en la cual, según la descripción del reverendo Joseph Mead, «primero [salió] el duque, detrás de él Envidia, con diversas cabezas de perro con las bocas abiertas, que representaban los ladridos de la gente; después venía Fama, luego Verdad, etcétera»[8]. Como es evidente por este espectáculo, el favor no dependía del Parlamento sino del rey, que tenía una inquebrantable convicción de que Buckingham era indispensable.

El testimonio visual de la lealtad del rey a su privado es un cuadro que surgió de un encargo regio, aunque no es difícil ver también la mano de Buckingham. Se trata de una obra del pintor holandés Gerrit van Honthorst, que llegó a Londres en abril de 1628 e inmediatamente se puso a trabajar en un cuadro para el Palacio de Banqueting House [55][9]. En esta composición, que representa una especie de mascarada, vemos a los reyes Carlos y Enriqueta María vestidos de Apolo y Diana, recibiendo a las Siete Artes Liberales que están siendo presentadas por Buckingham disfrazado de Mercurio. En la esquina inferior izquierda, la Virtud y el Amor están destruyendo a la Envidia y el Odio. Del mismo modo que Buckingham ha patrocinado las victorias del reino, patrocina ahora a las humanidades, que darán adorno a la paz, glorificarán la monarquía y sofocarán toda oposición. Buckingham se apropia del conocido tropo del monarca como promotor de las artes de la guerra y la paz en el *Retrato ecuestre* de Rubens y en la alegoría de Honthorst, lo cual refleja con exactitud su papel en el gobierno de Carlos I. La *Glorificación del duque de Buckingham* reconoce tácitamente que los súbditos del rey contemplaban estos hechos con consternación y rabia. La abdicación del ejercicio de gobierno en un privado era considerada por muchas personas usurpación y contravención del orden natural, y estos cuadros ponen claramente de manifiesto las deficiencias del gobierno de validos.

En ciertos aspectos, las representaciones del conde-duque de Olivares se ajustan a los parámetros fijados por la iconografía de Buckingham. Por ejemplo, el primer retrato del privado español es una obra extraña y desmañada pintada por Velázquez, o quizá por un ayudante, actualmente conservado en el Museu de Arte de São Paulo. Velázquez, cuya entrada en la corte de Felipe IV se produjo bajo el patrocinio de Olivares, recibió parte de sus honorarios por esta ver-

55. Gerrit van Honthorst, *Apolo y Diana*, 1628, Royal Collection Trust, Hampton Court Palace, Londres.

sión el 4 de diciembre de 1624, dos años después de que el conde-duque hubiera consolidado su posición como valido, o ministro, denominación que él prefería. La figura robusta de Olivares llena la mayor parte de la composición, y los atributos de su cargo —la llave de la cámara real y las espuelas de caballerizo mayor— se muestran casi con ostentación. Sin embargo, el formato es en todo el utilizado tradicionalmente para los retratos de gobernantes y nobles españoles. Igual que Larkin presentó a Buckingham como un icono inglés, Velázquez nos presenta a Olivares como un grande de España.

Aproximadamente un año después, Velázquez modificó la imagen de Olivares en la forma que hoy se ve en la colección de la Hispanic So-

ciety of America [56]. Aunque en lo estético es más atractiva, esta versión está dotada de un acento decididamente político debido a la inclusión de un largo látigo de caña, que sostiene verticalmente la mano derecha del favorito. Como ha señalado Antonio Martínez Ripoll, este objeto no simboliza el cargo de caballerizo mayor, como se ha dicho tradicionalmente[10]; es, más bien, una fusta de montar, objeto con un valor metafórico bien definido según el cual el mandatario gobierna a las masas, que se asemejan a un caballo que precisa de disciplina y autoridad para desempeñar sus tareas. Si esta interpretación es correcta, Velázquez habría adoptado un medio muy directo para mostrar el poder del privado.

La obra en cuestión es un hermoso grabado, un retrato dibujado por Rubens y ejecutado por su ayudante, Paulus Pontius [57]. Aunque a escala reducida, esta composición está densamente repleta de significado[11]. Sin pretender una exposición completa sobre sus simbolismos, se puede decir que el dibujo representa a Olivares dotado de fuerza y sabiduría (los dos genios sentados sobre un plinto), que le permiten, mediante un gobierno fuerte y prudente (el timón y el bastón de mando con una serpiente enroscada), dar gloria a España, representada por la estrella de cinco puntas, Héspero, que brilla sobre la esfera terrestre, tocando a Iberia con una de sus puntas. Rodean el retrato trompetas y antorchas en-

56. Diego Velázquez, *Gaspar de Guzmán, conde-duque de Olivares,* 1625-1626, Hispanic Society of America, Nueva York.

Pero es que Olivares no era precisamente persona de sutilezas en lo que hacía a su imagen, y es aquí donde se aparta de Buckingham en cuanto al uso de la alegoría para promover y defender su política y su reputación. A causa de una extraordinaria coincidencia, Rubens creó un retrato de Olivares exactamente en el mismo momento en que trabajaba en los encargos de Buckingham, pero Olivares parece haber extraído conclusiones distintas sobre el valor de Rubens como defensor de su posición.

57. Paulus Pontius (basado en Velázquez), *Retrato alegórico del conde-duque de Olivares,* 1626, grabado en talla dulce: aguafuerte y buril sobre papel verjurado.

58. Diego Velázquez, *Gaspar de Guzmán, conde-duque de Olivares, a caballo, ca.* 1636, Museo Nacional del Prado, Madrid.

cendidas, símbolos de la fama, mientras que guirnaldas de trigo, frutas y verduras indican la prosperidad de un país que vive en paz.

Al recibir este grabado, Olivares escribió una cordial carta de agradecimiento a Rubens, fechada el 8 de agosto de 1626, en la que expresaba su apreciación de la obra. «Dios me conceda luz y fuerza para esta [labor de gobierno], y entonces podrá decirse que estimo este retrato como merece, y que su mensaje no estará del todo desencaminado»[12].

La falsa modestia de Olivares parece haber disimulado una auténtica indiferencia hacia la iconografía de Rubens. Dos años después, el maestro flamenco pasó ocho meses en Madrid, pero no recibió encargo alguno de Olivares, quien por entonces bien podría haberse servido de alguna ayuda, pues empezaban a escucharse los murmullos de descontento con su ministerio. En la década de 1630, estos fueron haciéndose progresivamente más audibles.

La respuesta de Olivares a sus detractores no puede calificarse de sutil precisamente. Hacia mediados de la década, cuando comenzaba la guerra con Francia, el conde-duque encargó tres obras, comparables a las ejecutadas para Buckingham durante su período de crisis, cuya intención era reforzar el poder del privado y desarmar al enemigo. Una de ellas es el monumental retrato ecuestre de Velázquez que se conserva en El Prado [58]. Nada se sabe de la génesis de esta composición, y su fecha y finalidad siguen siendo cuestión de conjetura. Pese a que muchos escritores, entre los que me cuento, han asociado este encargo con la victoria española de 1638 en Fuenterrabía, es un argumento puramente circunstancial dado que la escena de batalla del fondo es de tipo genérico. Podría ser que el origen del cuadro se deba al comienzo de la guerra con Francia, una idea refrendada por los recientes estudios técnicos de Carmen Garrido, que lo fecha en torno a este momento[13]. Pero no vamos a invertir tiempo en discurrir sobre la fecha o motivo precisos a expensas de entender el retrato en lo que tan patentemente representa: al conde-duque corno guerrero intrépido y poderoso. Velázquez, a diferencia de Rubens, presenta el hecho sin recurrir a simbolismos, aunque tanto él como Olivares conocían bien el cuadro alegórico de Rubens, *Retrato ecuestre de Felipe IV* (copia, Uffizi), realizado en 1628-1629 y expuesto en el Alcázar de Madrid. El lenguaje elegido por Velázquez para glorificar la imagen de la fuerza militar es directo, no alusivo, uno que hasta los analfabetos entendían.

Un planteamiento muy similar es el aplicado a una representación más explícita de Olivares como mano que guía los destinos de la monarquía: *La lección de equitación del príncipe Baltasar Carlos,* también fechable en el período de 1635-1636 [**59**]. Esta escena se desarrolla en el patio del Buen Retiro (aunque se ha dicho recientemente que lo representado es el patio inclinado del Alcázar), y la acción es la lección de equitación que recibe el joven príncipe, heredero de la Corona española[14]. Era habitual utilizar los ejercicios ecuestres como metáfora del ejercicio de gobierno, de modo que tiene sentido que el maestro sea Olivares y no Felipe IV, que observa la lección desde un balcón distante acompañado por la reina. Es preciso resaltar, no obstante, que este cuadro (presumiblemente encargado por Olivares, aunque aparece inventariado por primera vez en posesión de su sobrino Luis de Haro en 1647) es un documento único de lo que podría denominarse la privanza en acción. Lo que quiero decir con esto es que representa gráficamente al privado como protagonista de la gestión de la monarquía, mientras el rey, con tamaño reducido y relegado al fondo, contempla pasivamente la acción. Pese a las protestas de la oposición, *La lección de equitación* no deja duda alguna de que Olivares seguía todavía reteniendo firmemente las riendas. (Sin embargo, en una copia de la Wallace Collection de Londres, ejecutada después de la destitución de Olivares, ha sido borrado el conde-duque y, en efecto, también los soberanos). Parece evidente que Olivares quería resaltar su valimiento y estaba convencido de que la representación más directa era, una vez más, el mejor procedimiento.

La obra final de esta tríada de argumentos visuales en pro del ministerio de Olivares es la mejor documentada. En 1635, Juan Bautista Maíno recibió el pago final por su extraordinario cuadro, *Alegoría de la recuperación de bahía de Todos los Santos* [**60**], que formaba parte de una serie de doce escenas de batalla ejecutadas para el

59. Diego Velázquez, *La lección de equitación del príncipe Baltasar Carlos,* 1635-1636, colección del duque de Buckingham, Londres.

Salón de Reinos del Buen Retiro. Estos cuadros describían las principales victorias del reinado de Felipe IV y, por extensión, constituían una defensa de las políticas de Olivares[15]. El Salón de Reinos no era solo la estancia más importante del palacio; era también lugar de diversos espectáculos y festejos. Por consiguiente, el cuadro de Maíno se exhibía a plena vista de la corte y su mensaje era perceptible para todo el mundo.

El propósito de la *Alegoría de la recuperación de bahía* en lo que hace a Olivares es también aquí inequívocamente claro, aunque en esta oca-

60. Fray Juan Bautista Maíno, *Alegoría de la recuperación de bahía de Todos los Santos,* 1634-1635,
Museo Nacional del Prado, Madrid.

sión el artista tuviera que recurrir al lenguaje simbólico. Fadrique de Toledo, el victorioso comandante de las fuerzas conjuntas españolas y portuguesas que expulsaron a los holandeses de la bahía de Todos los Santos de Brasil en 1625, arenga a los soldados holandeses arrodillados. Señala hacia un tapiz que muestra al rey pisando las personificaciones de la Herejía y la Traición, mientras Olivares coloca el pie derecho sobre el pecho de la bestia negra de los privados, la Discordia. A la izquierda está situada Minerva, que

entrega al rey la palma de la victoria y coloca una corona de laurel, símbolo de la virtud, sobre la cabeza del monarca, diestramente asistida por la figura rolliza del privado.

No cabe sobrestimar la pura audacia de esta composición. En sus papeles de Estado, Olivares minimizaba insistentemente la importancia de su posición con respecto a Felipe IV, y a menudo se refiere a sí mismo como «fiel ministro del rey». Estos tres cuadros parecen trocar sus palabras en mera retórica vacía. Frente a la alternativa de utilizar alegorías, medio de comunicación no menos válido pero ciertamente menos directo, Olivares optó por la narrativa a secas. Quizá fuera una reacción a la furia y las calumnias de sus enemigos, aunque estos cuadros estuvieran calculados para suscitar su ira. Sea como fuere, estas fueron las descargas finales de la guerra visual de autodefensa. Nuestra última visión del conde-duque, el retrato de Velázquez de 1638, hoy en San Petersburgo, muestra impasiblemente la realidad de diecisiete años de trabajos agotadores en una causa perdida.

Nuestro último caso, el cardenal Richelieu, es el más complejo de todos. Richelieu fue el único de nuestros tres ministros que concluyó con fortuna su ministerio, evitando tanto el asesinato como la destitución. Además, la iconografía de Richelieu es mucho más amplia, variada y compleja que la de Buckingham u Olivares. Acaso otra forma de caracterizar las diferencias entre Richelieu y sus homólogos sea observar que, así como las escenas históricas y las alegorías realizadas para los ministros inglés y español tienen una cualidad *ad hoc,* las elaboradas para el ministro francés son más deliberadas y sistemáticas.

Aun antes de examinar algunas de estas obras, conviene considerar por qué la iconografía de Richelieu tiene un carácter tan marcadamente distinto[16]. Me gustaría proponer una serie de explicaciones. Para empezar, Richelieu había recibido formación teológica en la Sorbona y era, por tanto, versado en sistemas de pensamiento rigurosos. Él mismo era autor de cuatro tratados religiosos. Quisiera también apuntar que la educación religiosa de Richelieu le dotaba de una apreciación más intensa de la imagen como medio de comunicación y persuasión. A finales del siglo XVI, la Iglesia de la Contrarreforma había reformado y revitalizado el uso de imágenes como vehículo de instrucción e inspiración de los fieles, y es posible que Richelieu hubiera absorbido estas lecciones.

Más aún. Richelieu era un mecenas del saber. En 1624 pasó a ser protector de la Sorbona, y durante la década de 1630 amplió su patronazgo a la Académie Française, aceptando sus letras patentes en 1635. Acaso fueran estos contactos con el mundo del saber y el lenguaje lo que indujera a Richelieu a formar una especie de «Petite Académie», que confeccionaba las fórmulas para su equipo de creadores de imagen.

Una última observación atañe a una cuestión puramente artística. En París, a diferencia de Londres o Madrid, existía una larga tradición de grabado, que floreció como nunca en los años de mandato de Richelieu. Esto le dio acceso a un poderoso medio para difundir sus ideas y presentarse a un público ajeno al ámbito de la corte. En efecto: el número de grabados con el mensaje del cardenal es tan formidable como poco estudiadas estas estampas, lo que me obliga a exponer una relación muy abreviada y tentativa de este aspecto de la imaginería de Richelieu.

La campaña visual en pro de Richelieu no empezó a cobrar impulso hasta después de 1630, cuando consolidó su poder. Existe una serie de representaciones agrupadas en torno a las victorias de la isla de Ré y La Rochelle, que carecen de la sutileza de ideas y el refinamiento de ejecución de posteriores obras. En una de ellas, por ejemplo, el triunfante Luis XIII surca las aguas en la nave del Estado hacia la isla de Ré. La Fortuna es la vela, y Richelieu, el timonel de la disminuida embarcación. En cuanto a la batalla en sí, las representaciones más ambiciosas son los monumentales grabados de Jacques Callot, que comprenden seis láminas y que fueron publicados en 1631. Ninguna obra ilustra mejor la lucha de Richelieu por el mando a fines de los años 1620 que una de ellas, el *Asedio de la Ciudadela de San Martín en la Isla de Ré.* Dos dibujos preliminares representan al rey y al ministro observando el curso de la batalla[17]. En el tercero se ha unido a ellos Gastón, mientras que en el grabado en sí Richelieu ha sido borrado; la huella leve de su figura es visible en las láminas de cobre originales, que se conservan en la calcografía del Louvre.

Otros grabados de la década de 1620 son más afortunados, si bien no precisamente sutiles. El nombramiento del cardenal como *surintendant de la Navigation et du Commerce* en 1627 dio ocasión a una imagen de Richelieu plácidamente entronizado en un macizo carro triunfal, en exceso pesado para rodar sobre el agua pero que avanza con decisión pese a ello. Una alegoría generalmente fechada en torno a 1628 realizada por Jean Ganière muestra a Richelieu protegiendo la flor de lis mientras un águila y un león, los Habsburgo austríacos y españoles, aparecen sometidos y encadenados a una columna. La leyenda laudatoria al pie del grabado comienza con una pregunta ostensiblemente retórica: «Peut-on assez louer cel excellent ministre?».

En la década de 1630, Richelieu empezó a poner en orden su galería de imágenes. Encontró a su retratista en Philippe de Champaigne, cuyas versiones del cardenal nos son hoy familiares. Como ha observado Bernard Dorival, los retratos de Champaigne, con una excepción (Chantilly, Museo Condé), divergen de las convenciones tradicionales en la representación de prelados, es decir, sentados en una silla dispuesta en escorzo y en diagonal respecto al plano frontal del cuadro[18]. Por el contrario, muestran al cardenal en pie, envuelto en la opulenta *capa magna* escarlata de su dignidad, con el brazo derecho elegantemente extendido, sosteniendo la birreta en la mano. Según interpreta Dorival esta pose, el artista ha intentado expresar la doble condición de Richelieu como prelado y par del reino.

Esta tipología fue inventada para uno de los proyectos más ambiciosos del cardenal, las Galeries des Hommes Illustres del Palais Cardinal[19]. En esta galería se exhibían veinticuatro retratos de hombres famosos y una mujer famosa, ocho pintados por Simon Vouet y diecisiete por Champaigne. La admisión a este círculo selecto se obtenía por servicios ilustres a la monarquía, como ministro o como soldado. Tres de los ministros eran, como Richelieu, eclesiásticos: el abate Suger; George, cardenal d'Amboise, y Charles, cardenal de Lorena. Pero solo en la persona de Richelieu convergían estos ideales: ministro sabio, cardenal pío, soldado victorioso.

Fue también en la década de 1630 cuando Richelieu contrató los servicios del grabador Michel Lasne, que ejecutó tanto retratos como composiciones alegóricas. Las numerosas glorificaciones alegóricas realizadas por Lasne y otros son una mina de oro por explotar, y aquí no puedo sino arañar la superficie con una pequeña muestra de su compleja imaginería. Aunque Lasne era frecuentemente el grabador, los dibujos eran obra de los artistas más destacados de París —Champaigne, Claude Vignon, Simon Vouet, François Perrier y otros— y posiblemente ideados por eruditos que gozaban del mecenazgo de Richelieu.

Un ejemplo característico es el grabado de Lasne [61], a partir de un dibujo de Champaigne, que conmemora la concesión del ducado el 13 de agosto de 1631[20]. El cardenal, sentado en un estrado, recibe a una mujer arrodillada que lleva una capa ribeteada de armiño y que probablemente represente a Francia. Ella le ofrece la armadura, la corona ducal y una guirnalda de frutas, que denota prosperidad. Detrás hay una mujer con una vela, referencia al cargo de superintendente de la navegación. A la derecha del cardenal aparece Minerva, mientras en un extremo hay otra mujer con una espada y el es-

61. Michel Lasne, *Retrato del cardenal Richelieu rodeado de seis figuras alegóricas,* 1631, grabado en talla dulce. Bibliothèque nationale de France, París.

cudo de armas de la familia del cardenal. No he podido descubrir todavía el significado de la figura de la derecha, que sostiene joyas en las manos y va acompañada de un león. Volando hacia el centro del cuadro desde la izquierda está Fama, que le ofrece la corona ducal y una corona de laurel, mientras un acompañante, parcialmente oculto entre las nubes, toca la trompeta de la fama adornada con el escudo de armas y el sombrero cardenalicio. Richelieu había encontrado al fin un artista capaz de hacerle justicia.

Un grabado realizado por Lasne y dibujado por Claude Vignon nos introduce en una importante categoría de la iconografía de Richelieu: los frontispicios ilustrados de las tesis doctorales presentadas en la Sorbona. Aquí la unión de imagen y erudición se consuma y pone de relieve la característica propia de la imaginería de Richelieu. Este grabado de 1635, que adornaba la tesis de Louis de Machault, prior de Saint-Pierre d'Abbeville, es particularmente diestro[21]. Es difícil mejorar la economía descriptiva del gran experto en grabado del siglo XVIII P. J. Mariette: «Unos genios reúnen los atributos de los más grandes ministros que han gobernado Francia con el fin de componer el retrato del cardenal Richelieu». Los pequeños retratos que sostienen los genios de la derecha son los del abate Suger y el cardenal d'Amboisie, dos de los héroes de la Galería de Hombres Ilustres.

62. Nicolas Poussin, *Moisés y la zarza ardiente,* 1641, Statens Museum for Kunst, Copenhague.

Sin entrar en detalles, simplemente para suministrar un atisbo de estas extraordinarias invenciones, observemos el grabado de Lasne de 1632 según dibujo de Abraham van Diepenbeck, en que Luis XIII se defiende con un escudo adornado con la imagen de su ministro, y otro dibujado y realizado por Grégoire Huret en 1639 que pinta a Roben de Sorbon rindiendo homenaje a Richelieu como protector del colegio que había fundado. En el cielo, san Luis, primer benefactor de la Sorbona, da su bendición a los congregados[22]. Y al fondo, uno de los momentos de sombra de la vida académica, la defensa de la tesis doctoral, sale a plena luz. El aspirante, Jean Chaillou, mira de frente al tribunal ante el edificio patrocinado por Richelieu, aunque por entonces este estaba todavía en construcción.

El espíritu de los grabados alegóricos puede detectarse también en los cuadros encargados por Richelieu (así como en las medallas). Uno de los más ingeniosos es *La liberalidad de Tito,* pintado para exhibirse sobre la chimenea del *cabinet du roi* del Château de Richelieu, otro espacio donde se mostraban amplios panegíricos visuales. En esta composición, como ha explicado John Elliott, Louis XIII, vestido *à l'antique,* es Tito repartiendo pequeñas bolas de madera entre sus súbditos que estos pueden canjear por presentes de alimentos y ropa[23]. Richelieu, envuelto en una toga, permanece detrás, dirigiendo la acción.

Más extraordinario aún es un cuadro de Gande Vignon de 1634, relacionado con una serie de doce tapices, pintado para el Palais Cardinal. Un análisis completo del simbolismo exigiría varios párrafos; no solo la composición, donde Richelieu aparece en figura de Hércules, sino también los márgenes están repletos de alusiones a los títulos, poderes y virtudes del invencible cardenal[24].

Richelieu, el fiel y sabio ministro del Estado, vencedor de sus enemigos: esta iconografía intenta persuadirnos de que el cardenal, a diferencia de Buckingham y Olivares, había derrotado a sus enemigos en el exterior y silenciado a sus detractores en el interior. Sin embargo, el último gran encargo de la vida de Richelieu demuestra que, pese a su gran habilidad y éxito, las voces de disensión no habían quedado ahogadas en el estruendo de la gloria. Eran audibles y había que responder a ellas.

En 1640, como parte de un plan para iniciar una nueva escuela de artistas de corte, Richelieu hizo venir a París a Nicolas Poussin, el más afamado pintor francés del momento, y al año siguiente le encargó dos cuadros para el Gran Gabinete del Palais Cardinal. El primero, destinado a adornar una chimenea, es *Moisés y la zarza ardiente* [**62**], donde se mezclan dos pasajes del

63. Charles Le Brun, *El Rey gobierna por sí mismo*, 1661, Galería de los Espejos, Palacio de Versalles.

Éxodo[25]. En Éxodo 3: 1-10, el Señor se aparece a Moisés en forma de zarza ardiente y le ordena que conduzca a su pueblo a Egipto. En el segundo fragmento, Éxodo 4: 13, Dios pide a Moisés que arroje una vara al suelo, que queda convertida en serpiente, señal de que debe perseverar en su misión, no obstante la incredulidad de los israelitas. En el contexto del Palais Cardinal, el significado de este cuadro era presentar a Richelieu como un Moisés francés, que sacaría a su renuente pueblo de la miseria y lo conduciría a la tierra prometida.

El segundo cuadro, que se colocó en el techo, indica que el pueblo francés podría haberse mostrado algo más que remiso a seguir a su gran líder hacia la salvación. Es esta una composición que muestra asombrosos paralelismos con la *Glorificación del duque de Buckingham* de Rubens y la *Alegoría de la recuperación de bahía* de Maíno. Sentados sobre un parapeto están Discordia, a la izquierda, y Envidia, a la derecha, los enemigos más implacables, según parece, del gobierno de los privados. Como cabía prever, todo queda remediado al fin porque el Tiempo transporta a la Verdad desnuda hacia las alturas, demostrando que la política de Richelieu va a ser vindicada cuando se vea desde la perspectiva elevada de la historia.

Las imágenes apologéticas creadas por estos tres privados —la de Richelieu data solo del año anterior a su muerte— son la otra cara de la moneda de la privanza. El anverso proclama su gloria, sabiduría y poder; el reverso demuestra que su control sobre el poder era tenue. A mi juicio, la iconografía aquí analizada ocupa un lugar singular en la historia del arte del siglo XVII precisamente por su carácter apologético y defensivo. Los privados tenían un poder enorme, pero este estaba supeditado al monarca, investido por el rey, no por Dios. Por consiguiente, los privados estaban

expuestos a críticas y eran susceptibles de ataque si sus políticas fracasaban o si amenazaban los intereses creados. Esta precaria situación queda plasmada en las imágenes y epitomizada en la elocuente pregunta retórica inscrita en el grabado de Jean Ganière dedicado a Richelieu: «Peut-on assez louer cet excellent ministre?»[26]. Esto puede ser interpretado de dos formas: ¿puede el gran ministro ser alabado suficientemente? y ¿son las alabanzas alguna vez suficientes? La inseguridad de su posición engendraba una necesidad insaciable de aliento en el pecho de los ministros. Pendían de un hilo de oro, y esta inseguridad está entretejida en su imagen, que en última instancia carece del aplomo de las obras encargadas por los mandatarios naturales, incluso cuando se utilizan recursos y simbolismos retóricos comparables.

El gobierno de privados, nos dicen las imágenes, no era natural y, por tanto, había de ser defendido, no simplemente ejercido. Richelieu estaba seguro de que el juicio de la historia le vindicaría, y a nosotros esta convicción nos parece que ha sido acertada. Sin embargo, desde la perspectiva de 1684, aproximadamente mediado el reino de Luis XIV, el más poderoso monarca de la época empezaba a percibir la privanza en Francia con un cariz negativo, como vemos en un veredicto sobre esta cuestión muy visible pero pasado por alto: el compartimento central de la decoración de Le Brun para el techo de la Galería de los Espejos de Versalles [63]. En esta composición se celebra la decisión del joven Luis XIV de gobernar sin privado tras la muerte de Mazarino en 1661[27]. Este acto heroico, que reúne triunfalmente monarquía y gobierno, es aplaudido por los dioses del Olimpo mientras que en una inscripción, claramente legible desde el suelo, se explica el motivo de su regocijo: es un epitafio para la era del privado: «Le roy gouverne par lui même».

10

Relaciones artísticas
entre España y Gran Bretaña, 1604-1654

Las relaciones artísticas entre las cortes de España e Inglaterra durante la primera mitad del siglo XVII estuvieron regidas por los sucesos políticos. Claro está que en aquel tiempo era habitual que las obras de arte sirvieran a los fines de la política, bien como obsequio diplomático, bien como afirmación del poder de príncipes y prelados o signo de magnificencia en los coleccionistas de alto rango. Esas aplicaciones del arte se practicaban en las cortes española e inglesa, pero ni afectaron a la relación entre los dos centros de poder ni la caracterizaron. El factor clave fue el conflicto político a nivel tanto internacional como nacional, que condicionó los contactos entre Londres y Madrid. Dos tratados de paz y una guerra civil están en el centro de esta narración, ya que fueron los catalizadores de actividades artísticas que en buena medida corresponden a la historia del coleccionismo más que del mecenazgo. Un segundo aspecto de la relación es su asimetría. Durante gran parte del período los coleccionistas ingleses barrieron Madrid en busca de tesoros artísticos, mientras que los españoles adquirían poco o nada en Londres. Pero a raíz de la guerra civil inglesa se volvieron las tornas, y coleccionistas españoles se hicieron dueños de grandes obras de arte procedentes de los palacios del rey y las mansiones de la alta nobleza, mientras que los ingleses desaparecían forzosamente de la escena española.

LA EXPLORACIÓN DEL TERRENO

Al cabo de tres decenios de conflicto, el tratado de paz anglo-español de 1604 abrió las puertas de España a los viajeros ingleses. Muchos de los primeros en acudir a la Península Ibérica eran diplomáticos y agentes de la Corona británica. Entre ellos, sin embargo, no faltaron quienes, dotados de apreciación artística, explorasen el terreno en el que los coleccionistas ingleses iban a surtirse entre 1623 y 1640.

Uno de los visitantes de la primera hora fue Dudley Carleton (1573-1632), que formó parte de la embajada del conde de Nottingham en 1605[1]. La relación directa de Carleton con Madrid se redujo a aquella única estancia, pero por las actividades que desplegó siendo embajador en Venecia (1610-1615) y La Haya (1616-1625) sabemos que estuvo muy implicado en el mercado de arte como agente y marchante. El trueque de su colección de antigüedades con Pedro Pablo Rubens a cambio de pinturas de este maestro, efectuado en 1618, es el episodio más famoso de su activa carrera en la esfera artística. Con sus conocimientos y su buen gusto, Carleton seguramente haría una valoración profesional de las colecciones españolas y alertaría a sus compatriotas sobre los tesoros que les estaban esperando.

Otro de los llegados de Inglaterra en 1605 fue Endymion Porter (1567-1649), cuyos lazos con España eran más profundos y serían más duraderos[2]. Era nieto por línea materna de una española, doña Juana de Figueroa y Montsalve, y su tío Luis Porter y Figueroa residía en Madrid. En 1605 su abuelo materno fue enviado a la capital de España para hacer de intérprete en la embajada de Nottingham, y llevó consigo a Endymion y al hermano de este, Thomas. Al poco tiempo Porter ingresó en la casa de don Gaspar de Guzmán, el futuro conde-duque de Olivares, y en ella permaneció hasta que en 1612 regresó a Inglaterra, con tan buen dominio de la lengua del país como conocimiento de sus colecciones de arte.

En Inglaterra, Porter iba a demostrar reiteradamente su habilidad para establecer alianzas estratégicas. Se incorporó a la casa de Edward Villiers, medio hermano del duque de Buckingham, y más tarde contraería matrimonio con una sobrina de Buckingham, Olivia. Volvió a jugar la carta española viajando a Madrid con el príncipe de Gales en 1623, tras lo cual le fue concedido un puesto en la casa del futuro rey. Fue un mecenas cultivado de la literatura y las artes visuales; amigo de Van Dyck en Amberes, tuvo parte importante en animarle a trasladarse a Londres en marzo de 1632. En su condición de aficionado a las artes y confidente de Carlos I, Porter vivió de cerca el mayor triunfo del rey como coleccionista de pintura, la compra en 1627-1628 de obras maestras de la colección Gonzaga, de las cuales las mejores irían a parar al cabo del tiempo a España.

La siguiente oleada de ingleses aficionados al arte llegó unos cuantos años después. De estos fue el más distinguido sir Francis Cottington[3]. En su larga carrera de funcionario de la corte, Cottington estaba llamado a ser uno de los más firmes puntales del partido proespañol. Su primer destino en España duró de 1605 a 1612; secretario de Cornwallis hasta 1609, fue seguidamente agente en Madrid hasta agosto de 1611. Tras una breve repatriación, volvió en 1613, y en 1616 fue nombrado agente residente en la corte española, puesto que ocupó hasta 1622. El infatigable Cottington hizo otro viaje a España en 1623, como miembro de la comitiva del príncipe de Gales. Seis años más tarde se le despachó de nuevo a Madrid para concluir la paz, tras lo cual permaneció algún tiempo en Londres y ascendió a altas responsabilidades de gobierno. En la década de 1630 tuvo a su cargo la «secretaría para España» de Whitehall, y a menudo se carteó con el embajador en Madrid, sir Arhur Hopton, en relación con la compra de obras de arte, muchas de las cuales es de suponer que conociera de primera mano gracias a otra misión en la capital española, donde fue embajador extraordinario entre enero de 1630 y febrero de 1631 con el mandato de negociar el tratado de paz entre España e Inglaterra.

Mientras Cottington recorría las colecciones de Madrid, Tobie Mathew (1577-1655) debió de ir pisándole los talones[4]. En el balance artístico de la corte carolina, Mathew aparece como un personaje marginal, y quizá lo fuera; pero también omnipresente, lo cual anima a pensar que valdría la pena acometer un nuevo estudio de su movida carrera. La biografía de Mathew gira en torno a su conversión a la fe católica en 1606 y su ordenación como sacerdote en 1614, una decisión comprometida cuyas consecuencias se vieron magnificadas por el hecho de ser padre del arzobispo de York. Considerado *persona non grata*, Mathew pasó mucho tiempo fuera de Inglaterra entre 1604 y 1620; sus regresos en 1606 y 1617 le acarrearon la expulsión del país. No solo era recusante, sino que durante la segunda de esas estancias se observó que frecuentaba la casa de Gondomar.

Sus temporadas en el continente, y sobre todo en Italia, refinaron sus conocimientos y gustos artísticos. La vocación sacerdotal no le impidió implicarse activamente en el comercio de arte y contribuir a las intrigas de su viejo amigo Dudley Carleton en el mercado holandés. A Mathew en particular le cupo el cometido de negociar con Rubens, que en lo tocante al precio de sus cuadros se mostraba impermeable a todos los halagos[5].

La primera visita de Mathew a España tuvo lugar en 1609, con la embajada itinerante de sir Robert Shirley. De sus actividades en Madrid sabemos muy poco, pero sí que coincidió con William Cecil, lord Roos (1590-1618), que estaba haciendo un *grand tour* de España[6]. Roos, de quien el secretario veneciano en Londres diría que era, «por educación y costumbres, español de los pies a la cabeza», coleccionaba estatuas antiguas. La precipitada donación de su colección al conde de Arundel en 1616, en vísperas de un segundo viaje a España, dejó en la estacada a Carleton, que había contado con vender sus antigüedades a Arundel[7]. Es posible que los dos entendidos ingleses visitaran juntos algunas colecciones. En todo caso Mathew gozaba de buenas credenciales, porque más adelante se le incluyó en el equipo de expertos que acompañó al príncipe Carlos y el duque de Buckingham en el viaje a Madrid de 1623.

También hay que hacer breve mención de otro agente artístico del que se sabe que estuvo en Madrid por aquellos años: George Gage (*ca*. 1592-1638), a quien Van Dyck retrató en 1621-1622 en actitud de evaluar una estatua clásica[8]. Gage era católico y compañero inseparable de Mathew, con quien pasó tiempo en Italia. Los dos volvieron a estar juntos en Flandes en 1616-1617, cumpliendo órdenes de Carleton en sus espinosos tratos con Rubens. También sabemos que Gage fue a España a finales de 1617, y nuevamente en 1622 para allanar el camino al casamiento español.

En 1620, pues, eran ya unos cuantos entendidos ingleses los que habían tenido oportunidad de estudiar la extensión y la calidad de las colecciones españolas. Las noticias de lo que vieron serían de utilidad cuando dos de los mayores coleccionistas de la época, el príncipe de Gales y el duque de Buckingham, planearan su escapada a España. De hecho, Cottington, Porter y Mathew se integraron en aquella expedición. Ciertamente contaban con sobresalientes conocimientos del país, su lengua y sus costumbres; sus inclinaciones religiosas eran otro factor. También sabían dónde se guardaban los tesoros artísticos.

UN CURSILLO EN ESPAÑA

En 1623 hacía dos decenios que el coleccionismo de arte en Inglaterra progresaba con asombrosa rapidez. La paz anglo-española había abierto el continente a los viajeros ingleses, e ideas italianizantes del coleccionismo y la ostentación principescos habían tomado arraigo en Londres.

La figura descollante entre los coleccionistas aristócratas era sin discusión la de Thomas Howard, segundo conde de Arundel (1585-1646), uno de los nobles más poderosos de las cortes de Jacobo I y Carlos I[9]. Arundel, siguiendo el modelo de los humanistas italianos, buscaba piezas raras de pintura y escultura antigua, pero armado con una erudición y una altura de miras que le distinguen de otros coleccionistas ingleses de la época. Coleccionaba asimismo libros, manuscritos y dibujos, y protegía a hombres de letras. De genio un tanto esquivo y distante, el conde de Arundel era un hombre admirable pero poco accesible. De ahí que cuando Carlos, el príncipe de Gales, empezó a cultivar su afición al arte, no buscase inspiración en él sino en el duque de Buckingham.

Buckingham no era menos deslumbrante como coleccionista que como cortesano[10]. Alentado por el creciente interés que se respiraba en la corte Estuardo por el coleccionismo artístico, decidió hacerse una colección propia al galope, desechando los métodos pacientes y tenaces de su gran rival Arundel. En 1619 contrató a un pintor holandés modesto de origen hugonote, Balthasar Gerbier, en funciones de agente y conservador. Gerbier era intrigante y astuto, el hombre ideal para poner a Buckingham en la nómina de los coleccionistas de un día para otro. Cuando volvió de sus compras por el continente en 1621, sus adquisiciones causaron honda impresión en el joven príncipe de Gales, y en vista de su habilidad para moverse en el mundo del arte fue llamado a formar parte de la expedición matrimonial a España en 1623.

Si las consideraciones políticas eran lo primero en el ánimo del príncipe y del duque cuando partieron hacia Madrid, los objetivos artísticos no les iban muy a la zaga. En 1623 la corte inglesa estaba bien informada sobre las colecciones españolas, y en la expedición a España había

muchos que habían residido en ese país durante los dos decenios anteriores. Acompañando a Carlos y Villiers en la vanguardia iban dos de los más expertos, Endymion Porter y Francis Cottington, cumplidos conocedores del país y el idioma. Una vez que la misión tuvo reconocimiento oficial, llegaron refuerzos. Balthasar Gerbier, de cuya presencia no cabía otra justificación que su calidad de entendido, vino para asesorar a su señor. Otra incorporación tardía fue la de un coleccionista incipiente con mucho futuro, James Hamilton, conde de Arran y más tarde primer duque de Hamilton[11], que en la década siguiente estaba destinado a tener un poder político importante y una de las mejores pinacotecas de Londres. Y estaba, en fin, Tobie Mathew, que no podía faltar allí donde hubiera cuadros en juego.

Por los informes de sus adelantados, Carlos y Buckingham tenían que estar al tanto de la excepcional cantidad y calidad de la colección real. Habíase enriquecido esta a lo largo de un siglo de mecenazgo de los Habsburgo, entre estos algunos de los personajes más insignes de su tiempo: Carlos V, Margarita de Austria, María de Hungría, Felipe II. De todos modos, la vista de tal acumulación de telas de los grandes maestros, y particularmente de los venecianos, tuvo que ser pasmosa. Y no era solo la pinacoteca real, sino junto a ella las de aristócratas y dignatarios que durante más de un siglo se habían servido de destinos en Italia, los Países Bajos y Alemania para acumular el tipo de colección con que ahora empezaba a soñar un puñado de cortesanos de la monarquía Estuardo. En los cinco meses y medio que duró su estancia en España, Carlos y Buckingham hicieron un cursillo improvisado de coleccionismo principesco, e inmediatamente empezaron a poner en práctica las lecciones aprendidas.

No es fácil reconstruir los pasos de los dos coleccionistas ingleses. El pintor Vicente Cardu-

64. Tiziano, *Júpiter y Antíope (Venus del Pardo)*, 1551, Museo del Louvre, París.

cho, que sirvió en la corte de 1609 a 1638, fue testigo de la caza de cuadros del príncipe y suministra unos cuantos datos concretos[12]. Algunos más se pueden extraer del minucioso inventario de la colección de Calos I que levantó en 1639 su conservador, el pintor holandés Abraham van der Doort[13]. Aquí y allá, una carta o un despacho oficial permiten llenar lagunas. Pero el documento más revelador, que se ha citado a menudo pero nunca analizado a fondo, es la libreta de gastos que llevó sir Francis Cottington[14].

En su condición de visitante regio, Carlos podía esperar que se le tratase con liberal generosidad. Pero por alguna razón los regalos de obras de arte nunca llegaron a igualar la magnificencia de los banquetes y las fiestas. Tal vez porque sabían que la boda no iba a celebrarse jamás, Felipe y Olivares fueron remisos a ceder los tizianos a sus huéspedes del norte (era sobre todo la pintura de Tiziano lo que el príncipe codiciaba). Así, solo dos obras del maestro veneciano cambiaron de dueño. El 11 de junio se despachó una real orden al marqués de Flores Dávila mandándole hacer entrega de la *Venus del Pardo* [**64**] a Balthasar Gerbier[15]. El segundo tiziano, el *Retrato de Carlos V con un perro,* le fue regalado al príncipe de Gales en fecha que desconocemos. Casi con descaro manifestó Carlos su capricho por el conjunto completo de las *Poesie* del veneciano, posiblemente lo mejor de toda la colección real española [**65** y **66**]. Según Carducho, las *Poesie* fueron, en efecto, embaladas para su envío a Londres, pero volvieron a las paredes del Alcázar cuando el proyecto matrimonial fracasó[16]. Cottington, a punto de iniciar un nuevo viaje a España, prometería el 25 de abril de 1629 «tratar de conseguir también los de Tiziano, que dejé en el Palacio la primera vez», dando a entender que, al menos en su opinión, el rey había pensado cederlos[17].

A los obsequios del rey de España habría que sumar los que Carlos recibió de coleccio-

65. Tiziano, *Venus y Adonis,* 1554, Museo Nacional del Prado, Madrid.

nistas locales, aunque sobre esto nuestra información es fragmentaria. Carducho hace mención de ocho obras que le regaló el funcionario real don Jerónimo Funes Muñoz, y otra fuente alude a seis que le dio don Juan Alfonso Enríquez de Cabrera, duque de Medina de Rioseco y almirante de Castilla, que poseía una de las mejores colecciones de Madrid[18]. La misma fuente dice que Olivares le obsequió con seis pinturas, también en este caso sin dar detalles.

Lo que no se pudo obtener de balde hubo, pues, que comprarlo. Algunos años después, Lope de Vega tendría palabras de simpatía para recordar las incursiones de Carlos en el mercado de arte madrileño: «El Príncipe hizo buscar con notable cuidado todas las mejores pinturas que se podían hallar, las cuales pagó y estimó con excesivo precio»[19]. Los adelantados de Carlos, ayudados por entendidos locales, le marcaron el rumbo acertado. Es en este punto donde la libreta de gastos de Cottington resulta útil. Un asiento del 10 de abril registra el pago de 10.230 reales en compras hechas para el príncipe y Buckingham, a quien aquí se llama «Admirante», en alusión a su título de «Lord Admiral»[20]. No se indica el número ni la identidad de los cuadros, pero parece que debían de ser más de uno. Otro asiento del 31 de julio refleja el pago de 1.100 reales por «un cuadro de nuestra Señora de la mano de *alberdua»,* nombre que fonéticamente solo puede corresponder a Alberto Durero[21]. Por lo tanto, el pago del 10 de abril pudo cubrir varias obras de pintores renombrados. Hay que añadir, no obstante, que el durero no fue la compra más cara de Carlos. El 3 de septiembre se pagó la enorme suma de 5.538 reales y medio

«en nombre del Príncipe por un cuadro que su alteza le mandó comprar de un *gentili* [¿gentil-hombre?]»[22]. No está claro si el gentilhombre era el propietario del cuadro o su asunto.

Algunas de esas compras tal vez se hicieran en el mercado de arte organizado en torno a las almonedas, o subastas de bienes relictos; el vocablo español se introdujo en el uso inglés de la época, quizá como consecuencia de la visita regia a Madrid. Carducho cita la participación del príncipe en la almoneda de don Juan Tassis y Peralta, conde de Villamediana[23]. Villamediana, famoso como poeta y noble dilapidador, murió asesinado el 22 de agosto de 1622. Poco después se puso en venta su colección de cuadros en una almoneda aún abierta durante la visita del príncipe, que adquirió allí la *Mujer con estola de piel* de Tiziano. Otro tiziano comprado en el mercado abierto fue la *Alegoría de Alfonso de Ávalos,*

66. Tiziano, *Dánae recibiendo la lluvia de oro,* 1551-1553, Apsley House, Londres.

marqués del Vasto, que el inventario de Van der Doort daba como adquirida en una «*almonedo [sic]* de España»[24]. También acudió Carlos a la almoneda del escultor de la corte Pompeo Leoni *(ca.* 1533-1608), pero Carducho no dice nada de qué compró.

En sus visitas a las colecciones de Madrid, el príncipe pudo comprar obras directamente a sus dueños. Carducho dedica algunas líneas a una pequeña pintura sobre cobre, cuyo tema no especifica, que se atribuía a Correggio, que había sido traída de Italia por Pompeo Leoni y más tarde adquirida por Andrés Velázquez, el espía mayor[25]. Este se negaba a desprenderse de la obra, pero escribe enigmáticamente Carducho que el príncipe «la huvo por otra mano y por otro precio». Según Justi, que cita al embajador imperial, esa «otra mano» fue la de Felipe IV, quien presumiblemente obligaría a Velázquez a vendérsela al regio visitante[26]. En el inventario de Van der Doort figura otra obra de Correggio «que Su Majestad trajo de España»[27]. Esta es el *San Juan Bautista* (Hampton Court, Royal Collection) que ahora se considera copia, y es posible que también se comprase en subasta pública.

Otros coleccionistas pudieron defenderse mejor de las proposiciones del príncipe. En su carta de 1629, Cottington prometía «preguntar por aquellos cuadros del conde de Benavente», presumiblemente vistos en 1623. El nombrado era don Antonio Alfonso de Pimentel y Ponce de León, conde de Luna y conde-duque de Benavente (muerto en 1633), uno de los más ilustres grandes de España. Su padre se había hecho con un interesante surtido de pinturas italianas siendo virrey de Nápoles, entre ellas el *Martirio de san Andrés* de Caravaggio (Cleveland, Museum of Art). Da la impresión de que Carlos visitó la colección y se fue con las manos vacías[28].

El recalcitrante más significado fue don Juan de Espina, que era el equivalente español de un virtuoso inglés[29]. Carducho ofrece esta versión del encuentro del príncipe con el coleccionista. Empieza relatando que ha estado en casa de Espina, y visto allí

> dos libros dibujados y manuscritos de mano del gran Leonardo de Vinchi de particular curiosidad y doctrina; que a quererlos feriar, no los dexaría por ninguna cosa al Príncipe de Gales, quando estuvo en esta Corte: mas, siempre los estimó solo dignos de estar en su poder, hasta que después de muerto los heredase el Rei nuestro Señor[30].

Espina había reunido un notable gabinete de curiosidades, que comprendía libros, manuscritos, instrumentos musicales, autómatas y rarezas artificiales y naturales. Sus manuscritos de Leonardo se los había comprado a los herederos de Pompeo Leoni, que conservaban un número de ellos aún sin determinar[31]. Espina, hombre acaudalado, pudo rechazar tranquilamente las ofertas económicas del príncipe, como más tarde las de Arundel. A su muerte en 1642 legó sus manuscritos al rey, según su promesa; con el tiempo pasarían de la Biblioteca de Palacio a la Biblioteca Nacional.

El príncipe de Gales concentró sus adquisiciones en pinturas de maestros célebres del siglo XVI, pero no era indiferente a los pintores de la corte española. La libreta de gastos de Cottington recoge el pago, el 30 de julio, de 200 reales a Eugenio Cajés («Ciayes») por una *Última Cena*[32]. Cajés (1575-1634), entonces como ahora prácticamente desconocido fuera de España, era uno de los mejores pintores de Madrid. Hijo de un artista italiano que trabajó en la corte para Felipe II y Felipe III, fue nombrado pintor de cámara en 1613 y conoció una próspera carrera, trabajando tanto para la Corona como para clientes eclesiásticos. Colaboró a menudo con Carducho, con quien compartió la herencia artística de Federico Zuccaro. Una *Última Cena* que pintó para el monasterio de Guadalupe y hoy se conserva en la iglesia parroquial de Obrizycko (Polonia) puede dar idea de cómo sería la que compró el príncipe de Gales[33].

Más aventurero fue el encargo consignado en la libreta de gastos el 8 de septiembre con estas palabras: «Pagado a un pintor por hacer el retrato del Príncipe», al precio de 1.100 reales[34]. Durante mucho tiempo se ha supuesto que ese pintor fuera Velázquez, que había llegado a Madrid el mes anterior y aún no había recibido siquiera su nombramiento oficial para servir en la corte (3 de octubre). Su suegro, Francisco Pacheco, afirma que Velázquez retrató al príncipe y recibió a cambio el lucido emolumento de cien escudos, que son casi 1.100 reales[35]. Esa pintura, que aún puede estar agazapada en el desván de alguna mansión de la campiña inglesa, fue un encargo atrevido, a menos, claro está, que procediera de una sugerencia del rey o de Olivares.

Un último apartado sería el de las estatuas clásicas, que, o eran menos abundantes en Madrid, o menos atractivas para Carlos. Cottington registra dos compras de «cabezas antiguas de mármol», ambas el 7 de septiembre[36]. Una era un presunto Marco Aurelio, la otra un Apolo. Una tercera la reseña como Faustina el inventario de Van der Doort, que da un detalle interesante sobre la procedencia: «fue sacada por el rey de España, y comprada allí al espía mayor»[37] (esto es, a Andrés Velázquez).

La libreta de Cottington también revela que Buckingham se lanzó de cabeza al mercado de arte, gastando casi tanto como el príncipe. Típicamente, hizo una salida meteórica: el 24 de marzo, cuando los viajeros apenas llevaban unas semanas en Madrid, Buckingham se gastó en cuadros 12.560 reales[38]. El 10 de abril adquirió otros, que junto con los comprados para el príncipe costaron 10.230 reales[39]. Después, el 20 de ju-

lio, un tal Estafano de Dogne (la extraña ortografía deja en duda su nacionalidad) recibió 1.650 reales por un «cuadro de la toma de Troya»[40]. La caída de Troya gozaba de bastante popularidad entre los pintores españoles del siglo XVII y sus clientes[41]. Una versión de Juan de la Corte (*ca.* 1590-1662), que casi hizo del tema su especialidad, puede dar una idea de la obra que adquirió el duque.

El 9 de septiembre la comitiva del príncipe, acompañada por Felipe IV y la real familia, salió de Madrid camino del norte, habiendo adquirido notables obras de arte, ya que no una esposa española. La primera parada fue en El Escorial, que el príncipe ya había visitado un mes antes. Se comprende que quisiera echar una segunda ojeada a la mayor y más impresionante edificación regia de la Europa del siglo XVI y sus imponentes frescos, cientos de cuadros y esculturas soberbias. Carlos no olvidó jamás la fábrica escurialense, que aspiraría recrear a orillas del Támesis.

Tres días después, el 12 de septiembre, Felipe y Carlos se despidieron con un caluroso abrazo y las obligadas efusiones y promesas de afecto y amistad[42]. El monarca español quedó tan conmovido que mandó erigir una columna conmemorativa en el lugar de los adioses, una cima pedregosa llamada Mata Guadarrama. Ese monumento a la inutilidad aún permanece en pie, y puede ser visitado por todo el que guste de andar escarpado hasta una meta más bien decepcionante.

Siguiendo en dirección norte hacia el puerto de Santander («St. Ander» en el cuaderno de Cottington), los ingleses hicieron la última parada de su itinerario de coleccionistas en Valladolid, donde se alzaba la quinta de La Ribera, construida por el duque de Lerma y vendida a la Corona en 1606[43]. Lerma había sido un mecenas y coleccionista fastuoso. Solo en La Ribera había 631 pinturas y grabados, de lo cual no era lo menos destacado el *Retrato ecuestre del duque de Lerma* pintado por Rubens. El príncipe visitó la quinta el 16 de septiembre, y se interesó por dos piezas, una de pintura y otra de escultura, que le fueron donadas al día siguiente. La pintura era el *Marte y Venus* de Veronés, que Van der Doort inventarió en la colección real en 1639[44]. Aún más impresionante era la escultura, el *Sansón dando muerte al filisteo,* de Gianbologna, regalo a Lerma del duque Cosme de Medici. Carlos no la conservó por mucho tiempo; se la cedió a Buckingham, que la instaló en el jardín de su villa de Chelsea.

La huella que dejó en el príncipe Carlos su visita a España fue fortísima. A su regreso a Londres vistió a la española durante una temporada, en señal de admiración por el austero estilo de la realeza hispana. Más duradero fue el ejemplo de la colección real de los Austrias. En términos meramente cuantitativos, era avasalladora, y la concentración de pinturas de Tiziano y otros maestros italianos del siglo XVI era particularmente envidiable. Ya en aquellas fechas la cotización de Tiziano no tenía igual en las cortes principescas de Europa. Carducho la resumía con estas palabras: «las de al olio [pinturas existentes en el Alcázar] son muchas, las más estimadas de todos, siempre fueron las de Tiziano, en quien el colorido logra su fuerza, y Hermosura»[45].

Tan pronto como subió al trono en 1625, Carlos empezó a tomar medidas para reunir una pinacoteca capaz de rivalizar con la de Felipe IV o cualquier otro monarca del continente. Su primera empresa iba a ser espectacular, y de hecho fue su mayor triunfo. En 1626 todo apuntaba a que la gran colección hereditaria de los duques de Mantua hubiera de ser vendida[46]. Con la colaboración de un marchante sin escrúpulos, Daniel Nys, el agente de Carlos pudo hacerse con la mejor parte en 1627. En abril de 1628 zarpó de Venecia la nave inglesa *Margaret* llevando a bordo lo que vendría a ser conocido como «las piezas de Mantua». Pocos meses después se adquirió otro tesoro, la serie de nueve lienzos de Mantegna con los llamados *Triunfos de los Césares.* Esas y otras grandes obras de Tiziano, Correggio, Rafael y otros maestros italianos convirtieron instantáneamente la colección real inglesa en una de las mejores de Europa. Solo veintiún años más tarde, el mismo grupo de pinturas serían las estrellas de la almoneda de Carlos.

UN HOMBRE CON UNA MISIÓN

Con el fracaso del proyecto matrimonial, las relaciones artísticas entre Londres y Madrid sufrieron un revés tan grave como las políticas. Sin embargo, tras el tibio enfrentamiento armado entre Inglaterra y España, los esfuerzos de reconciliación no tardaron en conducir a uno de los episodios más evocadores de esta historia. El nombramiento de Pedro Pablo Rubens como intermediario en la negociación de la tregua fue la ocasión para que uno de los principales pintores de Europa visitase una detrás de otra las cortes de Felipe IV y Carlos I.

La producción artística de Rubens en ambas cortes es bien conocida, como lo es la estima en que le tuvieron ambos monarcas[47]. Carlos I le ennobleció el 3 de marzo de 1630; Felipe IV, el 30 de agosto de 1631. Los dos le distinguieron con encargos importantes. Para Carlos I ejecutó el techo de Whitehall; para Felipe IV, la Torre de la Parada y las últimas pinturas destinadas al Alcázar. Felipe fue, si acaso, un mecenas más constante y generoso que el rey de Inglaterra, cuyas iniciativas artísticas declinaron mediada la década de 1630. A ojos de Rubens, sin embargo, las dos cortes no se parecían. A pesar de su parcialidad, o quizá precisamente debido a ella, las observaciones del pintor nos dicen mucho acerca de las culturas cortesanas de Madrid y Londres y los monarcas que las inspiraban.

A su llegada a Madrid en septiembre de 1628, Rubens recibió alojamiento en el Alcázar, y con ello la oportunidad de estudiar de cerca la persona del rey y su colección de pintura. Según escribió el propio artista, el rey era visitante asiduo de sus habitaciones:

> Aquí me dedico a pintar, como hago en todas partes, y he hecho ya un retrato ecuestre del rey, que le ha complacido mucho. Es verdad que la pintura le deleita extremadamente, y en mi opinión este Príncipe está dotado de excelentes cualidades. Tengo trato personal con él, pues, como me alojo en palacio, viene a verme casi todos los días[48].

Rubens confirmaba su buena opinión del rey en una carta a Jan Gaspar Gevaerts fechada el 29 de diciembre de 1628: «El rey más que ninguno despierta mis simpatías. Está adornado de todas las prendas de cuerpo y alma, pues tratándole a diario he llegado a conocerle a fondo». Con todo, el pintor le descubrió un fallo fundamental, la falta de seguridad, con la desafortunada consecuencia de poner el timón del Estado en manos ineptas: «Y a buen seguro sería capaz de gobernar en cualesquiera circunstancias, si no fuera porque no confía en sí mismo y delega demasiado en otros. Pero ahora le toca pagar por su propia credulidad y por los desatinos de los demás, y sentir animosidades que no iban dirigidas a él»[49]. Aparte de su opinión negativa del régimen de Olivares, Rubens pudo encontrar pocos espíritus afines entre la gente de letras. Como escribiría desde Londres más tarde, el 9 de agosto de 1629: «De España no tengo mucho que deciros, y no porque falten en ella hombres doctos, pero en su mayoría son de doctrina más severa, y muy altaneros, a manera de teólogos»[50].

Londres, donde Rubens llegó en junio de 1629 (había salido de España el 29 de abril), era mucho más de su gusto. En cartas a sus amigos Pierre Dupuy y Peiresc, pondría a Inglaterra por las nubes:

> Esta isla, por ejemplo, me parece un espectáculo digno del interés de todo gentilhombre, no solo por la belleza de la campiña y el encanto de la nación; no solo por el esplendor de la cultura exterior, que parece extremada, como propia de un pueblo próspero y feliz que vive en paz, sino también por la cantidad increíble de excelentes pinturas, estatuas e inscripciones antiguas que se encuentran en esta corte[51].

En la misma carta a Peiresc donde se lee su censura sobre los eruditos españoles vuelve a ensalzar el refinamiento de Inglaterra y la riqueza de sus colecciones: «No hallo nada de la tosquedad que cabría esperar de un lugar tan distante de la elegancia italiana. Y he de reconocer que en lo que se refiere a buenas pinturas de mano de los mejores maestros, jamás he visto tantas juntas como en el palacio real y en la galería del finado duque de Buckingham»[52].

Esta afirmación bordea lo increíble. Solo unos meses antes Rubens había estado alojado en el Alcázar, copiando los tizianos del rey y contemplando una colección de pinturas más extensa y fastuosa que las de Carlos I y Buckingham juntas. También había visitado El Escorial y visto, probablemente por segunda vez, los impresionantes cuadros que Felipe II había enviado allí por centenares. Es obvio que en su reacción a la corte carolina influían otros factores; la «elegancia italiana» sería uno de ellos, si cabe interpretar esas palabras como expresión del sentimiento de que la corte inglesa estaba plenamente imbuida del espíritu del humanismo italiano y de las cortes principescas de Italia. También es posible que le cautivase el tono arcádico de las *masques*

67. Pedro Pablo Rubens, *Paisaje con san Jorge y el dragón,* 1630-1635, Royal Collection Trust, Buckingham Palace, Londres.

carolinas; uno de sus cuadros parece atestiguarlo. Estando en Londres, empezó a trabajar en el *Paisaje con san Jorge y el dragón* [**67**], que llevó consigo a Amberes[53]. Sin embargo, antes de 1635 se lo compró Endymion Porter para Carlos I, que lo hizo instalar en el Palacio de Whitehall. Esta oda a Inglaterra, a su santo patrono y su campiña, y por supuesto a sus monarcas, representados en las figuras de san Jorge y la emperatriz Cleodelinda, podrá ser una ficción romántica, pero obviamente encierra un germen de verdad. Los españoles, da a entender Rubens, tienen los cuadros, pero los ingleses tienen los entendidos. Cuando las relaciones diplomáticas entre las dos cortes se reanudaron en 1629, los agentes de esos entendidos ingleses se abatieron sobre España. Habrían de

pasar veinte años para que, con la venta de la colección real inglesa, los españoles pudieran recuperar su fama de coleccionistas de pintura.

Compras para el conde

El primero de los coleccionistas ingleses en tomar la salida fue el conde de Arundel, que contaba con una red de agentes e informadores más extensa y compleja que la de ningún otro coleccionista del siglo XVII. Arundel no solía perder el tiempo. Había hablado a Francis Cottington sobre oportunidades que no había que dejar pasar, según se desprende de una carta de este último escrita cuando se disponía a zarpar de

Portsmouth para España[54]. Por medio de Endymion Porter, Arundel había enviado su lista de compras, incluido «el libro de dibujos de Leonardo da Vinci que está en manos de don Juan de Espina», y que sería el *leitmotiv* de su correspondencia con los agentes ingleses en Madrid.

Al cabo el trajín le tocó a Arthur Hopton [**68**], el agente hasta 1635 y coordinador de actividades coleccionistas. En abril de 1636 regresó a Inglaterra y fue hecho caballero el 2 de febrero de 1637. En 1636 se vio de nuevo enviado a España, esta vez en calidad de embajador, puesto que desempeñó hasta 1644. Su largo tiempo de servicio —en total viviría trece años en la corte española— le confería un conocimiento sin par del ambiente artístico y la mejor situación para ejecutar las órdenes procedentes de Arundel, de Cottington y de sir Francis Windebank, secretario de Carlos I.

Empezó por cumplir el mandato de Arundel. En carta fechada el 29 de julio de 1631 comunicaba la compra y expedición de cuatro pinturas, así como de «algunos dibujos escogidos por el marqués de la Torre (que es el Cavallero Crecentio mencionado en la carta de Vuestra Ilustrísima)»[55]. Este asesor que nombra Hopton era Giovanni Battista Crescenzi, marqués de la Torre (1577-1635), personaje importante en la corte de Felipe IV. Hijo de una eminente familia romana conocida por su patrocinio de las artes y sus servicios a la Iglesia, Crescenzi había pasado en 1617 a España, donde poco a poco se elevó a una posición influyente como artista, empresario artístico y árbitro del gusto. También mantuvo contactos con visitantes ingleses, entre ellos el propio Carlos, a quien debió de conocer en 1623. Era tal su prestigio ante el rey que se le instó a trasladarse a Inglaterra, invitación que él declinó, según refleja un despacho de enero de 1631[56].

En otra carta Hopton afirmaba pocos días más tarde (7 de agosto) que Crescenzi había cono-

68. Anónimo, *Retrato de Arthur Hopton,* 1641, Meadows Museum, Dallas.

cido a Arundel en Roma y ahora tenía mucho gusto en servirle de ojos y oídos en Madrid[57]. Efectivamente, Hopton informa a Arundel de una importante compra de cuadros que acaba de hacer por consejo de Crescenzi: la *Degollación de san Juan* de Leonardo da Vinci, comprada al conde de Lemos; una *Pasión de Nuestro Salvador* de Tintoretto; una *Piedad con san José y san Juan Bautista*, anónima, y, finalmente, «dos piezas de *paesi* de Brugle» (presumiblemente Jan Brueghel el Joven, cuyas obras eran muy buscadas en España).

A la cabeza de los *desiderata* de Arundel seguía estando el álbum de Leonardo, y sobre esto había malas noticias. Hopton comunicaba al conde que don Juan de Espina acababa de ser prendido por la Inquisición y trasladado primero a Toledo y después a Sevilla; los cargos tenían que ver con la publicación de libros de astrología. Cuatro años más tarde le fue revocada la sentencia y regresó a Madrid, donde falleció el 6 de enero de 1643. Arundel no cejó, y el 17 de enero de 1637 escribía a lord Aston, el embajador que sustituyó a Hopton en 1635, rogándole no echar en olvido el libro de don Juan de Espina, «si su necio humor cambiare»[58]. Pero no cambió, y de los muchos manuscritos de Leonardo que estuvieron en suelo español, son esos dos los únicos que quedan.

LAS ARTES DEL EMBAJADOR

A juzgar por la correspondencia conservada, gran parte de las energías de Hopton como agente artístico se consumieron en satisfacer las continuas demandas de sir Francis Cottington de bodegones de un artista peculiar, Juan Fernández, llamado el Labrador. Como el propio Hopton refiere en una de sus cartas, el Labrador había recibido ese apodo porque vivía en el campo, y cada año iba a Madrid por Pascua a vender sus obras. Sus bodegones, que no se han identificado hasta este último cuarto de siglo, suelen mostrar frutas, uvas a menudo, presentadas llamativamente sobre un fondo oscuro[59]. Parece ser que se formó en Madrid, y sin duda influyeron en él los bodegones de Crescenzi, uno de los cuales acaba de salir a la luz. Durante su embajada de 1630 a 1631, Cottington cobró enorme afición a las pinturas del Labrador, lo mismo que su esposa, lady Anne Cottington. El afán de adquirir aquellas obras modestas, capricho de un alto dignatario de limitada imaginación artística, no solo robó muchísimo tiempo a Hopton, sino que pudo impedir que sus corresponsales tuvieran conocimiento de la producción de un sinfín de pintores de mayor talento, Velázquez sin ir más lejos.

La primera alusión a los bodegones del Labrador se encuentra en una carta del 10 de noviembre de 1631 de Cottington a Hopton, donde se le recuerda que envíe al rey las uvas pintadas que «el pobre diablo dibujó para él»[60]. Es de suponer que se tratase de una obra de encargo. A lo largo de 1632 Hopton hizo cuanto estaba en su mano por cumplir. En mayo envió cuatro lienzos a Londres, vía San Sebastián[61]. Desdichadamente, no llegaron en la fecha prevista, y Hopton tuvo que dedicarse a rastrear su paradero. Pero en enero de 1633 desembarcaron en Londres, donde según Cottington gustaron mucho[62].

El año 1633 trajo consigo más cuadros del Labrador y más problemas, porque parecían predestinados a perderse en tránsito. Unos cuantos acabaron finalmente en Londres, pero otro fue a parar sin saber cómo a Dorsei, donde Cottington envió en su busca al sobrino de Hopton, Rogers. Los labradores iban convirtiéndose en una maldición de familia. Cottington obsequió al rey con dos, que figuran en el inventario de Van der Doort; un tercero ingresaría en la colección real donado por el duque de Hamilton.

En 1635 Hopton estaba ya harto de las uvas del Labrador, y le convenció de que pintase floreros, en lo que es un raro ejemplo documentado de influencia de un cliente sobre un pintor de naturalezas muertas[63]. En otra tentativa de desviar la atención de Cottington, Hopton le envió unos paisajes. La maniobra dio resultado: Cottington se enamoró de ellos, y el 10 de junio de 1635 escribía: «El que hace esos paisajes es un hombre singular. Así pues, ocupaos de conseguir cuantas obras podáis de él»[64]. La suerte del pobre

Hopton duró poco más de un mes. «El pintor de los paisajes ha muerto», escribía el 25 de julio. Y lamentaba mucho la pérdida de ese pintor no identificado: «Si hubiera vivido, creo que le habría llevado conmigo a Inglaterra, pues estaba muy desilusionado de su país y era muy amigo mío»[65]. Quizá su muerte no fuera en vano, pues a partir de esa fecha Cottington no vuelve a nombrar al Labrador.

Otros esfuerzos de Hopton se orientaron a la adquisición de obras para la colección real. Durante su visita de 1623 es posible que Carlos conociera la colección de Suero de Quiñones, el alférez mayor de León, de quien dice Carducho que tenía muy buenos cuadros. Quiñones adquirió cierta notoriedad gracias a la desafortunada y hoy todavía vigente costumbre de vocear pinturas mediocres como obras maestras, y sus tratos con Hopton no desmienten esa fama. En carta del 25 de agosto de 1635, Hopton se apresuraba a explicar a Cottington que la anterior oferta de Quiñones de regalar al rey dos cuadros, una *Venus y Adonis* de Luca Cambiaso y un tintoretto, era un engaño. La verdad era que el coleccionista había vendido el cambiaso, dejando que Hopton le disculpara ante el rey por conducto de Windebank: «Don Suero me engañó y vendió la pieza que yo más estimaba, que era la de Luqueto; con lo que hemos dejado de hablarnos; y en verdad que yo ni le considero persona con la que se deba tratar ni soy de condición para tratar con tales»[66].

Crescenzi hizo una oferta seria de vender un grupo de pinturas escogidas. Una nota refrendada por Dudley Carleton y escrita por Cottington de su puño y letra, que se puede fechar en 1630-1631, cuando este se encontraba en Madrid, enumera, bajo el título de «Copia de una nota que me ha entregado James Bap.ta Cresentio acerca de ciertos cuadros», nueve obras atribuidas a Caracciolo, Rosso Fiorentino,

Adam Elsheimer (dos) y el Labrador (cuatro paisajes)[67]. Al menos una se puede localizar en el inventario de Van der Doort, el *Desafío de las piérides,* ahora atribuida a un seguidor de Rosso.

De tanto en tanto la correspondencia de Hopton alude al trabajo de artistas que por uno u otro motivo llegaban a España procedentes de Inglaterra. Uno de ellos fue Michael Cross, enviado por Carlos I para copiar los tizianos de la colección real. En sí la producción de copias de cuadros famosos no fue excepcional en el siglo XVII. Se consideraban aceptables para aquellos coleccionistas que deseaban tener un registro de invenciones pictóricas célebres cuyos originales no era posible conseguir. Ahora bien, en el contexto presente, las actividades de Cross se pueden interpretar como la aceptación final, por parte de Carlos I, de que las obras famosas de Tiziano no irían jamás a Inglaterra. Las copias atestiguan asimismo la admiración de Carlos por lo que a la postre era la concentración más célebre de tizianos en manos de un único poseedor.

Según las cartas de Hopton donde se habla de Cross, fechadas del 9 de mayo de 1633 al 25 de febrero de 1635, el inglés trabajó primero en El Escorial, y a continuación pensaba ir a Aranjuez para copiar la *Anunciación* de Tiziano (ahora perdida), que estaba en el altar mayor de la capilla[68]. La principal preocupación de Hopton, manifestada en sus cartas a Gottington y Windehank, era garantizar el reembolso de los gastos de Cross en su cometido. El problema, expuesto en carta a Cottington del 9 de mayo de 1633, estaba en lo siguiente: «Es un muchacho muy sensato y que sabe administrarse, pero como este país es muy caro, y él querría vivir como corresponde a un enviado de Su Majestad, se va el dinero a ojos vistas»[69].

Michael Cross era un pintor segundón enviado de Inglaterra con un cometido humilde. Otros emisarios pictóricos de la corte carolina

69. Orazio Gentileschi, *Moisés salvado de las aguas del Nilo,* 1633, Museo Nacional del Prado, Madrid.

son más misteriosos. En carta fechada el 8 de mayo de 1633, Hopton recibía el mandato, firmado por el secretario real sir John Coke, de procurar una audiencia de Felipe IV para Francesco Gentileschi, hijo del famoso pintor italiano Orazio Gentileschi[70]. Orazio estaba al servido de Carlos I desde 1626. El fin para el que se solicitaba la audiencia era hacer entrega a Felipe IV de una pintura de Orazio, el *Moisés salvado de las aguas del Nilo* [**69**]. El 26 de octubre

Hopton pudo comunicar a Coke que el encuentro había sido un éxito, tanto que el rey había instalado la pintura en una de las piezas más importantes del Alcázar, el Salón Nuevo, más tarde llamado Salón de los Espejos. El 18 de noviembre Felipe mandó gratificar a Francesco con 900 ducados, una suma principesca con la que probablemente se pretendía impresionar a Carlos I tanto como recompensar al pintor.

La razón de ese obsequio de Gentileschi no está del todo clara. Se ha sugerido que tuviera la esperanza de granjearse el apoyo de Felipe IV para sus pretensiones de obtener un nombramiento en la corte del gran duque de Toscana, Fernando II de Medici, pero es probable que al mismo tiempo optase a un puesto en la corte de España. La llegada de Van Dyck a Londres en 1632 le había colocado enfrente de un rival temible, y puede que el arrogante Orazio buscase una colocación nueva y mejor donde fuese, en Florencia o en Madrid. La carta del 26 de octubre de Hopton a Coke da pie para pensar que estaba sondeando el terreno. La frase clave dice así: «Pero confío en que todo le resulte bien como es mi sincero deseo, aunque de haber pedido mi consejo antes de venir yo le habría dicho que se quedase, pues la manera de proceder en esta corte es tan diferente de todas las demás que pocos vuelven con satisfacción igual a las esperanzas que traen»[71].

Aquí parece haber más cosas en juego que la ayuda del rey de España para conseguir un puesto en la Toscana. Al final Orazio supo ganarse a la reina Enriqueta María, y para ella trabajó hasta su muerte, acaecida el 7 de febrero de 1639.

La reina de Inglaterra catalizó la llegada de otro grupo de pinturas expedido desde Londres. En diciembre de 1638, Anton van Dyck redactó un memorial de pagos que le debía la Corona. Uno de los asientos dice: «Más por los cuadros que sir Arthur Hopton llevó a España, 75 libras»[72]. Un documento conexo especifica que el encargo comprendía tres retratos, del rey, la reina y el príncipe de Gales, que fueron abonados el 14 de diciembre. Lo cierto es que esos retratos habían llegado a Madrid meses antes, siendo entregados por Hopton en palacio, donde hallaron una acogida inesperada. En carta del 5 de agosto a Cottington, Hopton comentaba con asombro: «Hice entrega de los que envió Su Majestad, que se descubrió no ser originales. Se han vuelto ahora más entendidos y más aficionados al arte de la pintura que antes, en grado inimaginable»[73].

Hay que situar las palabras de Hopton en su contexto. Él había salido de Madrid en la primavera de 1636, para regresar dos años después. En ese breve intervalo, y para gran sorpresa suya, la apreciación de la buena pintura había aumentado espectacularmente en la capital de España. La explicación que daba Hopton de ese fenómeno era el súbito interés del rey, entregado a una furia compradora: «Y el rey en estos doce meses ha conseguido un número increíble de obras de los mejores autores tanto antiguos como modernos». Tras anotar la llegada de dos obras maestras de Tiziano, el *Jardín de Venus* y la *Bacanal de los Andrios,* regalos del príncipe Nicolo Ludovisi traídos de Italia por el conde de Monterrey, añade: «En esta ciudad en cuanto que hay algo que valga la pena se lo apropia el rey pagándolo muy bien». El regio ejemplo estaba inspirando a la nobleza a coleccionar a su vez: «Y por emulación el Almirante, don Luis de Haro y muchos otros están haciendo colecciones».

Es posible que Hopton exagerase: la verdad es que los monarcas y aristócratas españoles venían coleccionando seriamente desde comienzos del siglo XVI. Pero sí que había algo nuevo en el ambiente, y casi con seguridad era la enorme colección que se estaba reuniendo, de Italia, de Flandes y de la propia España, para decorar el Palacio del Buen Retiro, y quizá también las numerosas pinturas enviadas desde Amberes por Rubens y sus discípulos. Todo ello pudo espolear el entusiasmo coleccionista del rey.

Aquella afición y aquel discernimiento nuevo permitieron que los entendidos españoles detectasen la intervención de ayudantes de Van Dyck en la ejecución de los retratos reales ingleses. Había que pagar a la corte inglesa en la misma moneda[74]. Los retratos de Felipe IV, Isabel de Borbón (hermana de Enriqueta María) y Baltasar Carlos, como escribe Hopton, le fueron encargados al «pintor del rey», Velázquez, quien, como de costumbre, se tomó su tiempo. Finalmente intervino el rey, y «dio orden al pintor de que me trajera su retrato (que necesitó algunos cambios en el traje) y me dijera que los de la reina y el príncipe pronto estarían listos». Según el embajador toscano, estos retratos salieron para Londres a finales de diciembre de 1639. Están todavía en la pinacoteca real de Hampton Court, y entre los especialistas en Velázquez hay consenso universal en que son obras de taller en su integridad.

«MUCHAS PIEZAS ANTIGUAS DE MÁRMOL»

Nunca hubo tanta abundancia en Madrid de escultura antigua como de cuadros. De todos modos, Felipe II, coleccionista omnívoro, había reunido una colección de calidad, que el príncipe de Gales estudió atentamente en 1623. Ya hemos señalado que unas cuantas piezas se adquirieron por entonces, y en los años siguientes Carlos no olvidó lo que había visto. En enero de 1638 la atención de la corte inglesa volvió a fijarse en las antigüedades españolas[75]. Por deseo del rey, y a través de Íñigo Jones, Hopton recibió la orden de mandar hacer vaciados de tres bustos que Carlos había visto en Aranjuez, y que representaban a Julio César, Marco Marcelo y Aníbal. La orden fue debidamente atendida, y en noviembre se despacharon los vaciados a Londres, donde fueron recibidos con decepción. Windebank escribió diciendo que dos de los bustos representaban modelos distintos de los especificados. Hopton defendió la elección e insistió en que se había dejado aconsejar por «Diego Velázquez, el pintor del rey, hombre de gran juicio». No sabemos cómo acabaría la discusión, pero se ha indicado que los bustos de Aníbal y Marcelo que Velázquez señaló coinciden con dos obras que estuvieron en la colección de Felipe II y ahora se encuentran en El Prado.

El otro intento de adquirir antigüedades lo protagonizó lord Arundel, el más grande coleccionista de esa clase de obras en Inglaterra, que para entonces ya se había gastado casi toda la fortuna de su esposa. El 24 de enero de 1637, Arundel escribía a lord Aston diciéndole que había sabido «por un forastero que ha venido aquí, que hay muchas piezas antiguas de mármol tanto estatuas enteras como obras menores, en una casa de Madrid que perteneció al viejo duque de Lerma, y que ahora se podrían conseguir a muy buen precio»[76]. Aston debía buscar un experto que las examinase «y conseguir los precios más bajos, de suerte que, si fuera fácil adquirirlas, se comprasen para mí». El «viejo duque de Lerma» es obviamente don Francisco Gómez de Sandoval y Rojas, cuyo palacio madrileño había estado adornado con las esculturas antiguas que Arundel codiciaba. De la suerte que corrió esta petición aún no sabemos nada, pero no parece probable que diera fruto.

WHITEHALL Y EL ESCORIAL

Las copias de Tiziano hechas por Michael Cross y los vaciados de esculturas antiguas del Palacio de Aranjuez dan testimonio de la impresión duradera que dejó en Carlos I su visita a España. Sin embargo, esas obras concretas quedaron eclipsadas por el recuerdo más indeleble de España, el del palacio y monasterio de El Escorial. Desde la atalaya de comienzos del siglo XXI, El Escorial parece un palacio real impresionante, pero no excelso. Fue superado en tamaño y grandiosidad, primero por Versalles y después por el Louvre, el Hofburg y el Hermitage. Ahora bien, en 1623 representaba todavía la máxima expresión arquitectónica del poderío y la majestad reales. Sus dimensiones eran imponentes, y no lo era menos la extraordinaria unidad que le daba el haber sido concebido y edificado por un único monarca en los años de su vida.

La fascinación de Carlos por El Escorial llegó a su punto máximo en un momento que parece incongruente: a finales de la década de 1630, cuando el conflicto que le enfrentaba a sus súbditos levantiscos se iba aproximando a la ruptura. Justamente cuando la autoridad real estaba a punto de desmoronarse, el rey, con su arquitecto Íñigo Jones, empezó a proyectar un nuevo Palacio de Whitehall, que debía ser el doble de grande que El Escorial. La influencia de la construcción de Felipe II en los planes de Jones para Whitehall ha sido frecuentemente reconocida en términos generales, pero Roy Strong ha postulado un impacto poderoso, basado en la idea coincidente de recrear el Templo de Salomón[77]. Esa idea habría supuestamente informado la traza de El Escorial, y se transmitió por conducto de una influyente publicación del jesuita español Juan Bautista Villalpando, discípulo de Juan de Herrera, el que fuera arquitecto de Felipe II.

Que Carlos pensaba en El Escorial en 1640 está fuera de duda, pues fue en esa fecha cuando quiso que se le consiguiera cierta vista del monasterio hecha por Rubens[78]. Se supo entonces que Rubens había abocetado una vista lejana de El Escorial, pero que la pintura de que se trataba no era de su mano sino de Pieter Verhulst[79]. (Es una de las varias que se conservan). Así se le comunicó al rey, pero él siguió en sus trece, y el 26 de mayo de 1640 Gerbier envió la pintura a Londres.

El nuevo Palacio de Whitehall no se construiría jamás, pero Carlos nunca abandonó ese sueño. Durante su prisión en Carisbrook tuvo consigo un ejemplar del tratado de Villalpando y pasó muchas horas leyéndolo. Pronto regresaría a Whitehall, donde, el 30 de enero de 1649, el sueño y su reinado acabaron con un rápido y sangriento tajo del hacha del verdugo.

LA ALMONEDA DEL SIGLO

Vista a tres siglos y medio de distancia, la venta de la colección real inglesa por el Parlamento parece una incalificable insensatez[80]. Significó enajenar unas 1.570 pinturas y un número incalculable de objetos preciosos y utilitarios, dispersando una de las mayores colecciones del siglo XVII. El Parlamento, sin embargo, tenía sus razones. Estaba el deseo de erradicar lo que se consideraba un símbolo potente de la aborrecida monarquía, y había deudas que saldar, particularmente los salarios atrasados del pequeño ejército de servidores de la casa del rey. Así pues, el 23 de marzo de 1649 la Cámara de los Comunes, en lo que pareció ser una manera eficiente de matar dos pájaros de un tiro, resolvió poner en venta el patrimonio personal del rey, la reina y el príncipe, con la excepción de la biblioteca real y sus enseres, y asignar el producto al pago de las deudas. La decisión se aprobó el 4 de julio y se publicó el 26.

El decreto disponía el nombramiento de un grupo de fideicomisarios (Trustees) encargados de administrar la venta, para lo cual debían establecer el inventario de los bienes del difunto rey. La almoneda sería encomendada a otra junta de comisionados, los llamados Contractors. El 20 de julio de 1649 el Consejo de Estado, como se denominaba el nuevo gobierno, designó Somerset House, antigua residencia de la reina, como sede principal de la almoneda, que dio comienzo a primeros de octubre.

El curso de la operación no sería nunca directo, a diferencia de las fluidas subastas de nuestros días. Una de las complicaciones eran los llamados «bienes reservados», u objetos que el Consejo de Estado reivindicó para decorar las sedes del gobierno y las residencias de sus propios miembros, en particular la de Oliver Cromwell. Con el paso del tiempo, el Consejo tomó gusto a los espléndidos signos de ostentación de la monarquía, y retiró de la venta distintas piezas, tapices sobre todo. En cuanto a la decisión de destinar una parte del producto a abonar los atrasos de la antigua servidumbre, el proceso de su aplicación iba a dar un giro espectacular.

Las grandes esperanzas del Parlamento de conseguir resultados rápidos y lucrativos se enfriaron pronto ante las circunstancias del mercado. Los compradores ingleses eran pocos y dispersos; muchos de los nobles habían hecho causa con el rey y estaban muertos o desterrados en el continente, y la incertidumbre económica que siguió a la guerra civil aconsejaba prudencia a otros. Los posibles compradores extranjeros, y en particular los monarcas, se resistían a negociar con regicidas. Hubo, sin embargo, una excepción descollante, la del embajador español don Alonso de Cárdenas, que estaba llamado a ser el más ávido comprador de pinturas, tapices y esculturas de la colección real.

Cárdenas, establecido en Londres desde 1638, desempeñaba el cargo de embajador desde 1644. Aunque el rey Carlos le había tenido por «hombre necio, ignorante y excéntrico», como agente artístico demostró ser muy capaz. De la documentación que se conserva sobre sus actividades, y que aquí se publica íntegra por primera vez (véase el Apéndice documental), se desprende que Cárdenas actuó básicamente por cuenta del ministro don Luis de Haro[81]. Varias veces se menciona el nombre del rey, y no se puede descartar que estuviera al tanto de los acontecimientos, pero no hay pruebas fehacientes de su participación directa. Sin duda se juzgó pruden-

te que Felipe no llamase la atención, y de hecho el propio Cárdenas parece haber recibido instrucciones de no comprar directamente a los *Contractors*. Sin embargo, a nadie en Londres se le ocultaba lo que hacía.

La mayor parte de la correspondencia cruzada entre Haro y Cárdenas durante la ejecución de la almoneda se ha perdido, ya que solo parecen conservarse las cartas del embajador en 1651, pero ese material es suficiente para ver cómo actuaban. Cárdenas redactaba periódicamente una memoria de los cuadros en venta y se la enviaba a Haro para que este eligiese. Recibida la correspondiente directiva, Cárdenas ponía manos a la obra. No obstante, se tomaba ciertas libertades cuando había que actuar con rapidez, y Haro parece haber sido tolerante. Una carta podía tardar hasta dos meses en llegar de Madrid a Londres, y por lo tanto podían pasar cuatro meses antes de que el embajador recibiera instrucciones. De no haber contado con cierta libertad de acción, Cárdenas no habría podido aprovechar algunas oportunidades. Además, existía un acuerdo previo sobre cuáles eran las obras más codiciables. En una carta de 1645, Felipe IV ordenaba al embajador estar al tanto de posibles adquisiciones y hacía hincapié en las telas de «Tiziano, Pablo Veronese y otras pinturas antiguas de opinión». Con esas palabras el rey parece haber transmitido su deseo de poseer pinturas italianas del siglo XVI, y particularmente venecianas, y sería ahí donde Cárdenas concentrase sus miras.

De tanto en tanto el embajador daba cuenta detallada del importe de sus compras y gastos conexos, tales como seguros y fletes. Estas tres clases de documentos —memorias, cartas y cuentas— proporcionan una información notablemente detallada sobre la participación española en la almoneda del siglo. Las cuentas presentadas por Cárdenas en 1651 y 1653 son especialmente ilustrativas, no solo por los datos financieros sino también porque revelan de qué manera se puso en juego la maquinaria del Estado español para facilitar la adquisición y el transporte de aquellos tesoros artísticos. Los coleccionistas ingleses en España habían comprado o adquirido con cuentagotas a lo largo de dos decenios. El esfuerzo español, que por distintas razones fue más concentrado y productivo, se llevó a cabo en una escala que solo era posible gracias a la existencia de cauces oficiales que aseguraban la transferencia eficiente de fondos y mercancías.

Dado que Haro no podía ver las obras hasta después de comprarlas, correspondía a Cárdenas suministrarle un mínimo de noticias sobre su aspecto y condición. Una memoria fechable poco después del comienzo de la almoneda enumera unas sesenta obras entonces expuestas en Somerset House, Hampton Court y el Palacio de St. James[82]. Las entradas indican las dimensiones, el asunto y el precio, y al margen una sucinta evaluación de la calidad y, en su caso, del estado de conservación. La pintura más cara era la *Sagrada Familia (La Perla)* de Rafael [**70**], que más tarde recibiría ese nombre por ser considerada la perla de la colección real española. Cárdenas estimaba excesiva la tasación, aunque el cuadro le gustaba: «Esta pintura está bien tratada, pero por lo subido del precio no ay quien hable en ella». La *Venus con un sátiro y Cupido* de Correggio le parecía admirable, aunque de tema un poco escabroso para ojos españoles: «Este quadro está bien tratado, y aunque es muy profano, se estima mucho». De estas dos obras, Cárdenas acabaría comprando la primera, en tanto que la segunda fue a parar a Francia.

Unas cuantas pinturas de la lista pudo comprarlas sin dilación, casi todas a parlamentarios que no tenían reparo en dejarse ver por la almoneda. La *Virgen con el Niño entre san Ma-teo y un ángel* de Andrea del Sarto había sido adquirida por el coronel William Wetton en 230 libras, y se la vendió a Cárdenas en 300[83]. Wetton compró también un tiziano ahora perdido que mostraba a «Nra. Sra. y el niño con otras 6 figuras al natural». Cárdenas, asesorado por pintores locales, señalaba algunos desperfectos: «Este quadro es muy estimado y aunque la oreja derecha del niño parece que ha padecido algo es excelente pieza». Wetton había pagado 160 libras por él el 29 de noviembre de 1649, y se lo vendió a Cárdenas el mismo día por 225[84].

Como demuestran esas y otras transacciones, Cárdenas seguía la almoneda con mirada atenta y procedía con cautela. Todas sus compras de 1650 fueron hechas a quienes habían comprado directamente en Somerset House u otro de los palacios reales y revendían obteniendo un beneficio. Uno de los mayores especuladores fue Remigios van Leemput, pintor flamenco y antiguo ayudante de Van Dyck. El 22 de noviembre de 1649 Van Leemput compró un lote de bronces de Gianbologna y otros, algunos de los cuales figuran en la contabilidad de Cárdenas con fecha de 8 de agosto de 1651[85]. Al año siguiente le vendió veinte pinturas, de la mayoría de las cuales se ha perdido la pista. Sabemos, sin embargo, que dos eran de Correggio, un *San Jerónimo* comprado por 47,10 libras y vendido por 62,10, y una *Oración en el Huerto,* comprarla por 30 y vendida por 42,5[86]. Un tercer correggio, obtenido de fuente anónima, figura en las cuentas del 8 de agosto de 1651 como «un quadro en tabla de Nuestra Señora, el Niño y San Juan». Una nota marginal que lo identifica irreverentemente como «la del pie grande» permite identificarlo con una obra ahora conservada en El Prado[87]. El sargento mayor Roten Gravener, uno de los oficiales del ejército puritano que participaron en la almoneda, ofreció a Cárdenas una joya, el *Moisés salvado de*

70. Rafael, *Sagrada Familia (La Perla),* 1518, Museo Nacional del Prado, Madrid.

las aguas del Nilo de Veronés [**71**]. Lo había adquirido el 27 de marzo de 1650 en 23 libras y lo vendió como parte de un lote de dos pinturas y dos bronces por 102 libras[88].

Una compra de 1650 merece especial atención. El 21 de junio, Balthasar Gerbier se presentó en la almoneda y compró una pintura que conocía muy bien, el *Carlos V con un perro* de Tiziano, regalado al príncipe Carlos en 1623. Gerbier no estaba para sentimentalismos; compró el lienzo por 150 libras y se lo vendió a Cárdenas por 200[89]. Tras una estancia de treinta y siete años en Londres, el *Carlos V* iniciaba el regreso a Madrid.

En ninguna de las compras de pintura o escultura parece haber habido enormes desembolsos ni márgenes de beneficio. Pero sí hubo una obra que Cárdenas adquirió por una suma verdaderamente impresionante: un juego de tapices de los *Hechos de los Apóstoles* según Rafael, tejidos con hilos de oro y plata. El extraordinario conjunto había sido un regalo del papa León X a Enrique VIII, y su compra hizo necesario un complicado subterfugio[90]. Robert Houghton, cervecero del rey y comprador oficial, fue contratado por un tal William Akins para efectuar la transacción, que se realizó el 11 de octubre por la cantidad de 3.559,40 libras (aunque en las actas de la almoneda consta con el precio de 4.429,05). A ello hubo que sumar otras 395,19 libras en concepto de embalaje, expedición y otros gastos.

Podemos seguir las actividades de Cárdenas en 1651 con un grado insólito de detalle gracias a la conservación de sus cartas mensuales a Haro, ya que la correspondencia de ese año es la única que ha llegado hasta nosotros. El 23 de enero anunció la compra de una *Virgen con el Niño y santos* atribuida a Perugino, la *Porcia* de Guido Reni y el *San Jerónimo* de Correggio[91]. La carta fechada el 10 de febrero da noticia de la adquisi-

71. Paolo Cagliari, Veronés, *Moisés salvado de las aguas del Nilo, ca.* 1580, Museo Nacional del Prado, Madrid.

ción del *Carlos V con un perro* de Tiziano[92]. El 1 de marzo Cárdenas informa a Haro de que la almoneda quedaba suspendida mientras se investigaba un posible fraude[93]. El 24 de marzo le da cuenta de un nuevo retraso, que tuvo paralizado el procedimiento hasta finales de julio[94]. El origen del problema estaba en la lentitud de las operaciones, y sobre todo en su bajo rendimiento. Los apurados acreedores, entre ellos la antigua servidumbre de la casa real, se impacientaban al ver que pasaba el tiempo y no se resolvían sus demandas. El Parlamento tomó cartas en el asunto, y al parecer estudiaba la manera de solucionarlo mediante la cesión de objetos de la colección real a los reclamantes. Mientras la almoneda se eternizaba, Cárdenas empezó a buscar la salida. En carta del 10 de julio se lamentaba del «peligroso estado de mi salud», con la apostilla de que «cada día me hallo peor y con menos fuerzas»[95].

El embajador se vio obligado a permanecer en su puesto por una drástica solución del problema, que fue decidida el 22 de julio. El Parlamento aprobó el pago en especie mediante 684 pinturas, y de la noche a la mañana los acreedores se convirtieron en coleccionistas. El reparto llevó cierto tiempo, mientras unos y otros maniobraban por las obras más codiciables y vendibles. Al cabo, según comunicaba Cárdenas el 20 de octubre, se optó por adjudicar las pinturas mediante un sorteo que había de celebrarse a la semana siguiente. También se decidió no vender más tapices de los mejores; seis se los apropió el Consejo de Estado, con gran pesar de que ya se hubieran vendido los *Hechos de los Apóstoles:* «ha hauido gran ruydo porque se vendió la de los Actos de los Apóstoles»[96]. El 23 de octubre las pinturas empezaron a salir de Somerset House y otros palacios a carretadas.

Los nuevos propietarios no podían permitirse el lujo de seguir siéndolo, y ante la necesidad de convertir las obras de arte en dinero lo antes posible se sindicaron en unas asociaciones llamadas *dividends.* En total fueron catorce los *dividends* constituidos, con un fondo de obras de arte por valor de unas 5.000 libras cada uno. Cada *dividend* nombró a un presidente que sería su agente de ventas. Por ejemplo, el octavo *dividend* estaba formado por dieciocho miembros y presidido por Thomas Bagley, maestro vidriero de las casas reales, mientras que el séptimo, con nueve miembros, lo encabezaba Ralph Grynder, el tapicero real. El presidente reunía las obras pertenecientes al *dividend* y abría una galería improvisada, bien en su propia casa, bien en un local alquilado al efecto.

Haro había hecho bien en desestimar la solicitud de repatriación de Cárdenas. El reparto de pinturas entre los *dividends* inundó el mercado y los precios se despeñaron. Cárdenas envió a Haro la lista de las obras más codiciables que habían pasado a manos de los *dividends* en una memoria sin fecha, pero obviamente compuesta con posterioridad al 11 de julio[97]. Durante los dos años siguientes iba a adquirir la mayoría de ellas, empezando por un grupo de tizianos. Aunque todavía enfermo y guardando cama, el 24 de noviembre el embajador despachó a «una persona inteligente con un pintor, a examinar la famosa serie de los doce emperadores romanos pintada para el duque de Mantua[98]. Se le dijo que nueve estaban bien conservados (aunque uno era una sustitución hecha por Van Dyck), dos estaban estropeados pero tenían arreglo y solo el *Nerón* se consideraba irreparable. Cárdenas escribió a Haro que procedería con parsimonia para no elevar el precio. Su táctica dio fruto: las pinturas habían sido entregadas al capitán Robert Stone, presidente del sexto *dividend,* por un valor de 1.200 libras, y Cárdenas pagó solo 625, más 25 de gratificación a la persona que negoció el trato[99].

Las rebajas del cincuenta por ciento no fueron raras, como demuestra la cuenta enviada a Madrid con fecha del 25 de mayo de 1654, que registra compras posteriores al reparto entre los *dividens*[100]. Según otra carta de Cárdenas a Haro fechada el 11 de agosto de 1653 (e interceptada por los franceses), que ofrece un complemento al árido lenguaje de las cuentas, el embajador acababa de conseguir la *Sagrada Familia* de Rafael *(La Perla)* por 1.000 libras, 1.250 por debajo de su valor estimado[101]. También andaba detrás de *La educación de Cupido* de Correggio, que al cabo logró por 400 libras en vez de las 800 en que se había tasado[102], y así sucesivamente. La *Alegoría de la paz y la guerra* de Rubens bajó de 125 libras a 77[103]. Dos retratos de Alberto Durero eran ya una ganga por 100 libras, pero el hecho es que se vendieron por 75[104]. Un par de lienzos de Palma el Joven se depreciaron de 225 libras a 137,10[105]. De cuando en cuando Cárdenas tenía que pagar un sobreprecio. *El tránsito de la Virgen* y una *Sacra conversazione* de Mantegna habían sido adquiridas en marzo de 1650 por el pintor flamenco Jan Baptiste Gaspars por 34 libras. Cuando Cárdenas las menciona el 11 de agosto de 1653, su precio está ya en 105 libras, que él abona[106]. *El lavatorio* de Tintoretto, tasado en 300 libras, se vendió por 325[107].

En noviembre de 1654, solo un mes después de formados los *dividends,* llegó a Flandes la voz de aquella novedad. En carta a Haro del 24 de ese mes, Cárdenas habla de la extraña visita de un pintor enviado a comprar cuadros para el conde de Fuensaldaña, que era el dignatario español de mayor rango en la corte de Bruselas después del archiduque Leopoldo Guillermo, gobernador de los Países Bajos. Por otras fuentes se sabe que ese pintor era David Teniers[108].

Fueron la rapidez y el sigilo con que actuó Teniers los que dejaron a Cárdenas un tanto desconcertado[109]. A la semana siguiente de su llegada compró una serie de obras, que hizo embalar en sus aposentos a pesar de que Cárdenas había solicitado verlas. A continuación, Teniers le pidió que se encargara de facilitar su paso por la aduana para no pagar impuestos, y con las mismas se volvió a Bruselas. Según Cárdenas, tras su marcha comprendió el misterio: Teniers había comprado tres o cuatro pinturas de los herederos del conde de Pembroke, mientras que el resto eran procedentes de la colección real y adquiridas de los pintores flamencos *in situ* con la intención de revenderlas en el extranjero.

Eso dice Cárdenas, pero así no se entiende lo que había estado haciendo Teniers en Londres, ya que seguidamente los cuadros aparecen en una memoria sin fecha titulada «Memoria de las pinturas, tapicerías [...] que el conde de Fuen-

saldaña envió a D. Luis de Haro» y «Las quarenta y quatro pinturas que el conde de Fuensaldaña [...] enbió a España en los cinco fardos [...]»[110]. ¿Serían los mismos cuadros comprados por Teniers?, como parece probable, y en ese caso ¿cómo acabaron en manos de don Luis de Haro? Comoquiera que se explique el misterio, lo cierto es que los cinco fardos expedidos por Fuensaldaña contenían obras de arte superlativas, aunque solo unas cuantas se han podido identificar. Entre las luminarias estaban la regia *Venus recreándose en la música* de Tiziano y su *Daniele Barbaro, patriarca de Aquileya*; de Van Dyck, el *Retrato de Maarten Ryckaert* y el *San Francisco con un ángel*; de Veronés, el *Sacrificio de Isaac*.

No hay duda de que Teniers aprovechó bien aquella semana, pero afortunadamente no volvería a presentarse ningún contendiente serio en el mercado hasta que en diciembre de 1652 llegase el nuevo embajador francés, Antoine de Bordeaux, que actuaría como agente del cardenal Mazarino, adversario político de Haro y el mayor coleccionista de Francia. La conservación de las cartas de Bordeaux a Mazarino, de las que a menudo hubo tres o cuatro en un mes, revelan de qué modo compitieron los dos embajadores[111]. En carta del 5 de mayo de 1653, Bordeaux nombraba dos de las mejores pinturas que aún estaban en venta, *La Perla* y la *Venus con un sátiro y Cupido* de Correggio[112]. De la primera ya hemos visto a Cárdenas anunciar su adquisición el 11 de agosto, calificándola orgulloso como «la mejor de Europa».

En cuanto al correggio, desató una puja enconada entre los dos. Mazarino insistía en que Bordeaux no lo dejase escapar: «Mais en tout cas ne le laissez pas aller à l'ambassadeur d'Espagne»[113], leemos que le escribe el 17 de noviembre. Según Bordeaux, Cárdenas había ofrecido 4.000 libras y los vendedores le pedían 5.000[114]. Al final el francés se lo llevó por 4.300 (Cárdenas había pagado solo 400 por su pareja). Exultante, escribía al cardenal el 15 de diciembre: «Le tableau de Correge est en mon pouvoir»[115].

Mientras se cerraba el año 1653, los embajadores lucharon a brazo partido por lienzos de calidad. Al final, su rivalidad y la creciente rareza de obras importantes inclinaron el mercado a favor de los vendedores. Como escribía Cárdenas el 11 de agosto, «ya son pocas las pinturas del Rey que aquí quedan y ay para ellas más compradores que solía»[116]. Las dos obras maestras restantes de Correggio, la *Alegoría de la virtud* y la *Alegoría del vicio*, fueron adquiridas por los franceses Bordeaux y Everhard Jabach, un banquero que compró varias piezas sobresalientes de la colección real. Jabach fue, de hecho, un rival más peligroso que Bordeaux, pero sus operaciones en la almoneda siguen estando sin documentar.

Cárdenas no sucumbió a la presión. Compró los dos mantegnas y otro rafael importante, la *Virgen de la rosa,* del que afirmó que era propiedad de un parlamentario y en la almoneda se había tasado en 800 libras, cantidad que ahora se considera dos tercios de su valor[117]. Cárdenas lo valoró en 500, pero no sabemos cuánto le costó. De cualquier modo, la escalada de los precios llegó a extremos disparatados, y Cárdenas, acordándose de las gangas de 1649 a 1652, optó por dejar el campo libre a *monsieur* Bordeaux. Así fue como el embajador francés pagó al coronel John Hutchinson 4.900 libras por la *Venus del Pardo* de Tiziano, un lienzo que el regicida había adquirido en 1649 por tan solo 600. Hutchinson volvía a hacer su agosto.

Poco más pudo comprar Bordeaux. Cromwell detuvo la venta en diciembre de 1653, y al embajador francés no le quedó sino rebuscar en los despojos. En los primeros meses de 1654 descendió a pujar por retratos de Van Dyck. Entretanto Cárdenas había descubierto un nuevo mundo que conquistar, la colección Arundel, una de las tres grandes colecciones nobiliarias que se vendieron en el continente. Las otras dos, las del duque de Buckingham y el conde de Hamilton, las había adquirido en su mayor parte el archiduque Leopoldo Guillermo[118]. Una vista de su galería pintada por su conservador de pinturas, David Teniers el Joven, presenta con orgullo una selección de las mejores entre las cerca de cuatrocientas obras que compró a los familiares de los dos infortunados aristócratas.

Como sabemos por Bordeaux (23 de octubre de 1653), los herederos de Arundel que habían permanecido en Inglaterra habían empezada a hablar de venta, aunque parece que se referían a las partes de la colección que aún estaban en el país[119]. Las mejores pinturas, como Bordeaux no tardaría en descubrir, se habían trasladado a los Países Bajos y las tenía la condesa en Ámsterdam. En cualquier caso, era verdad que la condesa, o más exactamente su hijo Henry Howard, pensaban vender algunas cosas, y puede ser que enviasen una lista de obras a Londres.

A eso parece aludir Cárdenas en carta del 1 de junio de 1654, solo dos días después del fallecimiento de la condesa[120], donde dice que el 19 de enero envió a Haro «la memoria de los nombres de los maestros de las pinturas que tiene la condesa de Arandel *[sic]*»[121]. Respondió Haro pidiéndole que mandase un pintor a Holanda para examinar y comprar las obras que le interesaban a don Luis. Evidentemente Cárdenas hizo lo que se le ordenaba, y en una cuenta fechada el 26 de abril de 1659 reseñó los precios y gastos anejos de la compra de veintisiete pinturas, en su gran mayoría obras de maestros venecianos del siglo XVI[122]. Hasta ahora ha sido difícil seguirles el rastro, pero entre ellas estaban el *Jesús y el centurión* de Veronés, y posiblemente la *Virgen con el Niño, san Antonio de Padua y san Roque* de Tiziano. Digamos de pasada que Cárdenas pudo repatriar la *Degollación de san Juan Bautista* atribuida a Leonardo que Arundel había comprado a Crescenzi en 1631[123].

Nuevas adquisiciones

Es una lástima que la parte de Haro en la correspondencia con Cárdenas prácticamente haya desaparecido. No solo se han perdido así sus instrucciones, sino lo que habría sido de mayor interés, su reacción ante lo que iba saliendo de las cajas. Pero el destino iba a ser cruel. Los incendios intencionados que en 1794 y 1795 hicieron arder el Palacio de Buenavista, donde se guardaba el archivo familiar de los Guzmán, dejaron solo unos pocos retazos chamuscados, que a su vez desaparecerían en la conflagración que barrió el Palacio de Liria durante la Guerra Civil. Nos queda el consuelo de que los publicara la duquesa de Berwick y Alba en 1891[124].

La evidencia interna permite atribuir los fragmentos sin fecha al otoño de 1654, mientras que los fechados siguen por orden consecutivo hasta 1655. El arribo de pinturas compradas por Cárdenas en 1653 motivó expresiones de satisfacción. Refiriéndose a *La Perla* de Rafael, *La educación de Cupido* de Correggio, *El lavatorio* de Tintoretto y un *Retrato del papa León X con dos cardenales* atribuido a Rafael, Haro se mostraba complacido, aunque parco: «Los juzgo por una cosa muy grande y de gran estima»[125]. En respuesta a una carta de Cárdenas fechada el 7 de septiembre (de 1654), el ministro extendía sus comentarios: «Son seis piezas de gran estimación, y para cuando S. Magd. vuelva de San Lorenzo [del Escorial], le tendré puesto en su aposento el quadro grande de Na. Sa., de Rafael *[La Perla],* con que creo ha de recibir gran gusto. Velázquez le ha visto ya, y parecíole una cosa muy grande, como creo que sucederá a todos»[126].

Esta carta introduce en la historia a dos importantes actores secundarios, Felipe IV y Velázquez. Como ya hemos dicho, Felipe había enviado fondos a Cárdenas cuando empezaba la almoneda de la Commonwealth, pero a continuación desapareció de la correspondencia y de las cuentas. Su abstención de las operaciones se vería ahora compensada cuando el ministro le regalase algunos de los mejores cuadros. Esos regalos, sin embargo, debían pasar antes por el examen de expertos locales, uno de ellos Velázquez, que mantenía criterios de autenticación muy severos. Puso en duda, por ejemplo, la autoría del *León X con los cardenales Giulio de Medici y Luigi dei Rossi*, una pintura de Rafael que según Vasari había sido copiada a la perfección por Andrea del Sarto[127]. Velázquez, secundando la opinión de un entendido anónimo, estimó acertadamente que el cuadro que venía de Londres no era ni de Rafael ni de Del Sarto (ahora se atribuye a Giulio Bugiardini). Menos acierto, en cambio, tuvo al sumarse a rechazar la atribución a Correggio de *La educación de Cupido,* que Haro con mucho gusto conservó para sí.

La generosidad de Haro solo se puede calificar de desmedida. De las aproximadamente ciento veinticinco pinturas que adquirió de colecciones inglesas, una décima parte, obras todas de calidad suprema, la cedió a Felipe IV. En 1656 las de tema religioso se integraron en la magnífica instalación concebida por Velázquez para la sacristía de El Escorial, antecesora del Museo del Prado. De la mayoría quedó propietario Haro, incorporándolas en su testamento al patrimonio de sus títulos «para mayor lustre y adorno dellas» (las casas de Carpio y Montero)[128]. Por herencia pasaron a su hijo Gaspar, coleccionista todavía más ávido que su padre[129]. De hecho, parece que Gaspar anotó algunas de las memorias de Cárdenas, señalando qué cuadros habían sido retenidos y qué otros se habían dado a miembros de la familia y, por supuesto, al rey. La colección de Haro la heredó la casa de Alba, y acabó dispersándose. La ímproba tarea de seguir la pista de sus distintas piezas está aún por hacer. En cuanto a las obras cedidas al rey, permanecieron en la colección real y en el siglo XIX pasaron al Prado, donde hasta hoy día se pueden disfrutar. Para Inglaterra fue un trágico final de uno de los episodios más gloriosos de la historia del coleccionismo. Muchas de las pinturas que habían pertenecido a Carlos I y quedaron en Inglaterra serían restituidas a la Corona, pero las mejores habían salido del país, y, como observó amargamente Clarendon, estaban en manos de «príncipes vecinos que se enriquecieron y adornaron con las minas y los despojos del heredero superviviente [Carlos II]»[130]. Muchas décadas tendrían que pasar para que las colecciones inglesas se repusieran.

11

España y la Era de los Descubrimientos: encrucijada de culturas artísticas

Si por algo recordamos principalmente a los Reyes Católicos, Isabel de Castilla y Fernando de Aragón, es por haber sido los valedores en 1492 de la aventurada empresa de Cristóbal Colón[1]. Su estela en la historia universal, sin embargo, se extiende mucho más allá, fundadores como fueron de un imperio, el español, cuyos dominios llegaron a circundar el orbe. Otro logro atribuido a ambos y a la altura de su trascendencia histórica es el de haber abierto el camino en el arte a un Siglo de Oro que comenzaba ya a alborear sobre sus reinos. No es casualidad que el término «arte» o «estilo Isabel» se emplee de manera convencional para denominar al arte español de finales del siglo XV y principios del XVI[2]. Con todo, a pesar de la relevancia de Isabel como protectora de las artes (el papel de Fernando fue casi inapreciable), la reina fue únicamente una de entre los muchos actores que entraron en escena en esta fase crucial en la evolución del arte español.

La costumbre de bautizar con el nombre de los monarcas reinantes los diferentes estilos artísticos tiene su origen en el arte francés de los siglos XVII y XVIII, cuando buena parte de la creación artística se concentraba en los talleres reales. Esta forma de patrocinio integral, una ramificación del modelo de monarquía absoluta instaurada por Luis XIV, no habría sido posible durante la Baja Edad Media o el Renacimiento, cuando los reyes, más débiles, se veían obligados a negociar sus poderes reales con sus súbditos. En España, como en el resto de Europa en el siglo XV, la uniformidad era la excepción más que la norma, tanto en política como en las artes. La mezcolanza estilística que define al período isabelino era, por si fuera poco, particularmente fértil, porque bebía de tres fuentes distintas: el estilo del Gótico tardío de Alemania y los Países Bajos, el estilo clasicista italiano y el estilo islámico de las poblaciones mudéjar y morisca de la Península Ibérica. Estas tres tradiciones estilísticas dieron lugar a complejas y muy singulares formas artísticas, y no es raro hallarlas combinadas en un mismo monumento.

72. Hanequín de Bruselas, capilla del condestable Álvaro de Luna, catedral de Toledo, completada a finales del siglo xv.

La labor de mecenazgo de Isabel se asocia con el estilo tardogótico, aunque este no era de ninguna manera de su exclusividad. Es más, el patrón que siguió a la hora de ejercer su labor de protectora de las artes puede considerarse «adoptivo», puesto que adaptó a sus fines personales un modelo que ya se encontraba totalmente desarrollado con anterioridad. Durante buena parte del siglo xv la Corona de Castilla pendió sobre las inestables cabezas de los Trastámara, una dinastía bajo el control de una nobleza ambiciosa y ávida de incrementar su riqueza e influencia a costa de los monarcas. Un reflejo muy singular del poder ascendente de los nobles es el conjunto de capillas funerarias que levantaron para honrar su fama, perpetuar su memoria y redimir sus almas. Dos de ellas ilustran este fenómeno de manera ejemplar y sirvieron de patrón de lo que podríamos llamar anhelo de salvación presuntuosa.

Una de ellas es la capilla de Álvaro de Luna de la catedral de Toledo [72][3]. Luna, como tantos de sus semejantes, era un recién llegado a la élite nobiliaria. En 1420 se convirtió en favorito del padre de Isabel, Juan II, rey de 1419 a 1454, período durante el cual Luna asumió *de facto* las riendas del poder real. Pero debió de llegar demasiado lejos y acabó cayendo víctima de las intrigas de una facción rival, que persuadió al rey para que le mandara ejecutar en 1453, como así sucedió.

Puede que Luna muriera en desgracia, pero fue enterrado con todo boato. Cuando se en-

73. Simón de Colonia, capilla de los Condestables, catedral de Burgos, completada en 1496.

contraba en la cima de su carrera adquirió tres capillas en la catedral de Toledo, sede primada de España, con objeto de transformarlas en un colosal monumento funerario familiar. La construcción, que empezó en 1430, fue destruida parcialmente una década más tarde por una turba que se rebeló contra él y descargó su ira contra el símbolo de su gloria (señal de que el mensaje de la obra fue captado a la perfección por todo el mundo). En 1448 el monumento ya estaba levantándose de nuevo, esta vez con la participación de un arquitecto recién llegado del norte, Hanequín de Bruselas, quien dotó a la capilla en la zona superior sobre el friso de uno de los primeros ejemplos de tracería flamígera[4]. Las tumbas que hoy conservamos no se finaliza-

ron hasta 1489, puesto que las originales sucumbieron a los tumultos de 1440. Por su enormidad y profusa decoración, la capilla de los Luna sentó las bases de una opulencia de *nouveau riche* que, por su propia naturaleza, estaba condenada a concitar rivalidades.

Los vencedores indiscutibles de esta carrera por la gloria terrena fueron Pedro Fernández de Velasco, condestable de Castilla, y su esposa, Mencía de Mendoza. En torno a 1482 tomaron posesión de una capilla en la catedral de Burgos, donde iniciaron la construcción de un espacio de considerables dimensiones conocido como la capilla de los Condestables [73][5]. El arquitecto fue Simón de Colonia, cuyo padre, Juan, había llegado desde Alemania en la década de 1440 y que

74. Simón de Colonia, Cartuja de Miraflores, Burgos, completada en 1488.

ejerció de maestro de obras de la catedral. Juan de Colonia introdujo en la región el tardogótico alemán, que otros miembros de su familia perpetuaron hasta bien entrado el siglo XVI. El interior de la capilla de los Condestables es un ejercicio de ostentación aristocrática sin complejos. A ambos lados del retablo (realizado entre 1522 y 1532, con posterioridad a la muerte del condestable) se sitúan sendas representaciones de las armas del matrimonio labradas en escala monumental, para que no quedaran dudas acerca de la pujanza y nombre de quienes yacían en las tumbas de mármol situadas a los pies. En el exterior de la capilla lucían los blasones de la familia, de tamaño asimismo desproporcionado. Los Velasco, al estilo de los egocéntricos billonarios de los años ochen-

ta, no reparaban en gastos a la hora de pregonar sus riquezas y poder entre los simples mortales.

Capillas tan lujosas como estas requerían unos interiores igualmente lujosos, y en este sentido los condestables estuvieron a la altura de lo esperado. Con el objeto de exponerlas en la sacristía, se hicieron con un numeroso conjunto de pinturas, además de donar decenas de objetos litúrgicos de oro y plata engastados con piedras preciosas. De la mayoría de ellos, dado su elevado y muy tentador valor material, no queda ni rastro, ya que fueron malbaratados a lo largo de los siglos por instituciones insolventes e individuos sin escrúpulos. Mientras permaneció intacta, sin embargo, la capilla sirvió de brillante escaparate del poderío familiar.

En los años en que se disponía a dar sus primeros pasos como protectora de las artes, los ejemplos apenas mencionados de capillas del último Gótico constituían el principal modelo de que disponía Isabel, y su impronta se dejó sentir en su programa de patrocinio arquitectónico y escultórico. Los objetivos del patrocinio real eran varios. Isabel y Fernando necesitaban reafirmar su hegemonía ante la nobleza, así como, por supuesto, su papel de celosos defensores de la fe cristiana. Otra preocupación especialmente delicada durante este período era consolidar la legitimidad dinástica y su continuidad. En último término, la ambición principal era hacer presente el dominio de la monarquía en todo el reino. Todos estos factores se aunaron en la que iba a convertirse en la tipología más característica de fundación isabelina: la capilla funeraria. Los mismos artistas encargados de ejecutar para la nobleza los imponentes ejemplos anteriormente mencionados se pusieron a las órdenes de los Reyes Católicos haciendo uso del lenguaje visual del Gótico imperante.

El más temprano de los proyectos de Isabel fue la iglesia de la Cartuja de Miraflores [74], situada a las afueras de Burgos[6]. Su padre había fundado Miraflores en 1442 para que fuera su lugar de enterramiento, pero murió mucho antes de su conclusión. Al poco de su coronación como reina de Castilla en 1474, Isabel centró sus esfuerzos en Miraflores, al objeto sin duda de reafirmar su legitimidad a la vez que honraba la memoria de sus padres. Siguiendo un procedimiento que iba a convertirse en habitual, la reina contrató a los mejores maestros disponibles de la zona para que finalizaran el edificio, los sepulcros y los retablos adyacentes a ellos. El arquitecto elegido fue Simón de Colonia, sucesor de su padre, que concluyó el conjunto en 1488 a la vez que se ocupaba de la conclusión de la capilla de los Condestables de la catedral.

El severo diseño de Colonia, como correspondía a una iglesia encomendada a la orden cartuja, sirve de eficiente envoltura del extravagante conjunto escultórico de la capilla principal, en el que yacen enterrados Juan II e Isabel de Portugal en sepulcro exento, además del hermano de la reina, Alfonso, en un sepulcro en arcosolio en el muro[7]. Los sepulcros, labrados en alabastro y rematados en 1493, son obra de Gil de Siloé, responsable también del retablo en madera policromada fechado en 1499[8]. Al igual que Simón de Colonia, Siloé prestaba sus servicios en la catedral de Burgos, bien a mano, por tanto, cuando la reina precisó de un escultor para las obras de su monasterio.

Tanto los sepulcros como el retablo son obras maestras de la escultura tardogótica, una respuesta encomiable a la capilla de los Condestables y a su mismo nivel. La estética de Gil de Siloé se asemeja a la orfebrería y se caracteriza por la acumulación de detalles de finísima labra que producen una apabullante sensación de magnificencia. El esplendor visual, logrado por medio de intrincados efectos superficiales, era la divisa del período isabelino, proclamada aquí de manera rotunda.

El siguiente monumento de renombre adjudicable a Isabel obedece a la conjunción de una serie de circunstancias políticas, religiosas y dinásticas. Se trata de la capilla de San Juan de los Reyes de Toledo [75], fundada inicialmente para conmemorar su victoria en la batalla de Toro de 1476[9]. Pero el propósito de San Juan en un principio era el de servir de capilla funeraria de los Reyes Católicos. No se escatimaron recursos a la hora de dotar a esta construcción de grandiosidad y majestuosidad.

Como ya ocurriera en Miraflores, Isabel designó a un arquitecto y a un escultor de la vecina catedral. Juan Guas, responsable de las trazas, y Egas Coeman, escultor, pertenecían al círculo de Hanequín de Bruselas, este último nombrado

75. Juan Guas y Egas Cueman, San Juan de los Reyes, Toledo, 1496.

posteriormente maestro de obras de la catedral de Toledo tras participar en la reconstrucción de la capilla de los Luna. Coeman era hermano de Hanequín, mientras que el bretón Guas había comenzado su carrera en la cuadrilla de escultores de este último.

San Juan, que estaba ya completada en lo esencial en 1496, nunca llegó a cumplir la función de capilla funeraria real con que se la concibió. Isabel cambió de planes tras la toma de Granada en 1492, pues decidió recibir sepultura en la ciudad que dio glorioso término a la reconquista de España al islam. Isabel encomendó entonces San Juan a los franciscanos e instaló allí a la orden. A esas alturas no quedaba un palmo del edificio que no estuviera timbrado con los símbolos de su real patrocinio. Una inscripción en señorial grafía gótica recorre la imposta de la nave celebrando la majestad de Fernando e Isabel, rey y reina de Castilla, León, Aragón y Sicilia, los quales señores —continúa la misma— por bien e aventurado matrimonio se iuntaron

los dichos reynos. El programa decorativo alcanza su clímax en los muros del transepto, donde el escudo real sostenido por las garras de un águila (símbolo de san Juan Evangelista) aparece repetido en cinco ocasiones a cada lado en monumental altorrelieve, como pregonando la presencia permanente de los reyes en una ciudad vital para la Corona de Castilla.

El último proyecto constructivo de los monarcas fue su lugar de reposo, la Capilla Real de Granada [76][10]. Por cédula real del 13 de septiembre de 1504, Fernando e Isabel mandaron que sus restos fueran enterrados en la ciudad, según reza el testamento de aquel, «conquistada, e tomada del poder, e subjeccion de los Moros, infieles, enemigos de nuestra S. Fe Cathólica». La Reina murió dos meses después, el 26 de noviembre de 1504, pero las obras continuaron como si siguiera viva para dirigirlas. El arquitecto, Enrique Egas, era sobrino de Hanequín e hijo de Egas Coeman. Colaboró también en San Juan de los Reyes con Juan Guas, al que sucedió en el puesto de maestro de obras de la catedral de Toledo. Como era de esperar, sus trazas para la capilla siguieron los preceptos del Gótico tardío toledano tan del gusto de la reina. La construcción comenzó en 1506 y concluyó en 1519, cuando quien se sentaba en el trono de España era ya su nieto Carlos V. A Carlos no le produjo entusiasmo alguno la obra, que desaprobó lacónicamente al verla («estrecho sepulcro para la gloria de mis abuelos»)[11]. Su comentario simboliza el marcado cambio de gusto, el paso del Gótico al Renacimiento, que tuvo lugar a principios del siglo XVI, y las instrucciones que dio para la decoración de la capilla reflejan su escaso interés por el estilo precedente.

Aunque Isabel murió sin poder conocer su lugar de descanso eterno, desde el primer momento se preocupó de dotarlo de imponentes objetos litúrgicos y pinturas religiosas. Fernando

76. Enrique Egas, Capilla Real de Granada, 1519.

respetó sus deseos y, llegado el caso, ordenó que se trasladara a la Capilla Real un considerable número de obras. Estas procedían de la extraordinaria colección artística que la reina había acumulado durante sus treinta años en el trono, una de las más importantes de la Europa de su tiempo.

La colección de Isabel constaba de cuatro partes: manuscritos iluminados, tapices, pinturas y, por último, objetos suntuarios, incluyendo piedras preciosas y joyas[12]. Aunque solo una pequeña parte sobrevivió a la destrucción y depredación futuras, disponemos de inventarios que dan medida del colosal tamaño y variedad de sus posesiones.

Podría resultar extraño siguiendo criterios actuales, altamente selectivos y que priorizan la ejemplaridad de las obras (puesto que una co-lección grande no es necesariamente una gran colección), que reparemos en primer lugar en el tamaño de la colección y no en su contenido. Pero en este período, el arte era un medio para la exhibición de grandeza, rasgo inequívoco de un monarca poderoso. En esta época, además, el valor intrínseco de los objetos —metales preciosos, raras gemas, caros tejidos— se apreciaba tanto, como mínimo, como una elaboración exquisita o su artisticidad. Isabel poseía una cantidad tan deslumbrante de objetos de oro y plata, así como de tapices, que hubo de empequeñecer a juicio de sus contemporáneos su, por otra parte, significativa colección de pinturas.

En materia de tapices, pinturas y manuscritos iluminados, como con la arquitectura y la

77. *Breviario de Isabel la Católica,* finales del siglo xv, British Library, Londres.

escultura, la predilección de la reina se inclinaba por los Países Bajos. Los importantes lazos comerciales que existían entre la ganadería castellana y la manufactura flamenca constituían un canal perfecto para la circulación de obras de arte, en especial, tapices[13]. La colección de tapices de Isabel alcanzó, probablemente, los 370 ejemplares, cantidad cuantiosa para la época, algunos de ellos adquiridos directamente a mercaderes del comercio textil[14].

Cuesta apreciar en su medida la importancia de una colección de este tamaño. Los tapices eran el medio artístico más valioso y admirado en esta época, superando con mucho a la pintura. En ellos los coleccionistas valoraban no solo la finura de la factura sino también el efecto suntuoso que producían las que, en esencia, no eran sino decoraciones murales portátiles, capaces de transformar hasta el más humilde de los espacios en escenarios dignos de la majestad real. Los tapices eran un componente indispensable para la escenificación política de una corte itinerante. Por desgracia, su fragilidad inherente, tan propensa al deterioro, ha hecho que solo un ejemplar de esta vasta colección haya llegado hasta nosotros.

Mejor suerte han corrido los manuscritos iluminados de la reina, por más que solo dispongamos de una pequeña fracción de cuantos llegó a poseer. Isabel, que sentía un verdadero interés por los saberes y las lenguas, amasó una biblioteca de 393 libros y manuscritos, en su mayor parte custodiada en el Alcázar de Segovia[15]. La mayoría eran textos religiosos, aunque también encontramos algunas gramáticas, así como romances, crónicas, libros de historia y tratados jurídicos. Su pequeña pero selecta colección de manuscritos iluminados incluía exquisitas obras procedentes de talleres flamencos, de los que cabe destacar, aparte del manuscrito de Cleveland, el *Libro de Horas de Isabel de Castilla* (Biblioteca de Palacio, Madrid) y el *Breviario de Isabel la Católica* (British Library, Londres) [77], este último uno de los más excelsos manuscritos de finales del siglo xv. Por si fuera poco, la reina ejerció de protectora de miniaturistas como Juan de Tordesillas, iluminador del conocido como *Misal de Isabel la Católica* (Capilla Real, Granada). Los libros de cuentas reales registran la presencia de varios iluminadores, tantos españoles como extranjeros, que prestaban servicio como ilustradores de volúmenes para su biblioteca.

Isabel sentía inclinación por lo norteño también en todo lo tocante al arte de la pintura. A mitades del siglo xv Castilla era, en la práctica, una provincia artística de Flandes. En fecha tan temprana como 1428-1429, Jan van Eyck, el renovador de la pintura gótica en los Países Bajos, visitó la Península Ibérica y fue recibido por Juan II. Hay constancia de la existencia de copias de sus obras en las colecciones españolas de su tiempo. En lo sucesivo, cada generación de artistas flamencos iba a contar en Castilla con un mercado receptivo y hasta con círculos de imitadores, que dieron principio a esa particular variante de la pintura norteña conocida como estilo hispano-flamenco.

Isabel heredó algunas obras de consideración de maestros del norte, pero las muchas que compró componen la mayoría de las más de doscientas pinturas que llegó a reunir. El destino esta vez ha sido algo más indulgente con ellas. Una muestra representativa se preserva en la Capilla Real, adonde llegaron en cumplimiento de una de las cláusulas de su testamento, a las que se sumaron las que su familia trasladó al mismo lugar posteriormente[16]. Estas obras, realizadas por maestros como Rogier van der Weyden, Hans Memling y Dirk Bouts o atribuidas a ellos, son testimonio de su refinada sensibilidad por la pintura flamenca.

Tal era su admiración por este arte que hizo llamar a dos pintores flamencos de primer nivel para que se instalaran en su corte. En 1492 Michel Sittow, estonio pero formado en la escuela de Gante y Brujas, fue elevado al cargo de pintor de corte con un elevado salario de cincuenta mil maravedís, el quinto mayor en el escalafón salarial del servicio real[17]. Sittow gozaba de una reputación sobresaliente como retratista, aptitud que escaseaba, según parece, entre sus coetáneos españoles. El índice de supervivencia de sus retratos es bastante bajo, pero las pocas obras que han llegado hasta nuestros días dan constancia de su excelencia en este género.

Cuatro años más tarde, a Sittow se le sumó Juan de Flandes, producto igualmente de la escuela de Brujas-Gante[18]. Pintor de exquisita sensibilidad, colaboró con Sittow en la obra más célebre del período isabelino, el llamado *Políptí-*

78. Michel Sittow, *La Asunción de la Virgen, ca.* 1500, National Gallery of Art, Washington D.C.

co de Isabel La Católica. Este conjunto quedó sin terminar a la muerte de la reina Isabel, cuando lo formaban cuarenta y siete tablas de pequeño tamaño que representaban la vida de Cristo y de la Virgen. Se cree que Sittow realizó algunas de las tablas preservadas, incluyendo *La Asunción de la Virgen* [78], obra de gran delicadeza y refinamiento. Juan de Flandes, a quien se le atribuye la mayor parte de las obras, no le iba a la zaga como artista, sobrepasándole incluso en esos cristalinos efectos de luz que se derraman delicadamente sobre el paisaje.

Sittow y Juan de Flandes abandonaron la corte a la muerte de la reina Isabel, una constatación más de que era ella la verdadera impulsora de la política artística de los Reyes Católicos.

79. Fernando Gallego, *Piedad,* 1465-1470, Museo Nacional del Prado, Madrid.

Sittow volvió al norte, mientras que Juan de Flandes permaneció en Castilla al servicio de la iglesia hasta su muerte en 1519.

Sittow y Flandes fueron los pintores más distinguidos de la España isabelina, pero sus obras conforman una minúscula parte tan solo de la producción pictórica de este período, realizada en su inmensa mayoría por pintores españoles. La clientela eclesiástica demandaba pinturas en cantidad muy superior a la corte, que los seguidores del estilo hispano-flamenco se esmeraban por satisfacer[19]. Sus nombres han caído en el olvido, en buena medida porque la calidad de sus obras no es comparable a la de sus referentes, los maestros flamencos del siglo xv. Pero también porque incluso los más exitosos tenían una visión artesanal de la práctica artística y dirigían talleres en los que sus identidades individuales se difuminaban.

La obra del salmantino Fernando Gallego, el pintor más relevante en Castilla desde 1475 hasta 1507 aproximadamente, refleja bien las dificultades que nos plantea el estudio de estos artistas[20]. Su especialidad era el *retablo,* tipología que consiste en una armazón arquitectónica situada tras el altar donde se instalan las tablas pictóricas. Los retablos se prestaban por su propia naturaleza a la elaboración en grupo, siendo el maestro el que trazaba las composiciones para después delegar gran parte de su ejecución en sus ayudantes. No hay que perder de vista el carácter colectivo de esas obras y la indiferencia que los clientes sentían por el toque personal del maestro, que hace casi absurda nuestra preocupación actual por la división de responsabilidades artísticas. Esto era así porque el retablo no hacía posible o no favorecía la contemplación minuciosa de cada uno de sus elementos. La distancia entre espectador y objeto era demasiado grande, y la iluminación, demasiado débil, como para permitir una apreciación detallada. Por tal motivo, los pintores exageraban y simplificaban su lenguaje para dotarlo de un mínimo de legibilidad. La elección del término «legibilidad» es intencionada, porque esas imágenes estaban pensadas para ser leídas e instruir a los fieles, además de suscitar admiración como objetos estéticos. Si tenemos en cuenta estas provisiones, los objetivos de Gallego parecen claros. Su propósito no era otro que el de ofrecer una reinterpretación de sus fuentes de inspiración, esto es, la obra de Rogier van der Weyden, Dirk Bouts y sus seguidores.

Esto se ve bien en la *Piedad* de Gallego [79], fechada alrededor de 1470, a la que podemos comparar con una versión de la misma composición que Rogier van der Weyden realizó treinta años antes y que pertenecía a la colección de la propia reina Isabel. Salta a la vista la influencia en todos los aspectos que su referente flamenco imprimió en el vocabulario pictórico de Gallego. En él se inspiran esos cuerpos angulosos y huesudos, los cuidados drapeados que parecieran tallados a cincel, o esas composiciones donde las figuras se alzan en primer plano ante paisajes escenográficos que se pierden en la profundidad. Gallego, por su parte, sintetiza la composición de Rogier, comprimiendo el espacio, intensificando las expresiones y subrayando la linealidad de los paños de la Virgen. Los colores los traspone igualmente a un espectro cromático diferente, en que los amarillos parduzcos y los tonos tostados sustituyen a los suntuosos rojos y los exuberantes verdes de Van der Weyden. El paisaje está adaptado, de la misma manera, al estilo constructivo y el contexto geográfico de Gallego. En resumen, la delicadeza expresiva y técnica de la obra de Rogier van der Weyden da paso a una imagen de crudeza y austeridad acrecentadas. Gallego prescinde de adornos arquitectónicos y escultóricos ficticios y centra la atención en la imagen de Cristo muerto y su compungida madre.

Esta rígida y vigorosa interpretación del estilo flamenco se difundió por todos los rincones

80. Pedro de Berruguete, *El profeta Ezequías, ca.* 1490, retablo, iglesia parroquial de Paredes de Nava, Palencia.

viaje. En 1483 lo encontramos realizando una pintura al fresco en la catedral de Toledo, técnica que solo pudo aprender en Italia. Desde entonces y hasta su muerte en 1503 se ocupó de importantes encargos en Toledo y Ávila, incluyendo tres retablos en la iglesia de Santo Tomás de esta última ciudad bajo el patrocinio de Fernando e Isabel, lugar de enterramiento como era de su hijo, el príncipe Juan.

Berruguete representa la vanguardia del italianismo en España, aunque él mismo no era otra cosa, claramente, que un artista híbrido. Su experiencia en Italia insufló a sus tablas un cierto aire renacentista, aunque en el fondo se mantuviera fiel a sus orígenes artísticos hispano-flamencos. En la espléndida serie de profetas bíblicos, de calidad casi retratística, del retablo de su Paredes de Nava natal, Berruguete regresó de nuevo al rotundo realismo del arte norteño [**80**].

Durante la mayor parte del siglo XV, tanto los artistas castellanos como sus clientes tuvieron escaso conocimiento del clasicismo renaciente y el innovador naturalismo del arte florentino, que surge como consecuencia de las ideas del humanismo italiano, por lo que la influencia fue escasa. La falta de interés por el arte italiano en la corte española resulta especialmente chocante, puesto que la misma reina ejerció de protectora de intelectuales italianos, como en el notable caso de Pedro Mártir de Anglería, llegado desde Milán para fundar una escuela de estudios humanísticos en Castilla. Y, sin embargo, Isabel sería fiel a los artistas norteños hasta el fin de sus días.

Es al final de su reinado, y especialmente durante la regencia de Fernando (concluida a la muerte de este en 1516), cuando el estilo renacentista italiano empieza a hacerse sentir en España. Entre sus principales impulsores estuvieron los Mendoza, una familia noble que merece un puesto entre los más señeros mecenas artísticos del siglo XV europeo. Originarios de la pro-

de Castilla, y su dominio se mantuvo hasta la segunda década del siglo XVI. No obstante, en la década de 1480 se enriqueció con elementos italianizantes introducidos por la obra de Pedro Berruguete[21]. Berruguete, nacido en fecha desconocida en la villa rural de Paredes de Nava, cerca de Palencia, se formó en la tradición hispano-flamenca. Estuvo con casi total seguridad en Italia durante la década de 1470, aunque no haya quedado constancia documental de este

81. Palacio del Infantado, Guadalajara.

vincia de Álava, los Mendoza no alcanzan notoriedad en la política castellana hasta después de 1400 aproximadamente[22]. Unos años antes les fueron otorgados privilegios en Guadalajara, sede familiar a partir de entonces y foco de sus más relevantes empresas artísticas. Con gran sagacidad y rapidez, supieron abrirse camino en el turbulento panorama de la política castellana del siglo XV, que culminó con su apoyo, tardío pero efectivo al fin y al cabo, a Isabel y Fernando. Bajo el reinado de los Reyes Católicos disfrutaron del favor real y amasaron un poder político y una fortuna desmedidos.

El ascenso político de los Mendoza fue en paralelo a una presencia cada vez mayor en el mundo de las artes y las letras. A Íñigo López de Mendoza, primer marqués de Santillana (1398-1458), se le celebra como a uno de los poetas más importantes de la historia de España. Él dio inicio a una tradición literaria familiar que culminó en Garcilaso de la Vega (1501-1536), el primer poeta italianizante de renombre que tuvo Castilla.

Todavía más destacada fue la labor de los Mendoza como mecenas artísticos. Buena parte de su actividad tuvo lugar en la ciudad de Guadalajara y sus territorios aledaños, en la que dejaron constancia de su dominio mediante una serie de proyectos arquitectónicos. El más importante de todos es el Palacio del Infantado [81], construido por Íñigo López de Mendoza, II duque del Infantado (fallecido en 1500).

En su estado original el Palacio del Infantado era un edificio de esplendor desmesurado[23]. (La estructura se remodeló a finales del siglo XVI, a partir de lo cual cayó en un lento abandono; sufrió daños durante la Guerra Civil y fue restaurado posteriormente). Con una prodigalidad al alcance solo de un potentado como él, el duque mandó derruir el edificio preexistente y levantar otro palacio desde los cimientos. Una inscripción epigráfica en el patio interior plasma sus ambiciones: «el Ilustre Señor Don Íñigo López de Mendoza [siguen sus numerosos títulos] en 1483 seyendo esta casa edificada por sus anteçesores con grandes gastos e de sumptuoso edefiçio, se [pu]so toda por el suelo y por acrescentar la gloria de sus proxenitores y la suya propia la mandó edeficar otra vez para más onrrar la grandeza [de su linaje]». La construcción del palacio duró trece años.

La modestia no era mal que aquejara al duque, y en su palacio no quedó un palmo sin decorar. Aunque la fachada diseñada por el arquitecto Juan Guas apenas se aparta del modelo convencional de casa señorial tardogótica, el patio fue transformado en una fantasía decorativa engalanada con los blasones del duque y su esposa, María de Luna[24]. Mayor riqueza aún poseían las habitaciones principales, adornadas con molduras y coronadas por artesonados de sinuosos patrones dorados de inspiración islámica.

Como muestra la documentación conservada, en su decoración participaron numerosos artesanos de origen morisco que elaboraron azulejos, tallas ornamentales o fuentes. El exótico maridaje de elementos hispano-flamencos e islámicos es característico de la arquitectura castellana. A los mecenas cristianos les fascinaba la creatividad del diseño y la soberbia calidad de ejecución de la arquitectura islámica, cuyas intrincadas texturas en superficie constituían un vehículo indispensable para visualizar la propia magnificencia. Es en el Palacio del Infantado donde la arquitectura de la ostentación alcanzó cotas sin precedentes.

En la labor de exaltación del poderío familiar de los Mendoza el duque del Infantado encontró la competencia de su propio hermano, Pedro González de Mendoza, cardenal de la Santa Cruz y arzobispo de Toledo (1428-1495)[25]. Aun siendo el menor de los diez hijos de los marqueses de Santillana, el cardenal Mendoza era el verdadero cabeza de familia. Dando muestra de sus instintos dinásticos, se cuidó de dotar de posición y caudales a todos los miembros del numeroso clan familiar, así como a sus tres hijos ilegítimos. La fortuna de Mendoza se debió más a su agudeza política que a la herencia familiar. Prestó su apoyo a Fernando e Isabel en el momento justo y estos le supieron recompensar con un rosario de dignidades, entre las que se encontraba el arzobispado de Toledo, la diócesis más opulenta de España.

Parte de las riquezas que el cardenal Mendoza percibió en forma de rentas eclesiásticas las empleó en arte. Era, según parece, un coleccionista voraz, aunque el único de sus inventarios conservados es el de sus objetos suntuarios[26]. En este ámbito de su colección la línea divisoria entre arte e inversión es muy difusa. En el inventario se cuentan 3.844 monedas y medallas, sesenta y un camafeos y una cantidad incalculable de piedras preciosas. A su muerte poseía más de nueve mil perlas y sumas impresionantes de gemas y piezas de orfebrería y platería.

Su papel de mecenas arquitectónico resulta más complejo de valorar, por más que se reivindique con frecuencia[27]. El cardenal Mendoza poseía un conocimiento superficial de arquitectura centroitaliana, y este probablemente debido a su sobrino, el II conde de Tendilla. Su arquitecto principal fue Lorenzo Vázquez, versado en el vocabulario ornamental del nuevo clasicismo

82. Sepulcro del cardenal Pedro González de Mendoza, 1509, catedral de Toledo.

pero desconocedor casi por completo de su sintaxis. El único vestigio de relevancia que queda de la colaboración entre ambos es el tímpano central de la fachada del Colegio de Santa Cruz de Valladolid (1486-1492), modificado en el siglo XVIII y superpuesto en cualquier caso a una estructura gótica anterior. Vázquez hablaba el lenguaje del Renacimiento con un fuerte acento gótico, como bien ilustra esta obra. Podemos concluir que el cardenal Mendoza fue, si acaso, una figura de transición en la introducción del Renacimiento italiano en España.

El verdadero protagonista de esta trascendental fase es el ya mencionado II conde de Tendilla (1442-1515), uno de los doce miembros de la familia que recibió el nombre de Íñigo López de Mendoza, para mayor confusión de los historiadores[28]. El conde de Tendilla representaba para sus coetáneos el prototipo perfecto de caballero —astuto, ingenioso, valiente y aguerrido. En 1458 acompañó a su padre a Roma en su embajada ante el papa Pío II y de ahí regresó siendo un admirador confeso del arte y la arquitectura italianos. En 1486 retorna a Italia como emisario del rey Fernando ante el papa Inocencio VIII, no sin antes realizar una parada previa en Florencia, donde entabla amistad con Lorenzo de Medici. Tras llevar a cabo con éxito el cometido que se le encomendó, el conde volvió a España ya de manera definitiva, aunque supo mantenerse al día de las novedades artísticas que se iban produciendo en su amada Italia.

La predilección del conde de Tendilla por el Renacimiento italiano se plasma en un grupo de monumentos funerarios ejecutados en Italia —y posteriormente ensamblados en España— para su familia y la familia real. El primero de ellos es el sepulcro del cardenal Mendoza [82], que desde 1503 se levanta en la capilla mayor de la catedral de Toledo[29]. La historia de este monumento, realizado en su mayor parte en Italia (pero no

en su totalidad), está envuelta en incógnitas, incluyendo los nombres de su escultor y de su promotor principal, aunque este último se trató con casi absoluta seguridad del mismo conde o bien de Rodrigo, hijo del cardenal y marqués del Cenete *(ca.* 1466-1523).

Otro sepulcro también de los Mendoza ilustra el método seguido normalmente por el conde de Tendilla. El arzobispo de Sevilla Diego Hurtado de Mendoza, fallecido en 1502, dejó mandado a aquel —hermano suyo— que le proveyera de un enterramiento apropiado dentro de la catedral. Este contrató con Domenico di Alessandro Fancelli (1469-1519) un sepulcro en mármol de Carrara, que después habría de enviar a España, donde el mismo artista se encargaría de su ensamblaje[30]. Este iba a convertirse en el procedimiento habitual en estos casos, que explican cómo una escultura italiana de primer orden acabó en los lóbregos interiores de la gótica catedral de Sevilla.

Fancelli obtuvo otro encargo todavía más prestigioso si cabe, presumiblemente con el apoyo del conde de Tendilla. Se trataba del sepulcro del príncipe Juan, el único hijo de Fernando e Isabel, fallecido de manera repentina en 1497 tan solo unos meses después de su matrimonio con Margarita de Austria. En julio de 1511 el escultor se encontraba en Granada negociando los preparativos con el conde de Tendilla, tras lo cual regresó a Italia para labrar el sepulcro. Estaba ya finalizado en diciembre de 1522, porque el año siguiente se envía a Ávila para que el escultor mismo se ocupara de su montaje en el monasterio de Santo Tomás. El sepulcro, de tipología horizontal, imita el modelo de la tumba del papa Sixto IV en San Pedro de Roma, obra de Pollaiuolo, si bien en mármol de Carrara en vez de bronce.

El procedimiento se repitió una tercera vez en 1513, con los sepulcros de los Reyes Católicos [83], Fernando e Isabel. Fancelli, regresado a

83. Domenico Fancelli, sepulcro de los Reyes Católicos, 1517, mármol de Carrara, Capilla Real, Granada.

Italia, trabajó en ellos hasta la primavera de 1517, cuando se embalan y envían a Granada, donde el mismo escultor supervisó su instalación en la Capilla Real en el verano de 1518. Otro contrato más aguardaba a este infatigable artista —los sepulcros de Felipe el Hermoso y Juana la Loca—, pero los avatares de su carrera como escultor itinerante acabaron pasándole factura. Murió en Zaragoza en 1519, de camino a Italia. Por lo que parece, el escultor de sepulcros por excelencia fue enterrado en una tumba anónima.

La llegada —o, más bien, la «irrupción», como se la ha descrito— del Renacimiento a España es un fenómeno extraordinario. Si en la Italia central el Renacimiento se originó como desarrollo paulatino de un corpus teórico, a España, por el contrario, llegó en cajas de madera. Se enviaron no solo sepulcros sino incluso conjuntos arquitectónicos enteros. De todos ellos, el

más notable es el espléndido patio del castillo de la Calahorra, encargado por el hijo del cardenal, Rodrigo, y labrado en su mayor parte en el taller genovés de Michele Carlone entre 1509 y 1512[31]. A los artistas y mecenas españoles, que iban asimilando estas innovaciones lentamente y no sin dificultades, obras de ese calibre debieron de parecerles como de otro planeta.

Pero a estas novedades importadas de la Italia renacentista había que darles cobijo en algún lugar, y estos eran generalmente edificios góticos con interiores también góticos, aunque esta situación no es de ninguna de las maneras algo exclusivo de España. Del taller genovés de Pace Gagini, del que salieron algunos sepulcros renacentistas para clientes españoles, procede, por ejemplo, el sepulcro doble de Raoul de Lannoy y Jeanne de Poix (1508-1519) que luego sería instalado en una hornacina gótica de la iglesia

84. Paraninfo de la Universidad de Alcalá de Henares, Madrid, *ca.* 1520.

parroquial de Folleville en la Picardía[32]. Otro caso más conocido es el sepulcro de Enrique VII e Isabel de York (1512-1519) de la capilla de la Virgen de la abadía de Westminster, conocida por sus extravagantes bóvedas de abanico[33].

En España se añadía un tercer ingrediente a la mezcla, la influencia islámica, lo que resultó en unas creaciones de asombrosa heterogeneidad. Los ejemplos más conocidos se hallan en la catedral de Toledo y se vinculan al sucesor del cardenal Mendoza, Francisco Jiménez de Cisneros *(ca.* 1436-1517)[34]. El ascenso de Cisneros a las cumbres del poder político y religioso de Castilla se cimentó en 1492, cuando se convierte en confesor de la reina. Por aquel entonces, Cisneros, que ingresó en la orden franciscana en 1464, ya

era famoso por su austeridad y devoción y su defensa de la reforma de la vida monástica en España. Fue a partir de su elevación a la sede de Toledo en 1495 cuando Cisneros comienza a participar en asuntos de Estado. Llegaría a ser regente de Castilla en dos ocasiones (Fernando no estaba autorizado a heredar la Corona castellana) y dirigió en persona la campaña militar de Orán de 1509 contra las huestes musulmanas.

Los historiadores discrepan sobre la idoneidad del término «estilo Cisneros» con que se describen ciertas obras asociadas a su persona[35]. Entre ellas se incluye un conjunto de importantes edificaciones en Alcalá de Henares, empezando por su famosa universidad, así como el convento franciscano y la iglesia de San Juan de la Penitencia en Toledo. La mayoría destaca por el que se considera es el sello distintivo del estilo Cisneros: la combinación de elementos góticos e islámicos [84]. No obstante, nada hay de particular en este aspecto de su mecenazgo; Cisneros, sencillamente, se apropió de unos rasgos de estilo por aquel entonces en boga entre la nobleza (como se ve, por ejemplo, en el Palacio del Infantado) y que después adaptó a sus fundaciones arquitectónicas religiosas. Con todo, sería un error degradar a Cisneros a la condición de mero imitador de la élite secular. A medida que su carrera y sus gustos avanzaban, se fue sintiendo más cómodo en el ejercicio del poder, y el estilo renacentista italiano demostró ser el instrumento más apropiado para rubricar su posición.

El primer proyecto significativo de Cisneros fue el monumental altar mayor de la catedral de Toledo[36]. En 1498 se celebró un concurso para elegir trazas en el que resultó vencedor el —por otra parte desconocido— maestro francés Petit Juan con un diseño bastante convencional pero muy recargado y de sabor tardogótico. De tallarlo se encargaron experimentados artistas procedentes del norte de Europa y radicados en la zona. Frente a él, a pocos pasos, y a la vez que tomaba forma esta espectacular creación gótica, se construía el sepulcro del cardenal Mendoza, para desagrado de Cisneros. Con la autoridad que le confería ser uno de los albaceas del finado, Cisneros propuso sustituir este sepulcro por otro de diseño gótico, pero la reina se opuso. Siglos después, la efigie italianizante del cardenal Mendoza continúa vigilando de reojo los pináculos calados y las crestas apuntadas del retablo de Petit Juan.

Por fortuna, el gusto de Cisneros no era inmutable, y poco a poco, sin abandonar sus preferencias anteriores, empezó a abarcar también el Renacimiento italiano. Entre 1508 y 1511 dirigió la renovación de la Sala Capitular de la catedral, donde conviven de manera natural e inesperada motivos islámicos e italianos. La Sala Capitular es un espacio rectangular decorado con un impresionante ciclo de pinturas realizadas por Juan de Borgoña, un artista norteño al que se documenta por primera vez en Toledo como ayudante de Pedro Berruguete[37]. Continuó empleado en la catedral hasta 1504, cuando es casi seguro que marcha a Italia, donde permanece por un espacio de tres años. Juan de Borgoña se fue siendo un pintor borgoñón y regresó transformado en un artista italianizante, cercano estilísticamente hablando a artistas como Pinturicchio (1454-1513), quien coincidió en Roma con su supuesta estancia en la ciudad. Este ciclo de frescos, con sus elaboradas y complejas perspectivas, figuras de calidad escultural y el ritmo acompasado de la composición, supone una drástica cesura respecto al estilo hispano-flamenco dominante. Para la cubrición de la Sala se eligió un clásico ejemplo de artesonado decorado con motivos geométricos, sobredorado y realzado con colores claros. En la antesala, de fecha algo posterior, se hilvanan de nuevo estas dos culturas muy inspiradamente. Los frescos, diseñados por Juan de Borgoña pero ejecutados por sus ayudantes, representan un paisaje ilusionista colmado de flores y árboles frutales y rebosante de pajarillos revoloteando. La puerta que conduce desde aquí a la Sala Capitular, por el contrario, está enmarcada por una yesería con bajorrelieves que siguen patrones decorativos islámicos.

En la obra final de Cisneros para la catedral se consuma su transformación en príncipe renacentista. Hablamos de la Capilla Mozárabe, así llamada por estar reservada para la celebración de la eucaristía según el rito mozárabe medieval. En ella Juan de Borgoña ilustró en 1514 los sucesos de la batalla de Orán [85] en tres pinturas al fresco, en las que se representa al santo prelado Cisneros en su condición de victorioso jefe

85. Juan de Borgoña, *La batalla de Orán*, Capilla Mozárabe, 1514, catedral de Toledo.

militar. En el arco que cubre este espacio Juan de Borgoña recreó de manera ilusionista una bóveda de casetones con intachable corrección clásica, sin concesión alguna al gusto gótico o islámico.

A la muerte de Fernando el Católico en 1516, el Renacimiento ya había abierto brecha en Castilla, aunque todavía faltaban algunas décadas para que se consumara su conquista del arte español. El triunfo final del clasicismo se apuntalaría durante el reinado de Felipe II (1555 a 1598), bisnieto de Fernando e Isabel, quien supo captar el potencial de este estilo como medio de expresión del formidable poder y devoción de su mo-

narquía católica. Pero durante toda la primera mitad del siglo XVI, el arte español siguió embarrancado en ese mismo entramado de fuerzas contrapuestas que definía a la sociedad en su conjunto. A medida que las fronteras de España se fueron expandiendo, el marco mental imperante fue replegándose y haciéndose cada vez más introspectivo. Durante ese elástico intervalo muchas fueron las formas de expresión artística posibles, bien foráneas, bien autóctonas, tanto innovadoras como tradicionales. La heterogeneidad que resultó de todo ello hace de este período uno de los más fascinantes de la historia del arte europeo.

12

Arte en la ruta de los Austrias: Amberes, Sevilla y México[1]

Hace mucho tiempo que la historia del arte está configurada por dos ideas que no tienen nada que ver con el arte. Una surgió tras la Revolución Francesa, y es la formación del Estado-nación y el consiguiente ascenso del nacionalismo. La otra fue una consecuencia de la Primera Guerra Mundial, que comenzó a fijar las fronteras nacionales europeas de una forma muy parecida a como las conocemos hoy. Esos hechos históricos, que se extienden más o menos entre 1789 y 1919, coincidieron con la aparición de la historia del arte como disciplina académica y condicionaron su evolución posterior. A sabiendas o no, las obras de arte se transformaron en símbolos del carácter y los logros nacionales, logros que encarnaban sobre todo determinados artistas considerados universalmente genios. Este fenómeno puede comprobarse en cualquier biblioteca de historia del arte: los libros sobre la historia de la pintura están ordenados conforme a las llamadas «escuelas nacionales».

Otra manera de ver la cuestión del nacionalismo es la que se ha articulado con el resurgimiento de la geografía artística, que es el tema de un profundo ensayo de Thomas DaCosta Kaufmann[2]. En ese planteamiento, la correspondencia entre el Estado-nación y la producción artística se sustituye por lo que este autor denomina un campo cultural o, como yo prefiero decir, un área cultural. En el mundo premoderno, las áreas culturales coincidían con los imperios. Un ejemplo famoso es el del Imperio Romano cuando murió Trajano en el año 117 después de Cristo: se extendía entonces desde Siria hasta Escocia. Para gobernar ese inmenso territorio con tanta diversidad de pueblos, los romanos crearon unos sistemas de transporte de mercancías y de comunicación de ideas. Interactuaron con sus súbditos conquistados en una especie de relación transaccional, que estaba condicionada por la geografía, el clima y las costumbres locales. Hay así murallas romanas en Inglaterra, templos romanos en Nimes y Baalbek, acueductos romanos en Segovia y Éfeso. Todos ellos se asemejan a los modelos que se crearon en Roma, pero todos son tan distintos de esos modelos como distintos entre sí. Al trasladar sus modelos a otros lugares, próximos y lejanos, los romanos se encontraron con unas condiciones y unos materiales locales que se utilizaron para reelaborar el prototipo. Este proceso se ha denominado «mestizaje cultural».

Otro tipo de mestizaje cultural es el que se produjo a lo largo de las rutas comerciales. Una de las más importantes es la que se conoce como Ruta de la Seda, que unía los puertos de Tiro, Sidón y Alepo en el Mediterráneo oriental con Xi'an (provincia de Shaanxi, China), a unos ocho mil kilómetros de distancia. Un ramal de aquella ruta pasaba por el norte de la India. Otra vía de comunicación entre centros culturales eran las peregrinaciones religiosas, por ejemplo el Camino de Santiago.

Y está, por supuesto, el caso de España. Es posible que la mejor manera de entender la historia del arte español sea situarla en un área cultural que coincide geográficamente con la monarquía de los Austrias. El imperio se extendía desde Amberes hasta Potosí, incluidos algunos territorios en Asia oriental. Al unir esos distantes lugares, España desempeñó un papel de intermediación entre Europa, América y Asia oriental.

Otra cuestión importante que plantea la pintura hispanoamericana es de carácter semántico. La historia de la pintura novohispana entre más o menos 1550 y 1700 viene padeciendo desde antiguo una serie de equívocos y malentendidos, algunos de los cuales se deben a la terminología empleada. Por ejemplo, el uso del término «colonial», que aparecía en el título del libro más influyente sobre el tema, el de Manuel Toussaint, tiene una connotación de segunda categoría[3]. «Colonial» implica la dominación y

subordinación de un territorio y sus habitantes, que son así dependientes de sus conquistadores. Una vez que se acepta ese camino, el resto viene dado: el destino final es «derivado» y por lo tanto inferior. Tampoco son suficientes los términos «centro» y «periferia», que implican una jerarquía. También tiene sus inconvenientes «híbrido», pues implícitamente se opone a lo puro y no adulterado.

Pero más útil que tratar de encontrar soluciones a estos problemas terminológicos será mirar la pintura novohispana como parte de un fenómeno artístico universal: la difusión de ideas y prácticas de un sitio a otro, con todas las adaptaciones y transformaciones correspondientes. Una forma muy extendida del discurso histórico-artístico es la que considera la invención y la innovación los máximos determinantes de la calidad. Pero esta idea, que se formuló básicamente en el Renacimiento italiano, es demasiado limitada y excluyente. Es importante recordar que existe otra historia del arte, una historia del arte en la que las ideas artísticas cruzan incesantemente unas fronteras políticas que en el siglo XVII eran muy distintas de las que conocemos hoy.

La trayectoria de la pintura en Ciudad de México es al mismo tiempo única y común. Como en muchos lugares de Europa, los pintores de las ciudades de Nueva España tenían ante sí diversas opciones artísticas, algunas de las cuales adoptaron y adaptaron conforme a las tradiciones y el gusto locales. Hasta las formas de trasladar ideas de un lugar a otro eran comparables: incluían a pintores itinerantes, el empleo de grabados como fuente de motivos y composiciones y la importación de gran cantidad de imágenes de todo tipo, elementos todos ellos que entraron en juego por doquier en el subcontinente europeo. México está lejos de Sevilla, sin duda, pero tampoco Londres y Roma estaban a la vuelta de la esquina.

Desde este punto de vista, por tanto, Ciudad de México no era tan distinta de los centros europeos como a primera vista podría parecer. No obstante, no hemos de olvidar tampoco las diferencias. Al final, la pintura novohispana desarrolló una identidad propia eligiendo y seleccionando su camino entre las diversas opciones de que disponía y respondiendo a las necesidades de su sociedad[4]. El dinámico proceso mediante el que se produjo este fenómeno es lo que analizaremos a continuación.

Mercados y modelos

La transferencia de la cultura visual europea a Nueva España fue compleja y eficiente. No obstante, el hecho de que Sevilla tuviera el monopolio del comercio con la América española simplificó el proceso, y en cierta medida determinó los sectores del arte europeo que exportarían al nuevo territorio. Esos sectores fueron Flandes y Andalucía, y concretamente Amberes y Sevilla. La elección de Sevilla era lógica por ser el puerto de las Indias; la de Amberes era inevitable, pues era un territorio de la monarquía española y el centro de una producción industrializada y a gran escala de estampas y pinturas. Otra fuente de imágenes, aunque menos importante, era Asia oriental, a través del Galeón de Manila[5]. Se conoce por este nombre la flota que todos los años partía de Acapulco hacia las islas Filipinas, que formaban parte del Virreinato de Nueva España, y que servía de almacén para el comercio con Japón y China. Cuando volvía a América, el Galeón de Manila llevaba gran cantidad de artículos de lujo, como por ejemplo biombos pintados y piezas realizadas a base de incrustaciones de nácar. Llegados a Nueva España, los primeros inspiraron la producción local de biombos, y las segundas, la de los llamados enconchados. Ambas técnicas se aplicaban sobre todo a la representación de escenas profanas.

En el período que nos ocupa, la demanda de imágenes religiosas era tan amplia como los territorios conquistados. Al igual que en la Europa católica, aunque a una escala aún mayor, se necesitaban imágenes para la instrucción y para el culto. Además de esas funciones tradicionales, las imágenes participaban en la lucha por el espacio sagrado de los pueblos indígenas[6].

En último lugar, aunque sin duda no menos importante, había que proporcionar placer estético a los consumidores de arte, aunque la respuesta a esa necesidad iría mejorando lentamente a lo largo del siglo XVII.

La oferta creció sin grandes problemas hasta satisfacer la demanda. Pese a las incertidumbres del viaje transatlántico y a los peligros que a veces había que superar en las rutas terrestres, en la venta de imágenes religiosas a los consumidores del Virreinato había dinero. Desde principios del siglo XVI, artistas emprendedores de los Países Bajos venían fabricando piezas artísticas para los mercados de exportación, sobre todo para España. De especial importancia para el mercado novohispano fueron los grabados realizados por la imprenta de Plantino (después de Plantino-Moretus), que estaba situada en Amberes. A finales del siglo, la casa Plantino era la principal productora de libros ilustrados y estampas sueltas del mundo católico. Gozaba de la protección de Felipe II y sus productos eran muy solicitados tanto en España como en la colonia mexicana. No menos importante y prolífica fue la producción de imágenes religiosas de tres hermanos de Amberes, los Wierix [86]: Jan (1549-*ca.* 1618), Jerome (1553-1619) y Antón (*ca.* 1559-1604)[7]. Pese a su adicción al alcohol, cuando estaban sobrios los tres hermanos eran capaces de producir estampas a gran velocidad para los jesuitas y otros grupos de militancia católica.

86. Johan (Jan) Wierix, *Santa Marta,* 1586, grabado al buril,
Biblioteca Nacional de España, Madrid.

Una segunda e igualmente importante fuente de imágenes religiosas fueron en el siglo XVII los grabados que reproducían composiciones de Pedro Pablo Rubens[8]. Tras la muerte del maestro en 1640, se produjo una explosión en la producción de estampas basadas en obras suyas. Se ha calculado que entre 1615 y 1800 se realizaron más de dos mil, muchas de las cuales se enviaron a los territorios españoles en América. De la repercusión que tuvo esa transferencia de la iconografía rubensiana me ocuparé enseguida.

No menos importantes eran las obras que se producían en las fábricas de pintura de Amberes, un fenómeno que estamos empezando a conocer. Un ejemplo es la asociación que formaron Chrisostomo van Immerseel y Marie de Four-

menstraux, marido y mujer, quienes gestionaban un sofisticado sistema para proporcionar pintura al nuevo mercado español. Entre 1623 y 1648 enviaron desde Amberes hacia América, vía Sevilla, más de seis mil obras[9]. No es de extrañar que la mayoría fueran imágenes religiosas, pero en los envíos había también cuadros de tema profano, como paisajes, escenas de caza y de batalla y floreros, lo cual podría explicar el bajo nivel de la producción de esos géneros entre los artistas novohispanos, o incluso en la propia España.

También cruzaron el océano algunas obras de reconocidos pintores flamencos. El más destacado era Martin de Vos el Viejo. Todavía pueden verse algunos cuadros suyos en iglesias mexicanas, como por ejemplo el *Arcángel san Miguel,* obra de 1581 que está en la catedral de Cuautitlán [87].

Otro gran foco de producción eran los talleres de Sevilla. Los que han estudiado este comercio han tendido a centrarse en las exportaciones de obras de algunos artistas famosos, sobe todo Francisco de Zurbarán y Juan de Valdés Leal. Pero su producción para los mercados americanos es realmente muy reducida; de hecho, hasta ahora no se ha encontrado ningún documento que confirme el envío de cuadros del taller de Zurbarán a Nueva España. Un ejemplo más característico sería el del oscuro Juan de Luzón: el número de obras suyas que se conservan es inversamente proporcional al de su producción documentada[10]. Sabemos que entre 1647 y 1665 el taller de Luzón envió al Nuevo Mundo 1.509 cuadros, ninguno de los cuales se ha identificado. Y probablemente había otros artistas que como él abastecían a los mercados de las Indias.

Aunque es mucho lo que nos queda por conocer sobre el comercio de pintura entre Europa y Nueva España, sí podemos extraer algunas conclusiones provisionales. Con su enorme es-

87. Martin de Vos el Viejo, *Arcángel san Miguel,* 1581, catedral de Cuautitlán, México.

cala y su diversidad temática, ese comercio supuso la transferencia completa, de Europa a América, de una determinada cultura visual. Esa cultura visual procedía de dos de los principales centros de la monarquía de los Austrias, Amberes y Sevilla, seguidos a cierta distancia por Italia. Añade complejidad a la cuestión el hecho de que la propia Sevilla estuviera recibiendo continuamente ideas nuevas de Amberes. Así, Sevilla, Amberes y Ciudad de México formaban parte de un área cultural unida por la religión, la soberanía y la cultura visual de ellas derivada.

Las consecuencias que sobre la producción local tuvieron las obras importadas es una cuestión compleja y abierta. Ya nos hemos referido a una de ellas, la monopolización de los temas profanos, salvo el retrato, por los artistas europeos. Los pintores novohispanos tenían que hacer frente a una dura competencia, pues las obras importadas podían ser muy baratas; el aluvión de cuadros que llegaba del extranjero tendía a deprimir el mercado para todos los que participaban en él. No obstante, un ámbito en el que el mercado estaba más abierto y podía ser más lucrativo era el de la producción de retablos, pues tenían que adaptarse a las condiciones del edificio en el que se iban a instalar. Otro era evidentemente el retrato, que en teoría exigía la presencia física del modelo. Con todo, y pese a todas las similitudes, Ciudad de México no era Amberes ni Sevilla, y con el tiempo acabaría desarrollando sus propias concepciones del oficio de pintor, su propia manera de interpretar los modelos y, por lo tanto, su propia cultura visual.

III

Nuevas miradas, viejos maestros

13

Murillo, pintor de temas eróticos.
Una faceta inadvertida de su obra

A pesar de que en los últimos cien años el prestigio de la obra de Murillo ha sufrido un pronunciado declive, sus cuadros de tipo profano no han perdido nunca su vigencia. Quizá el atractivo de estas composiciones haya relegado a un segundo plano el problema de sus *fuentes iconográficas,* impidiendo así un análisis exhaustivo de su significado[1]. Murillo creó un número reducido de estos cautivadores cuadros; desde sus inicios, sin embargo, abordó la temática con una gran seguridad, que se iría incrementando con el paso de los años. Estas pinturas son también excepcionales porque parten de una muy limitada tradición en la pintura española. Exceptuando los magníficos bodegones del primer Velázquez, algunos de los pocos cuadros que dejó Alejandro Loarte y otras pinturas atribuidas a Antonio Puga, este género no fue apenas cultivado por los pintores españoles con anterioridad a Murillo. Estas dos observaciones nos llevan a pensar que Murillo encontró la inspiración para sus cuadros fuera de España. El propósito de este breve artículo es, por

tanto, estudiar los orígenes y la significación de este pequeño grupo de obras a las que les une la circunstancia de representar temas eróticos o amatorios, para así ampliar la base interpretativa del conjunto de obras profanas de Murillo.

Al comienzo de la carrera de Murillo, este género de pintura ya había asentado su prestigio en algunas zonas de Europa, especialmente en los Países Bajos, lugar donde surgió a finales del siglo XVI. Aunque no gozaba de mucha estima por parte de la crítica académica y de muchos artistas, era muy apreciado por los coleccionistas, y a mediados del siglo XVII se lo consideraba ya un género diferenciado, especialmente en Holanda y Flandes. Los pintores realistas flamencos estaban interesados, por supuesto, en plasmar y reflejar la vida y los ambientes de su entorno, pero eso no quita que en ocasiones manipularan los motivos o temas de sus obras para dotarlos de significados alegóricos o simbólicos. Aunque, a simple vista, algunas de estas obras aparenten ser representaciones de escenas y objetos seculares,

88. Michelangelo Cerquozzi, *Muchacha y niño cogiendo fruta*,
1640-1645, Museo Nacional del Prado, Madrid.

un minucioso examen descubre en ellos referencias ocultas, con frecuencia moralizantes o eróticas[2].

Los problemas que se plantean en la búsqueda de vínculos entre las obras de Murillo y algunos prototipos del norte de Europa son difíciles de salvar, pero no insuperables[3]. Aunque es cierto, como Valdivieso ha señalado, que muy pocos cuadros holandeses figuraban en colecciones españolas antes de finales del siglo XVII[4], abundaban las obras flamencas de tipo profano. Un grupo de pintores radicado en Italia y célebre por sus pinturas de género, que prefigura la de Murillo, había introducido su obra en algunas colecciones españolas. Estos eran los Bamboccianti, un conjunto de artistas holandeses, flamencos e italianos activos en Roma hacia mediados del siglo XVII[5]. Llamados así por su relación con el Bamboccio, apodo por el que era conocido el pintor holandés Pieter van Laer, los

Bamboccianti popularizaron una pintura de tema profano pero llena de lirismo y poesía que se asemeja mucho a la de Murillo[6]. La conexión de algunos Bamboccianti con ciertos mecenas españoles está bien documentada y probada. El duque de Alcalá, por ejemplo, que estuvo presente en Italia de 1625 a 1637, fue un importante protector de Van Laer y en 1636 el Bamboccio le dedicó una serie de seis láminas en las que se refiere al duque de Alcalá como tal[7]. La relación entre ambos la confirma un inventario no publicado de la almoneda del duque efectuado en Génova en mayo-junio de 1637, en el que se registran doce cuadros de Van Laer[8]. Se ignora, sin embargo, si otros cuadros del artista llegaron a estar en el palacio del duque en Sevilla.

El principal seguidor de Van Laer, Michelangelo Cerquozzi, también se movió entre círculos españoles en Roma, y hay constancia de su relación con un miembro de la embajada del conde de Monterrey hacia 1630[9]. Dichos contactos se mantuvieron durante el decenio de 1640-1650, cuando pinta una serie de composiciones muy elaboradas con personajes similares a los utilizados por Murillo. Compárense, por ejemplo, el cuadro *Muchacha y niño cogiendo fruta* (Museo Nacional del Prado, Madrid) [88][10] y el llamado *Joven vendedor de fruta* de Murillo (Múnich, Alte Pinakothek) [89]. El cuadro de Cerquozzi podría parecer sobrecargado al lado del de Murillo, pero ambos comparten una visión poética muy pareja. El trasfondo amoroso de la composición de Cerquozzi sugerido por la abundancia de fruta madura, especialmente de los simbólicos higos y granadas, no se da en el cuadro de Murillo, pero lo que la obra italiana demuestra es la manera en que a veces se deslizaban referencias eróticas en escenas de la vida cotidiana.

De todos los Bamboccianti, ninguno se aproxima tanto a Murillo como el infortunado Michael Sweerts, pintor nacido en Bruselas y que

89. Bartolomé Esteban Murillo, *Joven vendedor de fruta*, 1670-1675, Alte Pinakothek, Múnich.

90. Michael Sweerts, *Escena callejera, ca.* 1650, Accademia di San Lucca, Roma.

trabajó en Roma entre 1646 y 1652[11]. El enfoque elegíaco con que Sweerts dotaba a las escenas de la vida cotidiana, con sus humildes personajes de aire irreal, recuerda inmediatamente a las pinturas del mismo tipo de Murillo[12]. Al igual que ocurre con Cerquozzi, algunos de los cuadros de Sweerts contienen referencias veladas. La sensualidad del cuadro titulado *Escena callejera* (Galleria della Accademia Nazionale di San Luca, Roma) [**90**] está fuera de toda duda, como bien expresan los gestos del hombre y la mujer que se hallan en el centro de la composición. Sweerts utilizó dos símbolos que ponen de relieve la naturaleza carnal del encuentro. En primer lugar, la rueca que la mujer que está al fondo a la derecha sostiene en su mano, objeto que a menudo se empleaba como símbolo del órgano sexual masculino[13]. En segundo lugar, dentro de un grupo de figuras en primer plano vemos a una mujer que reposa su mano sobre la cabeza de un niño pequeño que está descansando en su regazo. Este motivo constituye en realidad una parodia de una composición que generalmente se adoptaba en la representación del tema de Sansón descansando sobre el regazo de Dalila y que aludía a la asociación tradicional que se hacía entre el regazo de Dalila y la prostitución[14]. En tal manera, la figura de la mujer ha de ser entendida como una especie de corruptora de la juventud o de alcahueta a la que habitualmente se la representa como a una mujer mayor con toquilla, mantón o turbante en la cabeza[15].

Este cuadro de Sweerts, fechado alrededor de 1648-1649, nos da la clave para interpretar el cuadro más característico de este género en la obra de Murillo, el incongruentemente llamado *Grupo familiar* o *Cuatro figuras en un escalón* (Kimbell Art Museum, Fort Worth) [**91**]. Siguiendo con su práctica habitual de suprimir detalles escénicos, Murillo sitúa a cuatro personajes de baja condición sobre un fondo indefinido que dirigen sus miradas al espectador como si estu-

vieran posando para una fotografía. La comparación con el cuadro de Sweerts revela lo inadecuado del título y demuestra que Murillo, como Sweerts, estaba en realidad ilustrando una escena de prostitución. Murillo repite el motivo de la mujer arrabalera con la cabeza de un niño en su regazo. La mirada atrayente e indiscreta de una joven en este tipo de pintura, como aquí sucede, encarna la sensualidad[16]. En este contexto, la caída del mantón podría aludir a aquello que la mujer está dispuesta a ofrecer[17]. En el cuadro de Sweerts el mantón ha sido desplazado y es relegado a una silla cercana como si sugiriera descuido, quizá porque el encuentro amoroso esté teniendo lugar en ese mismo momento. El papel del joven que lleva un sombrero es más ambiguo, y se antoja difícil saber si es un cliente o un rufián. El hecho de que la mujer esté apoyando la mano sobre su hombro podría indicar que está llamando la atención de un posible cliente.

Por supuesto, nada nos induce a pensar que Murillo conociera el cuadro de Sweerts. Sin embargo, la relación entre ambos artistas la explica el conocimiento que tenían de las mismas fuentes de inspiración, la pintura flamenca y holandesa, donde no escasean las obras de este tipo. Los cuadros de tema erótico de los caravaggistas holandeses, como Honthorst, Baburen, Terbrugghen y Rombouts, entre otros, son representativos de la tradición adoptada y adaptada tanto por Murillo como por Sweerts. De hecho, incluso el modo en que los personajes miran directamente al espectador constituye un gesto erótico usado por ambos maestros.

En la actualidad, resulta imposible verificar si Murillo llegó a familiarizarse con este tipo de pintura por medio de fuentes flamencas, italianas o ambas. Angulo ha observado agudamente cómo algunos de estos cuadros de Murillo pertenecieron a comerciantes flamencos y holandeses de Sevilla, como por ejemplo Joshua van Belle[18],

91. Bartolomé Esteban Murillo, *Cuatro figuras en un escalón*, 1655-1660, Kimbell Art Museum, Fort Worth, Texas.

y es posible que fueran estos mecenas los que pusieran en conocimiento del artista sevillano ese tipo de obras creadas por sus paisanos, ya fuera facilitándole el acceso a los cuadros mismos o mediante descripciones verbales. Hay otras evidencias pictóricas, en cualquier caso, del contacto de Murillo con la tradición norteña europea del cuadro de costumbres y, más específicamente, de la pintura de género erótica.

Esta interpretación del *Grupo familiar* nos allana el camino para el análisis de otra obra de Murillo, la *Anciana espulgando a un niño* [**92**]. Aquí Murillo ha extraído un motivo de un cua-

dro erótico —el joven que descansa su cabeza en el regazo de la vieja— para reformularlo desde otro punto de vista. Como era su costumbre en este tipo de pinturas, el artista prefirió tratar el tema de forma indirecta en lugar de hacerlo de un modo explícito. El cuadro de Múnich retrata a la mujer en el momento en que retira los piojos del cuero cabelludo del muchacho, un acto que puede relacionarse con el uso ocasional que se hacía de este insecto como símbolo erótico[19]. Las implicaciones sexuales de la escena son amplificadas por la presencia de la rueca y el huso, que se sitúan de manera destacada en la zona

92. Bartolomé Esteban Murillo, *Anciana espulgando a niño,* 1655-1660, Alte Pinakothek, Múnich.

93. Bartolomé Esteban Murillo, *La joven de la flor,* 1665-1670, Dulwich Picture Gallery, Londres.

inferior derecha. El botijo y el jarro, junto al paño arrugado, por último, también podrían constituir elementos simbólicos. Era común que se utilizaran vasijas como símbolos del órgano sexual femenino, mientras que, al igual que sucede en el cuadro de Sweerts, el tejido arrugado evoca probablemente abandono moral. El mensaje que se había de extraer de este vocabulario simbólico podía tener fines moralizantes, como llamada de atención a los jóvenes y para prevenirlos de los peligros de las relaciones indecentes.

La conexión de Murillo con la tradición de la pintura erótica se muestra de cerca en una de sus obras más representativas, *La joven de la flor* (Dulwich Picture Gallery, Londres) [**93**]. Este cuadro, a simple vista inocente, contiene algunos elementos que revelarían la presencia de connotaciones amorosas. En concreto, la composición está basada en el prototipo de Flora. Como Julius Held ha estudiado, los artistas renacentistas y barrocos representaban a Flora de diferentes guisas, una como diosa de la primavera —la casta Flora— y la otra como la famosa cortesana romana —la llamada Flora inmoral[20]. Según Held, la predominancia de la imagen de la casta Flora empezó a declinar durante el siglo XVI, mientras que los cuadros que representaban a Flora inmoral se hicieron cada vez más frecuentes, sobre todo durante el siglo XVII, momento en que esta variante se establece como modelo.

La Flora cortesana solía aparecer como una figura aislada que, según la descripción de Ripa, está «coronata di fiori, de' quali ha anco piene le mani»[21]. Murillo sigue claramente este precepto: en su cabellera la joven luce un capullo, mientras que en su regazo reposa un pequeño ramo de rosas, la flor que desde antiguo se asocia con el amor. Hay que destacar el hecho de que la joven esté alejando las flores de sí y acercándolas a los espectadores del cuadro. Mostrarlas en gesto oferente, en vez de sostener simplemente el ramo, es otra característica de la iconografía de Flora.

En otros aspectos, sin embargo, Murillo se distancia de los prototipos habituales. La Flora inmoral solía ser representada a la *déshabillé* o parcialmente desnuda, mientras que la muchacha pintada por Murillo está completamente vestida. Esta importante distinción se explica por el pudor con que Murillo trataba los temas profanos, quizá limitado por la severidad moral que imperaba en la Sevilla de su tiempo. Esto no le impidió incluir otros dos motivos más que señalan claramente su conocimiento del tema de la inmoral Flora. Estos son su sonrisa y cabello despeinado derramado sobre los hombros, característicos de las representaciones profanas y particularmente de la imagen de Flora[22].

Estas tres obras profanas, en el caso de que lo fueren, nos proporcionan el marco perfecto para profundizar en una cuarta, la magnífica obra conocida como *Mujeres en la ventana* (National Gallery of Art, Washington D.C.) [**94**]. Hace algunos años, Sánchez Cantón volvió a sugerir una idea que ya había sido enunciada a principios del siglo XIX: que el cuadro representaba una escena de prostitución[23]. De nuevo la confirmación de esta lectura estriba en la posibilidad de relacionar algunos elementos de este cuadro con la tradición norteña del cuadro profano.

Las escenas de prostíbulo eran frecuentes en la obra de artistas flamencos y holandeses del siglo XVII. En estos cuadros, a las prostitutas se las identificaba por sus trajes cortos y sus caras sonrientes. Muchos de estos pintores también realizaron retratos de prostitutas, que contribuyeron a establecer más claramente este tipo iconográfico. Quizá el más famoso de estos sea *La Gitanilla* de Frans Hals (Museo del Louvre, París) en el que la esquiva sonrisa y el bajo escote de la modelo revelan la profesión del personaje[24]. Murillo, como le es habitual, afronta el tema de manera elusiva, lo

94. Bartolomé Esteban Murillo, *Mujeres en la ventana*, 1655-1660, National Gallery of Art, Washington D.C.

95. Bartolomé Esteban Murillo, *Pícaro mofándose de anciana comiendo migas,* 1660-1665, Dyrham Park, Gloucestershire.

que hizo que su significado se disimulara. Pero para el espectador del siglo XVII el cuadro se explicaba perfectamente gracias a sus referencias a una tradición entonces todavía vigente[25].

Si consideramos estos cuatro cuadros parte de un conjunto temático, nuestro juicio sobre Murillo necesariamente requiere ser ampliado, pues revelan un insospechado aspecto de su personalidad artística. La simple idea de que los pintores de temas religiosos de Sevilla tuvieran interés alguno en imágenes eróticas nos resultará extraña únicamente si damos por supuesto que a los santos debían retratarlos artistas igualmente santos. Sospecho que nuestra comprensión de la personalidad de Murillo ha estado distorsionada por un déficit de entendimiento respecto a su arte, y que ni la una ni lo otro eran tan sencillos como todavía nos parecen.

De manera análoga, esta aproximación de Murillo a la tradición profana sólo ha de sorprender a quien lo crea aislado de las novedades artísticas de otros lugares de Europa. Pero Sevilla en el siglo XVII era un importante núcleo comercial, mercantil y artístico. En un artículo reciente, Duncan T. Kinkead ha publicado un resumen de los inventarios de 159 coleccionistas sevillanos redactados entre 1655 y 1665[26]. A estos coleccionistas locales hay que sumar los extranjeros residentes en Sevilla (alguno de los cuales eran clientes de Murillo) y las obras que se dirigían al Nuevo Mundo. Es muy posible que un artista tan sagaz como Murillo llegara a tener conocimiento del vocabulario de símbolos, gestos y expresiones que se estilaba en algunos países del norte de Europa. Pero quizá la evidencia más fuerte resida en sus obras mismas. B. W. Meijer, en un pasaje donde analiza una obra de Frangipane, nos regala una concisa definición del gesto y la expresión del muchacho de un cuadro de Murillo conservado en Dyrham Park *(La vieja y el niño)* [95]. «Este gesto... el índice extendido, con los otros tres dedos recogidos y el pulgar apoyado sobre el dedo

corazón indica reproche. Con una sonrisa en los labios, mofa y desprecio»[27]. Esto sugiere que las obras de género de Murillo podrían contener muchos detalles irreconocibles hasta ahora pero que podrían ser descifrados traduciendo este lenguaje silencioso de gestos o localizando su significado dentro de esos esquemas iconográficos establecidos, siguiendo el modelo empleado en el estudio de la pintura holandesa y flamenca[28]. Cometeríamos, no obstante, una imprudencia si pensáramos que todos los cuadros profanos de Murillo contienen un mensaje erótico oculto.

La identificación de las fuentes iconográficas de Murillo nos permite apreciar la notable simplicidad y sobriedad de su trabajo como pintor de temas profanos. Los pintores barrocos flamencos e italianos abrumaban al espectador con detalles e incidentes pintorescos y su sentido de teatralidad. De su populoso mundo, Murillo extrajo lo esencial, y dotó a sus pinturas de un enfoque que, a pesar de su atractivo visual, consigue ser directo sin pecar nunca de exagerado. Su original reinterpretación de una importante tradición pictórica da a entender que este género consistía en algo más que en simples retratos de jovenzuelos puros e inocentes complacidos en su propia pobreza, incluso en los casos en que el artista no tuvo intención de añadir significados ulteriores. En este género, así como en sus obras religiosas, Murillo, cuidadosamente, interpretó y sintetizó los convencionalismos artísticos que sus clientes exigían. Es obvio que Murillo no era un intelectual, como su paisano Velázquez. Pero sí era, sin duda, astuto, y por medio de la práctica y la experimentación supo sacar provecho de su gran talento. El redescubrimiento de su inteligencia artística y de su carácter único en el conjunto de la historia del arte europeo de su tiempo debería ser un objetivo primario para los estudiosos y admiradores de este magnífico pintor.

14

Los dibujos y grabados de Ribera

José de Ribera reclama con toda justicia un puesto entre los grabadores y dibujantes más creativos de su tiempo[1]. El interés que profesó por esas dos artes, sin embargo, fue marcadamente diferente. Para Ribera, el grabado constituyó una aventura pasajera a la que se dedicó brevemente y siempre de modo accesorio a su actividad principal de pintor. Su pasión por el dibujo, por el contrario, la cultivó durante toda su vida, y este arte le permitió dar rienda suelta a ciertos aspectos de su personalidad que muy rara vez encontraron acomodo en su pintura. A pesar de las diferencias fundamentales con que abordó estos dos medios gráficos, en Ribera el grabado y el dibujo guardan un elemento en común: un magistral y original uso de la línea como medio de expresión artística. Si como pintor Ribera fue un brillante intérprete de la tradición pictórica, como artista gráfico indagó y halló nuevas formas de poner en práctica técnicas anteriores.

RIBERA, GRABADOR

Los primeros pasos de Ribera en el arte del grabado se remontan a 1615-1620, fecha que coincide con la de sus primeras pinturas conocidas. Ninguno de los grabados conservados parece atribuible a los años previos a su llegada a Nápoles (es decir, antes de 1616). Mientras que es razonable creer que Ribera dibujó desde los inicios mismos de su carrera, su interés por el grabado no floreció hasta que se asentó en Nápoles. Fue más tarde, en la década de 1620, cuando comenzó su intensa pero fugaz fascinación por el aguafuerte.

Que fuera este último el medio que le atrajo y no la entalladura en madera o el grabado a buril se debe probablemente a la semejanza del aguafuerte con el dibujo y a su sencillez de ejecución. El grabado tradicional en madera o cobre exige un control técnico mucho mayor que el aguafuerte, además de ser un método más lento. Ribera buscaba, más bien, resultados inmediatos con efectos inmediatos. Esto explica que su ma-

96. José de Ribera, *San Bernardino de Siena, ca.* 1620, aguafuerte, British Museum, Londres.

za pictórica capaz de reproducir los variados efectos de luz, sombra y textura propios de la pintura.

Los inicios de Ribera como aguafuertista quedaron reflejados en dos pequeños grabados, el primero de ellos, una representación de *San Sebastián,* el otro, un *San Bernardino de Siena* [96][2]. Estas estampas son en esencia poco más que dibujos esquemáticos a base de líneas, solo que realizados sobre una lámina de cobre, como confirma la comparación con uno de sus clásicos rasguños a la pluma de la década de 1620. Estos grabados, como también sus dibujos, se caracterizan por el empleo de trazos muy rotundos y de grosor uniforme y una ausencia casi total de entrecruzamientos de líneas. Las sombras aparecen, por ello, transparentes, prescindiendo de contrastes de luz y sombra o de sensación alguna de relieve.

Si bien no nos es posible datar con precisión estas dos estampas, sus características estilísticas inducen a pensar en una fecha en torno a 1616-1620. En 1621 Ribera firmó y fechó una estampa de mayores dimensiones y más ambiciosa, *San Jerónimo y la trompeta del Juicio Final* [97][3]. Este grabado conjuga pasajes de increíble sutileza con otros que solo cabe definir como torpes. Lo más logrado de esta estampa es sin duda la figura del santo, que nos muestra a un Ribera que ya piensa como aguafuertista y no como dibujante. Sin sacrificar el vigor de su nítido estilo lineal, Ribera comienza a descubrir las posibilidades que las tramas de trazos cruzados le ofrecen a la hora de evocar sombras de densidades diversas y modelar la estructura de los cuerpos. Introduce en este momento también la técnica de la punta seca y en determinadas zonas de la composición refuerza las sombras con algunas pequeñas líneas incisas. Aparece aquí también, por último, el punteado, los diminutos trazos moteados que construyen las tintas medias en el torso del san-

nejo del aguafuerte nunca alcanzara niveles excesivos de complejidad, así como su relativa indiferencia por las posibilidades técnicas que este medio ofrecía. A diferencia de Rembrandt, el grabador más importante de su tiempo, Ribera nunca sintió la necesidad de retocar las láminas de cobre una vez abiertas o de utilizar complicados procedimientos para ampliar el registro de efectos tonales de sus grabados jugando con la mordida del ácido. No era tampoco un grabador meticuloso, y los rayones y desperfectos que deslucen algunos de sus aguafuertes, incluso en impresiones tempranas, revelan cierto descuido a la hora de manipular las láminas. Pero incluso teniendo en cuenta estos condicionantes que él mismo se impuso, Ribera supo entender, por primera vez en la historia del grabado, el potencial del aguafuerte como arte gráfica de naturale-

97. José de Ribera, *San Jerónimo y la trompeta del Juicio Final,* 1621, aguafuerte, The Metropolitan
Museum of Art, Nueva York.

to. La combinación de estas técnicas, sumadas al dominio de la forma connatural a Ribera, le permitieron recrear los efectos de luz y la textura de las superficies con gran convicción y autoridad, como simboliza mejor que nada la maravillosa *vanitas* que forman los libros y la calavera de la esquina inferior izquierda.

En contraste con este manejo meticuloso del punzón, el fondo está resuelto muy espontáneamente, casi garabateado. Los trazos en forma de lazo que definen la superficie de la roca se disponen sobre el papel sin orden ni concierto, malogrando así la ilusión de volumen. El cielo está trabajado con cierta crudeza, por medio de trazos paralelos que rebasan los límites de la masa rocosa adyacente. Por si fuera poco, en cada una de las impresiones que conservamos de este grabado hay dos pares de rayaduras paralelas que malogran la composición de extremo a extremo, seguramente fruto de una abrasión accidental de la lámina. Cómo se produjeron esas marcas es un misterio, pero dejan en mal lugar la meticulosidad de Ribera como grabador.

Vinculada a este *San Jerónimo y la trompeta* encontramos la *Lamentación,* estampa técnicamente algo menos avanzada que aquella y probablemente algo anterior[4]. Exceptuando el cuerpo de Cristo, donde hace uso limitado del punteado, el artista sugiere las sombras utilizando amplios cruces de líneas. El buril lo emplea en algunas partes con cierto descuido, especialmente en la zona de sombra que se interpone entre la Virgen María y san Juan, cuya confusión acrecientan las líneas en paralelo al cuerpo de Cristo. El celaje está resuelto una vez más de modo sumario, delineado otra vez por una serie de líneas paralelas que dotan a toda esta zona de un aspecto plano. Estos detalles no muy afortunados han hecho que la crítica, entre la que me incluyo, haya pasado por alto los elementos en común entre esta estampa y sus primeros grabados, además de la contenida pero conmovedora plasmación de las emociones tan típica de Ribera.

Otra segunda estampa, firmada y fechada en 1621, es la soberbia *La penitencia de san Pedro* [98][5]. Esta es la obra con la que Ribera alcanza la madurez como grabador. Tanto es así que resulta difícil de creer que este tránsito de principiante a maestro pudiera haberse producido con tal rapidez. De cualquier manera, las diferencias no son tan grandes como parecería a simple vista. En lo esencial, la técnica es idéntica a la de *San Jerónimo y la trompeta,* si bien dando muestra de un dominio de ejecución mucho mayor. Esto hace que la impresión visual resulte mucho más potente y que los detalles aparezcan más elaborados, como revela el análisis por separado de cualquiera de sus elementos. El cuidadoso modulado de las sombras y el blanco del papel, que integra brillantemente para marcar las luces, confieren una presencia rotunda al santo. Como en el ejemplo anterior, el artista presta más atención a la figura que al fondo. Aunque las rocas aparecen más definidas y resultan más convincentes que el fondo de *San Jerónimo,* comparándolas con la imagen del santo apenas si están abocetadas. Por el contrario, la sensación de profundidad del paisaje está resuelta con apreciable efectividad y economía de medios.

Una segunda versión de *San Jerónimo y la trompeta,* cercana estilísticamente a la estampa anterior, es *San Jerónimo y el ángel*[6]. Recientemente se ha sugerido una fecha de en torno a 1626 para esta obra, principalmente en razón de su semejanza con dos pinturas del mismo tema también de ese año[7]. Sin embargo, el estilo de *San Jerónimo y el ángel* no parece compatible con el de sus otros grabados de finales de los años veinte, mientras que encaja impecablemente con sus estampas de alrededor de 1621. Aunque Ribera enriquece la composición en esta ocasión añadiendo un ángel, el tratamiento confuso del fondo rocoso no mejo-

98. José de Ribera, *La penitencia de san Pedro,* 1621, aguafuerte, The Metropolitan Museum of Art, Nueva York.

99. José de Ribera, *El poeta,* 1621, aguafuerte, The Metropolitan Museum of Art, Nueva York.

ra gran cosa y continúa siendo muy similar al de la primera versión de este tema.

La última composición de figuras dentro de este grupo de aguafuertes es *El poeta* [**99**], una de las estampas más logradas y una de las creaciones más memorables de Ribera[8]. Aunque ha habido intentos de identificar la figura del poeta aquí representado mediante análisis o investigación, lo más probable es que Ribera estuviera ilustrando un tipo humano y no retratando a ningún individuo en particular[9]. A través exclusivamente de tramas de líneas paralelas y cruzadas, Ribera creó una poderosa representación de la inspiración poética. Las mínimas pero intensas concentraciones de negro de sombra del contorno del rostro y el drapeado contribuyen a generar esa sensación de imponencia de una figura absorta en la más

profunda de las reflexiones. La acertada yuxtaposición del monumental personaje y el enorme bloque de piedra refuerza, además, el tono meditativo y grave de esta brillante escena.

El interés de Ribera pasa de las composiciones de figuras a la fisonomía en 1622. Datan de este año dos grupos diferentes de aguafuertes compuestos respectivamente por tres y dos estampas. El primero de ellos lo forman tres representaciones de cabezas, todas ellas firmadas y una además fechada (1622). Estas estampas están relacionadas con los manuales de enseñanza artística que comienzan a aparecer en el siglo XVI[10]. Su prototipo más inmediato son dos colecciones de estampas para artistas noveles publicadas en 1608 y 1619[11]. Ignoramos que llevó a Ribera a interesarse por este particular. Él mismo era un dibujante experimentado y de talento innato, aunque curtido en la práctica del dibujo de figuras, y, como poco, estas estampas dan constancia de su dominio de este arte. Qué le empujó, ya fuera de manera ocasional o no, a realizar esta contribución a la didáctica artística es un misterio, aunque estas composiciones bien pudieron serle útiles en la instrucción de sus aprendices. Cualquiera que fueran los motivos, sus *Estudio de orejas* y *Estudio de ojos* [**100**] se

100. José de Ribera, *Estudio de ojos,* 1622, aguafuerte, British Museum, Londres.

inscriben de manera clara en esta tradición de libros de patrones para dibujo[12]. La tercera de las estampas va más allá de una enseñanza básica y trata de una materia más compleja, la representación de las emociones[13]. El registro de expresiones que Ribera despliega abarca en dramático contraste la serenidad y el terror o el dolor, el silencio más hondo y el estrépito. (De hecho, uno de estos modelos, su *boca aullando,* reaparecerá más tarde en su propia obra, en la figura de Marsias, protagonista de las dos pinturas sobre el tema de *Apolo y Marsias* de 1637).

El resto de estampas fisionómicas ilustran cabezas grotescas[14]. Es principalmente en sus grabados y dibujos donde la curiosidad de Ribera por lo grotesco queda patente de manera más evidente. Tomando como inspiración a Leonardo da Vinci, en el siglo XVI los artistas empezaron a sentir una fascinación creciente por el mundo de lo grotesco, tema este que Ribera estudiaría con detenimiento[15]. Su *Cabeza grotesca en grande,* de hecho, parece estar basada en un grabado de gran tamaño del siglo XVI realizado por Martino Rota, influencia que resulta aún más llamativa en el dibujo preparatorio que Ribera hizo de este mismo aguafuerte[16, 17].

La *Pequeña cabeza grotesca* [**101**], firmada por el artista y fechada en 1622, es algo más comedida. También en este caso se ha descubierto un dibujo preparatorio bastante parecido al grabado final y que, todo indica, fue confeccionado para utilizarlo de guía durante la elaboración de la lámina[18].

Para finales de 1622 Ribera había terminado ya la mayoría de sus estampas, y solo cuatro de sus composiciones conocidas son posteriores a esa fecha. En estas cuatro obras, sin embargo, el artista alcanzó cotas inéditas de virtuosismo y refinamiento técnico. De 1624 proceden dos estampas magistrales, el teatral *Martirio de san*

101. José de Ribera, *Pequeña cabeza grotesca,* 1622, aguafuerte, British Museum, Londres.

Bartolomé [**102**], firmado y fechado, y el más contenido *San Jerónimo leyendo*[19, 20]. Ribera abordó estas estampas con notable detallismo y haciendo un mayor uso de su técnica del punteado para animar tonalmente las composiciones. Otro de sus recursos, sus levísimas incisiones a punta seca, proporcionan unos tonos medios grisáceos de apariencia borrosa. Ciertas impresiones de *San Jerónimo leyendo* muestran un fino velo de tinta, residuo que quedó al pasar el paño sobre la lámina y que atenúa el pronunciado contraste entre luces y sombras que caracterizaba a sus estampas anteriores. El equilibrio entre una consumada maestría técnica y una poderosa imaginación artística hace de estas composiciones unas de las más sobresalientes creaciones de todo el grabado del siglo XVII.

102. José de Ribera, *El martirio de san Bartolomé,* 1628, aguafuerte, British Museum, Londres.

103. José de Ribera, *Sileno ebrio,* 1628, aguafuerte, British Museum, Londres.

En 1628 Ribera concluye otro importante aguafuerte, el *Sileno ebrio* [**103**], inspirado en la pintura del mismo asunto de dos años antes[21]. Desde un punto de vista técnico, este grabado es la obra maestra del artista, una demostración de su control absoluto del punzón de aguafuertista. Especialmente meritoria es la evocación de las texturas: el vello hirsuto de los sátiros, el áspero tacto de la cuba, la tersa holgura de las carnes de Sileno, a los que insufla vida con gran naturalidad. Un elemento en la composición manifiesta por encima de todo la pericia de Ribera: el líquido que, al exprimir el odre, se derrama en el recipiente que Sileno sostiene en el aire.

En vista de todo lo anterior, ¡qué extraordinario es que Ribera solo realizara ya una estampa más durante el resto de su carrera y veinte años después de *Sileno ebrio!* Y no lo es menos que esta fuera hecha tras superar una enfermedad incapacitante y que sea de una calidad comparable. Hablamos del aguafuerte *Retrato ecuestre de don Juan de Austria* [**104**], firmado y fechado en 1648[22]. Basta un vistazo rápido para cerciorarnos de que los años transcurridos no hicieron mella en sus grandes habilidades como aguafuertista.

104. José de Ribera, *Retrato ecuestre de don Juan de Austria*, 1648, aguafuerte, British Museum, Londres.

La abrupta decisión de Ribera de interrumpir su producción de grabados en 1630 de manera casi definitiva resulta sorprendente. Aunque en cierto sentido no era raro en el contexto del Barroco italiano que los pintores practicaran esta forma artística sin demasiado entusiasmo, sí lo es que abandonara el arte del grabado justo cuando empezaba a dominarlo. Es muy probable que nunca lleguemos a conocer los motivos reales detrás de esta decisión, pero esto no nos exime de abordar esta cuestión dada la importancia que entraña para comprender la carrera de Ribera como aguafuertista.

Es inevitable que cualquier intento de explicar plausiblemente las vicisitudes de Ribera en el arte del aguafuerte se detengan en primer lugar en los motivos que pudieron llevarle a iniciarse en él. Aunque las razones de fondo se nos escapan, hay ciertos hechos evidentes. Primeramente, parece obvio que Ribera carecía de vocación de grabador, tal y como indica su relativa indiferencia por las posibilidades técnicas del medio. Para Ribera, el aguafuerte era más un entretenimiento que una actividad profesional, y tan pronto como alcanzó sus objetivos artísticos en el grabado se dio por satisfecho. Podemos afirmar, *grosso modo,* que la meta de Ribera era, sencillamente, traducir a un equivalente gráfico el lenguaje «tenebrista» de la pintura de Caravaggio (del que él mismo era un exponente en la misma época en que llevó a cabo estos grabados). Conseguido tal propósito, no debió de hallar demasiados motivos para continuar experimentando. Que el *Retrato ecuestre de don Juan de Austria* de 1648 sea idéntico, técnicamente hablando, a *Silenio ebrio* (1628) apunta a que Ribera dejó de ver este medio como un reto.

A estas consideraciones estrictamente artísticas podríamos añadir, quizás, una explicación práctica a su acercamiento al aguafuerte. Es posible que la intención de Ribera fuera tan solo dar a conocer sus talentos artísticos a una clientela mayor de la que tenía en Nápoles[23]. Esta hipótesis la fundamenta la relación constatable entre sus grabados y ciertas pinturas de su autoría. De las seis estampas de figuras que elaboró en la década de 1620, seis de ellas están relacionadas de modo más o menos directo con otras pinturas previas *(Don Juan de Austria* está también basado en una composición pictórica).

La relación entre los grabados de Ribera y sus pinturas es un tema que ha venido suscitando en los últimos tiempos un interés cada vez mayor entre los estudiosos del artista[24]. La primera vez que me ocupé de este asunto en 1973, mi opinión era que, por lo general, las estampas eran independientes de las pinturas. Hoy en día, tras la limpieza y restauración de las pinturas de la Colegiata de Osuna y su retorno al canon de obras auténticas de Ribera, así como tras el descubrimiento de la que creo que se trata de una copia del *Martirio de san Bartolomé,* una de sus primeras pinturas napolitanas, esta idea resulta difícil de sostener[25, 26]. En el conjunto de Osuna aparecen dos composiciones posteriormente grabadas por Ribera —*San Jerónimo y el ángel* y *La penitencia de san Pedro*—, mientras que la copia del *Martirio de san Bartolomé* es prototipo de la estampa de idéntico tema. La relación entre el *Sileno ebrio* y la versión pictórica de Ribera del mismo tema de 1626 era ya conocida. Y, aunque no tengamos constancia de la existencia de un modelo exacto de la *Lamentación,* es probable que el aguafuerte reproduzca la pintura que Mancini describió como *Christo deposto* y, en parte, la composición de la famosa *Piedad* de la Cartuja de San Martino de 1637[27]. Las únicas estampas huérfanas que quedarían entre sus principales composiciones de figuras serían, por tanto, *San Jerónimo leyendo* y *El poeta.*

La relación entre pinturas y estampas refuerza la idea de que, quizás por pura vanidad, Ribera se embarcara en el arte del aguafuerte con el simple propósito de aumentar la difusión de sus obras, confiando en que la fama de sus grabados le procurara encargos en el extranjero. Si damos por bueno este argumento indirecto, entonces es probable que la razón de su abandono fuera bien el fracaso de esta estrategia o, por el contrario, un éxito tal que hiciera innecesario seguir realizando aguafuertes. Lo prolífico de su producción pictórica de la década de 1630 inclina la balanza hacia esta última hipótesis.

Hechas estas consideraciones sobre Ribera y el grabado, debemos precisar que sería un error juzgar sus composiciones de figuras al aguafuerte simples réplicas mecánicas de sus cuadros. Es más, en todos los casos las estampas son superiores —y, en alguna ocasión, con mucho— a sus modelos pictóricos. Esto lo evidencia la comparación de las pinturas de Osuna con sus estampas correspondientes. Incluso en aquellos grabados de época posterior que se derivan de pinturas, como el *Sileno ebrio,* las modificaciones que introduce, aunque discretas, añaden interés, equilibrio y armonía al original. Esos cambios reflejan el método de trabajo predilecto de Ribera, que, a la hora de enfrentarse a cualquier tema, prefería siempre readaptar modelos compositivos predeterminados antes que empezar de cero. Al menos un grabado nos permite trazar el proceso de conversión de un tema pictórico a una composición al aguafuerte. En el dibujo que representa el motivo central de la pintura del *Martirio de san Bartolomé* el artista modificó las poses de los dos personajes centrales[28]. En la pintura, la pierna del santo limita con una figura en cuclillas, a la que dirige su mirada el verdugo que blande el cuchillo, interrumpiendo así por un instante su horrenda tarea de desollar al mártir. En el dibujo y, posteriormente, en el graba-

do, el santo, que presenta las manos atadas por encima la cabeza, aparece arrodillado sobre una roca mientras el verdugo prosigue con sus menesteres. Que Ribera realizara un estudio preparatorio para la estampa señala que el artista la consideraba merecedora de toda su atención, algo que solo se explicaría si su fin era atraer a posibles clientes.

Fueran o no útiles a tal propósito, resulta incuestionable que sus estampas contribuyeron a dar a conocer su arte a un público cada vez más amplio, entre el que se encontraban algunos de los pintores que posteriormente reutilizaron las composiciones de Ribera en sus propias obras. Aun residiendo en el extremo más meridional del occidente de Europa, gracias a sus grabados Ribera se convirtió en uno de los artistas más conocidos e imitados de todo el siglo XVII. El número de pinturas, de artistas relevantes o no, que se basan en grabados de Ribera es incalculable[29]. Sirvan de ejemplo de todas estas variantes las copias de *San Jerónimo y el ángel* confeccionadas por dos pintores del siglo XVII, uno español y otro italiano. El primero de ambos es nada menos que Guercino, que utilizó este grabado como punto de partida para su *San Jerónimo de Rímini;* el español Antonio de Pereda, por su parte, transformó con bastante ingenio a san Jerónimo en san Pedro en una de sus pinturas pero mantuvo la pose. Más de siglo y medio después de que fueran realizadas, todo artista que tuviera ante sí el reto de representar a san Jerónimo seguía teniendo este grabado como referente, y en 1780 hasta Jacques-Louis David transmutó al huesudo eremita de Ribera en un incomprensiblemente lozano asceta[30]. En conclusión, puede decirse que la breve incursión de Ribera en el arte del aguafuerte iba a tener duraderas consecuencias en la historia de la pintura.

Ribera, dibujante

Si la del grabado fue una ocupación episódica en la trayectoria de Ribera, su interés por el dibujo se mantuvo constante. Algo más de un centenar de dibujos se le atribuyen plausiblemente a su mano, pero hay motivos para creer que estos constituyen solo una pequeña parte de su producción total. Según el escritor napolitano del siglo XVIII Bernardo de Dominici, el artista dibujó durante casi todos los días de su vida.

> Por las tardes, tenía por costumbre dibujar aquello que iba a pintar el día siguiente y, tan pronto como decidía qué quería hacer, realizaba un dibujo muy acabado utilizando la pluma, la aguada y acuarela o, las más veces, la sanguina, aunque a veces usaba el lápiz negro. A continuación, pasaba a pintar la figura a partir de un modelo al natural [...]. Su continuo estudio [de este arte] lo atestigua el gran número de dibujos que se conservan de él[31].

Aunque posterior casi un siglo a su muerte, en lo fundamental este testimonio resulta creíble, como evidencian las obras de Ribera conservadas y que confirman que fue un versátil y prolífico dibujante. Como observó De Dominici, la mayoría de los dibujos los ejecutó en alguno de los siguientes medios, según conviniera en función de sus cualidades materiales: pluma y tinta sepia, a veces realzada con aguada, o, si no, sanguina, sola o en combinación con lápiz negro.

En este último medio, Ribera solía realizar dibujos muy esmerados, minuciosos y elaborados y que hoy denominaríamos «académicos». Esas obras, continuadoras de la tradición del dibujo clásico italiano, eran interpretaciones escultóricas de la figura humana. Sus dibujos más perfilados proceden de la época anterior a 1630, como por ejemplo *Cristo golpeado por un verdugo* [105][32]. Ribera establecía primero los contor-

105. José de Ribera, *Cristo golpeado por un verdugo*, 1624, sanguina, British Museum, Londres.

nos nítidamente, para modelar después con gran finura la interacción de luz y forma por medio de líneas ligeramente espaciadas cuidadosamente moduladas y que se adentran en esa zona de aspecto más desvaído logrado mediante la utilización del canto del lápiz. Las sombras de las figuras, por otra parte, las resuelve con trazos diagonales más densos y rotundos, como se percibe en el plinto en que se apoya Cristo. En el dibujo de *Susana y los viejos* emplea una técnica similar, y para acentuar la tersura y blancura de la piel rodea a aquella de una especie de envoltura compuesta de diminutos trazos en diagonal que delinean el perfil del cuerpo[33]. Esos recursos son casi los mismos que los que utilizaba en sus aguafuertes, y nos revelan la vertiente más exquisita de Ribera como artista gráfico. Con el paso del tiempo sus dibujos al lápiz negro y la sanguina se volverían más sueltos y narrativos, como refleja el que posiblemente se trate del estudio preparatorio de los pastores de la pintura de *La adoración de los pastores* de 1650 (Museo del Louvre)[34].

Aunque Ribera era capaz, como en efecto demostró en varias ocasiones, de ejecutar dibujos a la pluma muy acabados, desarrolló también un estilo más abreviado y expeditivo como dibujante, repleto de tensión y de una fuerza palpitante, en contraste con la monumentalidad y rotundidad de sus pinturas. En un dibujo de un asunto no identificado y que probablemente se fecha en la década de 1620, las figuras quedan reducidas a meras formas esquemáticas compuestas a base de líneas erráticas tan vibrantes que parecieran cargadas de electricidad[35]. Otros dibujos posteriores son todavía más crípticos a la par que conmovedores.

En un emocionante estudio del tema de la *Matanza de los inocentes,* sin relación aparente con pintura documentada alguna, Ribera deja casi todo a la imaginación del espectador[36]. Las concisas y nerviosas líneas de este dibujo, tan características de Ribera, le sirven para apenas delinear la cabeza y los brazos de una mujer y el cuerpo exangüe de un niño muerto. A la altura de 1635, este estilo gráfico de Ribera bordeaba ya con la abstracción, como ejemplifica un folio que contiene unos estudios para sus *San Pedro* y *San Pablo,* dos pinturas de 1637, que evidencian un contraste realmente impactante entre lenguaje pictórico y dibujístico en Ribera[37]. En la década siguiente, al igual que ocurriría con los de lápiz negro y sanguina, sus dibujos a la pluma perderán algo de nitidez, aunque su calidad seguiría siendo elevada, y su capacidad imaginativa, incólume[38].

Como era previsible, las escasas aguadas a pincel de Ribera son los dibujos que más se acercan en apariencia a sus pinturas. Un hermoso estudio para la *Crucifixión de san Pedro* y otro para una pintura desaparecida sobre el tema de *El descanso de Hércules,* que reutiliza la pose de su grabado *San Jerónimo y la trompeta,* son ejemplos de este aspecto de su producción dibujística[39, 40].

Dotado de un talento superior como dibujante, Ribera empleó el medio del dibujo con diversos fines, entre los que se encontraba la elaboración de estudios preparatorios. Como ya se ha mencionado, los dibujos preparatorios de pinturas que podamos documentar son relativamente escasos. Algunos dibujos, aun no habiendo constancia de pintura alguna con que se les pueda relacionar, evidencian el típico procedimiento de ensayo y error que caracteriza a sus estudios preparatorios. Un ejemplo claro es el estudio de una figura en la que se ha querido ver la escena de *Caín matando a Abel*[41]. Como observó De Dominici, Ribera ejecutó algunos estudios preparatorios a la pluma y otros con lápiz negro y sanguina, siguiendo los procedimientos metódicos de los pintores italianos y de los italianizantes (de hecho, este procedimiento, el aire «clásico» de sus dibujos a lápiz muy acabados y su interés por los estudios de figuras sugieren que el aprendizaje de Ribera tuvo lugar en el taller de un artista italiano). En primer lugar, Ribera tanteaba las poses de las figuras principales de la composición, dibujando todas las posibilidades en la misma hoja. En 1632 realizó una pintura de grandes dimensiones, *Ticio,* personaje de la mitología clásica que, como Prometeo, y por sus crímenes contra los dioses, recibía cada día en castigo la visita de un buitre que le devoraba las entrañas. En el estudio preliminar a la pluma y a la aguada considera dos posibles esquemas compositivos diferentes[42]. La composición de la parte superior muestra al ave en el momento en que está a punto de posarse sobre la figura maniatada, que observa su llegada con comprensible temor. La inferior, la que al final trasladó al lienzo, es más dramática y efectiva visualmente. En ella el buitre despliega sus alas amenazadoramente mientras Ticio, inmovilizado, reclina la cabeza con gesto angustiado.

El estudio preliminar de otra espantosa escena, *Apolo y Marsias,* un tema que conocemos por dos pinturas de 1637, se centra en los dos protagonistas, obviando el paisaje de la izquierda y los sátiros que en la versión pictórica se sitúan al fondo a la derecha[43]. Con el ritmo de *staccato* típico de su técnica a la pluma, Ribera va aproximándose poco a poco en el dibujo a la que será la composición final. Una vez más, la diferencia más notable que presenta la pintura es el acrecentamiento de las emociones, que logra en este caso representando a Marsias aullando de dolor por el castigo al que está siendo sometido.

Una vez quedaba fijada la composición, Ribera procedía a estudiar separadamente las figuras o grupos de figuras de la misma, para seguidamente abocetarlas, aunque en ocasiones estudiara al detalle algún elemento aislado. Un ejemplo de lo primero lo encontramos en una intensa aguada, *Cristo muerto y san Juan*, que después incorporó sin modificación alguna en la conmovedora *Piedad de san Martino* (1637)[44]. Otro dibujo de estilo similar es un estudio de figuras a la sanguina que no podemos relacionar con pintura alguna[45]. Ribera, en ocasiones, concentraba su atención en un pequeño elemento de la composición, como muestra el estudio de la cabeza de un soldado con casco [106], un personaje secundario de *Sansón y Dalila* [107], pintura hoy perdida y que conocemos por un dibujo a lápiz negro y sanguina de la composición final[46, 47].

Este tipo de dibujo muy perfilado supone una categoría distinta de estudio preparatorio, en el que los artistas plasmaban la composición tal y como iba a ser pintada. Aunque no tenemos certeza de que Ribera hiciera dibujos tan minuciosos como este para cada una de sus pinturas, disponemos de otros ejemplares similares, como el espléndido estudio en sanguina y lápiz negro para su *David y Goliat*, pintura de las colecciones reales españolas destruida posteriormente[48].

El análisis de los dibujos preparatorios de Ribera revela un importante aspecto de su proceder artístico, ya que testimonian el cuidado

con que planeaba sus composiciones hasta encontrar los recursos más adecuados al servicio del tema en cuestión. Pero el dibujo era a la vez una práctica asociada a su actividad pictórica y la válvula de escape de una de las imaginaciones artísticas más fértiles de todo siglo XVII. El artista que conocemos por las pinturas de Ribera es un intérprete muy enérgico de los repertorios religiosos y mitológicos. Pero algo de él que solo se deja ver en sus dibujos es la fascinación de este artista por el humor, lo bizarro, las excentricidades, los temas caprichosos y grotescos y la crueldad. Es inútil especular acerca de los motivos de su pasión por los aspectos más prosaicos de la vida: que los dibujos de Ribera dan cuenta de ello con desconcertante mordacidad es cosa evidente.

Algunos de sus caprichos visuales se inspiraban en la contemplación del mundo que rodeaba a Ribera, sin que podamos llegar a considerarlos documentos visuales del Nápoles del siglo XVII. Filtrados por la imaginación del artista y materializados con un estilo vibrante y conciso, los temas de estos dibujos basculan entre lo verídico y lo imaginario (es posible, también, que algunas de estas escenas de género representen textos literarios todavía por identificar). Dos dibujos de asuntos más o menos diáfanos muestran la capacidad de la pluma de Ribera de transformar incluso los temas más mundanos. Uno representa a un hombre arrastrando los restos de un ciervo; el otro, a un hombre tocado con solideo que guía por la calle a un fraile ciego[49, 50]. El tercero es un fascinante dibujo de un herrero en plena faena, al que presta su ayuda una mujer que está avivando el fuego con un fuelle. Otro hombre que gesticula con su mano derecha se dirige hacia este grupo de personas desde uno de los extremos de la imagen[51]. En cada uno de estos dibujos, la estilización de los personajes, la ausencia de fondo y el uso comedido de detalles accesorios confieren a estas escenas monótonas un aire irreal.

106. José de Ribera, *Cabeza de guerrero,* 1610-1615, sanguina, Museo Nacional del Prado, Madrid.

107. José de Ribera, *Sansón y Dalila,* 1620-1626, sanguina y lápiz negro,
Museo de Bellas Artes de Córdoba.

Estos temas se adentran ya sutilmente en el terreno de lo grotesco, en el que Ribera era un maestro. Un potente dibujo de finales de la década de 1620 representa a un hombre y a un paje, un tema de lo más banal transformado por el humorístico tratamiento de los rostros[52]. Un dibujo similar pero todavía más incisivo ilustra a un eremita calvo que reza ante un crucifijo con una pose parecida a un paso de baile[53]. A su izquierda, encontramos a otros personajes absortos en sus devociones también en exagerada pose, y a los que contemplan impasibles una madre, su hijo y otro hombre que están semiescondidos en un montículo a la derecha. Tan solo un pequeño paso separa ya a este extraño mundo de la pura fantasía.

De la imaginación de Ribera brotó un sinfín de tipos bizarros y monstruosos. La figura con capa que agita un bastón amenazadoramente en uno de sus dibujos nos facilita el tránsito a este inframundo del orden natural[54]. Aunque de pies a cuello no parezca haber nada de anormal en ella, la cara de esta figura se asemeja a una extraña máscara deforme de descomunal nariz, bigote, pómulos marcados y ojos rasgados. En la zona derecha del folio, Ribera abocetó una vista frontal y de perfil de la misma cabeza, intensificando así su apariencia esperpéntica.

Todavía más extraño es un dibujo parecido que muestra a un caballero de perfil que luce una máscara grotesca[55]. Sobre su cabeza pululan unos diminutos personajes, los unos pendiendo de su nariz, los otros peleando sobre su cabeza, otros más allá haciendo equilibrismos sobre su espada [**108**]. Esas ágiles y robustas figuras, recursos frecuentes del imaginario de Ribera, trepan por las cabezas como si fueran montañas para plantar una bandera en la cima [**109**][56, 57]. En uno de sus dibujos más enigmáticos y macabros se nos aparecen mientras trepan por entre los restos de un árbol marchito[58].

108. José de Ribera, *Escena fantástica: caballero con hombrecillos encaramándose a su cuerpo*, 1627-1630, dibujo a la pluma, Museo Nacional del Prado, Madrid.

Dejando a un lado estas figuras caprichosas, los rincones más tenebrosos de la mente de Ribera daban lugar a veces a horribles representaciones de castigos crueles y muertes violentas. Algunas de estas recogen las costumbres bárbaras de su tiempo, como una escena de la Inquisición en que izan a un acusado en la garrucha, con la consiguiente y dolorosa dislocación de los hombros [**110**][59]. Otra impactante imagen de sus últimos años, firmada, bien podría estar ilus-

109. José de Ribera, *Hombre con larga túnica y otro hombre encaramado a su cabeza,* 1637-1640, dibujo a la pluma, The Metropolitan Museum of Art, Nueva York.

trando también un tema real[60]. Por otra parte, parece indiscutible que otras dos representaciones de muertes violentas y mutilaciones son fruto de su imaginación. En el primero de estos dibujos, una figura atada en horizontal a unos maderos por los pies y las manos aguarda el impacto inminente de la pesada hacha que blande su verdugo[61]. El otro dibujo muestra un paisaje sembrado con los restos de una violencia inenarrable, en que yacen esparcidos cabezas y miembros como si fueran leños[62].

En relación con estas mismas escenas encontramos otra serie de dibujos de hombres amarrados a árboles o postes, por lo general de formas insólitas y no muy placenteras[63]. En una ocasión en particular, Ribera realizó un dibujo que, aun perteneciendo a una tradición iconográfica conocida, podemos considerar, como mínimo, carente de todo tacto[64].

Los registros de Ribera como dibujante abarcan por completo el espacio que separa lo sagrado de lo profano. La variedad de técnicas y funciones que ilustran sus dibujos es igualmente amplia. Por tal razón, los dibujos de Ribera nos permiten acceder a los lugares más recónditos de su imaginación artística. En sus estudios preparatorios, el artista ensayaba la manera más adecuada de representar cada tema en concreto, experimentando con gestos, posturas, expresiones y composición hasta alcanzar un resultado satisfactorio. Esta metodología aportó a Ribera esa confianza a la hora de organizar los distintos elementos pictóricos dentro de la composición y lograr las complejas y re-

110. José de Ribera, *Escena de Inquisición,* después de 1635, dibujo a la pluma, Rhode Island Museum of Art, Providence.

buscadas poses de sus figuras, que tanta autoridad otorga a sus pinturas. Sus dibujos fantasiosos, por su parte, nos muestran la otra cara de un artista público que asociamos a sus interpretaciones heroicas y memorables de los grandes temas del mundo cristiano. Tomado en su conjunto, lo dilatado de su registro temático y la marcada individualidad de su estilo sitúan a Ribera en el selecto grupo de los más sobresalientes dibujantes del Barroco.

15

La visión de san Juan
de la Inmaculada Concepción de El Greco

A pesar de estar firmado, el cuadro de El Greco *La visión de san Juan de la Inmaculada Concepción* ha sido a menudo considerado un hijo adoptivo de la obra del artista. Ninguna de las fuentes antiguas menciona la citada obra, y hasta el gran estudioso de El Greco, Manuel B. Cossío, cuya monografía de 1908 sigue siendo la base de todo conocimiento sobre este famoso pintor, la pasó por alto.

El cuadro entró en la literatura en 1922 de la mano del hispanista alemán August L. Mayer, quien lo descubrió en la iglesia de San Román (a la que equivocadamente llamaba de San Julián), que es hoy en día el Museo de los Concilios y de la Cultura Visigoda[1]. El cuadro de El Greco y su marco, que parece haber sido diseñado por él mismo también, se elaboraron para un altar de dicha iglesia, donde estuvieron hasta 1947, momento en que fueron trasladados al Museo del Prado para ser restaurados. Durante 1950, el lienzo estuvo expuesto en el Museo de San Vicente y en 1960 fue trasladado al de Santa Cruz.

La fotografía reproducida por Mayer muestra que, con el paso de los siglos, la obra se había deteriorado, cosa muy corriente en las pinturas del siglo XVI que permanecieron *in situ*[2]. Desde su restauración en 1947, el cuadro fue glosado por algunos escritores, mientras que otros denostaban su estado de conservación. Nadie, sin embargo, ha dudado de su autenticidad. Para José Camón Aznar, que escribía en los años cincuenta (esto es, al poco tiempo de ser restaurada la obra), la pintura era «uno de los cuadros de más gozosa transparencia, de sensibilidad más delicada y gaya»[3]. En sus importantes artículos de 1957-1959, Halldor Soehner solamente apuntaba que el cuadro había sido muy restaurado[4]. José Gudiol (1982) adoptó una postura intermedia; hablaba de su estado, pero aún la consideraba una obra «muy notable»[5]. Desafortunadamente, Harold E. Wethey, autor del catálogo general de la obra de El Greco, no perdonaba nada, y su opinión ha vertido grandes sombras sobre la reputación del cuadro. «Este lienzo en

111. El Greco, *La visión de san Juan de la Inmaculada Concepción,* Museo de Santa Cruz, Toledo, después de su restauración.

estado ruinoso fue repintado en 1948 *(sic)* hasta tal punto que, lo único que interesa de él es su iconografía, única en la obra de El Greco»[6]. Ahora es evidente, después de su reciente restauración por Rafael Alonso [111], que el veredicto de Wethey es demasiado riguroso (véase el informe de restauración). De hecho, la resurrección del cuadro nos mueve a volver a contemplar con renovada atención una obra mucho más importante de lo que los anteriores autores habían señalado.

Desde el descubrimiento del cuadro por Mayer, todos los estudiosos de El Greco han aceptado la fecha de 1580-1585 por él propuesta, un período crucial en la vida del artista. El Greco llegó a España en la primera mitad de 1577, después de haber vivido en Italia durante casi una década. Sus días italianos se repartieron entre Venecia (1567-1570) y Roma (1570-1576). Durante esos años, el artista asimiló con dificultad las dos principales corrientes pictóricas del Cinquecento italiano: el colorismo veneciano expresado por Ticiano y el arte del dibujo de Florencia y Roma del que era exponente Miguel Ángel. Al haber comenzado en su Creta natal como pintor de iconos a la manera posbizantina, dominar el arte italiano le supuso un tiempo y esfuerzo considerables.

Aunque El Greco obtuvo una cierta reputación en Roma, parece ser que se sintió frustrado por la falta de reconocimiento y de encargos importantes. Su amistad con un grupo de españoles en Roma, especialmente con el clérigo Luis de Castilla, aparentemente le indujo a buscar en España el éxito y gloria que le venían negando. Luis de Castilla era el hijo ilegítimo de Diego de Castilla, deán de la catedral de Toledo, quien utilizó su influencia para obtener un importante encargo para el artista. Dicho encargo consistió en un gran cuadro del expolio de Cristo para la sacristía de dicha catedral. En julio de 1577 El Greco estaba trabajando en el cuadro, el más grande que jamás había pintado. Lo terminó dos años después y El Greco se sintió razonablemente orgulloso de lo que, todavía hoy en día, se considera su primera obra maestra[7].

Sin embargo, la catedral, representada por su exigente canónigo (y futuro arzobispo), García de Loaysa Girón, no quedó satisfecha en absoluto. No era solamente que las pretensiones económicas de El Greco fuesen muy elevadas, sino que, según los cánones, había cometido también dos importantes errores teológicos. En primer lugar, Loaysa objetó que El Greco había colocado a los hombres de la turba más altos que la cabeza de Cristo, lo que era irreverente, y, segundo, que había incluido a los tres mártires observando la escena, lo que era apócrifo. El Greco llegó a un acuerdo respecto al precio pero no respecto a la iconografía. Sin embargo, fue una victoria pírrica, ya que se había hecho enemigos en la catedral y jamás volvería a recibir otro encargo importante de tan prestigioso patrón.

No todo estaba perdido, sin embargo, ya que, a pesar de estar su disputa con el cabildo en su fase final, le llegó una esperanza de salvación del rey Felipe II. Mientras vivía en Roma, El Greco se enteró, sin duda, de las incomparables oportunidades que la corte española ofrecía. El Escorial, el proyecto de edificación más grande de la segunda mitad del siglo XVI, empezaba a ser construido bajo la atenta mirada del monarca, quien era conocido como mecenas y coleccionista. En abril de 1580 el artista recibió el encargo real de pintar *El martirio de san Mauricio y la legión tebana,* para ser colocado en un altar de la basílica del monasterio.

La obra se terminó en el otoño de 1582 y fue entregada personalmente por el artista en El Escorial en noviembre. El Greco creó una elegante y sofisticada composición, confiando en el refinado gusto del rey a fin de obtener su aprobación. Desafortunadamente, volvió a equivocarse respecto a los gustos religiosos de su patrón al subordinar el martirio en sí al coloquio entre san Mauricio y sus oficiales, quienes adoptan posturas artificiales y gesticulan elegantemente con sus manos. Aunque el rey Felipe puede que hubiese admirado el arte y la complejidad de sus ideas pictóricas, encontró que a la composición le faltaba claridad y religiosidad. El Escorial iba a ser un templo de la Contrarreforma ortodoxa, y El Greco, equivocadamente, elevó la belleza por encima de la doctrina. A pesar de que el rey le pagó una considerable suma, ordenó que la pintura fuese retirada de inmediato y encargó una nueva versión a otro artista menor, Rómulo Cincinnato. El Greco no volvió a recibir otro encargo del rey.

Por lo tanto, a principios de 1584, El Greco vio frustradas sus ambiciones de obtener los favores de las dos instituciones más importantes de España: la monarquía y la catedral de Toledo. Su único recurso fue trabajar como pintor de retablos para las instituciones religiosas de Toledo y como proveedor de imágenes religiosas de la población toledana. Afortunadamente ya había sentado las bases de esta empresa al realizar los magníficos retablos de Santo Domingo el Antiguo (1577-1579), un encargo de Diego de Castilla (Art Institute, Chicago). Con sus vibrantes colores, complejas composiciones y sutil iconografía, dichos cuadros convirtieron a El Greco en el pintor más brillante de Toledo[8].

Justo casi cuando El Greco empezó a trabajar exclusivamente para el mercado local, fue cuando pintó *La visión de san Juan de la Inmaculada Concepción.* Estilísticamente, el cuadro refleja el momento de la transición desde la evidente sintaxis italianista de los cuadros pintados para Santo Domingo el Antiguo hacia las formas personales más expresivas que se muestran espectacularmente en

El entierro del conde de Orgaz (1586-1588). La imagen de la Virgen es evidentemente más alargada que en la *Asunción* y el *Entierro* de Santo Domingo el Antiguo, pero menos exagerada que los delgados miembros de la zona del cielo del *Entierro.* Lo mismo sucede con san Juan, quien todavía evidencia las formas sólidas y los modelos clásicos que se encuentran en las primeras épocas del período español del artista, en contraposición con el «Bautista» en el *Entierro,* que adopta las características distorsiones de épocas posteriores. Halldor Soehner acuñó el lapidario «der Mauritiusstil» (el estilo del *Martirio de san Mauricio)* al referirse a dicha obra y otras similares, incluyendo pinturas religiosas como *La penitencia de san Pedro* (Barnard Castle, Bowes Museum), *La penitencia de santa María Magdalena* (Kansas City, Nelson Gallery, Atkins Museum) y *La Sagrada Familia* (Nueva York, Hispanic Society).

A primera vista, *La visión de san Juan de la Inmaculada Concepción* parece adaptarse al estilo de pintura religiosa cuya temática se explica por sí misma. La Inmaculada Concepción es una de las imágenes más comunes del Barroco español, por lo que su interpretación aparentemente no debería presentar problemas. Sin embargo, la versión de El Greco se realizó en un momento crítico de la evolución del tema y es excepcionalmente interesante y significativa. De hecho, muestra la misma agilidad intelectual que es evidente en *El martirio de san Mauricio,* aunque las complejidades formales se han adaptado a las necesidades de la devota clientela toledana.

A fin de entender la chocante novedad de la pintura de El Greco, la cual es de hecho de trascendental importancia en la historia de la representación de la Virgen de la Inmaculada Concepción, necesitaremos retroceder a los primeros tiempos de la doctrina[9]. La Inmaculada Concepción de María, o sea, la creencia de que fue concebida sin la mancha del pecado original, no era parte de las creencias de la iglesia occidental primitiva. Esta noción parece ser que surgió en el Oriente cristiano y fue más tarde adoptada gradualmente por los católicos romanos.

Ya en el siglo XII empezó a extenderse la creencia en la pureza de la Virgen, a pesar de que los teólogos no se ponían en absoluto de acuerdo en aceptar esta doctrina. Muchos, inspirándose en los escritos de san Bernardo, apoyaron el argumento contrario: que María, como el común de los mortales, había sido concebida en y con el pecado original y más tarde purificada o santificada en el seno de santa Ana. O sea, que no había sido concebida inmaculadamente.

La creencia en dicha santificación adquirió autoridad con los escritos de santo Tomás de Aquino († 1274), quien argumentó tenazmente sobre el tema. Desde ese momento hasta que la doctrina fue declarada dogma en 1854, existió una dura batalla entre los llamados maculistas, liderados por los dominicos, y los inmaculistas, liderados por los franciscanos, quienes aceptaron la festividad de la Concepción en 1263. Entre los defensores de la Inmaculada Concepción de la Virgen, no los había más ardientes que los teólogos españoles, quienes obtuvieron al final el apoyo de la Corona. Por esta razón, España se convirtió en la fuente de las representaciones artísticas de esta doctrina.

El debate teológico tuvo consecuencias inevitables para los pintores y escultores, siendo la más difícil el reto de representar lo que solamente puede ser definido como una idea totalmente abstracta. La pureza de la Virgen no se basa en fuente escrita alguna, ni es un evento concreto que pudiese inducir a una interpretación narrada; es un postulado teológico para el que es difícil encontrar un equivalente visual. La búsqueda de una fórmula definitiva implica un largo proceso de experimentación hasta encontrar una adecuada.

Durante el siglo XV y parte del XVI se ensayaron varias soluciones, y una de las más corrientes fue la del abrazo de san Joaquín y santa Ana ante la Puerta Dorada. Se decía que María fue concebida en el momento en que sus ancianos padres se abrazaron. Sin embargo, a pesar de la popularidad de esta composición, nunca fue aprobada oficialmente por la Iglesia, aunque esta no hizo ningún intento para suprimirla. Por contra, se buscaron nuevas fórmulas y, durante el siglo XVI, después de un largo proceso de experimentación, se entrelazaron varias versiones iconográficas hasta llegar a la composición definitiva. Una de ellas es la de la Virgen *tota pulchra,* un término que no está incluido en las conocidas como «letanías marianas». Las retóricas invocaciones de las letanías eran las citas del Antiguo Testamento, en las que se profetizaba y magnificaba las ejemplares cualidades de María. Por ejemplo, *tota pulchra* aparece en el Cantar de los Cantares de Salomón 4: 7: «Tota pulchra es, amica mea, et macula non est in te». Ya desde esta imagen empezó a circular mediante láminas impresas en Francia y los Países Bajos.

Se pueden encontrar representaciones gráficas de la Virgen *tota pulchra* en la obra del pintor valenciano Vicente Macip y en la de su hijo Juan de Juanes, como por ejemplo la obra de Macip realizada en 1530 en la que Virgen aparece en el centro coronada por Cristo y Dios Padre, a quienes se incluye para enfatizar que su concepción fue espiritual y no carnal. Por otro lado, Macip coloca los símbolos de la pureza de María debidamente etiquetados con frases sacadas del Antiguo Testamento: *electa ut sol* (Cantar de los Cantares 6: 10); *porta coeli* (Génesis 28: 17); *turris David* (Cantar de los Cantares 4: 4), etc.

En la Virgen *tota pulchra* había alcanzado la categoría de ser la manera ortodoxa de representar la doctrina de la Inmaculada Concepción.

En ese año fue aprobada en el texto clásico de iconografía postridentina *De Historia SS. Imaginum et Picturatum* de Johannes Molanus. Sin embargo, faltaba el paso final, la fusión del modelo *tota pulchra* con otro derivado del Apocalipsis llamado la *mulier amicta sole*.

En palabras de san Juan:

> Y apareció entonces una gran maravilla en el cielo: una mujer vestida con el sol, con la luna a sus pies y coronada con doce estrellas.

Desde el siglo XII la mujer apocalíptica había sido identificada con la Virgen María y su triunfo sobre el pecado. Sin embargo, durante el siglo XVI esta imagen de la Virgen se utilizaba para representar la Asunción. El Greco mismo la empleó con gran efecto en el panel central del altar mayor de Santo Domingo el Antiguo y fue él quien realizó lo que aparentemente es la primera fusión de los dos modelos para formar la nueva iconografía de la Inmaculada Concepción. Esto lo hizo en efecto en su retablo para la iglesia de San Román, el cual es el tema de nuestro análisis.

En el cuadro de El Greco, la Virgen es, obviamente, la mujer apocalíptica, como atestigua la presencia de san Juan Evangelista en la esquina inferior izquierda (aunque omite la media luna a sus pies y la corona de estrellas). Sobre su cabeza, la paloma del Espíritu Santo denota la naturaleza espiritual de su encarnación. La identificación de María con la Inmaculada Concepción se expresa con los símbolos del Antiguo Testamento, los cuales ahora se sitúan en un plácido paisaje bajo un cielo nocturno.

A la izquierda aparece la *porta coeli* que sirve de frontispicio a la *turris David* circular, y a la derecha aparece el cedro del Líbano: el ciprés del Hermón, la palmera de Engeadí (Eclesiastés 24: 13-14) y la muralla, el *hortus conclusus* del Cantar de los Cantares 4: 15. A la derecha, en primer plano, El Greco coloca un montón de rosas, un símbolo tradicional de la pureza de la Virgen. Entre dichas flores aparece un pequeño trozo de papel en el que firma El Greco como si fuese su ofrenda personal a la Virgen María. Por último, en un cielo oscurecido vemos la media luna naciente, y detrás de la silueta de la colina, el sol poniente, *electa ut sol, pulchra ut luna* (refulgente como el sol, bella como la luna).

La idea de esparcir los símbolos bíblicos por paisajes naturales es tan obvia que es difícil creer que no se hiciera nunca antes. Sin embargo, este cuadro de El Greco es el primero en aprovechar el potencial de convertir estos símbolos jeroglíficos en componentes de un paisaje[10]. *La Visión de San Juan de la Inmaculada Concepción* es un «tour-de-force» de la pintura religiosa, aunque aparentemente un poco reprimido. A diferencia de otras obras más extravagantes que marcan los inicios de El Greco en España y que acabaron en fracasos estrepitosos, este cuadro abre un fructífero capítulo en la historia de la iconografía religiosa.

La creación de esta nueva imagen de la Inmaculada Concepción, mezclando imágenes apocalípticas e inmaculistas, adquiere entonces un aire de inevitabilidad. Una vez que se incorpora a la composición la media luna en los pies y la corona de estrellas, esta se convierte en la manera normalizada de representar a la Virgen de la Inmaculada Concepción. Sin embargo, a principios de 1580 la idea de combinar estos dos esquemas iconográficos era a la vez atrevida y original. Aunque es posible que El Greco concibiera esta estrategia por sí solo, existen razones para pensar que pudiera haberse inspirado en los escritos de un toledano contemporáneo, el teólogo Alonso de Villegas (1534-*ca.* 1603)[11].

Aunque hoy en día está injustificadamente olvidado, Villegas fue uno de los escritores religiosos más influyentes de su tiempo[12]. Nació en Toledo y estudió en la Universidad de Santa Catalina. A la edad de veinte años, Villegas publicó su única obra seglar, titulada *Comedia llamada Selvagia,* inspirada en *La Celestina* y reconocida como la precursora de la comedia de capa y espada. No mucho más tarde descubrió su verdadera vocación y en 1558 tomó los hábitos. Ascendió en la jerarquía eclesiástica y fue finalmente nombrado capellán de la Capilla Mozárabe de la catedral. Pero seguramente dedicó casi todo su tiempo a escribir uno de los más famosos tratados religiosos del siglo XVI.

En 1578, Villegas publicó el primer volumen del *Flos Sanctorum,* un formidable trabajo de erudición que, aunque hoy en día nadie lo lea, fue un gran éxito en su tiempo. El *Flos Sanctorum* está compuesto por seis volúmenes e imita ligeramente el modelo de la *Leyenda Dorada* de Jacobo de Vorágine, aunque es más ambicioso y complejo que esta última[13]. Sus páginas, de escritura apretada y abundancia de notas, relatan la vida de Cristo, de María, de los santos y de sus precursores del Antiguo Testamento, y su inspirada combinación de erudición y devoción expresa perfectamente el espíritu de la Contrarreforma. Se imprimieron 22 ediciones del primer volumen y 26 del segundo, y pronto se realizaron traducciones al italiano, francés e inglés, difundiendo el nombre de Villegas por el mundo católico e incluso por el protestante.

De los seis volúmenes, es el segundo, publicado en Toledo en 1583 y titulado *Flos Sanctorum. Segunda parte y Historia General en que se escrive de la vida de la Virgen,* el que tiene que ver con la *Visión de san Juan* de El Greco que nos ocupa. Villegas no trata de la Inmaculada Concepción como un tema aparte. Por contra, expresa su opinión en la sección dedicada a la *Asunción de la Virgen.* El motivo de esta estrategia

retórica es bastante sutil. El Concilio de Trento, no queriendo tocar el tema de la Inmaculada Concepción, decidió ni siquiera discutirlo. Sin embargo, ofreció a los inmaculistas un modo de defender su punto de vista mediante un pronunciamiento aparentemente sin relación, que equiparaba la tradición de la Iglesia a las Sagradas Escrituras como revelación de la voluntad de Dios.

La ascensión física de la Virgen a los cielos fue un famoso ejemplo de la tradición como forma de revelación. Aunque no se describe el milagro en ninguno de los Evangelios, Villegas proclamó confiadamente su verdad: «Y es cosa cierta por tradición de la yglesia, de que fue assumpta en cuerpo y alma la madre de Dios a los cielos, y assí el que en este tiempo lo negasse sería digno de reprehensión y pena»[14]. Aunque Villegas es menos explícito respecto a la pureza de María, su larga discusión de la doctrina en el capítulo de la Asunción implica que también debe ser considerada una tradición de la Iglesia y por tanto una verdad revelada. En efecto, este es el mismo argumento que encontramos en el cuadro de El Greco. María se adecúa a la iconografía de la Virgen de la Asunción; sin embargo, los símbolos del Antiguo Testamento la identifican como la Inmaculada Concepción. Al igual que en el texto de Villegas, los dos argumentos se yuxtaponen, conduciendo el dogma de la Asunción corpórea de la Virgen a apoyar la discutida doctrina de la Inmaculada Concepción. Es tan parecida la estrategia retórica empleada en el texto y en la imagen que cae uno en la tentación de pensar que el cuadro de El Greco fue un encargo de Villegas o que, al menos, fue realizado tras consultarle. Sabemos que el sacerdote era un admirador del pintor, porque en uno de los volúmenes del *Flos Sanctorum* alaba *El entierro del conde de Orgaz* diciendo: «Una de las buenas cosas que ay en esta ciudad». Sin embargo, al único artista a quien se sabe que apoyó fue a

Blas de Prado, quien en 1589 realizó un retablo de la Sagrada Familia con san Juan Evangelista y san Ildefonso, el cual también incluye un retrato del famoso autor[15]. De todas formas, es curioso que el segundo volumen del *Flos Sanctorum* se publicase cuando El Greco pintaba el cuadro *La visión de san Juan de la Inmaculada Concepción*. Sin embargo, como contraste al texto prolijo y persuasivo de Villegas, El Greco creó una imagen concisa que lideró el cambio crucial en la representación visual de este poderoso objeto de la fe católica española.

16

Velázquez restaurado, la restauración de un Velázquez

Joseph Duveen (1869-1939) es uno de los marchantes de arte más famosos y extravagantes del siglo XX: su ego era aún mayor que el de sus clientes. Duveen, por cuyas manos pasaron algunas de las pinturas más importantes del coleccionismo americano, ideó un sistema tripartito para cortejar a sus potenciales clientes, con mucha frecuencia, poco versados en el mundo de la pintura antigua. Para pasar el supuesto corte de Duveen, las pinturas tenían que estar, en primer lugar, en excelente estado de conservación y, además, poseer una *provenance* aristocrática o dinástica. Por último, su autenticidad tenía que venir garantizada por una publicación o, como poco, por una carta autógrafa de alguna autoridad en la materia (el toque final lo aportaba el marco diseñado por el propio Duveen que dotaba a la obra del aura inefable de lo grandioso y lo eminente)[1]. En la práctica, Duveen interpretaba estos preceptos de manera bastante flexible. Las pinturas podían llegar restauradas de arriba abajo, su procedencia se magnificaba o falseaba si

era preciso y el refrendo académico siempre se podía obtener de expertos a comisión o escasos de fondos.

El *Retrato de caballero* adquirido por el financiero neoyorquino Jules S. Bache (1861-1944) ejemplifica a la perfección cómo funcionaba este sistema. Tras comprar la pintura, Duveen se la vendió en 1926 a Bache atribuida al célebre pintor español Diego Velázquez (1599-1660). Bache la legó en 1944 al Metropolitan Museum of Art, en cuya colección ingresó cuatro años más tarde. La autoría había sido verificada en dos ocasiones por el hispanista alemán August L. Mayer (1885-1944), uno de los especialistas más prestigiosos en el campo de la pintura española[2]. Después de publicar un primer artículo en 1917 en una revista alemana [112], Mayer se retractó parcialmente de sus conclusiones[3]. En 1926 un segundo artículo apareció esta vez en una revista americana justo cuando Duveen andaba planeando la venta de la pintura[4]. Es posible que la finalidad última de este artículo fuera acallar las dudas

66 DAS SELBSTBILDNIS DES VELAZQUEZ IM PROVINZIAL-MUSEUM ZU HANNOVER

112. Diego Velázquez, *Retrato de hombre, ca.* 1635, The Metropolitan Museum of Art, Nueva York, antes de su restauración, publicado en August Mayer, «Das Selbstbildnis des Velazquez im Provinzial-Museum zu Hannover», 1917.

generadas por la exclusión de la pintura de la edición del tomo de 1925 sobre *Velázquez* de la serie *Klassiker der Kunst,* una fuente de autoridad por aquel entonces en todo lo relacionado con los grandes maestros europeos. Las extensas notas al pie corrieron a cargo de Juan Allende-Salazar, una de las plumas más acreditadas sobre Velázquez.

La procedencia de *Retrato de un caballero* era muy distinguida, comenzando por su primer propietario conocido, Johann Ludwig Reichsgraf von Wallmoden-Gimborn (1736-1811). La heredó su hijo Ludwig Georg Thedel, el mariscal de campo Graf von Wallmoden-Gimborn

(1769-1862), que en 1818 vendió la pintura a David Bernhard Hausmann (fallecido en 1857), un coleccionista de Hannover. Su siguiente dueño fue el rey Jorge V de Hannover (1819-1878), cuya marca de coleccionista todavía se puede distinguir a través de rayos X en el reverso del lienzo. Jorge V perdió su reino en 1866, y a partir de entonces se tituló a sí mismo duque de Brunswick-Lüneburg y duque de Cumberland y Teviotdale. La obra pasó a su hijo Ernst August y, de ahí, a su nieto homónimo, que es de quien la adquirió el marchante berlinés Leo Blumenreich en 1925.

Para procurarse el visto bueno de Mayer, Duveen, en la que iba a ser la primera fase de un exhaustivo proceso de restauración, encargó la limpieza de la obra. Duveen buscaba que sus pinturas parecieran como si acabaran de salir del taller del artista. No toleraba ningún defecto, pérdida, signo de daño o abrasión, o desperfecto alguno. En su diccionario personal, restaurar equivalía a repintar, a lo que seguía la aplicación de una densa capa de barniz con el fin de igualar los efectos de la intervención y maquillar los añadidos. Este procedimiento iba a tener nefastas consecuencias para la autoría de nuestro retrato: a medida que el barniz fue amarilleando con el paso de los años, se iba haciendo cada vez más difícil apreciar la pintura, que terminó por ser eliminada del catálogo de obras de Velázquez. Por si fuera poco, Duveen dio orden al restaurador de que finalizara una pintura que hoy sabemos que Velázquez pretendió que fuera un retrato informal, en el que solo el rostro iba acabado con todo detalle. Los resultados del tratamiento son ya visibles en el artículo de Mayer de 1926. Las irregularidades del fondo, pintado con gran soltura, han desaparecido, el jubón está repasado y en el cabello un grueso contorno oculta los arrepentimientos que la mano del artista tanteó en esta zona del cuadro.

La atribución a Velázquez resistió hasta 1963, fecha de la publicación de la primera versión del catálogo razonado de José López-Rey, todavía hoy una referencia. El estudioso español clasificó el retrato de Bache dentro de una sección titulada «obras cuya atribución a Velázquez el autor considera razonable aunque imposible de demostrar a ciencia cierta dado su estado de conservación». La entrada dedicada a este retrato contradecía la calculada cautela del epígrafe anterior, pues en ella lo describía como «pieza de taller próxima al estilo de Velázquez»[5]. Las dudas iniciales acabaron fraguando en certezas: no hay rastro de la pintura en las sucesivas ediciones de su catálogo (1979 y 1996), que únicamente recogían las obras del maestro que López-Rey consideraba auténticas. Tampoco aparece en mi estudio monográfico del artista de 1986, aunque en la década de los setenta traté de esta pintura largo y tendido en mi seminario universitario sobre Velázquez. No excusaré mi error.

Recientemente se decidió someter a la pintura a un proceso de restauración, que con sumo tacto llevó a cabo Michael Gallagher, *Sherman Fairchild Conservator* y responsable del Área de Restauración de Pintura del Metropolitan Museum of Art. A finales del mes de julio de 2009 recibí un correo electrónico de Keith Christiansen, del Departamento de Pintura Europea, en el que me invitaba a examinar la pintura, ya despojada de repintes y barniz [**113**]. Incluso a través de un medio tan inexpresivo como el correo electrónico, el entusiasmo de Keith era palpable. Unos días más tarde tuve la oportunidad de visitar el estudio de restauración para contemplar la obra. Las primeras palabras que salieron de mis labios fueron: «¡es un Velázquez!». A pesar de las abrasiones en su superficie, el toque del maestro era inconfundible (al menos para alguien que ha dedicado una buena parte de su vida a intentar comprender el arte de este genio esquivo). El

113. Diego Velázquez, *Retrato de hombre, ca.* 1635, The Metropolitan Museum of Art, Nueva York, después de su restauración.

cambio más relevante se produjo en la vestimenta del personaje. Con los «retoques» de Duveen ya eliminados, pude apreciar con claridad el cuidadoso modelado de la cabeza, que contrastaba con el aspecto inconcluso de la zona del busto. Los perfiles estaban insinuados de manera sumaria, y el volumen de su traje grisáceo, apenas lo justo para servirle de suerte de pedestal a la cabeza. El cabello y el rostro estaban resueltos con los clásicos colores diluidos de Velázquez, con los que lograba efectos de luz y sombra de increíble sutileza y levedad. Con la eficiencia que le caracteriza, el artista integró la trama del lienzo en la composición para aportarle mayor viveza.

De Velázquez conservamos un puñado de retratos inacabados, pero no son muchos los que podamos comparar con el del Met[6]. Una

114. Diego Velázquez, *Autorretrato, ca.* 1650,
Museo de Bellas Artes de Valencia.

característica tienen en común: el modelo aparece retratado hasta la altura de los hombros, quedando la cabeza perfectamente definida y el cuerpo apenas esbozado y perfilado en negro. Este tipo de obras solían ser retratos de miembros de la familia real y tenían por fin servir de modelo a los ayudantes del pintor. Un ejemplo muy conocido es el *Retrato de Felipe IV,* realizado a principios de la década de 1650 y hoy en el Museo del Prado. Aparte de sus retratos «reales», Velázquez pintó algunos otros retratos plebeyos conforme a esta tipología. Uno de ellos aparece mencionado en el inventario póstumo de sus bienes como «otra cabeça de vn hombre baruinegro *[sic],* por acauar», junto a otro registrado con el interesante apunte «vn retrato de Diego de Belázquez, por acauar el vestido»[7].

Mayer sugirió en 1917 y, nuevamente, en 1926 que el modelo retratado era el mismo Velázquez. Sin embargo, en su catálogo razonado de 1936 rebajó su convicción y tituló la pintura entre signos de interrogación («¿Autorretrato?»). López-Rey compartía sus reservas y la clasificó como «Un supuesto autorretrato». Sus dudas estaban justificadas, porque no hay relación alguna entre el modelo del retrato del Met y el pintor, cuyo rostro conocemos gracias al autorretrato que se custodia en el Museo de Bellas Artes de Valencia [114] y, por supuesto, a *Las Meninas*. En la misma entrada de su catálogo razonado, Mayer informaba al lector de que Allende-Salazar le había hecho notar en comunicación personal la semejanza que guardaba el protagonista del retrato con el soldado que se sitúa de pie junto al caballo en el extremo derecho de *La rendición de Breda*.

Descifrar la identidad de un modelo, cuando se trata de retratos antiguos, es una tarea de obstáculos. Una misma persona retratada por pintores diferentes con habilidades igualmente diferentes puede llegar a parecer dos personas diferentes. Por si fuera poco, cada medio —no es lo mismo el óleo sobre lienzo que el dibujo a la tinta sobre papel— posee características inherentes que complican aún más la elaboración de un retrato. Entonces como hoy, las modas, la vestimenta y los peinados (y el vello facial, en el caso de los hombres) tienden además a uniformizar el aspecto de los individuos de ambos sexos. Otro factor es el fin o la función del retrato en cuestión. Los retratos formales destinados a la exposición pública requerían que el pintor reflejara una actitud adecuada a la ocasión. Mi antídoto personal ante estos impedimentos es la que yo denomino «regla de los cinco segundos». En resumidas cuentas, si uno no es capaz de discernir de un vistazo si el modelo que aparece en dos retratos es la misma persona, entonces lo más probable es que en efecto no lo sea. Por rudimentario que pueda parecer, ¡ojalá se me hubiera ocurrido este procedimiento hace algunas décadas!

La regla de los cinco segundos me sugiere que el retrato del Met y el caballero de *La rendición de Breda* [115] son el mismo individuo. He de precisar que el modelo de *La rendición de Breda* no puede ser el artista, por razones históricas. La corte de los Austrias estaba regida por un protocolo muy estricto, conocido por el nombre de *etiquetas*. En esta fase de su carrera, Velázquez ocupaba aún un peldaño menor en la escala del prestigio social. De haberse atrevido a retratarse en compañía de los más distinguidos nobles que lucharon del lado español en aquella batalla, le habrían mandado de vuelta a Sevilla en la primera diligencia disponible. Además, Velázquez no estuvo presente en Breda, una razón tan obvia como definitiva. *La rendición de Breda* formaba parte de un ciclo de doce pinturas que ilustraba una serie de victorias militares de los ejércitos de Felipe IV[8]. Fue un encargo de 1634 del conde-duque de Olivares a un grupo de artistas para la decoración del Salón de Reinos del Palacio del Buen Retiro. Antes de abril de 1635 ya colgaban en sus paredes, fecha límite que, de manera excepcional, nos permite datar la pintura del Met con precisión. Cada una de las escenas asigna un lugar prominente al general a cargo de la victoria en cuestión y a sus lugartenientes, lo que necesariamente excluye a Velázquez, que en 1625 se hallaba en Madrid a salvo de todo riesgo mientras Breda capitulaba ante las armas españolas. A pesar de ello, Velázquez, que sabía venderse como nadie, encontró una sutil manera con la que estampar en la imagen su anhelo de autocomplacencia. En la esquina derecha del cuadro encontramos una hoja de papel arrugada, elemento que en la terminología histórico-artística se conoce como *cartellino*, espacio pensado para que los pintores firmaran y, en ocasiones, incluyeran la fecha de ejecución de la

115. Diego Velázquez, *La rendición de Breda* (detalle), *ca.* 1635, Museo Nacional del Prado, Madrid.

obra. Velázquez reivindica su autoría y talento, pues, dejando el *cartellino* en blanco: de entre todos los pintores de España, ¿quién sino él era capaz de tamaña obra maestra?

Por desgracia, el nombre del caballero de *La rendición de Breda* sigue siendo un misterio, a pesar de las excelentes descripciones e ilustraciones de que disponemos de tal acontecimiento histórico. El sitio de Breda fue un episodio bélico muy renombrado y que, en su momento, se creyó decisivo para la resolución de la Guerra de los Treinta Años entre España y la República Holandesa (1618-1648). Comenzó en el otoño de 1624, pero los holandeses resistieron tenazmente hasta junio de 1625, cuando la guarnición hambrienta capituló. Los términos de la rendición, firmados el 2 de junio, concedieron a los holandeses una retirada con honores y portando sus enseñas (de color naranja, como correspondía a la casa de Nassau-Orange).

La manera en que Velázquez plasma el momento de la rendición no es muy rigurosa históricamente hablando. Las fuentes nos informan de que los holandeses se retiraron bajo la atenta mirada de Ambrosio de Espínola, quien contemplaba la escena desde su caballo a distancia. La entrega de las llaves de la ciudad con que Justino de Nassau le agasaja es una invención del dramaturgo Pedro Calderón de la Barca, que pretendía ensalzar la magnanimidad de los españoles y su respeto por un rival merecedor de ella.

El jesuita flamenco Hermann Hugo, dada la importancia de la victoria, publicó en latín una crónica de los hechos en 1626, más tarde traducida al inglés y al francés en 1627 y 1631 respectivamente[9]. (Paradójicamente, Breda volvió a caer en manos holandesas en 1637). Hugo menciona por su nombre a los generales presentes, algunos de los cuales aparecen representados en la pintura. De sus aspectos tenemos constancia por otras pinturas y grabados, modelos fiables en los que el pintor se basó a la hora de retratar a los principales protagonistas de la escena. Velázquez viajó a Italia en 1629 en compañía de Espínola, uno de los grandes hombres de armas de su tiempo, y este posó también para Rubens (véase, por ejemplo, su retrato de 1625 de la Národni Galerie, Praga, y sus réplicas varias). El hombre calvo y con armadura que se encuentra justo detrás de Espínola ha sido identificado como el conde John de Nassau[10]. La figura que se apoya en un bastón se trata probablemente del marqués de Balançon, que perdió una pierna en la guerra. Wolfgang von Pfalz-Neuberg, cuya efigie conocemos gracias a un aguafuerte de Lucas Vosterman realizado a partir de un retrato de Van Dyck, podría ser el hombre de perfil situado entre Balançon y Nassau[11]. Carlos Coloma,

también retratado por Van Dyck, es el caballero de rostro afilado que está de pie junto a la bandera ajedrezada[12]. Todos estos portan armadura y fajín propios de su alto rango de capitán general. La tropa luce vestimentas diversas, puesto que los uniformes no empiezan a introducirse hasta finales del siglo XVII[13]. El caballero de la derecha, uno de los dos personajes que dirigen su mirada al espectador, es, por tanto, un soldado raso. Viste lo que se conoce como una «valona de encaje» y sombrero de ala ancha y pluma o «chambergo», igualmente identificativo de su escalafón. Sus botas ajustadas, que le cubren hasta la pantorrilla, contrastan con el pesado y flexible calzado de los holandeses. Adorna su rostro con bigote alargado y perilla, complementos habituales de la época.

Por interesantes que sean todos estos datos, nos plantean una duda importante. Sabemos ahora que Velázquez, en contra de su práctica habitual, realizó un estudio preliminar del retrato de una persona sin distinción alguna con el fin de incluirlo en una de sus pinturas más ambiciosas. ¿De quién se trataría? Me inclino a pensar que jamás llegaremos a conocer su nombre. En *La rendición de Breda* forma alianza visual con un soldado de la caballería holandesa que se sitúa en la zona izquierda y que también dirige su mirada hacia nosotros. Uno y otro, conjuntamente, cierran la composición desde sus extremos, como si fueran las tapas de un libro. Su inclusión en una pintura que cumplía una función casi documental, destinada a perpetuar la gloria de los comandantes de los ejércitos españoles, nos permite asegurar con una alta probabilidad que eran mercenarios o reclutas que participaron en la batalla realmente. A los ojos de las altas esferas cortesanas, aquellos no eran más que donnadies, entes sin categoría ni nombre. Velázquez, a pesar de todo, quiso que parecieran individuos reales. Si estamos en lo cierto, el artista hubo de procurarse antes un rostro desconocido para que le sirviera de modelo. Que hoy nos parezca una persona importante se lo debemos tan solo a que el genio de Velázquez le tocó con su pincel.

Terminar llamando al modelo del retrato del Met *Importante Señor Donnadie* no parece que sea la manera más satisfactoria de festejar la recuperación de la obra de un gran maestro. Permítaseme, por tanto, concluir recordando los célebres versos de un coetáneo algo anterior a Velázquez: «¿Qué hay en un nombre? Eso que llamamos rosa, con cualquier otro nombre conservaría su aroma». ¡Bienvenido, *Importante Señor Donnadie,* al catálogo de obras auténticas de Diego Velázquez!*.

---

* En nombre de varias generaciones de estudiosos de Velázquez, mis disculpas por poner en duda las opiniones del doctor August L. Mayer, que en paz descanse, y las de Joseph, lord Duveen de Millbank, que gozó de su recompensa en vida.

17

La lechera de Burdeos

A *La lechera de Burdeos* [**116**] se la viene considerando desde antiguo una de las obras más evocadoras de Goya. Admirada en igual medida por su expresión pensativa y melancólica y su técnica desenvuelta y abocetada, la *Lechera* es a juicio de la crítica una de las últimas obras maestras del otoño vital del artista, precedente ya del impresionismo francés. Dos entradas en los catálogos de sendas exposiciones conmemorativas celebradas en El Prado resumen la percepción concitada por este cuadro a lo largo del tiempo. La primera procede del primer centenario de la muerte del artista (1928); la segunda, del 250 aniversario de su nacimiento (1996):

Es una de las más sorprendentes obras de la vejez del gran artista. En su última época, Goya, renovándose siempre, emplea una técnica de pequeña pincelada, que es el preludio de lo que luego sería el impresionismo francés. Acaso en ninguna se acuse más patentemente este procedimiento divisionista que en esta obra que se reseña, tanto en el fondo como en el busto de la muchacha, cuya corporeidad está admirable-

mente lograda por la nueva técnica del viejo maestro[1].

[...] Pero donde su genio brilla con especial esplendor es en una que pasa por ser pieza maestra, existente en el Prado y concluida meses antes de su muerte. En ella, al igual que Beethoven con el cuarto movimiento de su *Sinfonía coral,* la IX, Goya semeja recuperarse del dolor, la amargura y las crisis sufridas y se expresa con un júbilo y una «alegría» que emergen de lo más íntimo de su espíritu y coronan toda una vida dedicada al arte, una vida sin cuyas creaciones la historia de la pintura universal hubiese sido distinta: es *La lechera de Burdeos,* pintada en 1827, el año anterior a su muerte[2].

La obra está firmada en la zona inferior izquierda mediante una incisión realizada cuando la pintura estaba aún húmeda con algún instrumento en punta, de modo similar a las firmas de los retratos de *Don Tiburcio Pérez y Cuervo* y *María Martínez de Puga.* La *Lechera* aparece documentada en una carta escrita el 9 de diciembre de 1829, aunque enviada el 13 de enero del si-

116. Francisco de Goya, *La lechera de Burdeos, ca.* 1827, Museo Nacional del Prado, Madrid.

guiente año, que Leocadia Weiss dirige al amigo de Goya Juan de Muguiro, que posó para el artista en mayo de 1827. En aquellos momentos Leocadia pasaba por graves estrecheces económicas, motivo por el cual le ofrece la obra a Muguiro. El fragmento en cuestión de la carta reza así:

Muy Señor Mío: Aunque soy muger tengo carácter y palabra. Me instó Vstd mucho para que le diera «la Lechera» y que le dijera lo que quería por ella; le respondía a Vstd que no pensaba venderla, y que si algún día la vendía sería por necesidad, y sería Vsted preferido. En el día, con mucho sentimiento de Rosario, estamos en ese caso; el difunto me decía que no la tenía que dar menos de una onza; si Vsted está con los mismos deseos, me dirá si quiere se la dirija su amigo Don Ignacio García a Bayona, y si no, como si no hubiera dicho nada[3].

Huelga decir que Muguiro aceptó la oferta, ya que la pintura permaneció en posesión de sus descendientes hasta que fue legada al Museo del Prado en 1945 junto a su retrato.

Considerando la palmaria certidumbre que este documento y la procedencia de la obra arrojaban sobre su autoría, la autenticidad de la *Lechera* se daba por descontada desde 1900, año de la reaparición del cuadro. Con frecuencia se la considera la última obra de Goya, aunque su fecha de realización no puede ser posterior a julio de 1827, cuando Muguiro marcha a Madrid. A pesar de lo anterior, la conocida especialista Juliet Wilson-Bareau ha sugerido recientemente que la autoría del artista presenta ciertos problemas. La prensa española recogió las sospechas de la experta en 2001, a raíz de una conferencia que impartió en el Museo del Prado. A juzgar por las informaciones publicadas, Wilson-Bareau habría dado a entender en tal ocasión que la autora real de la obra era Rosario Weiss. Un año más

tarde publicó una versión revisada y detallada de sus razonamientos en que lanzaba algunos interrogantes, pero sin que dejara más que vislumbrar posibles conclusiones o respuestas a ellos. En general, parece que el objetivo de su argumentario era poner en duda certezas hasta entonces incuestionables más que proponer alternativa alguna[4].

Tras resumir las interpretaciones más canónicas que esta pintura ha generado —no sin hacer notar de pasada su desacuerdo con ellas—, Wilson-Bareau comienza advirtiendo en su artículo la presencia en la obra de una serie de motivos extraños, un conjunto de formas inconexas que puede distinguirse a simple vista bajo la superficie pictórica. El más llamativo se sitúa a la izquierda de la lechera y se asemeja a una cabeza de grandes dimensiones vista de perfil y tocada con un turbante. En la zona superior derecha se aprecia levemente una especie de muro en el que se abre un arco o portal. Bajo este elemento arquitectónico, y visible tan solo mediante rayos X [117], se localiza una figura femenina de menor tamaño que apoya sus brazos en un balcón[5].

Según Wilson-Bareau, esos dibujos arbitrarios, desproporcionados en escala y subyacentes a la composición final, carecen de precedente en la obra de Goya y son ajenos a su práctica artística. Goya, destaca la autora, tan solo reutilizó lienzos durante la Guerra de la Independencia, cuando «el material nuevo andaba muy escaso»[6]. Igualmente problemática sería la pose de la protagonista. En algunas colecciones de estampas contemporáneas a esta pintura encontramos representaciones de lecheras, y en al menos una, datada en 1818-1819 y publicada por el grabador bordelés Gustave de Galard, aparece una de ellas montada en un burro aparejado con alforjas cargadas de jarros de leche[7]. Se supone que la *Lechera* de Goya protagoniza una escena similar, aunque en este caso se omite el burro y el jarro

117. Francisco de Goya, *La lechera de Burdeos, ca.* 1827, radiografía, Museo Nacional del Prado, Madrid.

se incluye de manera tan solo indiciaria en la parte izquierda de la obra. Es como si el lienzo hubiera sido recortado en su extremo inferior, a pesar de que la obra, técnicamente, parece haberse conservado intacta. A decir de Wilson-Bareau, «la resultante falta de claridad en la pose y gesto de la figura es absolutamente atípica en Goya»[8].

Seguidamente, Wilson-Bareau pasa a recordar cómo incluso los más fervorosos admiradores de Goya expresaron sus reservas acerca de esta pintura por una razón u otra. En 1917 Aureliano de Beruete sugirió que Goya, ayuno de inspiración en esos momentos, se inspiró en la lechera con la que se cruzaba cada día para pintar esta obra. Wilson-Bareau se desmarca de esta opinión señalando que, tal y como demuestran sus litografías y miniaturas, Goya no precisaba de tan mundanos estímulos para avivar su imaginación. Aun aquejado de achaques, seguía siendo un artista original, pleno de vitalidad e ideas. Moratín, amigo de Goya, testimonia en junio de 1825 que el artista, que acababa de superar una enfermedad grave, pintaba de manera compulsiva[9].

La única forma de juzgar la calidad de la pintura, concluye la investigadora, es compararla con otras obras de autoría indiscutible elaboradas por el artista durante su estancia en Burdeos, por desgracia escasas en número. Es posible que otras obras de este período se perdieran o fueran destruidas a propósito. Aunque Brugada dejó constancia de la manera incesante con que Goya se entregaba a la pintura, el número de obras de estos años conservadas en la actualidad es reducido, incluso si computamos algunas de discutible autoría. El indicador más fiable para evaluar la etapa final de Goya son sus miniaturas, primeramente, y sus litografías. Aquellas destacarían por la «energía y decisión de estas figuras [que] aseguran que, por suelta y abo-

cetada que sea su imagen… al mirarlas no cabe la menor duda sobre la estructura y movimiento de sus cuerpos ni de la ropa que visten»[10]. Tales características, se nos dice de manera implícita, brillan por su ausencia en la *Lechera*.

A continuación, Wilson subraya la proximidad formal que existiría entre la *Lechera* y otras obras que Goya realiza en Madrid justo antes de marchar a Francia, como las litografías *El sueño* y *La lectura* y ciertos dibujos del Álbum E. Digna de mención encuentra también la evolución que se produce en la pintura de la última década de Goya, cuando pasa de una paleta brillante e intensa (*Duquesa de Abrantes*, 1818, Museo Nacional del Prado, Madrid) a otra más contenida dominada por los negros y azules, con algún toque ocasional de color siempre tenue (*María Martínez de Puga*, 1824, Frick Collection, Nueva York). El mensaje entre líneas es que la paleta cálida de la *Lechera* no concuerda con la del resto de sus obras pintadas en Francia[11].

El siguiente asunto concierne a la autoría de los dibujos subyacentes, suponiendo que no fueran de Goya. Estos quedan atribuidos en el texto a Rosario en razón de su semejanza con dos conjuntos de dibujos infantiles suyos que se han conservado[12]. La crítica considera que Rosario Weiss realizó estos dibujos, de claro aire goyesco, bajo la tutela del mismo Goya entre 1820 y 1823. Partiendo de ese hecho, se infiere que fue ella la autora evidente de esos esbozos inconclusos que aparecen bajo la figura principal de la *Lechera* y puede que en algunas otras zonas de su superficie.

Recapitulando: según esta autora, es posible, pero no probable, que Goya empezara la *Lechera* y que quizás la concluyera antes de marchar a Francia. Que Javier Goya no se la trajera consigo de casa de su padre en su regreso a España estaría revelando que él mismo no la creía obra del artista. El «mucho sentimiento de Rosario» ante la decisión de Leocadia de venderla obedecería a la pérdida que le causaba ver partir una pintura suya (o ¿de ambos, tal vez?). Y el valor monetario que Goya le asignó reflejaría exclusivamente su admiración desmedida por el talento artístico de Rosario. Tras poner en duda algunas de las razones que sustentan la atribución a Goya, Wilson-Bareau da a entender que la obra podría haber sido fruto de una colaboración entre Goya y Rosario, quien, alcanzada su madurez como artista, trabajó por un tiempo como copista de pinturas, aunque nunca pasara de un nivel mediocre. Wilson-Bareau finaliza recalcando la necesidad de seguir ahondando en esta cuestión.

El razonamiento de la autora merece una respuesta igualmente razonada[13]. A tal efecto, dividiré los argumentos de Wilson-Bareau en dos categorías diferenciadas: una textual/documental y otra artística. A las que añadiré un criterio más, pertinente, creo, al estudio de este problema. Este no es otro que la «navaja de Ockham», que el *Shorter Oxford English Dictionary* define como «el principio por el cual en la explicación de una cosa no proceden más suposiciones de las necesarias». La carta de Leocadia a Muguiro, la evidencia más importante que conservamos, es el filo de esa navaja. Aun a pesar del hecho de que Javier no se llevara la *Lechera* de entre los enseres de la casa de Goya, y aunque es cierto que el nombre de Goya no se menciona expresamente en la carta, la información que proporciona Leocadia es razonablemente clara. Muguiro, pariente lejano y amigo de Goya (su hermano estaba casado con la hermana de la esposa de Javier Goya, Gumersinda, además de haber posado para el pintor en 1827), tuvo oportunidad de contemplar la obra en casa de Goya, fue informado de la autoría de este último y se ofreció a comprarla si alguna vez era puesta a la venta. La autoría de Goya de la *Lechera* no se menciona en la carta

porque se daba por hecha; solo habría tenido sentido identificar al artista si se hubiera tratado de otra persona. En cuanto al comentario respecto al *sentimiento* de Rosario ante la posible venta a Muguiro, y que entrañaría que la pintura guardaba un significado especial para ella y que, por tanto, le entristecía perderla, entiendo que se trata de un error de interpretación del documento por parte de Wilson-Bareau. Leocadia se está refiriendo a la tristeza de Rosario por su penosa situación económica. La circunstancia de que Javier Goya no se llevara la pintura a Madrid tiene muchas explicaciones posibles: que no se encontrara en la casa; que Leocadia le convenciera de que era de su propiedad, o que fuera, como se ha indicado alguna vez, un retrato de Rosario, sin interés, por tanto, para el hijo de Goya. Por más que podamos desmontar la carta de Leocadia hasta hacerla negar la autoría de Goya, lo más sensato es interpretarla en sentido literal.

Los testimonios de Moratín y Brugada (vía Matheron) ofrecen mayores evidencias textuales acerca del rudimentario método de trabajo del pintor en sus últimos años. Empecemos por el de Brugada. Goya pintó hasta el último momento, nos relata, si bien con cada vez mayor descuido. En ocasiones prescindía hasta de pinceles, y empleaba en su lugar cualquier cosa que tuviera a mano: una espátula, un trapo, lo que fuera: «cada día imaginaba una obra y con frecuencia el cuadro de la víspera lo terminaba al día siguiente»[14]. Al juzgar por la fiabilidad del comentario de Brugada, Wilson-Bareau recuerda que era proclive a errores menores. Sin embargo, Moratín corrobora dicho comentario acerca de la frenética actividad pictórica de Goya. En junio de 1825 escribe a un interlocutor que el artista, tras haber estado al borde de la muerte, pinta «que se las pela, sin querer corregir jamás nada de lo que pinta»[15].

Lo que nos conduce hasta la cuestión artística, el eje de esta polémica; me refiero al estilo y técnica de la obra y su situación en el contexto de la progresión artística de Goya[16]. Para que el argumento de Wilson-Bareau se sostuviera, habría que aceptar como premisa que el nivel de finura técnica de Goya se mantuvo constante hasta el último momento, a pesar de los testimonios de Brugada y Moratín. De las miniaturas alaba la autora la «energía y decisión de estas figuras [que] aseguran que, por suelta y abocetada que sea su imagen [...] al mirarlas no cabe la menor duda sobre la estructura y movimiento de sus cuerpos ni de la ropa que visten»[17]. Este criterio parte de la infalibilidad de Goya como pintor. Como veremos, esta apreciación dista de ser correcta y contrasta con la ejecución de obras como los *Toros de Burdeos*. La muchedumbre que puebla los fondos de esta serie de estampas se reduce ya a una amalgama de formas indiferenciadas y apuntes esquemáticos, especialmente en la lámina no publicada de la serie del Musée des Beaux-Arts de Burdeos. Los controvertidos grabados al aguafuerte y aguatinta que lleva a cabo en esta época final son otra muestra más de su mano inestable. Cabe recordar que es factible que la *Lechera* sea incluso posterior a las miniaturas (invierno de 1824-1825) y los *Toros de Burdeos* (otoño de 1825). Durante 1826 y parte de 1827 Goya no dejó de pintar mientras su salud se deterioraba. Sin embargo, Wilson-Bareau considera que el retrato de Juan de Muguiro, fechado ya en mayo de 1827 [**118**], es superior a la *Lechera* en calidad técnica.

Esta apreciación, que bien puede ser cierta, no implica que la *Lechera* fuera un fracaso artístico o una obra atípica en el repertorio de Goya. La ambigua pose, que queda sin resolver en la parte inferior de la figura, es común a retratos anteriores como el de *Francisco Bayeu* de 1795 (Museo Nacional del Prado) y el de Isidoro Mái-

118. Francisco de Goya, *Juan Bautista de Muguiro*, 1827, Museo Nacional del Prado, Madrid.

quez de 1807 (Museo Nacional del Prado). Por otras razones, la pose resulta, no obstante, bastante sutil. La muchacha aparece representada desde un punto de vista inferior, con un celaje de fondo realizado a base de gradaciones de azul. Tal y como se percibe en su superficie, Goya fue estudiando sobre la marcha la colocación de la figura dentro de la composición y retocando el perfil de la lechera. Mediante esa modulación de azules —más oscuros en la parte superior derecha, claros en la izquierda, donde se conjugan cuidadosamente con la preparación vista del lienzo— Goya consigue dar vida a la escena y hace sobresalir a la figura del fondo. En cuanto a la, en apariencia, anómala variación de tonos claros, se explica por la circunstancia de que nos encontramos ante una escena exterior, no un espacio interior cerrado, como parecería más apropiado para un retrato *(Mujer con ropajes al viento* del Museum of Fine Arts de Boston constituye otra excepción semejante a ese criterio de utilizar fondos oscuros).

Como la crítica ha señalado repetidamente, tanto la ejecución del chal como la del pañuelo y el vestido requieren de una compleja integración de colores y pinceladas que es característica de sus años de madurez. Las luces del chal y el pañuelo están aplicadas con gran habilidad. No se puede negar que la técnica es insegura: a Goya le iba abandonando la vista, su mano vacilaba, la pintura no era un encargo de cliente alguno y el pintor tenía días buenos y malos. Se reconocen aquí, sin embargo, los vestigios de su maestría: su sabiduría técnica se muestra tan sólida como siempre, solo el toque falla.

Para finalizar, el registro expresivo de la figura, su aire melancólico y pensativo, recuerda al de otras obras anteriores del artista. En particu-lar, nos referimos a algunos de los dibujos de sus álbumes —como el C. 25 *(Piénsalo bien),* C. 107 *(El tiempo hablará),* el número 40 del álbum E *(Déjalo a la providencia)* y el 32 del álbum F. Como en tantas otras ocasiones, Goya echa mano de su inventario de ingenios y recicla formas pasadas de manera novedosa.

Si le otorgamos credibilidad a las evidencias biográficas y textuales que acabo de repasar y al análisis de las características formales de esta pintura, la atribución de la *Lechera* a Goya resulta segura. En cuanto a los dibujos subyacentes, la atribución que Wilson-Bareau hace a Rosario no está exenta de fundamento. ¿Es plausible, o al menos posible, que Goya pintara *La lechera de Burdeos* sobre un lienzo que Rosario había utilizado antes para practicar? Puede que la oportunidad de estudiar la *Lechera* junto a una representativa selección de obras del período bordelés de Goya nos acerque a la respuesta.

18
Otra imagen del mundo: arte español, 1500-1920

Cuesta a veces valorar quién ha hecho más daño a la percepción del arte español, si sus admiradores o sus detractores. Desde el punto de vista de la historia del arte tradicional, y para el público anglosajón en general, el arte español se define por los nombres de tres grandes pintores de reconocido genio: El Greco, Velázquez y Goya. De un puñado de artistas más, como Zurbarán, Murillo y Ribera, se admira su talento. El resto, no digamos ya arquitectos y escultores, no pasan de ser considerados artistas provincianos o imitadores, sin que lograran jamás reconocimiento público. De los cientos de miles de visitantes anuales del Museo del Prado, solo unos pocos conocen el nombre de su arquitecto y su importante papel como exponente del Neoclasicismo.

De este desconocimiento y desdén se sigue un corolario sin fundamento alguno: que los artistas españoles, por muy numerosos que fueran, poco o nada contribuyeron a la evolución del arte europeo. Al no tener mayor influencia (excepto en Hispanoamérica), su repercusión, por

tanto, habría de ser mínima. Bajo esta actitud subyace uno de los prejuicios más persistentes de la historia del arte. Tal y como se plantea y enseña en el mundo anglófono, el devenir de la historia del arte desde el Renacimiento hasta la Ilustración viene determinado por una corriente cultural predominante, que surge primero Italia y después se traslada a Francia. Los artistas que, para su desgracia, desarrollaron su carrera ajenos a estas corrientes aparecen relegados por lo general a la categoría de artistas locales o seguidores.

En sentida respuesta a la «marginación» de su país, el grupo de escritores conocido como la «generación del 98» construyó desde el extremo opuesto un «espíritu español» de naturaleza mítica que no solo explicaba y justificaba el aislamiento de España, sino que lo glorificaba. España se convirtió en un misterio, un enigma, una paradoja, una contradicción, y a los artistas españoles se les sacaba a relucir y estudiaba en tanto que expresión visible de esos rasgos de la historia de España. Solo unos pocos inicia-

262 • NO SOLO VELÁZQUEZ

dos, por causa de nacimiento o temperamento propio, alcanzaban a comprender la realidad del arte español. Este postulado, aceptado por no pocos observadores externos en toda su literalidad, redujo el número de estudiosos de este arte y, paradójicamente, contribuyó a aumentar el aislamiento de España respecto al resto del mundo.

Dicho lo cual, el «caso» español es comparable en muchos aspectos a otros países como Alemania e Inglaterra, que tampoco gozaron del privilegio de surcar la corriente italo-francesa de referencia. Un término prestado de la antropología, «aculturación», define mejor que ningún otro el proceso evolutivo del arte español y su dependencia de los centros generadores de Italia. Esta palabra describe cómo se modifican ideas y costumbres al transmitirse de una cultura a otra. Un complejo mecanismo de filtrado da lugar a un proceso de asimilación parcial, eliminando algunos fenómenos por su inadecuación a las condiciones locales y transformando otros radicalmente a fin de que satisfagan las necesidades de la cultura receptora. En la práctica, la difusión de las ideas artísticas y su transformación al introducirse en un entorno nuevo se plantean como si de un tipo de patronazgo se tratara.

En España la relación entre los artistas y sus clientes favorecía radicalmente a estos últimos, cuyo dominio se sustentó durante mucho tiempo en la ventaja de su riqueza y posición social. Un espíritu libre como Goya no pudo echar a volar hasta que tuvieron lugar los grandes trastornos de la Revolución Francesa. No obstante, incluso en Goya, se da una disyunción drástica entre el personaje privado, autor de cáusticas obras de sátira política, y el hombre público, quien trabajó incansablemente para labrarse un prestigio y un patrimonio y también para proteger su pensión real.

INSPIRACIÓN DEL NORTE

Esta dinámica de aculturación artística vive sus momentos más activos en el siglo XV, cuando España entra en la órbita del arte septentrional de los Países Bajos, Borgoña y los territorios del Rin. Los estrechos lazos comerciales con el norte proporcionaron el conducto perfecto para que arte y artistas fluyeran hacia España, con lo que las colecciones españolas se enriquecieron de pintura y tapices flamencos.

A su vez, estas obras sirvieron de inspiración a los artistas de Castilla, que con notable originalidad interpretaron las fuentes flamencas. Los seguidores de lo que hoy se denomina escuela hispano-flamenca apenas si viajaron al norte; conocieron la pintura tardogótica neerlandesa imitando obras que llegaban importadas, lo que podríamos comparar con estudiar utilizando los apuntes de otro estudiante en vez de asistir a las clases del profesor.

Otro factor condicionante es el contexto físico al que iba destinado el arte. Muchas obras pictóricas estaban pensadas para adornar retablos, algunos de dimensiones gigantescas, lejos del alcance visual del espectador. Los pintores hispano-flamencos trabajaban a distancia, tanto de sus modelos como de su público. Lo que se consideraba más importante era el contenido narrativo y doctrinal de dichas composiciones. Como respuesta a estas circunstancias, los pintores españoles simplificaron y esquematizaron los estilos norteños.

Los resultados se aprecian más claramente al comparar dos versiones de la *Pietà*, una de Rogier van der Weyden, propiedad de la reina Isabel, la otra de Fernando Gallego, un eminente maestro hispano-flamenco activo en Castilla desde 1466 hasta 1507. Gallego intensifica la emotividad de la imagen de Rogier aumentando la escala de las figuras y resaltando su angularidad, lo que incrementa el efecto visceral y estremecedor del trágico acontecimiento.

LA CONEXIÓN ITALIANA

Gallego se sitúa en el umbral de una fase reveladora pero poco comprendida del arte español que se caracteriza por la rapidez de los cambios y una deslumbrante heterogeneidad. Para aquellos acostumbrados a la progresión lineal del arte italiano, este período parece todo confusión, como una obra de teatro surrealista en la que nadie entra en escena a tiempo y todos los actores hablan a la vez. Durante los últimos años de Gallego, y hasta bien entrado el primer cuarto del siglo XVI, se filtran en un reducido espacio de tiempo en España hasta tres fases distintas de la pintura centroitaliana, que coexisten con la continuación del estilo hispano-flamenco.

Pedro Berruguete (ca. 1450-1503) es representante de la primera fase. Nacido en Paredes de Nava (Palencia) y formado en el hispano-flamenco, estuvo un tiempo en Módena, de donde procede esa fina pátina de italianismo ausente por completo en la obra de Gallego. Poco antes de la muerte de Berruguete, y estando aún vivo Gallego, aparece Juan de Borgoña (activo entre 1495 y 1536), un pintor del norte, y buen conocedor del arte centroitaliano. El arzobispo de Toledo, el cardenal Francisco Jiménez de Cisneros, fue su protector. En la nueva Sala Capitular de la catedral de Toledo, construida entre 1509 y 1511, Borgoña da muestras de su familiaridad con la obra de un pintor como Bernardino Pinturicchio y también de un dominio de la perspectiva y un sentido plástico en lo figural que hacen que la obra de Berruguete parezca anticuada.

La novedad del arte de Borgoña pronto fue eclipsada por el regreso a casa de otro artista emigrado, Alonso Berruguete (ca. 1485-1561), hijo de Pedro. Alonso residió en Florencia y Roma desde aproximadamente 1504 hasta 1517, años cruciales en que se estaba gestando el estilo anticlásico del Manierismo. El Manierismo parecía hecho a la medida de un artista formado en las convenciones de la escuela hispano-flamenca; ofrecía nuevas posibilidades para las distorsiones expresivas y Berruguete experimentó con ellas hasta la extenuación. Una vez instalado nuevamente en España, Berruguete se hizo escultor —y un gran escultor—, que depuró al estilo clásico de toda norma prescriptiva, subsanando sus fallas con una emoción vigorosa y desbocada.

De esa manera, entre 1490 y 1550, la pintura y escultura castellanas recorrieron con toda rapidez tres etapas consecutivas del arte italiano, reelaborándolas y recombinándolas con el persistente legado del Gótico tardío septentrional. La aristocracia, que poseía un gusto más avanzado, se dejó cautivar por el prestigio en aumento del arte italiano, pero los clientes religiosos tendían a ser más conservadores. En Salamanca (1510-1581) y Segovia (1424-1599) se inician grandes catedrales góticas al mismo tiempo que se comenzaba un palacio romano del Alto Renacimiento para Carlos V en un extraño emplazamiento, junto al palacio islámico de la Alhambra. Y entre estos dos extremos, encontramos edificios de estilo plateresco, como la famosa fachada de la Universidad de Salamanca (ca. 1525), un proyecto gótico salpicado de unos ornamentos clásicos de tal hechura que habrían horrorizado a Bramante († 1514) si hubiera vivido para verlo.

EL PATRONAZGO DE FELIPE II

Durante la primera mitad del siglo XVI, los principales centros de patronazgo estaban distribuidos de manera uniforme por toda España. En ciudades como Valencia, Sevilla, Valladolid, Burgos, Granada y Toledo los cargos eclesiásticos de importancia disponían de medios y motivación para costear todo tipo de empresas artísticas. Las familias nobles más eminentes, entre

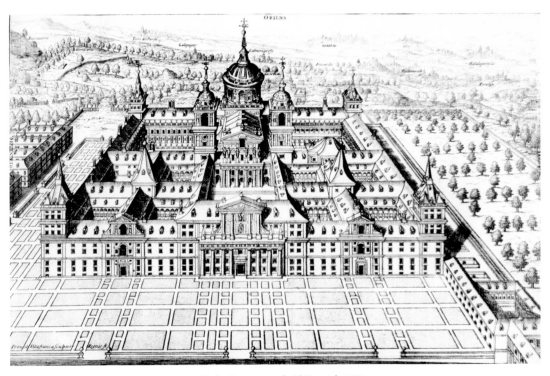

119. Pedro Perret, vista de El Escorial, 1587.

las que sobresale la estirpe de los Mendoza, fueron también capaces de auspiciar ambiciosos proyectos, tanto seculares como religiosos. La presencia relativamente débil de la monarquía favorecía el papel de estos obispos y señores. Isabel la Católica fue ciertamente una mecenas aplicada y sagaz, pero su muerte en 1504 dejó un vacío. Carlos V, que reinó desde 1516 hasta 1558, no dudó nunca en destinar grandes sumas de dinero a las artes a mayor gloria de su persona, pero la itinerancia de su estilo de gobierno mermó su impacto artístico.

Esta situación cambió drásticamente cuando su hijo Felipe II le sucedió en el trono. Ya desde príncipe, Felipe había manifestado un interés profundo por el arte, y una vez en el poder,

inició una revolución artística que iba a dejar una huella duradera en sus dominios hispánicos. El primer paso fue acabar con la corte itinerante; en 1561 Madrid se convirtió en su sede permanente. En esta zona ya había empezado a tomar forma con Carlos V una red de palacios, con el Alcázar de Madrid en su centro. Ya instalado en su nueva capital, Felipe II acondicionó las casas reales de Aranjuez, El Pardo y Toledo, y enriqueció sus interiores.

Con el establecimiento de la corte, una medida en teoría favorable a los artistas españoles, se desarrolló un fenómeno imprevisto: la importación masiva de arte y artistas extranjeros. Carlos V dio inicio a esta tendencia al adoptar a Tiziano como pintor de su corte. Felipe II continuó favoreciendo a los grandes artistas venecianos, de quienes se convirtió en su principal cliente. Este monarca estaba a punto de concebir un proyecto arquitectónico solo factible con ayuda del exterior. Hablamos de El Escorial [119], un gigantesco complejo arquitectónico que se levantaría al pie de la sierra de Guadarrama, a unos cuarenta y cinco kilómetros de Madrid.

El Escorial constituye el mayor proyecto arquitectónico de su época y también el peor entendido, aunque sus orígenes son bastante claros. En 1556, tras la victoria en la batalla de San Quintín de sus ejércitos ante los franceses, hizo voto de adoración a san Lorenzo, en cuyo día se celebró la batalla, con una construcción conmemorativa. A este propósito se le añadió pronto otro. Su padre le había encomendado que le edificara un lugar de enterramiento digno, función a la que se dedicó El Escorial.

Si bien la misión era sencilla, su realización fue compleja, por más que el gigantesco edificio se construyera en el sorprendentemente breve intervalo temporal de veinte años (1563-1584). En síntesis, se estructura en torno a la Capilla Real, bajo cuyo altar se instaló la cripta para Carlos V y sus descendientes. En la zona sur del complejo se habilitó un monasterio para la Orden de los Jerónimos, mientras que la parte norte se destinó a seminario y a las estancias del palacio. El Escorial se convirtió en una especie de fábrica de plegarias para la salvación de las almas reales. El cuerpo de monjes, que se nutría de su seminario, celebraba miles de misas bajo la atenta mirada del piadoso rey, que se sumaba al coro cuando se encontraba allí.

El proyecto de El Escorial se le confió a artistas italianos o formados en Italia, pero su estilo no tiene igual en Italia. El arquitecto inicial, Juan Bautista de Toledo, había trabajado con Miguel Ángel en el Vaticano, pero nada del extravagante y complejo estilo de su maestro hay

en El Escorial. Toledo y su sucesor, Juan de Herrera, crearon un edificio de estilo clásico depurado, austero como corresponde a un monumento funerario y grandioso sin mesura. Por deseo del rey, se le remató con tejados de pizarra de elevada pendiente y altas torres esquineras. Esta interpretación totalmente original del estilo clásico hizo de El Escorial un símbolo de la casa reinante de los Habsburgo, de cuyo influjo los arquitectos de la corte no fueron capaces de escapar hasta el fin de la dinastía en 1700.

La decoración pictórica, que corrió a cargo asimismo de artistas italianos o italianizantes, conforma un catálogo en potencia de las doctrinas de la Iglesia en la Contrarreforma. Siguiendo la estela de su padre, Felipe II se consideraba el líder del brazo seglar del catolicismo. La decoración expresa su piedad incólume, glorifica a Cristo salvador, proclama la divinidad de la Virgen María y reitera la centralidad de los santos y los sacramentos.

Los principales pintores italianos de Felipe II, Luca Cambiaso, Federico Zuccaro y Pellegrino Tibaldi, fueron figuras de relevancia en su época, aunque su fama decreció inexorablemente con el transcurso de los siglos. No obstante, su importancia para los pintores españoles es inestimable. Es posible que *La flagelación de Cristo* de Zuccaro [120], realizada para el altar mayor de la basílica de El Escorial, no nos suscite una admiración desenfrenada, pero sirvió para dar a conocer la gran *maniera* del clasicismo italiano a los artistas locales, e influyó a dos generaciones sucesivas de pintores de dentro y fuera de Madrid.

A comienzos del reinado de Felipe II, los artistas españoles, y en especial los castellanos, aún andaban haciendo experimentos con el nuevo clasicismo italiano, tomando prestados motivos y rasgos pero sin alcanzar a comprender del todo los sistemas y teorías en que se

120. Federico Zuccaro, *La flagelación de Cristo,* 1587, altar mayor, basílica de El Escorial.

sustentaban. Felipe II introdujo el Renacimiento en España y llevó a que los artistas lo adaptaran a fin de dar expresión a su autoproclamada condición de Católica Majestad. Con este enorme ejemplo de voluntad e inteligencia arranca una nueva era, el Siglo de Oro del arte español.

EL GRECO, ARTISTA MARGINAL

Felipe II dio solo un paso en falso: rechazó a El Greco, el único artista de genio indiscutible que se cruzó en su camino. La falta de interés del rey por este gran pintor se explica fácilmente por ciertas razones. El Greco era una persona cuya autoestima frisaba en la arrogancia, lo que le hacía difícil de mantener bajo control. En 1580, el rey le encargó la pintura destinada a un gran retablo de El Escorial, *El martirio de san Mauricio y la legión tebana* [121]. El Greco derrochó artificio y talento en su elaboración, pero cometió unos errores que al rey le debieron de parecer imperdonables: no solo relegó la escena del martirio al fondo del cuadro, sino que incluyó en él los retratos de tres de sus generales. La idea de El Greco era glorificar a los hombres del rey en su papel de defensores de la fe, pero Felipe II, fanático de la ortodoxia doctrinal, no reparó más que en el anacronismo de haber convertido a coetáneos suyos en testigos de un acontecimiento del siglo IV. *El martirio de san Mauricio* fue, pues, el primer y último encargo real de El Greco.

Por suerte, en Toledo le esperaba una clientela más comprensiva. El artista había llegado a la ciudad en 1577 tras una extraordinaria pero desafortunada carrera. El Greco nació en Creta en 1541 y se formó como pintor posbizantino. En torno a 1566 emigró a Venecia, donde empieza a asimilar los estilos de Tiziano y Tinto-

121. El Greco, *El martirio de san Mauricio y la legión tebana,* 1580, basílica de El Escorial.

122. El Greco, *El entierro del conde de Orgaz,* 1588, iglesia de Santo Tomé, Toledo.

retto. Cuatro años más tarde, se traslada a Roma y estudia la obra de Miguel Ángel. El resultado de esta variada formación, en que se combinan sin precedente alguno elementos bizantinistas y clásicos, fue un arte de la mayor originalidad. No obstante, para El Greco la tradición clásica era como un idioma extranjero que hablaba con acento extraño. Los puristas romanos probablemente le consideraron poco más que un excéntrico, pero en España, donde el clasicismo era también un idioma extranjero, se sintió como en casa.

El Greco bien pudo haber prosperado en cualquier otro lugar de Europa, en donde el estilo clásico estaba barnizado con una persistente pátina de goticismo tardío, como por ejemplo en Fontainebleau, Haarlem o Praga, lugares de sobrada tolerancia por la hibridación artística. Pero Toledo le fue útil a sus propósitos y allí encontró una élite de doctos eclesiásticos que aceptaron sus excentricidades sin rechistar y que, a la vez, le motivaron a proseguir con sus inflamadas a la par que ingeniosas exposiciones de la doctrina católica. Liberado del lastre de la normativa clásica, su arte comenzó a despegar. Su obra maestra, *El entierro del conde de Orgaz* (1586-1588) [**122**], es una apología de la doctrina de las obras de misericordia, un asunto crucial para la Iglesia de la Contrarreforma. Pero es también una enciclopedia de efectos artísticos en todos sus registros, desde el inacostumbrado realismo de la armadura del conde fallecido hasta los bordados de las vestimentas de los sacerdotes, pasando por las potentes y expresivas distorsiones del episodio del Juicio en el otro mundo. El Greco valoraba la imaginación como la mayor de las facultades artísticas, y ningún otro pintor de su tiempo dispuso de tanta como él. De ahí lo verdaderamente inimitable de su arte y su falta de seguidores.

UN NUEVO ARTE PARA ESPAÑA: LO SAGRADO Y LO PROFANO

Aunque el patrocinio cortesano durante el reinado de Felipe III (1598-1621) se amparaba en las mismas instituciones creadas por Felipe II, ciertos cambios sutiles se dejaron sentir. El rey era un individuo apático, bastante tímido, que rehuía las complejidades de la gobernanza de la monarquía española y decidió dedicar su atención a cazar y a la oración. Las riendas del poder las tomó el duque de Lerma, un astuto e informado admirador de las artes. En vez de traer pintores de Italia, Lerma promocionó a los pintores designados por Felipe II en los últimos años de su reinado, muchos de los cuales eran parientes o descendientes del círculo de asistentes de Zuccaro, Cambiaso y Tibaldi. Sin embargo, las pinturas religiosas de estos artistas son de un tono marcadamente diferente. La persistente y a veces distorsionadora ortodoxia doctrinal exigida por Felipe II dio paso a una espiritualidad más expresiva, fundamentada en las apariencias naturales, aunque depurada de lo meramente accidental.

Los principales practicantes de este estilo fueron los hermanos Carducho, Bartolomé (ca. 1860-1608) y su hermano menor Vicente (ca. 1576-1638). Bartolomé había llegado a España como ayudante de Zuccaro, y en España se quedó cuando a su maestro le mandaron de vuelta a casa. Además de su labor como pintor, Bartolomé era marchante de arte, especializado en la importación de obras de pintores florentinos de su tiempo. Estos pintores, a los que hoy se les estima entre los precursores del naturalismo en Italia, ofrecían ejemplos de un arte religioso sencillo y directo, del que se apropiaron los Carducho y sus numerosos seguidores, como ejemplifica la espartana eficiencia del *Descendimiento de la cruz* de Bartolomé realizado en 1595.

123. Juan Sánchez Cotán, *Bodegón con membrillo, repollo, melón y pepino, ca.* 1602, San Diego Museum of Art.

Estos son los orígenes de las comedidas y conmovedoras representaciones del Evangelio y de las vidas de los santos que constituyen lo más magnificente de la pintura barroca temprana en España.

La continuidad fue también la consigna del retrato cortesano. La fórmula tan particular, casi esquemática, de los retratos de los Habsburgo se fijó en los primeros años del reinado de Felipe II con Tiziano y Antonio Moro. Tal fórmula prescribía modelos envarados, ataviados con ostentosas vestimentas y sobre un fondo neutro. A la manera de moscas en el ámbar, el aspecto de los miembros de la familia real se refleja en estos retratos con fidelidad pluscuamperfecta. En estas proyecciones visuales del jerárquico protocolo de la corte de los Habsburgo no se permite ni un destello de emoción.

Las reglas del retrato real se aplicaron también a un nuevo género de pintura que apareció a principios del siglo XVII. Se trata de la naturaleza muerta, otra importación italiana. Las naturalezas muertas italianas figuran en las colecciones españolas desde 1590 más o menos, y hacia 1600 uno de sus primeros y más aventajados seguidores locales ya se encontraba realizando interpretaciones singulares de este tema. Los modelos de Juan Sánchez Cotán (1560-1627) [123] eran las ricas y opíparas naturalezas muertas del norte de Italia, si bien reduciendo la cosecha de elementos representados a apenas un puñado. Los disponía sobre una cornisa poco profunda, iluminados por una potente luz. La quietud y el convincente realismo de las superficies y texturas son recursos que el retratista aplica también sobre los humildes frutos de la naturaleza.

Los artistas de la corte de Felipe III continuaron durante los primeros años del reinado de Felipe IV (1621-1665). Al final de su vida, Felipe IV iba a convertir en el más importante coleccionista reinante y conocedor artístico de todo el siglo XVII, pero hasta 1640 muchos de sus pintores en nómina eran aún los de su padre y el duque de Lerma. Sin embargo, el valido del rey, el conde-duque de Olivares, era tan impaciente con la situación artística como con la política, y fue por iniciativa suya por lo que se mandó traer desde Sevilla a un joven prodigio: Diego Velázquez (1599-1660).

La presencia permanente de la corte en Madrid canalizaría los talentos artísticos de las provincias de manera lenta pero inexorable en favor de la capital. Uno tras otro, los que fueron en el siglo XVI importantes núcleos de actividad artística —Toledo, Valencia, Valladolid— declinaron. Solo resistió Sevilla, apoyada por las riquezas generadas por el comercio con las colonias americanas.

Sevilla era un centro cosmopolita, con populosas colonias de comerciantes genoveses y flamencos, y no hay duda de que los artistas de la zona estaban familiarizados con la pintura de estos lugares. De hecho, el estilo predominante era una amalgama de todas estas fuentes, reinterpretadas para agradar a los clientes eclesiásticos que manejaban el mercado del arte. Durante la juventud de Velázquez, el pintor más eminente era Juan de las Roelas, que trabajó entre 1597 y 1625, y realizó varias pinturas de retablo de gran formato en las que equilibraba con gran virtud la comprensión y la claridad requeridas con un agudo talento por la descripción detallada del naturalismo.

LA ÉPOCA DE VELÁZQUEZ

Las primeras obras conocidas de Velázquez parecen del todo independientes de la tradición y la práctica locales. *Vieja friendo huevos,* por ejemplo, es una de las primeras obras de género sevillanas (sus predecesoras más inmediatas son también de la mano de Velázquez). Es evidente que el punto de partida del artista eran las escenas de cocina de la escuela flamenca realizadas por Pieter Aertsen y sus seguidores en torno a 1550. Pero Velázquez se atrevió a mirar con ojos renovados la naturaleza y reproducir sus apariencias con tanto detalle como le fue posible. Para ser sinceros, con demasiado detalle, pues la mirada penetrante del artista dota a la composición de una calidad rayana en la gelidez.

Fueron el atrevimiento, la frescura y la sobresaliente brillantez de Velázquez los que llamaron la atención muy pronto de la corte. En 1623 visitó Madrid por segunda vez en busca del favor real y su carta de presentación fue su magnífica pintura de género, *El aguador de Sevilla* [124] (Wellington Museum, Londres), en comparación con la cual la obra de los pintores del rey del momento, entre ellos Vicente Carducho, queda-

124. Diego Velázquez, *El aguador de Sevilla*, 1627-1623, Apsley House, Londres.

ba obsoleta. Poco después, retrató al rey y recibió el tan deseado nombramiento de pintor real. A partir de entonces, su carrera dependería del patrocinio de Felipe IV.

Con todo, su camino hacia el éxito estuvo sembrado de obstáculos en sus inicios: sus primeros años en la corte se caracterizan por su lucha y rivalidades con los viejos pintores, sobre los que acabó prevaleciendo. En 1628 apareció en Madrid un rival amistoso, que demostró al joven Velázquez que había más en la pintura de lo que pudiera concebir. Se trataba de Pedro Pablo Rubens, por entonces en el apogeo de su carrera como pintor, diplomático y cortesano. Las conversaciones entre Rubens y Velázquez tuvieron que ser de las más fascinantes que se hayan producido entre dos artistas, pero, por desgracia, no ha quedado testimonio de ellas. Dos meses después del regreso de Rubens al norte, Velázquez ya estaba camino de Italia, siguiendo, claramente, el consejo del maestro flamenco.

El viaje de Velázquez a Italia duró poco más de dos años (de agosto de 1629 a enero de 1631), y una vez allí, como El Greco antes que él, asimiló y transformó las reglas y preceptos del clasicismo. La evolución del arte de Velázquez se hace patente si comparamos dos de sus obras mitológicas: *Los borrachos* por una parte, pintada justo antes de su marcha a Italia, y *La fragua de Vulcano* por otra, realizada en Roma en 1630. Como idea, *Los borrachos* es magnífica, pero como obra de arte es desigual. La conjunción del Baco de piel tersa con los escuálidos campesinos, regados de vino y exudantes de un aire de ebrio alborozo, es brillante. No obstante, los borrachos se apelmazan en un primer plano exiguo, que obliga al artista a recortar algunos cuerpos por debajo del pecho. En *La fragua de Vulcano,* sin embargo, lo prosaico y lo clásico se conjugan con gran éxito. Velázquez ha dado un salto enorme en la representación de la figura humana y en la creación de un espacio ilusionista creíble. A pesar de ello, sigue representando los más insignificantes detalles de un modo tal que consigue trasladar un antiguo mito al aquí y ahora.

A su vuelta, Velázquez encontró cambios drásticos en la atmósfera de la corte. Durante su ausencia, había nacido un heredero al trono, el príncipe Baltasar Carlos. En 1632, el príncipe prestó juramento de fidelidad a las Cortes de Castilla, lo que dio lugar al primero de una serie de espectaculares festejos cortesanos que tendrían lugar durante la tercera década del siglo XVII. El principal escenario de estos derroches de pompa y poder real era el Palacio del Buen Retiro, construido en el límite oriental de Madrid bajo el patrocinio de Olivares. Como obra arquitectónica, el Retiro se sale de los moldes de El Escorial, un prototipo poco propicio para un palacio de asueto. Sin embargo, el poder de la gran obra arquitectónica de Felipe II era tal que escapar a su influjo se hacía imposible.

Por fortuna, la decoración del interior compensó las bastante austeras fachadas. Como principal pintor real, Velázquez estuvo a cargo de la decoración pictórica, contribuyendo al conjunto con varias obras, religiosas y profanas. La más famosa es *La rendición de Breda* [125], uno de los doce cuadros de victorias de la monarquía que se encargaron a los pintores reales y a sus discípulos. El sitio de Breda, una importante victoria sobre los holandeses en la Guerra de los Treinta Años, había sido lograda por las tropas españolas a las órdenes del general genovés Ambrosio de Espínola. En la representación de Velázquez, la rendición constituye una brillante mezcla de verosimilitud e imaginación. Al emplear grabados topográficos del lugar, Velázquez pinta un paisaje razonablemente fiel al de la ciudad fortificada de Breda. También precisos son los retratos de los dos generales, Espínola y Justino de Nassau, comandante de los holandeses.

125. Diego Velázquez, *La rendición de Breda, ca.* 1635, Museo Nacional del Prado, Madrid.

Por otro lado, el acto de la rendición en sí es la transcripción visual de una invención poética de este acontecimiento creada por el dramaturgo Pedro Calderón de la Barca, que exageró la actitud caballerosa de los españoles y el respeto por sus valerosos enemigos. Tomando a aquella como punto de partida, Velázquez transformó uno de los temas artísticos más monótonos que existen, una escena militar, en un conmovedor drama psicológico sobre los avatares de la guerra y en

una sutil pero incontestable exaltación de la invencibilidad de los ejércitos españoles.

EL COLECCIONISMO Y EL PATRONAZGO DE LA IGLESIA

La decoración pictórica del Retiro fue una empresa de enorme magnitud, que requirió la adquisición de pinturas en Italia y Flandes, así como en España. Esto precipitó uno de los más importantes fenómenos artísticos de la época: el coleccionismo de pintura a gran escala por parte de la Corona y la nobleza. Si del extranjero Felipe II trajo pintores, Felipe IV importó pinturas. El impacto de la pintura en el número creciente de colecciones fue variado, pero la consecuencia más importante fue quizás la proscripción de ciertos temas a los pintores españoles. Las escenas de la vida cotidiana y la mitología, así como los paisajes y cuadros de interiores, se consideraron competencia de los extranjeros y rara vez figuran en el repertorio de los artistas españoles, que se limitaron a los asuntos religiosos, naturalezas muertas y retratos. En otras palabras, la obra de los pintores españoles solo refleja en parte el gusto de la época, pues estaban obligados a proveer al sector más conservador de la clientela: la Iglesia.

En Sevilla, donde, faltando el contrapeso de la Corona y la nobleza, la superioridad de la Iglesia no tenía rival, se ilustra gráficamente el predominio del patronazgo eclesiástico y su repercusión en los pintores españoles. Durante la primera mitad de siglo el pintor más relevante de Sevilla fue Francisco de Zurbarán (1598-1664), que nació en un pequeño pueblo de agricultores de Extremadura y se ganó el favor de los clientes religiosos de Sevilla a finales de la segunda década del siglo XVII. Su éxito, casi monopolio en los años treinta del siglo, se fundamentó en una extraña mezcla de elementos artísticos tradicionales e innovadores. Esta es la característica más importante de su conjunto para el monasterio cartujo de Jerez de la Frontera (1630-1640), considerada una de sus obras maestras. En *La adoración de los pastores*, Zurbarán utiliza una composición que venía primando en los talleres de Sevilla desde finales del siglo XVI. En ella desplegaba inmensas figuras, comprimidas entre sí, situadas a lo largo del plano frontal del lienzo, lo que ofrece al espectador una

126. Juan Martínez Montañés, *La adoración de los pastores*, *ca.* 1612, monasterio de San Isidoro del Campo, Santiponce, Sevilla.

claridad y legibilidad óptimas. Sin embargo, Zurbarán, siguiendo el precedente de Velázquez, anima la escena poniendo en el papel de los pastores a rústicos campesinos y recreándose en las texturas y superficies de los objetos. Así, la pintura es solemne pero no hermética, respetuosa con el mensaje pero cercana al espectador.

Esta es la tónica de gran parte del arte religioso en España durante la primera mitad del siglo XVII, no solo en pintura, sino también en escultura, como vemos en la obra del gran escultor del período, el sevillano Juan Martínez Montañés (1568-1649). *La adoración de los pastores* [126], que forma parte de su obra más ambiciosa, el altar de San Isidoro del Campo, en

127. Francisco de Herrera el Joven, *El triunfo de san Hermenegildo,* 1654, Museo Nacional del Prado, Madrid.

Santiponce (*ca.* 1612), es más elegante que la versión de Zurbarán, pero los principios artísticos son virtualmente los mismos. No obstante, hacia mediados de siglo, y como consecuencia de la importación de obras de un influyente maestro extranjero, una aproximación radicalmente distinta al arte religioso empezó a ponerse de moda.

El motor de este cambio fue Pedro Pablo Rubens. Tras la visita de Rubens a Madrid entre 1628 y 1629, Felipe IV se convirtió en su cliente más fiel y le encargó numerosas obras para la colección real. A la muerte de Rubens en 1640, Felipe IV era dueño de más de doscientos lienzos del maestro y de su taller. En los diez años siguientes, estas pinturas dinámicas y coloristas fueron fermentando poco a poco en las mentes de la generación más joven de Madrid, cuyos frutos brotaron por fin a la superficie a mediados de siglo.

Un seguidor temprano de Rubens fue Francisco Rizi (1614-1685), que en 1650 pintó una de las primeras obras que rompió con las tradicionales composiciones estáticas de la primera parte del siglo. Cuatro años después, un pintor más dotado, Francisco de Herrera el Joven (1627-1685) [**127**], realizó el retablo de la iglesia carmelita de San José, en Madrid, que ilustraba el triunfo de san Hermenegildo. La adaptación narrativa que Herrera acomete del estilo refulgente de Rubens es muy reveladora: se apropia del movimiento ondulante del maestro e incluso lo exagera, pero el tratamiento escultórico de la figura que Rubens había obtenido de un minucioso estudio de la Antigüedad y del Renacimiento italiano le es indiferente. Con su superficie resplandeciente y la pujante energía compositiva, esta obra ilustra el patrón de pintura de finales del siglo XVII en Madrid.

JERARQUÍAS CORTESANAS Y ECLESIÁSTICAS

Velázquez permaneció ajeno a estas convulsiones y prosiguió con serenidad en su camino, pugnando en privado por otras ambiciones personales. Esas ambiciones tenían que ver con su deseo de elevar su arte al rango de profesión liberal, y su condición personal, a la de caballero. En la jerarquizada sociedad española, no era tarea fácil. Los artistas españoles habían intentado durante los últimos cien años mejorar su posición social y escapar así a la limitadora autoridad de sus patronos. Pintores como El Greco habían llegado a demandar a sus clientes reclamándoles una compensación justa, mientras que otros como Francisco Pacheco y Vicente Carducho escribieron extensos tratados sobre el tema, rubricando sus argumentos con testimonios extraídos de la historia del mundo antiguo y moderno. Carducho y otros pintores de Madrid trataron también de fundar infructuosamente una academia de artes regia durante la segunda década del siglo XVII.

Velázquez no estaba dispuesto a librar una guerra por sus colegas. Pretendía sin más vencer en su batalla personal mientras se dedicaba a servir al rey, la única persona que podía resolver su problema a golpe de pluma. Y eso es precisamente lo que hizo Felipe IV en 1658, cuando nombró al artista miembro de la noble Orden Militar de Santiago. Aunque los aristócratas hicieron todo lo posible para impedir su nombramiento, Velázquez consiguió con el apoyo del rey su ansiado objetivo.

Esta lucha por el reconocimiento está presente en la que muchos consideran la mejor pintura de todos los tiempos: *Las Meninas* [**128**]. Al objeto de proclamar la nobleza de las artes, la familia real se convierte aquí en atributo de la dignidad de la profesión pictórica. El rey, la reina y la infanta dignan con su presencia el taller del artista, para demostrar de ese modo, a través de

128. Diego Velázquez, *Las Meninas,* 1656, Museo Nacional del Prado, Madrid.

una fórmula que sin duda sería entendida en una sociedad monárquica, que la pintura es un arte noble. Pero, como cualquier pintor español sabía, una cosa era reivindicar la nobleza del arte y otra muy distinta hacerla realidad. En *Las Meninas,* Velázquez deja al cuadro exponer esta tesis. Esta obra, de una complejidad infinita y, sin embargo, apariencia sencilla, constituye un desafío mismo a los poderes creativos de la naturaleza del que sale victoriosa.

Velázquez era una persona reservada, y el suyo es un arte reservado, poco acorde con los nuevos requerimientos de la pintura religiosa destinada al consumo popular. Aunque fue él quien asentó los modelos del retrato de corte, en la pintura religiosa se extendía el ejemplo de Rubens, y no solo en Madrid. Los pintores más importantes de Sevilla, Bartolomé Murillo (1617-1682) y Juan de Valdés Leal (1622-1691), se sintieron atraídos por las posibilidades que ofrecían las dinámicas fórmulas de la pintura flamenca. Sin embargo, durante los años sesenta del siglo XVII Murillo encuentra la manera de refrenar la exuberancia de sus modelos foráneos y desarrolla esa modalidad íntima de pintura devocional por la que es célebre. Durante la primera mitad del siglo, los clientes de Sevilla buscaban pinturas que funcionaran como carteleras propagandísticas del catolicismo contrarreformista. Es decir, encargan obras doctrinarias y capaces de exhortar al espectador. Los fieles sevillanos anhelaban un contacto familiar con la divinidad y Murillo se convirtió en su intermediario, imbuyendo a la Sagrada Familia de sentimientos humanos, y manifestando su afecto y bondad con calidez y encanto irresistibles.

Si la pintura de Murillo buscaba la salvación del creyente, la de Valdés Leal es el resultado de una lucha descomunal y devastadora. La exagerada y a ratos angustiada carga emocional de sus intensas composiciones desentonaba a veces con el temperamento conciliador del sentimien-to religioso sevillano, y al final acabó perdiendo terreno frente a su eterno rival. Durante los siguientes cien años, los pintores de Sevilla se contentarían con reelaborar las composiciones que Murillo les legó.

Un cambio dinástico: reaparición de Francia e Italia

En Madrid el curso de los acontecimientos iba a ser mucho más dramático. De 1665 a 1700, la monarquía española estuvo nominalmente encabezada por Carlos II, el enfermizo hijo de Felipe IV. Aunque incompetente e incapacitado para el gobierno, el rey demostró ser un fiel defensor de las artes. Prueba de ello es la llamada a su corte en 1692 del célebre pintor italiano Luca Giordano (Lucas Jordán), a quien se le encargó un conjunto de imponentes frescos decorativos. Giordano inició su tarea en el lugar mismo donde concluyó la de sus compatriotas del siglo XVI, El Escorial, para después trasladarse a Madrid, donde realizó media docena de frescos decorativos y al menos dos centenares de pinturas el óleo. Puede resultar extraño que esta prolífica producción apenas tuviera consecuencias para los pintores madrileños, más que llevar a la tumba antes de tiempo al que había sido hasta su llegada el pintor real al mando, Claudio Coello. No obstante, la incesante productividad de la carrera de Giordano se interrumpió súbitamente por un hecho de trascendental importancia: la muerte de Carlos II y la extinción de la dinastía de los Habsburgo española.

En su testamento y últimas voluntades, el rey moribundo legó su corona al nieto de Luis XIV, quien al convertirse en Felipe V (1700-1746) abrió paso a los Borbones. El cambio dinástico causó una profunda conmoción en aspectos varios de la vida española, pero en ninguno como en las artes.

Felipe V y su esposa la reina María Luisa de Saboya se habían criado en la corte de Luis XIV, y su modelo de palacio real era Versalles. En comparación, el Alcázar de Madrid, que era en resumidas cuentas un palacio medieval fortificado, y renovado meticulosamente durante los siglos XVI y XVII, les parecía un anacronismo sin remedio alguno, ajeno a ese versátil clasicismo italiano que por aquel entonces constituía el único estilo aceptable en la arquitectura secular de prestigio.

Para Felipe V y su círculo francés, el Alcázar era un síntoma del provincianismo y arcaísmo del arte español. El rey se propuso mejorar la situación mandando traer de fuera a arquitectos, pintores y escultores franceses, y trasplantando el estilo del arte cortesano francés a Madrid. Al final, este ambicioso proyecto se frustró con la Guerra de Sucesión española, que se prolongó hasta 1713. A su conclusión, cuando se hizo posible otra vez reanudar estas empresas artísticas, otros acontecimientos de fuerza mayor lo volvieron a impedir. En 1714 murió María Luisa y, casi inmediatamente, el rey casó con Isabel Farnesio de Parma, quien, como es natural, promocionó a artistas italianos. Como se verá más tarde, esto supuso un importante avance, pero la imposición del arte extranjero en España requiere una contextualización más amplia.

El tratamiento de buena parte del siglo XVIII desconcierta a menudo a los historiadores del arte español, período en que la lista de principales artistas está salpicada de nombres extranjeros como los de Filippo Juvara, Giovanni Battista Sacchetti y Francesco Sabatini entre los arquitectos; Carle van Loo, Corrado Giaquinto, Giambattista Tiepolo y Anton Raphael Mengs, entre los pintores, y René Frémin y Giovanni Domenico Olivieri, entre los escultores. No es hasta 1780, momento en que aparece Francisco de Goya, cuando este redime al arte español, o así se piensa, de su dependencia extranjera.

Esta es una pobre visión de un período que en muchos aspectos es idéntico al de otras cortes europeas del siglo XVIII, donde domina una corriente internacional madurada a partir de fuentes italianas. Además, la súbita prevalencia de estilos foráneos es un fenómeno recurrente en el arte español, que resultaba de su desequilibrio intrínseco de poder entre artistas y clientes. Si se disponía del dinero y la voluntad suficientes, era posible parar máquinas y reemplazar el concepto de artista por uno nuevo, y esto es lo que hizo, por ejemplo, Felipe II en los años setenta y ochenta del siglo XVI. El de principios del siglo XVIII fue un proceso extraordinariamente memorable y fructífero, que se comprende mejor estudiando la historia de un monumento muy significativo, el Palacio Real de Madrid.

El plan de «afrancesamiento» del Alcázar previsto por Felipe V se fue al traste de manera trágica por el desastroso incendio que asoló el palacio la Nochevieja de 1734 y que destruyó gran parte de la zona norte. Se estimó que era imposible recuperar las ruinas y se procedió a su demolición. Tras cierta deliberación, y por influencia de Isabel Farnesio, se eligió a un arquitecto italiano para diseñar el nuevo palacio. Se trataba de un renombrado maestro, el piamontés Filippo Juvara (1678-1736), edificador de espléndidos palacios e iglesias para los reyes de Cerdeña y Turín. Juvara llegó en 1735 y trazó los planos de una inmensa ciudad-palacio, que habría de ser construida en un nuevo lugar y en estilo novedoso, al menos para España. Pero un año más tarde murió Juvara, ya en edad avanzada a su llegada a la corte. Sus planes se archivaron y se decidió volver a levantar el palacio en el mismo emplazamiento del Alcázar y con unas dimensiones más razonables.

La dirección de las obras se le asignó a uno de los ayudantes de Juvara, Giovanni Battista Sacchetti (1690-1764), y estas empezaron en 1738 [129].

129. Giovanni Battista Sacchetti, fachada del Palacio Real de Madrid.

Sacchetti creó el atractivo, si bien convencional, diseño que reformula el alzado de la fachada del tercero de los proyectos de Bernini para el Louvre, de 1665. Las obras progresaban a toda prisa y a comienzos de la segunda mitad del siglo XVIII estaban ya lo bastante avanzadas como para que comenzara su decoración pictórica. En tanto eso sucedió, Felipe V ya había muerto y se sentaba en su trono su hijo Fernando VI (1746-1759), uno más de la inacabable lista de reyes irresolutos que gobernaron España durante la época barroca. Sin embargo, al igual que algunos de sus pusilánimes predecesores y sucesores, Fernando VI gozaba de un exquisito gusto artís-

tico y en 1752 hace venir a la corte a un importante pintor italiano, Corrado Giaquinto (1703-1765). Durante su estancia de nueve años en Madrid (1753-1762), Giaquinto ejecutó los soberbios frescos de la Capilla Real [130] y las dos escaleras de la entrada, una de las cuales fue cerrada posteriormente, el conocido hoy como Salón de las Columnas.

Giaquinto trajo a España un estilo tardobarroco vital, refinado y sensual, y formó a muchos seguidores españoles con talento, en especial a Antonio González Velázquez (1723-1794) y a José del Castillo (1737-1793), los primeros pintores oriundos en este siglo XVIII en aprehender las

130. Corrado Giaquinto, *El triunfo de la religión y de la Iglesia,* 1753-1759,
Capilla Real, Palacio Real, Madrid.

técnicas y métodos de la pintura italiana de su tiempo. Giaquinto fue también director de la Real Academia de Bellas Artes de San Fernando, fundada en 1752.

La posición de poder de Giaquinto como artista y mentor apenas sobrevivió al fallecimiento de Fernando VI. El rey y su esposa, la reina Bárbara de Braganza, no engendraron heredero, y la corona pasó al primero de los hijos de Felipe V e Isabel Farnesio, Carlos, rey de Nápoles, y más tarde Carlos III de España (1759-1788). El nuevo rey fue otro insaciable patrón de las artes, pero sus gustos se inclinaron por un estilo barroco depurado, que actualmente se denomina «barroco clásico». Desde 1752 financia el impresionante Palacio de Caserta, construido a unos treinta kilómetros al norte de Nápoles. Lo que vio al contemplar el palacio de Madrid por primera vez le horrorizó. «Lo que han hecho aquí —escribió en una carta el 24 de enero de 1760— es una lástima».

Era demasiado tarde para empezar de nuevo, pero Carlos III se aseguró de que los causantes pagaran el desaguisado con sus cargos. Despidió a Sacchetti y a Giaquinto y los reemplazó por el arquitecto Francesco Sabatini, mucho más temperado, y el más talentoso de los pintores bohemios, Anton Raphael Mengs.

Sabatini y Mengs

El legado arquitectónico de Sabatini resulta difícil de estimar. La ampliación de los palacios de Aranjuez y El Pardo respondía a la misión de acrecentarlos hasta el tamaño que él y el rey consideraban digno de una construcción regia. Sus encargos independientes, como las Aduanas Reales (hoy Ministerio de Hacienda) y el Hospital General (el actual Centro de Arte Reina Sofía) en Madrid, se nos presentan como una refutación, por un lado, de la manera fluida de Juvara y, por el otro, del extravagante barroco ornamental practicado por arquitectos patrios como Ventura Rodríguez (1717-1785), ayudante de Sacchetti. Los proyectos de Sabatini son por tanto sobrias lecciones de la más correcta arquitectura cortesana, que con el tiempo fueron desplazadas por una interpretación más imaginativa del neoclasicismo francés.

Por su parte, Mengs (1728-1779) dejó una profunda huella en el arte español. En 1761 se le atrajo a Madrid, donde pasó ocho productivos pero infelices años. Regresó a Roma en 1769 para recuperarse y volvió a Madrid por segunda vez (1774-1776). Al inicio de su primera estancia, Mengs se encontró con una notable oposición por parte de los artistas españoles, en especial de la Academia, donde intentó llevar a cabo una concienzuda a la par que poco deseada reforma del programa pedagógico. También tuvo que enfrentarse al desafío de un formidable rival italiano, el gran pintor decorativo veneciano Giambattista Tiepolo (1696-1770), que en 1762 se estableció en Madrid con sus hijos Domenico y Lorenzo. El fresco de Tiepolo para el Salón del Trono, efectuado en 1764 [131], es sin duda la obra italiana de más peso en la corte borbónica, pero el gusto del rey ya andaba virando del delicado estilo decorativo del rococó hacia el más austero lenguaje de Mengs.

La obra que Mengs ejecuta para Carlos III abarca dos categorías: el retrato y la pintura de historia. Durante la primera parte del siglo, Felipe V y Fernando VI emplearon a una serie de retratistas franceses e italianos. El mejor de ellos fue Louis-Michel van Loo (1707-1771), activo en los reinados de Felipe V y Fernando VI, de 1737 a 1752. Las representaciones de los miembros del círculo de Mengs siguen el estilo de retrato cortesano francés, caracterizado por radiantes efectos en los vestidos y colores vivos. Sin embargo, fue el sorprendente virtuosismo de la técnica de Mengs el que elevó el retrato cortesano a nuevas cotas de esplendor.

Para la pintura de historia Mengs no estaba menos dotado. Su papel en la formación del Neoclasicismo es de todos sabido, y en sus trabajos para Carlos III ahondó en su asimilación de los dos pilares del movimiento: la antigüedad grecorromana y la rama clásica de la pintura italiana, ejemplificada por Rafael, Annibale Carraci y Domenichino. Puede que Mengs fuera mejor pintor que Sabatini arquitecto, pero la exploración que ambos realizaron de un clasicismo más riguroso resultó igualmente exitosa. Los frescos de Mengs del Palacio Real, que culminan con la *Apoteosis de Trajano* [132], señalan el triunfo del clasicismo en la pintura española.

Entre las muchas virtudes de Mengs estaba la de ser un profesor brillante y generoso que puso bajo su protección a dos jóvenes españoles que desempeñarían relevantes cargos en la corte, Francisco Bayeu y Mariano Salvador Maella. Bayeu, el mayor de los dos (1734-1795), fue un pintor prolífico, que en 1763 marcha a Madrid desde Zaragoza a petición de Mengs para labrarse inmediatamente una reputación con su excelente serie de frescos en el palacio. Maella (1739-1819), del que ahora solo se acuerdan los especialistas, comienza a trabajar en la corte en 1765, a su regreso de Roma, donde disfrutaba de una pasión de la Real Academia. Durante los años

131. Giambattista Tiepolo, *Apoteosis de la Monarquía Española,* 1764, Salón del Trono, Palacio Real, Madrid.

132. Anton Raphael Mengs, *Apoteosis de Trajano,* 1774, Saleta Gasparini, Palacio Real, Madrid.

setenta y ochenta del siglo XVIII, los dos artistas desempeñaron sus funciones a menudo en los mismos lugares e incluso compartieron algún encargo. A medida que el recuerdo de Mengs se desvanecía de sus mentes, fueron adoptando las ideas de Giaquinto hasta empapar su cálido sentido del color y pincelada enérgica con el equilibrio y la mesura compositiva de su mentor.

UNA NUEVA EDAD DE ORO

En 1776, con la marcha definitiva de Mengs de Madrid, la ola de artistas extranjeros que arribó a la corte durante todo el siglo XVIII retrocede por fin para dar comienzo a una nueva edad de oro del arte español, entonces en sus albores, y que llega a su cenit con Francisco de Goya. Este patrón evolutivo quizá nos resulte familiar, y de hecho lo es. En el siglo XVI Felipe II propició un desembarco semejante de artistas italianos para las obras de decoración de El Escorial. Sus discípulos tomaron sus enseñanzas y las adaptaron a las instituciones e ideología de la España de la Contrarreforma. Durante el siglo XVIII, los primeros Borbones atrajeron de nuevo a más extranjeros, que, una vez en España, desencadenaron una revolución artística. En esta ocasión, sin embargo, la fase de asimilación fue interrumpida por una fuerza exterior que alteró los planes de todos

133. Juan de Villanueva, Gabinete de Ciencias Naturales (Museo del Prado), 1785, Madrid.

durante un cierto tiempo. Se trata de la reacción de la sociedad española en el período que siguió a la Revolución Francesa y la invasión napoleónica, del que Goya fue testigo y memorable intérprete.

La grandeza de Goya es tal que invita a pasar de puntillas por las demás artes y artistas de su época. Pero debemos resistir a la tentación, o al menos posponerla, para no desatender a un importantísimo patrón, Carlos IV (1788-1808). En valoración, Carlos IV está tan solo medio peldaño por detrás de Carlos II como el gobernante más inepto de España desde la Edad Media, aunque esto es discutible. Carlos IV abdicó en la práctica en su esposa, María Luisa de Parma, y en el corrupto y oportunista valido de esta, Manuel Godoy. Nadie en el gobierno estaba preparado para enfrentarse a las maquinaciones de Napoleón, que en 1808 usurpó la Corona española, dando lugar a casi dos décadas de caos, violencia y brutalidad en el país. No sorprende, en vista de

ello, que a los historiadores les cueste reconocer en Carlos IV a ese ilustrado promotor del estilo neoclásico en España, así como las virtudes excepcionales de los artistas a su cargo.

La carrera de defensor de las artes de Carlos empezó en 1771, siendo todavía príncipe de Asturias —título del heredero de la Corona—, con la construcción de una residencia, que fue concluida en 1774, en los terrenos de El Escorial. (Más tarde se amplió este edificio con un anexo perpendicular, levantado entre 1781 y 1783). La Casita de Abajo, como se lo conoce, estableció el modelo del estilo de patronazgo del futuro rey. Como queriendo huir de los grandiosos proyectos de su padre, el príncipe prefirió centrarse en la pequeña escala y en la exquisita decoración de su interior, coordinando cuidadosamente cada detalle de sus objetos y mobiliario.

Como arquitecto, Carlos IV escogió a Juan de Villanueva (1739-1811), el principal arquitecto neoclásico de España. A diferencia de Sabatini, que practicaba un estilo barroco simplificado, Villanueva, que pasó sus años de formación en Roma (1759-1765), estaba totalmente versado en el arte grecorromano. Su dominio del vocabulario y de la sintaxis de la arquitectura antigua era total, si bien manejada con gran libertad y originalidad, evitando así la mera repetición arqueológica de modelos.

Villanueva diseñó otro pabellón más para el príncipe en 1784, la Casita del Príncipe, en el Palacio del Pardo, decorada con exquisito gusto. La planta del edificio, que consiste en un espacio central cuadrado flanqueado por dos cuerpos pequeños y conectado por estrechas galerías, prefigura la mayor obra del arquitecto, el Gabinete de Ciencias Naturales [133], actualmente conocido como el Museo del Prado. La génesis del proyecto y la realización de este célebre pero infravalorado edificio, que no pudo ser concluido en vida del arquitecto, son demasiado complejas para discutirlas aquí. Baste señalar que la intención de Villanueva era crear un templo de la ciencia dotado de laboratorios en sus extremos, conectados mediante galerías a una gran sala lectiva central en forma de templo antiguo. El principal alzado exterior aparece animado con un refinado tratamiento ornamental de vocabulario clásico realizado con los tradicionales materiales de construcción de Castilla, el ladrillo y el granito. El Prado, al igual que El Escorial, constituye una respuesta totalmente original a las tradiciones dominantes de la arquitectura europea occidental.

Como mecenas pictórico, Carlos IV siguió un rumbo independiente, favoreciendo casi en exclusiva a los artistas españoles, con lo que concluye así una hegemonía de ochenta años de franceses e italianos. Los gustos del rey en pintura, a excepción de sus relaciones con Goya, han sido poco estudiados. En realidad, la enormemente fértil y compleja carrera de Goya no se puede entender si no es teniendo en cuenta su relación con la Corona.

GOYA: EL PRIMER PINTOR MODERNO

Goya nació en 1746 en un pueblo de Aragón. Su padre fue un artesano de Zaragoza. El joven Goya estudió con los padres escolapios, pero nunca fue un hombre de letras. Su poderosa inteligencia la canalizó en el arte de la pintura, a la que, como su héroe, Velázquez, consideró un pasaporte hacia la riqueza y el estatus. Velázquez disponía de los contactos adecuados y desde fecha temprana gozó de la protección del rey. Por el contrario, Goya tuvo que pelear por abrirse camino poco a poco hasta llegar a la cumbre, y una vez alcanzado el éxito se resolvió a conservarlo como fuera.

Hasta 1773, la trayectoria de Goya avanzó lentamente y con dificultades. Pero en ese año se casó con María Josefa, hermana del pintor real Francisco Bayeu, lo que le permitió conseguir un empleo en la corte. En 1775, empezó a diseñar cartones para la Real Fábrica de Tapices, creando originales y, a menudo, ingeniosas composiciones que fueron utilizadas en la decoración de las residencias reales. Eso atrajo la atención favorable del príncipe y la princesa de Asturias, y aumentó su peso en la corte. El artista aguardó su oportunidad pacientemente; buscaba con avidez el favor de los aristócratas que le encargaban retratos, sin desaprovechar oportunidad alguna para demostrar su superioridad respecto a sus competidores. En 1786, sus esfuerzos fueron recompensados por el nombramiento de pintor real, y tres años más tarde, el nuevo rey, Carlos IV, lo nombra su pintor de cámara. Por último, en 1799 llega a la cima: junto con Mariano Maella es nombrado primer pintor de cámara.

134. Francisco de Goya, *Los caprichos,* 1799.

La explicación a este nombramiento doble se infiere de la obra de los dos pintores. Goya se tenía por especialista en el retrato; Maella, en obras religiosas y alegóricas. En realidad, el retrato fue el componente básico de la producción de Goya y un medio para ganarse la vida cómodamente. Sus retratos de Carlos IV y María Luisa, pintados en 1789, le confirman ya como sucesor de las fórmulas retratísticas ingeniadas por Mengs.

Sin embargo, si Goya hubiese pintado solo espléndidos retratos, habría sido recordado como un Van Dyck tardío y no como el primer, y posiblemente el más excepcional, intérprete de las inquietantes incertidumbres e irracionalidad brutal de los tiempos modernos. Goya el cortesano habitaba la misma piel que Goya el crítico social, que contempló la luz de la razón y se dedicó en cuerpo y alma a dispersar las sombras de la retrógrada sociedad española. Durante la década de los ochenta, Goya entró en relación con una camarilla de *ilustrados* en Madrid que influyó profundamente en su pensamiento y le llevó a cuestionar las premisas y valores del sistema que tanto había anhelado dominar. De este modo, el artista se vio encerrado en un conflicto irresoluble: prestar servicio a la vez a las ideas del Antiguo y del Nuevo Régimen. En el mismo año en que se convirtió en primer pintor de corte publicó los *Caprichos* [134], una serie de ochenta grabados al aguafuerte y aguatinta que satirizaban despiadadamente las miserias humanas y los fracasos institucionales que estaban conduciendo de manera irrevocable a la caída de la monarquía.

La solución de Goya a este dilema puede parecernos hoy día un tanto cobarde: se reservó para sí mismo sus pensamientos, en forma de álbumes de dibujo y grabados que quedaron inéditos, y en cuadros nunca mostrados en público, mientras ponía sus pinceles a disposición del mejor postor. Los últimos retratos, aun evidenciando una técnica más sugerente y un análisis de la personalidad más inquisitivo, se ciñen con holgura a las convenciones del retrato romántico. Por otra parte, en los cuadernos de apuntes y bocetos Goya dejó de lado las modas dominantes y se inclinó por el estilo de la estampa política y satírica francesa e inglesa. La apropiación de una forma de arte popular para unos fines elevados constituye un asombroso acto de inteligencia y audacia, y permitió a Goya comprometerse con el mundo que le rodeaba con una cercanía inaudita y con comparable entidad artística.

Durante el período turbulento que se abre con la derrota de Napoleón y la restauración del reaccionario Fernando VII, el delicado equilibrismo de Goya casi se vino abajo. El nuevo rey apenas si encontró en qué emplear a este anciano sordo (perdió la audición en 1792) y a Goya la cruel represión a los partidarios del liberalismo español le consternaba. Las estampas y dibujos de estos años demuestran una furibunda crítica a la ignorancia, la superstición y la crueldad del viejo orden que Fernando VII volvió a imponer en la sociedad española. Pero el testimonio más conmovedor de estos tiempos desesperados son las *Pinturas negras* [**135**], la serie de catorce imágenes fantásticas y grotescas creadas por Goya para decorar dos habitaciones de su casa de campo, conocida como «la Quinta del Sordo», que adquirió en 1819. Por fin, los demonios de Goya escapaban de los confines de sus cuadernos de apuntes para invadir el mundo real.

La salvación ante la represión fernandina se produjo el año siguiente como por milagro, cuando un golpe de Estado derrocó al rey y reinstauró la Constitución liberal de 1812. Goya expresó su júbilo en una mordaz oda a la libertad, contenida en el álbum C de su conjunto de dibujos [**136**], pero esta felicidad iba a durar poco. Solo tres años más tarde, los franceses enviaron un ejército para restaurar al rey y las tinieblas de la tiranía volvieron a posarse sobre la tierra.

Durante tres meses —desde finales de enero hasta mediados de abril de 1824— Goya permaneció oculto, temeroso según parece de posibles represalias reales, pero o bien no tenía nada que ocultar o bien Fernando VII no tenía intención de castigar al anciano pintor. El rey en persona concedió a Goya un permiso para ir a Francia a tomar las aguas a Plombières. Al final se instaló en Burdeos, donde vivían exiliados muchos de sus amigos liberales de otros tiempos. Allí pasó los pocos años que le quedaban de vida (murió en 1828); frágil físicamente pero robusto de espíritu, realizó dibujos, estampas y pinturas que son auténticos milagros del ingenio y la pasión. Con todo, a pesar de su mala salud, regresó a Madrid en 1826 para solicitar al rey la concesión de su pensión, que ascendía a 50.000 reales.

135. Francisco de Goya, *Saturno,* 1820-1823, técnica mixta transferida a lienzo, Museo Nacional del Prado, Madrid.

Hasta el final, Goya nunca permitió que la política interfiriera en sus remuneraciones.

En este sentido, Goya seguía siendo un hombre del Antiguo Régimen. Lo tradicional era que los artistas españoles concentraran sus aspiraciones en la figura del monarca, y Goya era demasiado viejo para confiar su futuro a liberales desaforados y ardorosamente revolucionarios. La visión de Goya de una nueva España permane-

136. Francisco de Goya, «Muchos an acabado así»,
1810-1811, dibujo, Álbum C, 91, Museo Nacional
del Prado, Madrid.

ció oculta y salvaguardada en sus cuadernos de
dibujos y sus aguafuertes inéditos para que las
futuras generaciones la descubriesen, apreciasen
y estudiasen. Estas obras excepcionales parecen
abrir un nuevo capítulo en el arte español. Hay
algo de cierto en esta idea, pero las originalísimas
obras de Goya resultan comprensibles a cualquiera que conozca la historia de sus predecesores
artísticos. Al igual que estos, Goya disfrutó de la
ventaja incomparable de trabajar en los márgenes de la tradición clásica, lo que le permitió
confeccionar una nueva y conmovedora imagen
del mundo.

EL DESCUBRIMIENTO DE ESPAÑA

Hasta tiempos de Goya, la profundidad y
originalidad de los pintores españoles eran poco
conocidas al otro lado de los Pirineos. El *grand
tour,* que permitió a los caballeros ingleses más
cultivados salvar la distancia entre la Europa del
norte y la civilización italiana, solo sirvió para
ahondar en el aislamiento geográfico y cultural
de España. No obstante, la política triunfó allí
donde el turismo había fracasado. Sin pretenderlo, la invasión francesa de España de 1808
abrió las puertas a una exportación masiva de
pintura española a Francia y más tarde a Inglaterra. Los generales franceses, sin muchos escrúpulos, en particular Nicolas Soult, requisaron
voluminosas colecciones de pintura, que se llevaron consigo tras la derrota de los ejércitos napoleónicos en 1812. Soult vivió de su botín de
guerra durante el resto de su vida, vendiendo
pinturas en cuanto se le presentaba la oportunidad o la necesidad. Tras su muerte, en 1852, sus
herederos se deshicieron del resto de su colección con una venta celebrada en París.

El expolio de tesoros artísticos que inició
el ejército francés fue rematado por el gobierno
español. En 1833, poco antes de morir, Fernando VII decretó la supresión de las órdenes
monásticas, decreto que en 1835 ejecutó en su
totalidad el primer ministro, José Álvarez Mendizábal, cuyo nombre en España se convirtió
en sinónimo de la dispersión de las obras de
arte. Se cerraron monasterios y conventos de
monjas (la llamada «exclaustración») y el Estado requisó sus bienes muebles (desamortización). En la práctica, el gobierno no fue muy
eficaz a la hora de expropiar las posesiones de
las órdenes religiosas, y de ello se benefició un
gran número de oportunistas y especuladores
con recursos, que de la noche a la mañana consiguieron reunir enormes colecciones de pin-

tura española del Siglo de Oro para después sacarlas del país.

La más famosa e influyente de estas colecciones perteneció a Luis Felipe, rey de Francia (1830-1848), armada entre 1835 y 1837 por su emisario el barón Isidore Taylor. En 1838, el rey expuso su colección en el Louvre, unos cuatrocientos cuarenta y seis lienzos, bajo el título de *Musée Espagnol.* En 1841 se enriqueció por la incorporación de doscientas veinte obras más legadas por un excéntrico inglés, Frank Hall Standish. Cuando Luis Felipe fue derrocado, se le permitió conservar sus pinturas españolas, que fueron vendidas tras su muerte en Londres en 1853.

La llegada de esos cientos de pinturas españolas a París y más tarde a Londres tuvo un efecto poco menos que revolucionario. Artistas a los que se conocía solo por su nombre —Velázquez, Murillo, Ribera— salieron a la luz. Otros maestros de la talla de El Greco y Zurbarán se presentaron ante el público francés por vez primera. Un crítico anónimo del *Journal des Artistes* da muestras del entusiasmo que despertó el arte español poco antes de que el *Musée Espagnol* abriera sus puertas:

> Es algo verdaderamente maravilloso e inesperado esta repentina aparición de tantas obras maestras que revelan un lenguaje completamente nuevo que ilustra, en grado no menor que las obras de Calderón o Lope de Vega, un país vecino que apenas si conocemos.

El término «un lenguaje completamente nuevo» condensa la profunda importancia del arte español para el mundo del arte francés a mediados del siglo XIX. Este es el momento en que una reducida vanguardia de pintores y críticos empezaba a prospectar alternativas al estancado sistema del arte académico, y la pintura española ofrecía un sistema de valores artísticos amparado

137. Édouard Manet, *El actor trágico Philibert Rouvière como Hamlet,* 1866, National Gallery of Art, Washington D.C.

en la historia y el genio. Así es como se convirtieron en un faro para los artistas que ahora consideramos los primeros artistas modernos.

El epítome de todos ellos es Édouard Manet, cuyo viaje a España en 1865 le permitió encontrarse cara a cara con la obra de Velázquez, experiencia que le confirmó que había tomado el camino correcto. Manet escribió a un amigo parisino:

La pieza más sorprendente de su espléndida obra, y quizás la demostración de pintura más sorprendente de todos los tiempos, es la que aparece titulada en el catálogo como *Retrato de un famoso actor del reinado de Felipe IV (Pablo de Valladolid)*. El fondo desaparece; solo el aire envuelve a este buen hombre, vestido de negro y vivo.

Manet, ya familiarizado con la pintura española, por aquel entonces presente en abundancia en París, tradujo el retrato del bufón realizado por Velázquez a su propio idioma en *El actor trágico Philibert Rouvière como Hamlet* [137]. Ninguna obra aislada alcanza a manifestar la deuda de Manet con el arte español, que fue lo bastante astuto como para reconocer las posibilidades que le brindaba su independencia respecto a las convenciones pictóricas del Renacimiento, que por fin empezaban a demostrar su ineficiencia a la hora de expresar la complejidad y el dinamismo de la era industrial. El arte francés estaba a punto de romper con Italia después de siglos para iniciar una nueva vinculación con España. De esta alianza franco-española surgirían los artífices y maestros del arte moderno.

UNA TRADICIÓN DURADERA: PICASSO Y MIRÓ

La importancia del papel de Pablo Ruiz Picasso (1881-1973) y Joan Miró (1893-1983) en la Historia del Arte del siglo XX se da por descontada. Sin embargo, qué hay de español en sus personalidades artísticas no es un asunto tan fácil de determinar, aunque cierto es que este tema apenas está investigado. De hecho, se trata de una empresa llena de obstáculos, sobre todo teniendo en cuenta que ambos artistas estuvieron profundamente influidos por su experiencia con el arte francés (y Picasso, como es sabido, jamás volvió a España tras la Guerra Civil). No obstante, cualquier persona versada en la historia de la

pintura española desde El Greco hasta Goya reconoce en las obras iniciales de estos dos maestros modernos un patrón familiar.

Las similitudes no se hallan tanto en motivos concretos tomados de los viejos maestros, aunque las hay, como en la actitud de esos artistas modernos españoles hacia las corrientes artísticas dominantes de su tiempo, en este caso la pintura francesa. Al igual que sus magníficos predecesores —El Greco, Velázquez y Goya—, Picasso y Miró son a la vez artistas que se mueven dentro de los márgenes del estilo prevaleciente y fuera de él.

Picasso, aún más que Miró, estaba profundamente inmerso en la pintura tradicional española; siendo joven, pasó algunas temporadas en Madrid (1895, 1897 y otra vez en 1901), momento en que tuvo la oportunidad de conocer las colecciones del Prado (del que fue efímero director durante la Segunda República). El Greco y Velázquez le revelaron a Picasso que la perspectiva espacial era la simple convención artificial que es y que los cánones clásicos del dibujo figural son sencillamente una opción más cuando se trata de representar el cuerpo humano. Picasso, que sacaba provecho de toda experiencia visual, asimiló estos elementos no normativos de la pintura moderna y los empleó en su reelaboración del arte de la pintura. Algunos estudios recientes sobre *Les Demoiselles d'Avignon* [138], esa obra atronadora pintada en 1907, han demostrado sus vínculos concretos con una obra maestra de El Greco que Picasso vio en París, *La visión del Apocalipsis*, hoy en el Metropolitan Museum of Art de Nueva York. En la imaginación de Picasso están presentes otras influencias, pero *Les Demoiselles d'Avignon*. como *Las Meninas* y *El entierro del conde de Orgaz,* es una de esas afirmaciones de invención e independencia artísticas que caracterizan a las cimas creativas del arte español.

En cuanto a Miró, la dualidad entre centralidad y excentricidad conforma el núcleo de

138. Pablo Picasso, *Les Demoiselles d'Avignon,* 1907, The Museum of Modern Art, Nueva York.

su *Granja,* un cuadro clave de su primer período, realizado entre Francia y Cataluña en 1921 y 1922. Durante sus años formativos en Barcelona, a Miró le causó una profunda impresión esa visión del nacionalismo catalán propugnada por algunos críticos culturales, que definieron el espíritu local dentro de los parámetros de la informe tradición del clasicismo mediterráneo.

139. Joan Miró, *La Granja (La Masía),* 1921-1922, National Gallery of Art, Washington D.C.

En *La Granja* [**139**], Miró pone las estrategias pictóricas del cubismo al servicio de esta nostálgica idea de Cataluña. La granja es una *masía,* esas sencillas construcciones que pueblan el paisaje rural y evocan la vida mesurada del campesino catalán, filtrada aquí a través de la óptica moderna de la pintura francesa de vanguardia.

La españolidad de Picasso y Miró podrá ser objeto de debate durante mucho tiempo, pero nunca negada, o eso espero. Fueron ellos quienes sacaron a su país natal del distinguido hueco que ocupaba en los márgenes del arte europeo. Porque, en mayor o menor medida, todo pintor del siglo XX se cuenta entre sus discípulos.

19
Picasso y la tradición pictórica española

Si Picasso sin París es impensable, concebirlo sin Madrid es incomprensible. De joven, el artista residió en la capital de España en dos ocasiones. De octubre de 1897 a junio de 1898 pasó un año aparentemente a la deriva como alumno de la Real Academia de Bellas Artes, y en enero de 1901 regresó por pocos meses para trabajar en la revista *Arte Joven.* Según todos los indicios, Madrid, que seguramente era una de las capitales más provincianas de la Europa finisecular, aportó poco de valor a su formación, y los recuerdos desdichados de aquellos meses de frío y tristeza han coloreado la mayor parte de sus biografías. Recientemente, sin embargo, ha surgido un nuevo interés por examinar esa «etapa madrileña», y en particular el contacto de Picasso con los escritores de la generación del 98, cuyas ideas se publicaban en *Arte Joven*[1]. Madrid contaba, además, con otro activo que quizá sería aún más crucial para el desarrollo de su imaginación artística: el Museo del Prado. Fue allí donde trabó conocimiento con los tres grandes maestros de la pintura española del pasado que desde entonces tendría siempre presentes como un reto a su potencialidad: El Greco, Velázquez y Goya.

Visitó por primera vez El Prado en abril o mayo de 1895, cuando su familia, de camino de La Coruña a Málaga interrumpió el viaje para pasar un día en Madrid[2]. Su padre, don José Ruiz, pintor académico mediocre, le llevó a dar una vuelta rápida por el museo, tan rápida que el muchacho solo tuvo tiempo de hacer dos pequeños apuntes de obras de la colección (Barcelona, Museu Picasso). Lo que prendió su mirada fueron dos lienzos de Velázquez, retratos de sendos personajes marginales de la corte de Felipe IV: el *Bufón don Juan de Calabazas,* retrasado mental, y el enano llamado *El Niño de Vallecas.* La elección de cuadros tan poco típicos de Velázquez es reveladora a la luz de la fascinación de Picasso por el tema del marginado en las obras de su época azul.

El encuentro decisivo del artista con los grandes de la pintura española tuvo por escenario El Prado durante aquel año desdichado de 1897 a 1898, en que hubo de sufrir la pobreza, la soledad y el magisterio insulso de la Academia[3].

Años más tarde Picasso tendería a minimizar su grado de inmersión en las obras maestras del Prado, pero según su compañero de aquellos meses, el pintor argentino Francisco Bernareggi, los dos aspirantes a pintor se refugiaban en el museo huyendo de sus profesores

> Pasábamos los días (ocho horas al día) estudiando y copiando en El Prado, y por las noches ¡tres horas! a dibujar modelos desnudos en el Círculo de Bellas Artes[4].

A los dos les gustaba mucho copiar a El Greco, ocupación que entonces no era bien vista. «Eso era en 1897, cuando El Greco se consideraba una amenaza», escribió Bernareggi. Y cuando enviaron algunas de aquellas réplicas al padre de Picasso, su reacción fue decirles que iban por mal camino.

Es posible que el gusto conservador despreciara el arte de El Greco, pero en los círculos del arte avanzado su fama había crecido rápidamente durante los últimos años del siglo. En Madrid el portavoz del movimiento pro-Greco era Manuel Bartolomé Cossío, que venía promoviendo su causa desde mediados de los años ochenta y que en 1908 publicó su pionera, y aún hoy influyente, monografía sobre el artista[5]. Ya en 1902, sin embargo, se dio entrada a El Greco en el olimpo del arte español, con una exposición monográfica en El Prado que marcó el reconocimiento oficial de su genio extraño[6]. A partir de entonces sus detractores guardaron silencio.

La primera estancia de Picasso en Madrid coincidió con la etapa final de la apoteosis de El Greco, y el malagueño se dejó arrastrar por la corriente. Más de una vez peregrinó a Toledo para rendir homenaje a *El entierro del conde de Orgaz* en la pequeña iglesia parroquial de Santo Tomé[7]. De ahí en adelante El Greco fue un punto de referencia recurrente en su archivo de imágenes.

La fascinación del joven artista por los otros dos grandes de la pintura española, Velázquez y Goya, era más consonante con los gustos al uso. Ambos eran figuras destacadas de la historia y la cultura de España, y tema de abundantes escritos. En 1899 el interés público por Velázquez alcanzó nuevas cotas con la celebración del tercer centenario de su nacimiento[8]. El 6 de junio se inauguró en El Prado una grandiosa instalación de sus obras en la sala más importante del museo, y una semana más tarde, el 14, se descubrió una estatua del artista delante de la entrada del Paseo del Prado, donde hoy sigue estando. Cuando Picasso volvió a Madrid en enero de 1901, pudo ver a Velázquez en toda su gloria.

Goya era aún más conspicuo gracias a la difusión de sus grabados[9]. La Academia poseía las planchas originales de *Los caprichos, La tauromaquia, Los desastres de la guerra* y *Los disparates,* y los había publicado en 1890-1891 (sexta edición), 1876 (tercera edición), 1892 (segunda edición) y 1891 (tercera edición), respectivamente. El primero en advertir la identificación de Picasso con Goya fue Miquel Utrillo en un artículo que se publicó en el número de junio de 1901 de *Pèl & Ploma,* donde su amigo recibía la calificación de «le petit Goya»[10]. Muchos años después ese apodo seguiría siendo oportuno, pues en 1974 comentaba André Malraux: «Picasso me habló de Goya más que de ningún otro pintor»[11].

Si documentar la obsesión de Picasso con los maestros españoles no es demasiado difícil, más espinoso es evaluar su impacto sobre su obra. Es fácil identificar los motivos y composiciones que tomó de los grandes pintores de España, como se ha hecho. Pero su afinidad con sus ancestros en el arte discurre por cauces más hondos que el préstamo de actitudes y gestos.

El nexo que une a Picasso con los maestros españoles se ha visto a veces como un vínculo espiritual. John Richardson hablaba por muchos estudiosos del pintor malagueño cuando escribió: «Picasso se serviría de El Greco para explorar el éxtasis, la angustia y el sentimiento morbo-so hacia el pecado que caracterizaban la fe de su España negra»[12]. Sin duda eso es verdad, pero al menos en una ocasión Picasso vio el enlace en términos puramente formales. «El cubismo tie-ne origen español, y yo fui su inventor. Debemos buscar influencias españolas en Cézanne [...]. Observa la influencia de El Greco en su obra. Es un pintor veneciano, pero es cubista en la cons-trucción»[13]. A Picasso le gustaba sorprender y despistar cuando hablaba de su arte, pero eso no quiere decir que nunca haya que dar crédito a sus palabras. El Greco y los restantes pintores de España componen una tradición peculiar en la historia del arte europeo, a menudo reconocida pero nunca definida con propiedad. Esa tradi-ción fue asimilada por Picasso desde sus tiempos de estudiante en Madrid, y ella le suministró una posición en la orilla de la corriente central del arte europeo. Analizando las obras de El Greco, Velázquez y Goya, pudo darse cuenta de cómo aquellos grandes precursores habían criti-cado e interpretado la tradición clásica.

Mediado el siglo XVIII, si no antes, la tradición clásica se erigió en norma universal de la enseñanza y la creación artísticas, y de ahí brota la tentación de concebir la historia de la pintura europea pos-medieval como un avance inexorable hacia el triunfo del gran estilo. Ahora bien, los pintores de España adoptaron una actitud independiente ante el clasicismo, al que no consideraban un imperati-vo sino una opción. En consecuencia, unos lo des-deñaron, otros lo combinaron con diferentes co-rrientes estilísticas y otros lo alteraron deliberada-mente o lo descartaron como inútil para sus fines. El resultado, que podría ser calificado de provincia-no por muchos defensores del canon clásico, se define mejor con el adjetivo de anticlásico.

Los complejos orígenes del anticlasicismo es-pañol se remontan al siglo XV. En esa época la pin-tura española estaba condicionada por dos facto-res: la presencia de innumerables muestras de arte flamenco y el desinterés sistemático por la Antigüe-dad grecorromana apoyada en los escritos teóricos del humanismo italiano. Las consecuencias de esos condicionantes son manifiestas en la obra de Pedro Berruguete (hacia 1450-1503), el princi-pal pintor de Castilla al término del siglo XV[14]. Berruguete se había formado en la tradición his-pano-flamenca, pero estuvo en Italia en la década de 1470 y es posible que trabajara para Federi-co de Montefeltro, duque de Urbino y mecenas de Piero della Francesca. En 1483 estaba de vuel-ta en España, y a partir de entonces diluyó su ita-lianismo con grandes dosis de aquel estilo flamen-co que era el preferido por su clientela castellana. Esa manera híbrida es evidente en *La Anunciación* que pintó hacia 1490 para un altar de la iglesia de Santa Eulalia de Paredes de Nava, Su idiosincrási-ca interpretación de los elementos italianizan-tes se hace patente comparando esa obra con *La Anunciación* de 1478 de Leonardo da Vinci, pintada mientras el español estaba en Italia.

Para Leonardo, la simetría, el equilibrio y la proporción eran los elementos esenciales para lo-grar un relato bien trabado. Como sabemos por otras obras suyas, empezaba levantando la pers-pectiva y después integraba las figuras en la com-posición, ajustando su escala y la de los objetos o atributos auxiliares al espacio circundante. Las figuras tienen solidez y están cuidadosamente sombreadas por una modulación suave de la luz que subraya la redondez de las formas.

Esa unidad que Leonardo construye tan mi-nuciosamente no le interesa a Berruguete. Él compone con un método que podríamos llamar aditivo, y que da el mismo peso a los elementos principales y a los subordinados. La escena se ilu-mina con una luz clara y homogénea que apenas proyecta sombras. Incluso la construcción pers-pectiva parece variar de ángulo conforme se in-terna en la profundidad de la escena. Poco im-

140. El Greco, *La expulsión de los mercaderes del templo, ca.* 1570, Minneapolis Institute of Art.

porta, porque Berruguete desdeña las consecuencias de la perspectiva para la escala de sus figuras, que son demasiado grandes en relación con el marco arquitectónico. Los elementos más acordes con la práctica medieval, como son la figura pigmea de Dios Padre por los aires y la filacteria donde aparece escrito el mensaje celestial, acaso estuvieran estipulados en el contrato, pero su efecto es inequívocamente arcaico.

Cuando Berruguete pintó *La Anunciación,* la visión que tenía de Italia era ya borrosa. El clasicismo italiano era el barniz de su estilo, no su esencia, y en buena medida se despintó una vez que

volvió a afincarse en España. Esa relación distante con el estilo desarrollado en la Italia central sería típica en los pintores españoles de los dos siglos siguientes, empezando por el ídolo de los años estudiantiles de Picasso, El Greco[15].

Los recientes descubrimientos de escritos de El Greco dejan fuera de duda que dominó los textos esenciales de la teoría italiana y empezó a ponerlos en práctica durante el tiempo que pasó en Italia, de 1566 a 1576[16]. Su obra, *La expulsión de los mercaderes del templo* [**140**], realizada en Roma hacia 1570-1575, no solo ofrece un repertorio del estilo del Renacimiento italiano, sino que consigna sus fuentes a pie de página, al insertar en el ángulo inferior derecho los retratos de Rafael, Tiziano y Miguel Ángel (así como del protector del artista, el pintor de miniaturas Giulio Clovio). Sin embargo, apenas llegado a España en 1576, El Greco empezó a formular la crítica del estilo clásico que mostraría su pintura durante el resto de su vida.

Uno de los primeros encargos que recibió en Toledo fue un conjunto de tres retablos para la iglesia conventual de Santo Domingo el Antiguo[17]. (El grupo, hoy desmembrado, permaneció intacto hasta 1904). La posición central del retablo mayor la ocupaba *La Asunción de la Virgen* [141], la obra de mayor tamaño y complejidad pintada hasta entonces por el artista. El colorido, rico y vibrante, es deudor de Tiziano, y las figuras, grandes y poderosas, lo son de Miguel Ángel; pero la composición, con su perspectiva achatada, es casi un mentís de uno de los dogmas centrales de la pintura renacentista.

Siempre que le era posible, El Greco eliminaba la profundidad del espacio uniendo los contornos de figuras situadas en el plano medio con los de las figuras en primer plano. Por ejemplo, la cabeza del voluminoso apóstol del ángulo izquierdo parece casi rozarse con la de la figura que tiene a su derecha, vista de cara. En el cielo, la cabeza del ángel suspendido a la derecha por detrás de María parece alojarse bajo el brazo extendido de la Virgen. Lo más chocante es el tratamiento del sarcófago, cuya boca, inclinada hacia arriba, desaparece bruscamente al llegar al segundo plano. La tapa se reduce a un pico triangular, una especie de aleta de tiburón que parece flotar en un espacio indeterminado. La agresiva distorsión de ese detalle inanimado es tan llamativa como la sandía falciforme del primer término en *Les Demoiselles d'Avignon*.

Los escritos sobre arte de El Greco revelan que desconfiaba profundamente de la geometría

141. El Greco, *La Asunción de la Virgen,* 1577-1579, Art Institute of Chicago.

como medio conducente a la perfección artística. Ahora bien, su insistencia en limitar la ilusión de profundidad tiene una segunda explicación, de índole funcional. *La Asunción,* como la mayoría de sus obras de gran escala, fue ideada para un retablo. Como una vista del interior de Santo Domingo permite apreciar, las pinturas del retablo tenían que ser compuestas con especial atención a su visibilidad y legibilidad, incluso en un espacio pequeño como es el de esa igle-

142. El Greco, *Vista de Toledo*, 1599-1600, The Metropolitan Museum of Art, Nueva York.

sia toledana. La solución que adoptaron El Greco y prácticamente todos los pintores españoles de la Edad de Oro fue disponer figuras de gran tamaño en el plano frontal del cuadro. De ese modo la ilusión de profundidad resultaba innecesaria, por no decir inconveniente, y por lo tanto se reducía al mínimo o se suprimía.

Esa táctica es, obviamente, la empleada en la pintura de El Greco más admirada por Picasso, *El entierro del conde de Orgaz,* obra ejecutada en 1586-1588 para decorar la capilla sepulcral de Gonzalo de Ruiz, conde de Orgaz[18]. Pero no es solo esa característica lo que la distingue de las pinturas italianas de la época, es también la atrevida diferenciación entre realidad aparente y realidad imaginada. El lienzo se divide en dos zonas, una terrenal y otra celestial. En la mitad inferior, El Greco despliega sus extraordinarias —aunque a menudo ignoradas— facultades miméticas, que se evidencian en la minuciosa ejecución de las vestiduras ricamente bordadas de los santos que depositan en la tumba al caballero muerto, en la armadura damasquinada de Gonzalo de Ruiz y especialmente en la sobrepelliz de gasa translúcida que viste el sacerdote de la derecha.

En el espacio que se extiende por encima de la galería de retratos de próceres toledanos, El Greco troca el realismo por el estilo desmesurado y anticlásico con que solía representar lo sobrenatural. Aquí las figuras adquieren proporciones gigantescas, los cambios de escala son bruscos y drásticos, la luz es brillante y gélida y las nubes se comprimen en formas irregulares estriadas de blanco y gris. Para los católicos de finales del siglo XVI, *El entierro* era una afirmación rotunda de la eficacia de las buenas obras para la salvación del alma; para un joven e inquieto artista en ciernes de finales del siglo XIX, era la demostración del poder de un gran pintor para reproducir y rehacer la realidad en una misma composición.

Volvemos a comprobar cómo El Greco transfigura imaginativamente el mundo visible en la *Vista de Toledo* [142], pintada hacia 1600. Aquí los monumentos característicos de la ciudad sufren atrevidas manipulaciones[19]. Es bien sabido que El Greco traslada la catedral del centro de Toledo a su zona oriental, y que altera la topografía exagerando la altura del cerro sobre el que se alza la ciudad. Menos obvio pero más interesante es cómo socava la ilusión de profundidad. Siguiendo el mismo planteamiento que en *La Asunción,* procura hacer que la mirada vuelva al plano frontal del cuadro. Donde eso se aprecia mejor es en el árbol sinuoso de abajo, en primer término a la derecha, cuyo follaje se funde con el de los árboles de la otra orilla del Tajo, o, por poner un segundo ejemplo, en los matorrales de abajo a la izquierda, lo más próximo al espectador, que parecen unirse con una pradera en la media distancia. Un camino serpeante que se interna hasta los últimos confines del paisaje acaba en el cielo turbulento, que sin embargo parece cernirse sobre los edificios del segundo término. Aunque la tensión entre superficie y profundidad es mucho más radical en los paisajes de Cézanne, la *Vista de Toledo* de El Greco prueba que comparar a uno con otro no fue un mero capricho de Picasso.

El anticlasicismo de Velázquez se fundamenta, como el de El Greco, en una crítica sistemática de los presupuestos del clasicismo renacentista. Aunque sus experiencias y sus carreras artísticas difieren en muchos aspectos, se encuentra en ambos el mismo interés por poner al descubierto y refutar las construcciones artificiales de la pintura italianizante. Las primeras obras de Velázquez, hechas en Sevilla antes de su traslado a la corte de Felipe IV en 1623, revelan a un artista adiestrado en unas fórmulas pictóricas que discrepan significativamente de la norma clásica. En *La Adoración de los Reyes Magos* [143], realizada para el retablo de una iglesia jesuita en 1619 (es decir, solo cinco años des-

143. Diego Velázquez,
*La Adoración de los
Reyes Magos,* 1619,
Museo Nacional
del Prado, Madrid.

144. Diego Velázquez, *La túnica de José*, 1629-1630, Real Sitio de San Lorenzo de El Escorial.

pués de la muerte de El Greco), Velázquez no emplea un lenguaje manierista sino naturalista. Sin embargo, los principios compositivos son análogos en las obras de uno y otro: figuras de gran tamaño apiñadas en primer término y un paisaje nocional, formado por un par de árboles y un monte lejano, embutido en una esquina. Por otra parte, la falta de espacio en el interior de la composición está compensada por el vigor y la rusticidad de los personajes, pertenecientes a una raza muy distinta de la de las figuras etéreas y abstraídas de El Greco.

Diez años más tarde Velázquez pinta *La fiesta de Baco* («*Los borrachos*»), que, sorprendentemen-

te, se puede describir casi en los mismos términos que *La Adoración*. Pero poco después de concluir esa obra en la primavera de 1629 viaja a Italia y pasa varios meses en Roma, donde se sumerge en el gran estilo y se adueña de la manera clásica. En uno de los lienzos ejecutados en Roma, *La túnica de José* [144], despliega su estilo italiano recién acuñado. Figuras escultóricas, proporcionadas debidamente con arreglo a una construcción perspectiva correcta, manifiestan sus emociones con ademanes amplios y expresiones vivaces.

La paleta es más rica y el sombreado es más sutil. Velázquez ha dedicado muchas horas al es-

145. Diego Velázquez, *Pablo de Valladolid, ca.* 1635, Museo Nacional del Prado, Madrid.

tudio de Rafael y Miguel Ángel, y ahora puede emular a los italianos en su terreno.

Sin embargo, durante el resto de su carrera dio salida intermitente a su clasicismo, como si manara de un grifo y no de una fuente irreprimible de inspiración. La perspectiva, por ejemplo, no tenía por qué ser una parte indispensable de la creación de pinturas para un pintor formado en Sevilla durante la década de 1610, y Velázquez no vacila en renunciar a una ilu-

sión racional de espacio en su *Pablo de Valladolid* [145], pintado en los años treinta. Cuando Édouard Manet vio ese cuadro en 1865, inmediatamente se dio cuenta de lo que Velázquez había conseguido, y escribió que el retrato era «quizá la pintura más asombrosa de todos los tiempos». Sus palabras describen sucintamente la pasmosa vitalidad y originalidad de la imagen: «El fondo desaparece, no es más que aire lo que rodea a este buen hombre, vestido de pies a cabeza y vivo»[20]. Un retrato comparable de un joven pintado por Domenichino hacia 1603, con su ilusión espacial cuidadosamente construida y su estudiada pose, pone de manifiesto la radical negación de la profundidad instrumentada por el español.

A pesar de ello, veinte años después Velázquez crearía *Las Meninas*, una de las más sugestivas ilusiones de espacio jamás logradas. Aquí, sin embargo, Velázquez sacrifica otro presupuesto del gran estilo, la claridad narrativa, y deja en la historia huecos capaces de admitir numerosas interpretaciones[21]. Si el significado del cuadro y su finalidad estuvieron claros para el pintor y su mecenas, Felipe IV, hace mucho tiempo que fueron suplantados por la presentación elíptica de un drama sin texto aparente.

La confrontación de Velázquez con la tradición clásica alcanza la máxima intensidad en sus obras mitológicas. A la hora de mostrar asuntos basados en fuentes antiguas, el empleo del estilo clásico no requería explicación ni justificación, era un camino obvio a seguir. Para un anticlasicista, sin embargo, era el lugar obvio donde atacar, y eso fue lo que hizo Velázquez en *La fábula de Aracne* [146], pintada hacia 1658[22]. La primera norma conculcada fue la equiparación de la forma humana perfecta con la escultura antigua, y la siguiente, un marco evocador de la arquitectura antigua. Después de negar a su pintura el ropaje de la Antigüedad, Velázquez dio otro paso más atrevido, que fue relegar la acción principal al fondo. Allí Minerva, figurada en pequeña escala, transforma en araña a la tejedora Aracne, en castigo por haberse jactado de aventajar en su oficio a la propia diosa. La historia, tomada de las *Metamorfosis* de Ovidio, está representada de una manera tan indirecta que el verdadero asunto permaneció olvidado durante casi trescientos años, creyéndose que el cuadro narraba la visita de unas damas nobles a una fábrica de tapices. Todavía hoy no se han puesto de acuerdo los expertos sobre si las figuras del primer término, las hilanderas, representan un momento anterior del relato, cuando Minerva aparece disfrazada de tejedora, o si son simplemente operarias del taller de Aracne o personificaciones de ciertas virtudes. Obviamente, el valor

de sorpresa de *La fábula de Aracne,* esto es, la sorpresa de ver una historia de Ovidio presentada como un suceso vulgar, hace tiempo que se desvaneció. Pero quizá se pueda reconstruir algo de su impacto comparándola con una muestra ortodoxa del clasicismo del siglo XVII, el *Aquiles descubierto entre las hijas de Licomedes,* de Poussin, pintado a un año o dos de distancia de la obra maestra velazqueña.

Cuando Francisco de Goya, el tercer gran maestro del anticlasicismo, inició su carrera, el gran estilo por fin estaba implantado en suelo español. En 1752 se fundó la Real Academia de Bellas Artes de San Fernando, que llegado el momento sería impulsora oficial del neoclasicis-

146. Diego Velázquez, *La fábula de Aracne,* 1655-1660, Museo Nacional del Prado, Madrid.

147. Francisco de Goya,
Cristo crucificado, 1780,
Museo Nacional del Prado,
Madrid.

mo. (La Academia de San Fernando fue la penúltima establecida de las principales academias artísticas de Europa; solo la Royal Academy londinense es posterior). Al principio la dirección docente de la academia estuvo en manos del maestro tardobarroco Corrado Giaquinto, pero en 1780, cuando Goya ingresó, el programa pedagógico seguía el influjo de Anton Raphael Mengs, que había sido primer pintor de la corte española de 1761 a 1776 (ausente durante un quinquenio, entre 1769 y 1774).

La obra que Goya presentó para ser admitido en la Academia revela su ambivalencia frente a la doctrina y la disciplina del clasicismo. Como requería la ocasión, el *Cristo crucificado* [147] es una demostración de las dotes del artista para el dibujo académico, y, comparado con obras de su estilo abocetado más conocido, parece muy convincente. Sus desviaciones respecto de la norma solo saltan a la vista poniéndolo junto al lienzo del mismo asunto que Mengs había pintado para Carlos III en la década de 1760. Mengs, un maestro seguro en el dibujo de figura, acentúa la estructura ósea y muscular que subyace a la piel tensa del cuerpo. Como consecuencia, su Cristo se apoya firmemente en la cruz, todavía capaz de sostenerse a pesar del tormento, mientras que el Cristo de Goya, modelado con una blandura que es casi femenina, parece pender sin fuerza. El cuadro de Goya es eficaz a su manera, pero esa manera no es la del neoclasicismo. En realidad, la composición que emplea tiene venerables precedentes en la Edad de Oro española. Fue inventada por Francisco Pacheco, e imitada, entre otros, por su discípulo Velázquez (El Prado) y por Zurbarán (Chicago, Art Institute)[23].

Veinticinco años después de la fecha del *Cristo crucificado* llegó a Madrid una segunda ola de neoclasicismo procedente de Francia, y una vez más Goya, que debía servir a los gustos de la aristocracia, tuvo que ajustarse a los pará-metros del estilo de moda. Su retrato de la marquesa de Santa Cruz [148], ejecutado en 1805, recuerda inevitablemente a la *Madame Juliette Récamier* de Jacques-Louis David (1800) [149], cuadro que precisamente había visto la madre de la marquesa durante una estancia en París en 1801[24]. De inmediato se advierte que el neoclasicismo de Goya es una versión no del todo ortodoxa. Goya renuncia a la cuidadosa construcción de perspectiva y la suave modulación de la luz empleadas por David, con el resultado de que su obra parece más cálida y menos formal. La figura de la marquesa se adelanta en el espacio pictórico y se vuelve hacia el espectador, a la vez que una luz más fuerte y enérgica hace resaltar las tonalidades más ricas de la paleta goyesca.

Esa interpretación revisionista del neoclasicismo en Goya acabaría fraguando en la convicción de que no era un estilo adecuado para expresar el tumulto y el desorden que acompañaron al colapso político del Antiguo Régimen. Le vemos manifestar esas opiniones por vez primera en la carta que dirigió el 14 de octubre de 1792 al vicerrector de la Academia, donde arremete contra el dogma central de los neoclasicistas, la idea de que el arte grecorromano era el modelo de la perfección.

> ¡Qué escándalo no causará el oír despreciar la naturaleza en comparación de las estatuas griegas por quien no conoce ni lo uno ni lo otro, sin atender que la más pequeña parte de la naturaleza confunde y admira a los que más han sabido! ¿Y qué estatua ni forma de ella habrá, que no sea copiada de la divina naturaleza? Y por más excelente profesor que sea el que haya copiado, ¿dejará de decir a gritos, puesta a su lado, que la una es obra de Dios y la otra de nuestras miserables manos? El que quiera apartarse y enmendarla sin buscar lo mejor de ella, ¿dejará de incurrir en una manera reprensible monótona de pinturas, de modelos de yeso, como ha sucedido a todos los que puntualmente lo han hecho?[25].

148. Francisco de Goya, *Marquesa de Santa Cruz,* 1805, Museo Nacional del Prado, Madrid.

149. Jacques-Louis David, *Madame Juliette Récamier,* 1800, Museo del Louvre, París.

Para expresar una nueva visión del mundo hacía falta un estilo nuevo, y eso era lo que Goya se proponía encontrar.

La carta de Goya parece postular un giro hacia el naturalismo romántico, pero no iba a ser esa su orientación. En su lugar descubrió una fuente de inspiración impensada en las estampas satíricas francesas e inglesas. El idioma vernáculo de aquellas obras desvergonzadas, que a finales de la década de 1780 circulaban en gran número por España, ofrecía una vía de salida del clasicismo, y Goya la tomó[26]. Así comenzó su rebelión contra la tiranía del gran estilo que dominaba en la pintura europea desde el Renacimiento. Hizo un primer ensayo en *Los caprichos,* publicados en 1799 [**150**]; pero, temiendo represalias de la Inquisición, enseguida retiró los grabados de la venta y guardó para sí su nueva manera, limitándose a emplearla en álbumes de dibujos mientras seguía pintando retratos de sociedad y otras obras de encargo.

Solo después de la invasión napoleónica de 1808 y de los sucesos tumultuosos que tras ella desgarraron la sociedad española sacó Goya su arte nuevo a la luz del día. *Los fusilamientos del 3 de mayo de 1808* [**151**], pintado en 1814, tiene, a pesar de todas sus distorsiones estratégicas de la historia, el filo emocionado y emocionante de un testimonio directo. Esa sensación de espontaneidad e inmediatez no cabía en el estilo clásico, y Goya, ahora armado de una estética alternativa, despachó el clasicismo sin vacilación.

Hasta el fin de sus días explotaría esa nueva veta de expresión artística, si bien con mayor intensidad en las obras privadas que en las públicas. Se alcanza una cima en la enigmática serie de aguafuertes *Los disparates,* creada entre 1816 y 1823, pero inédita hasta 1864, cuando la Academia publicó dieciocho de las veintidós planchas. Composiciones como *Disparate desordenado* [**152**] y el *Caballo raptor* se encuentran entre

150. Francisco de Goya, «Unos a otros», Lámina 77 de *Los caprichos,* aguafuerte y aguatinta, 1799.

las primeras obras que dan forma y voz convincentes a las pulsiones del subconsciente.

La tradición pictórica española que absorbió el joven Picasso ofrecía, pues, una alternativa venerable al clasicismo académico. Pero no fue él el primero en experimentar su poder liberador. Las pinturas españolas que afluyeron a París tras la era napoleónica despertaron un interés muy vivo en los pintores y críticos franceses[27]. Esa marea llegó a su pleamar en 1838, cuando Luis Felipe expuso a la vista pública la colección de 446 telas que había reunido en España su agente, el barón Isidore Taylor[28]. Estas palabras de un crítico que escribía recién abierta la llamada Ga-

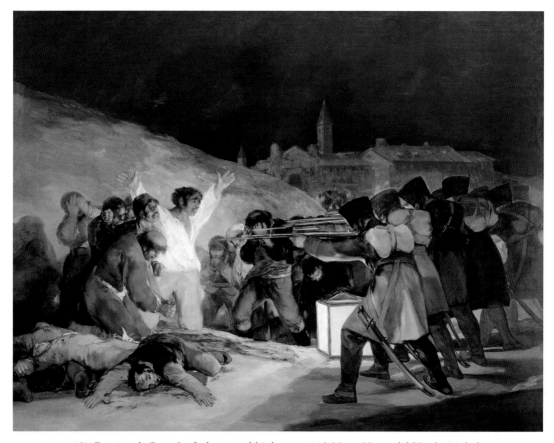

151. Francisco de Goya, *Los fusilamientos del 3 de mayo*, 1814, Museo Nacional del Prado, Madrid.

lerie Espagnole del Louvre resumen con contundencia la reacción de los franceses a aquella escuela de pintura prácticamente ignorada:

> En verdad es algo maravilloso e inesperado, esta súbita aparición de tantas obras maestras, reveladoras de un lenguaje enteramente nuevo donde se explica, no menos que en las comedias de Calderón y Lope de Vega, un país vecino al que apenas conocemos aún[29].

Ese lenguaje pictórico acaso fuera enteramente nuevo para los franceses, pero fue la lengua materna de Picasso. El Greco, Velázquez y Goya fueron para él lo que para un pintor francés habrían sido Poussin, David e Ingres. Sin embargo, la relación de Picasso con los maestros españoles fue dinámica y compleja, y fue cambiando con su personalidad en el transcurso de su vida. En una obra juvenil como *El entierro de Casagemas* (1901, París, Musée d'Art Moderne de la Ville de Paris) [153], Picasso se volvió irónicamente a *El entierro del conde de Orgaz* en busca de inspiración, mientras que al crear *Les Demoiselles d'Avignon* en 1907 explotó con audacia las profundas implicaciones anticlásicas de la *Visión apocalíptica* de El Greco (Nueva York, Metropolitan Museum of Art)[30]. De joven estudió las pinturas y estampas de toros de Goya, que más tarde reelaboraría con pasión en el *Guernica* (1937). Velázquez, el primero de los maestros españoles que le cautivó, volvió a rondar su imaginación en sus últimos años, mentalmente cada vez más dominados por su país natal. Las variaciones sobre *Las Meninas,* que Susan Grace Galassi analiza, le muestran a la conclusión de un coloquio vitalicio con sus antepasados artísticos.

Entre el arte de Picasso y los tres maestros de la tradición española hay muchos puntos de intersección. Pero su deuda con El Greco, Velázquez y Goya no se reduce al préstamo de motivos, gestos y composiciones. Por azar de nacimiento y designio del intelecto, Picasso se adhirió a una tradición pictórica que era intrínsecamente escéptica hacia la autoridad artística. Muchos autores han comentado sus deliberadas manipulaciones de los dogmas del clasicismo[31]. Al igual que los tres maestros españoles, contemplaba el estilo clásico con una mezcla de respeto e irreverencia. En cuanto punto de partida del arte europeo, el clasicismo era algo que había que dominar, pero sin permitir jamás que ese dominio esclavizara a su vez. La tradición de anticlasicismo encarnada en El Greco, Velázquez y Goya, cada uno de ellos el artista más original de su tiempo, inspiró e instruyó a Picasso, que reclamó para sí y conquistó el derecho a figurar en su compañía.

152. Francisco de Goya, *Disparate desordenado,* 1815-1819, aguafuerte y aguatinta, Museo Nacional del Prado, Madrid.

153. Pablo Picasso, *El entierro de Casagemas,* 1901, París, Musée d'Art Moderne, París.

Notas

1. La identidad del donante de La Virgen del Rosario de Caravaggio: una nueva propuesta

[1] Howard Hibbard, *Caravaggio,* Nueva York, Harper & Row, 1983, pág. 181.

[2] Para una transcripción completa de las cartas de Gentili y Pourbus, véase Maurizio Marini, *Io Michelangelo Caravaggio,* Roma, Bestetti e Bozzi, 1974, pág. 423.

[3] *Ibíd.*

[4] Véase A. Baschet, «François Pourbus, peintre de portraits à la Cour de Mantoue», *Gazette des Beaux-Arts,* serie primera, 25, 1868, 445.

[5] Véase, por ejemplo, Walter Friedländer, *Caravaggio Studies,* Princeton, Princeton University Press, 1955, páginas 198-202. Ferdinando Bologna, «Il Caravaggio nella cultura e nella società del suo tempo», en *Colloqui sul tema Caravaggio e i caravaggeschi,* Roma, Accademia Nazionale dei Lincei 1974, págs. 182-183, estima que la pintura es la misma que la encargada por el duque de Módena y que Caravaggio la terminó en Roma. Para un resumen del debate acerca de esta pintura, véase M. Marini, *Io Michelangelo...,* págs. 423-424; W. Prohaska, «Untersuchungen zur "Rosenkranzmadonna" Caravaggios», *Jahrbuch der Kunsthistorischen Sammlungen in Wien,* 76, 1980, 111-132, y H. Hibbard, *Caravaggio, op. cit.,* págs. 316-317. Este listado de referencias bibliográficas acerca de esta pintura no pretende ser exhaustivo, tan solo mostrar algunas opiniones representativas que ha generado.

[6] Véase Raffaello Causa, «La pittura del Seicento a Napoli dal naturalismo al barocco», en *Storia di Napoli,* vol. 5, parte 2, Nápoles, Società Editrice, 1972, pág. 962.

[7] Jacob Hess, «Modelle e modelli del Caravaggio», *Commentari,* 5, 1954, 271-289. El papel protector que Muzio Sforza Colonna, marqués de Caravaggio, ejerció tras la marcha del artista de Roma ha sido puesto en duda recientemente, sin fundamento.

[8] M. Marini, *Io Michelangelo..., op. cit.,* pág. 425, localiza en la columna una referencia críptica al apellido Colonna. No obstante, como indica H. Hibbard *(Caravaggio, op. cit.,* pág. 317), la columna era «un elemento convencional en la iconografía de la Virgen».

[9] Maurizio Marini, *Michael Angelus Caravaggio Romanus,* Roma, De Luca Editore, 1978, pág. 34.

[10] Entre los defensores de una supuesta datación romana se encuentra Denis Mahon, «Addenda to Caravaggio», *The Burlington Magazine,* 94, 1952, 19. Roberto Longhi propuso la fecha de 1607 en varias ocasiones; véase, por ejemplo, *Il Caravaggio,* Dresde, Verlag der Kunst, y Roma, Editori Riuniti, 1968, pág. 47. El consenso es cada vez mayor entre los especialistas italianos en torno a la fecha de 1606-1607; véanse, como muestra, Gian Alberto Dell'Acqua y Mia Cinotti, *Il Caravaggio e le sue grandi opere di San Luigi dei Francesi,* Milán, Rizzoli, 1971, págs. 81-82 y 134-135, y Mina Gregori, «Caravaggio and Naples», en *Painting in Naples from Caravaggio to Giordano,* Londres, Royal Academy of Arts / Weidenfeld & Nicholson, 1982, págs. 36-40.

[11] W. Prohaska, «Untersuchungen zur "Rosenkranzmadonna" Caravaggios», art. cit. Para una defensa de la autenticidad del retrato, véase Mina Gregori, «A New Painting and Some Observations on Caravaggio's Journey to Malta», *The Burlington Magazine,* 116, 1974, 599, n. 27.

[12] La búsqueda de información entre los documentos pertenecientes al conde de Benavente que se conservan en el Archivo Histórico Nacional de Madrid (esp. Sección Osuna, leg. 429[1] y 429[2]) resultó infructuosa en lo que respecta a esta pintura. La mayor parte de la documentación,

de cualquier modo, atañe a la vida del conde de Benavente tras su regreso a España desde Nápoles. Como nota adicional, el inventario de las posesiones del conde realizado el 18 de junio de 1611 contiene la que podría ser la primera mención conocida del *Martirio de san Andrés.*

[13] Comunicación personal al autor, 15 de junio de 1983. Contradiciendo la nota escrita por F. Álvarez-Ossorio que acompaña a la reproducción del retrato de Benavente grabado por Parrino en *Iconografía española,* cuaderno 4, Madrid, Junta de Iconografía Nacional, 1948, pág. 63, hay que precisar que el virrey no era miembro de la Orden del Toisón de Oro, sino caballero de Santiago, cuya cruz porta, según parece, en el grabado.

[14] M. Marini, *Io Michelangelo..., op. cit.,* pág. 74, n. 323.

[15] H. Hibbard, *Caravaggio, op. cit.,* pág. 317, subraya la asociación que existía entre la columna y la Inmaculada Concepción, a cuyo dogma se oponían los dominicos. ¿Es esta la razón por la que la pintura fue rechazada por su comprador, si es que se trató en efecto de la Orden de Santo Domingo? Como han mostrado Hess, Marini y Prohaska, este tipo de representación del hábito dominico aparece también en otros retablos napolitanos de la época, aun no siendo estrictamente correcta.

[16] Véase la pintura de Pieter Neeffs el Viejo, de 1636 (Ámsterdam, Rijksmuseum), publicada por J. Hess, «Modelle e modelli del Caravaggio», pl. 76, fig. 6.

2. LA COLECCIÓN DEL DUQUE DE ALCALÁ Y SU EVOLUCIÓN

[1] Una obra fundamental es Alfonso E. Pérez Sánchez, *Pintura italiana del s. XVII en España,* Madrid, Universidad de Madrid, 1965. Para un estudio completo, véase J. Miguel Morán y Fernando Checa, *El coleccionismo en España,* Madrid, Cátedra, 1985, págs. 231-249 y 283-306. Marcus Burke, «Private Collections of Italian Art in Seventeenth-Century Spain», tesis doctoral, Nueva York, New York University, 1984, hace un repaso general de esta cuestión estudiando al detalle varias colecciones importantes.

[2] Para Felipe II, véanse M. Morán y F. Checa, *El coleccionismo en España, op. cit.,* págs. 87-127, y Jonathan Brown, «Felipe II, coleccionista de pintura y escultura», en *IV Centenario del Monasterio de El Escorial. Las colecciones del rey. Pintura y escultura*, Madrid, Patrimonio Nacional, 1986, págs. 19-31.

[3] Sara Schroth está preparando una investigación específica sobre las colecciones artísticas del duque de Lerma.

[4] No disponemos aún de un estudio completo de Felipe IV como coleccionista. Se abordan aspectos de ello en J. Brown y J. H. Elliott, *A Palace for a King: The Buen Retiro and the Court of Philip IV,* New Haven, Yale University Press, 1980, págs. 105-140; J. Brown, *Velázquez, Painter and Courtier,* New Haven y Londres, Yale University Press, 1986, págs. 105-140, y S. N. Orso, *Philip IV and the Decoration of the Alcazar of Madrid,* Princeton, Princeton University Press, 1986.

[5] Para el marqués de Leganés, véase José Luis López Navío, «La gran colección de pinturas del marqués de Leganés», *Analecta Calasanctiana,* VIII, 1962, 260-330, y Mary Crawford Volk, «New Light on a Seventeenth-Century Collector: The Marquis of Leganes», *Art Bulletin,* LXII, 1980, 256-268. Para los almirantes de Castilla, véase Cesáreo Fernández Duro, *El último almirante de Castilla, Don Juan Tomás Enríquez de Cabrera*, Madrid, Viuda e hijos de M. Tello, 1903. Para el conde de Monterrey, véase Alfonso E. Pérez Sánchez, «Las colecciones de pintura del conde de Monterrey (1963)», *Boletín de la Real Academia de la Historia,* CLXXIV, 1977, 417-459. Para el conde de Benavente, véanse E. García Chico, *Documentos para el estudio del arte en Castilla.* III, *Pintores,* Valladolid, Publicación del Seminario de Arte y Arqueología, 1943, págs. 388-399 (transcripción parcial del inventario póstumo de 1655 de Juan A. Pimentel y Herrera), y M. Burke, «Private Collections of Italian Art...», art. cit., II, págs. 55-60 y 63-88, para la colección del duque del Infantado.

[6] Luis y Gaspar de Haro se estudian en M. Burke, capítulos II y III. Los inventarios del duque de Medina de las Torres y el marqués de Castel Rodrigo fueron descubiertos por M. Burke y J. L. Barrio Moya, respectivamente, que planean publicarlos en un futuro cercano.

[7] El coleccionista no aristocrático está comenzando a emerger como tipología propia. M. Burke define este fenómeno en su capítulo V. Entre los inventarios publicados se encuentran: María Luisa Caturla, «El coleccionista madrileño Don Pedro de Arce, que poseyó *Las Hilanderas* de Velázquez», *Archivo Español de Arte,* XXI, 1948, 292-304; Janine Fayard, *Les membres du conseil de Castile à l'époque moderne (1621-1746),* Ginebra-París, Librairie Droz, 1979, págs. 458-467; José Luis Barrio Moya, «La colección de pinturas de Don Francisco de Oviedo, secretario del Rey Felipe IV», *Revista de Archivos, Bibliotecas y Museos,* LXXXII, 1979, 163-171, y «Las colecciones artísticas de Don Juan Álvarez, funcionario del Rey Felipe IV», *Analecta Calasanctiana,* XXIV, 1982, 257-269.

[8] Francisco Pacheco, *Arte de la pintura, su antigüedad y grandezas,* Sevilla, Simón Faxardo, 1649, pág. 113.

[9] Una revisión (algo confusa) de la historia personal del duque y su familia es Joaquín González Moreno, *Don Fernando Enríquez de Ribera. Tercer Duque de Alcalá de los Gazules (1583-1637),* Sevilla, Servicio de Publicaciones del Ayuntamiento de Sevilla, 1969.

[10] Pedro Núñez de Salcedo, «Relación de los títulos que hay en España, sus rentas, solares, linajes, etc.», *Boletín de la Real Academia de Historia (Madrid),* LXXIII, 1918, 471.

[11] Para una breve historia del palacio, véanse Vicente Lleó Cañal, *Nueva Roma: Mitología y humanismo en el renacimiento sevillano,* Sevilla, Diputación Provincial, 1979, págs. 33-36, y José Guerrero Lovillo, *Sevilla, guías artísticas de España,* Barcelona, Aries, 1962, págs. 140-143.

[12] Joaquín González Moreno, «Don Fadrique Enríquez de Ribera», *Archivo Hispalense,* XXXIX, 1963, 201-280. También Vicente Lleó Cañal, *Nueva Roma: Mitología y humanismo..., op. cit.,* págs. 64-65.

[13] Para la formación de esta colección, véase José Gestoso y Pérez, *Curiosidades antiguas sevillanas,* Sevilla, Oficina de El Correo de Andalucía, 1910, págs. 37-67.

[14] Diego Ortiz de Zúñiga, *Anales eclesiásticos y seculares de la muy noble y muy leal ciudad de Sevilla,* Madrid, Imprenta Real, 1795, IV, pág. 362. Véase también J. González Moreno, *Don Fernando Enríquez de Ribera..., op. cit.,* pág. 89.

[15] Rodrigo Caro, *Antigüedades y principado de la ilustríssima ciudad de Sevilla,* Sevilla, Andrés Grande, 1634, f. 63v.

[16] Diego Ignacio de Góngora, «Claros varones en letras», Sevilla, Biblioteca Colombina, citado en J. Gestoso y Pérez, *Curiosidades antiguas..., op. cit.,* págs. 241-242.

[17] Para un estudio preliminar de este manuscrito, véase J. López de Toro y J. Serrano Calderó, «El libro de las sentencias del duque de Alcalá», *Archivo Hispalense,* XX, 1954, 34-64.

[18] Diego Luis de Arroyo, citado en J. González Moreno, *Don Fernando Enríquez de Ribera..., op. cit.,* pág. 74.

[19] D. Ortiz de Zúñiga, *Anales eclesiásticos..., op. cit.,* IV, pág. 361.

[20] En J. González Moreno, *Don Fernando Enríquez de Ribera..., op. cit.,* lámina junto a página 81, se reproduce uno de esos bocetos.

[21] Beatriz de Moura y Corte Real aportó al duque una dote valorada en 100.000 ducados. J. González Moreno, *Don Fernando Enríquez de Ribera..., op. cit.,* pág. 58.

[22] J. González Moreno, *Don Fernando Enríquez de Ribera in Seventeenth Century Spanish Painting,* Princeton, Princeton University Press, 1978, pág. 59.

[23] Respecto a tales academias, véase J. Brown, *Images and Ideas in Seventeenth Century Spanish Painting,* Princeton, Princeton University Press, 1978, esp. págs. 21-34.

[24] Según Diego Ignacio de Góngora, «esta librería era frecuentada por los más doctos hombres que había en la ciudad, y las conversaciones que en ella se trataban solo eran disputas y argumentos de literatura». J. González Moreno, *Don Fernando Enríquez de Ribera..., op. cit.,* pág. 75.

[25] Para la relación del duque de Alcalá y Pacheco, véase J. Brown, *Images and Ideas..., op. cit.,* págs. 38-39.

[26] Para la controversia sobre el *titulus,* véase *ibíd.,* págs. 60-61.

[27] F. Pacheco, *Arte de la pintura..., op. cit.,* pág. 612.

[28] Este encargo se analiza en J. Brown, *Images and Ideas..., op. cit.,* y en V. Lleó Cañal, *Nueva Roma..., op. cit.,* págs. 44-52.

[29] Antonio Rodríguez de León Pinelo, *Anales de Madrid,* ed. P. Fernández Martín, Madrid, Instituto de Estudios Madrileños, 1974, pág. 168, documenta la presencia del duque en el funeral. El inventario fecha este retrato en 1599 [II.3], lo que indica que permaneció en Madrid hasta parte del año siguiente.

[30] Estos fueron Pedro Enríquez y el abuelo paterno del duque, Pedro Téllez Girón, primer duque de Osuna, virrey de 1582 a 1586.

[31] Luis Cabrera de Córdoba, *Relaciones de cosas sucedidas en la corte de España de 1599 hasta 1614,* Madrid, Imprenta de J. Martín Alegría, 1857, pág. 138.

[32] *Ibíd.,* págs. 227 y 242.

[33] El duque de Alcalá fue nombrado virrey de Cataluña oficialmente el 25 de agosto de 1618.

[34] Para la actuación del duque de Alcalá en Cataluña, véase John H. Elliott, *Revolt of the Catalans,* Cambridge, Cambridge University Press, 1963, págs. 127-155.

[35] Citado en *ibíd.,* pág. 147.

[36] Pedro de Herrera, secretario del duque, escribió una crónica de esta embajada. Véase «Jornada de don Fernando de Ribera Enríquez duque de Alcalá a dar la obediencia a la santidad de nuestro mui santo padre Urbino VIII por la magestad cathólica de don Phelippe Quarto rei de las Españas escrita al marqués de Tarifa», *Archivo Hispalense,* I, 1886, 50-60, 92-104 y 129-142.

[37] Este era fray Payo de Ribera, posteriormente virrey de México. El duque tuvo en total cinco hijos ilegítimos.

[38] F. Pacheco, *Arte de la pintura..., op. cit.,* pág. 98.

[39] *Ibíd.,* pág. 33.

[40] Francis Haskell, *Patrons and Painters. Art and Society in Baroque Italy,* Londres y New Haven, Yale University Press, 1980, págs. 95-99, trata de los hermanos Orsini.

[41] *Ibíd.,* págs. 72-74.

[42] La fecha la da Carl Justi, *Velázquez y su siglo,* Madrid, Espasa Calpe, 1953, pág. 91.

[43] El rey ofreció al duque el gobierno de Milán el 14 de octubre de 1627, pero el nombramiento fue retirado en fecha posterior, evidentemente por su falta de experiencia militar. Fue nombrado virrey y capitán general de Nápoles el 21 de noviembre de 1628. Véase J. González Moreno, *Don Fernando Enríquez de Ribera..., op. cit.,* págs. 149 y 155.

[44] Cristóbal Suárez de Figueroa, *Pusílipo: Ratos de conversación en los que dura el passeo al illustríssimo y excelentíssimo Señor, el Señor Duque de Alcalá,* Nápoles, Lázaro Scorriggio, 1629.

[45] J. González Moreno, «Don Fadrique Enríquez...», art. cit., 153-170, comenta el mandato de Alcalá en Nápoles. Véanse asimismo Domenico A. Parrino, *Teatro eroico, e politico de' governi de' vicere del regno di Napoli,* Nápoles, Giovanni Gravier, [1692] 1770, págs. 398 y 405-421, y Pietro Giannone, *Dell' storia civile del regno di Napoli,* Nápoles, Nicolo Nasso, 1723, lib. XXXV.

[46] «Di aggionata alli diurnali di Scipione Guerra», *Archivio Storico per le Province Napoletane*, vol. XXXVI, Nápoles, Luigi Pierro e Figlio, 1911, 566.

[47] *Ibíd.*, pág. 540.

[48] Fue traducido al inglés por James Ogilvie, Londres, 1731.

[49] El nombramiento del duque como lugarteniente y capitán general de Sicilia se produjo el 21 de mayo de 1631. Para su estancia, empañada por la muerte de su único hijo legítimo, Fernando, marqués de Tarifa, en 1633, véase J. González Moreno, *Don Fernando Enríquez de Ribera..., op. cit.*, págs. 175-177.

[50] Los últimos días del duque los narra su secretario en «Carta que escribió Juan Antonio de Herrera secretario de su magestad i de estado y guerra de Nápoles, Sicilia, i Milán a el ex.mo Conde de Olivares a la ora en que acabó de espirar el ex.mo s.or duque de Alcalá en la ciu.d de Bilaco dando le quenta de su muerte i la causa», *Archivo Hispalense*, I, 1886, 338-342.

[51] *Ibíd.*, págs. 332-335, incluye extractos del testamento del duque.

[52] Los albaceas del duque fueron su esposa, el cardenal Borja (arzobispo de Sevilla), su hija María († 1638) y su marido, Luis de Moncada y Aragón, príncipe de Paterno y futuro duque de Montalto, Juan de Rivera, el canónigo de Sevilla don García de Sotomayor, su alguacil y, por último, su secretario, Juan Antonio de Herrera.

[53] Tras la muerte de su hija María en 1638, el ducado de Alcalá pasó a su sobrino, Juan Francisco Tomás, hijo del duque de Medinaceli. El proceso sucesorio dio lugar a no pocos pleitos, durante los cuales se dispersó o vendió buena parte de la colección.

[54] Archivo y Biblioteca de Francisco Zabalburu y Basabe (Madrid), legajo 215, n. 1.

[55] Sevilla, Archivo de la Casa de Medinaceli, Ducado de Alcalá, «Inventario orig.l de los bienes muebles de el Ex.mo Sr. Duque de Alcalá que se vendieron en pública almoneda de orden de sus testamentarios». J. González Moreno, *Don Fernando Enríquez de Ribera..., op. cit.*, pág. 180, cita este inventario, de cuyos contenidos varios estudios han hecho uso parcial.

[56] El I marqués de Tarifa reunió una pequeña colección de retratos de sus antepasados y pinturas religiosas, pero ninguno de ellos parece corresponderse con entrada alguna en el inventario de la colección del III duque. Para la colección del marqués de Tarifa, véase J. González Moreno, «Don Fadrique Enríquez de Ribera...», art. cit., pág. 257.

[57] El beato Juan de Ribera (1533-1611), hijo ilegítimo de Pedro Enríquez y Afán de Ribera, fue un importante prelado que llegó a ser arzobispo de Valencia. Respecto a su colección, véase Fernando Benito Domenech, *Pinturas y pintores en el Real Colegio de Corpus Christi*, Valencia, Federico Domenech, 1980.

[58] Para el no muy estudiado Vázquez, véase Juan Miguel Serrera Contreras, «Pinturas y pintores del siglo XVI en la Catedral de Sevilla», en *La Catedral de Sevilla*, Sevilla, Ediciones Guadalquivir, 1984, pág. 395. La pintura de *Lázaro y el hombre rico* fue identificada por Martín Soria en George Kubler y Martin Soria, *Art and Architecture in Spain and Portugal and Their American Dominions, 1500 to 1800*, Baltimore, Penguin Books, 1959, pág. 228. El inventario recoge dos pinturas sobre este tema, ninguna de ellas atribuida a autor alguno. Para la identificación del fondo arquitectónico, véase Vicente Lleó Cañal, «La obra sevillana de Benvenuto Tortelo», *Napoli Nobilissima*, XXV, 1984, 198-207.

[59] Para Céspedes, véase J. Brown, *Images and Ideas..., op. cit.*, págs. 30-32 y 44-48.

[60] Para Mohedano, véanse Rafael González Zubieta, *Vida y obra del artista andaluz Antonio Mohedano de la Gutierra (1563-1626)*, Córdoba, Diputación de Córdoba, 1981, y Enrique Valdivieso y Juan Miguel Serrera, *Pintura sevillana del primer tercio del siglo XVII*, Madrid, Centro de Estudios Históricos, 1985, págs. 174-188. Se le ha atribuido a este artista una pintura en uno de los techos de la Casa de Pilatos. Para otras hipótesis respecto a Mohedano y a los inicios de la pintura de bodegones en Sevilla, véase Alfonso E. Pérez Sánchez, *Pintura española de bodegones y floreros de 1600 a Goya*, Madrid, Ministerio de Cultura, 1983, páginas 80-82, y William B. Jordan, *Spanish Still Life in the Golden Age, 1600-1650*, Fort Worth, Kimbell Art Museum, 1985, págs. 13-14.

[61] Para un estudio de este proceso, véase S. Schroth, «Early Collectors of Still-Life Painting in Castile», en W. B. Jordan, *Spanish Still Life..., op. cit.*, págs. 28-31.

[62] *Ibíd.*, págs. 31-33.

[63] La primera pintura recuerda a *Cristo en casa de Marta y María* de la National Gallery de Londres, pero el hecho de que no se mencionen el resto de las figuras de la composición hace improbable que se trate de la misma obra. Respecto a otra pintura de género propiedad de otro miembro ilustrado del círculo de Pacheco, véase José López Navío, «Velázquez tasa los cuadros de su protector, D. Juan de Fonseca», *Archivo Español de Arte*, XXXIV, 1961, 53-84.

[64] Véase Arthur Engel, «Inventaire de la 'Casa de Pilatos' en 1752 (sic)», *Bulletin Hispanique*, V, 1903, 259-271.

[65] Para Roelas, véase E. Valdivieso y J. M. Serrera, *Pintura sevillana..., op. cit.*, págs. 117-173.

[66] F. Pacheco, *Arte de la pintura..., op. cit.*, pág. 98.

[67] Debemos esta referencia a Vicente Lleó Cañal, que fue tan amable de cotejar el inventario de la colección del duque de Alcalá con el de Medinaceli, cuya publicación prepara.

[68] Para esta pintura, véanse Robert Enggass, «Variations on a Theme by Guido Reni», *Art Quarterly*, XXV, 1962, 113-119, y D. Stephen Pepper, *Guido Reni*, Oxford, Phaidon, 1984, pág. 257, n. 115. Si se trata de la pintura del

duque de Alcalá, la fecha del prototipo, que Pepper estimaba era 1627, ha de ser retrasada un par de años.

⁶⁹ Madrid, Archivo Histórico Nacional, Estado, libro 91, «Quentas de la embaxada de Roma en tiempo de Senor Marq. Don Manˡ y las de Flandes del Marq. Don Franco. y otros papeles tocantes a la Casa...», fols. sin numerar. Esta referencia se debe a la amabilidad de J. H. Elliott. Para un resumen general de la vida de Scaglia, véase Ludwig Pastor, *The History of the Popes from the Close of the Middle Ages,* St. Louis, Herder, 1977, XXV, págs. 339-340.

⁷⁰ Para esta pintura, véase Alfonso E. Pérez Sánchez, *Caravaggio y el naturalismo español,* Sevilla, Comisaría General de Exposiciones, 1973, núm. 50. La pintura relacionada que se encuentra en la catedral de Sevilla *(ibíd.,* n. 55) muestra a los soldados jugando a las cartas, no a los dados, como se especifica en el inventario.

⁷¹ Véase Enrique Valdivieso, *Catálogo de las pinturas de la Catedral de Sevilla,* Sevilla, Enrique Valdivieso editor, 1978, pág. 131.

⁷² R. Ward Bissell, quien amablemente compartió con nosotros sus conocimientos de Artemisia Gentileschi, no tiene constancia de ninguna pintura que se ajuste a esta descripción. No obstante, advierte (en comunicación del 30 de septiembre de 1986) que «podría haber conexión de algún tipo entre la pintura del duque y una que Maurizio Marini adjudicó a Bartolomeo Cavarozzi y muy influenciado por Gentileschi (reproducido en *Imagine per una collezione,* catálogo de subasta (Roma, Palazzo Borghese, junio de 1985)».

⁷³ Véase Herwarth Röttgen, *Il Cavalier d'Arpino,* Roma, De Luca Editore, 1973, págs. 91-92, n. 18.

⁷⁴ La referencia de Pacheco *(Arte de la pintura..., op. cit.,* pág. 340) a una copia o copias de la *Crucifixión de san Pedro* hay que datarla probablemente en fecha posterior a 1625 y, posiblemente, 1631, puesto que aparece en una frase en la que comenta unas pinturas de Ribera y Reni pertenecientes a la colección del duque de Alcalá.

⁷⁵ La procedencia de esta obra en la colección ducal la dedujo Francisco Layna Serrano, «El cuadro de Ribera existente en Cogolludo», *Boletín de la Sociedad Española de Excursiones,* LIII, 1949, 281-296.

⁷⁶ Para esta carta, véase Baltasar Cuartero y Huerta, *Historia de la Cartuja de Santa María de las Cuevas de Sevilla, y de su filial de Cazalla de la Sierra,* Madrid, Real Academia de la Historia, 1950, II, pág. 656.

⁷⁷ En el inventario Medinaceli de 1711, la pintura se atribuye a Martin de Vos.

⁷⁸ El motivo de un niño mordido por un cangrejo aparece en bodegones italianos del siglo XVII. Véase por ejemplo Luigi Salerno, *La natura morta italiana, 1560-1805,* Roma, Ugo Bozzi Editore, 1984, pág. 105, fig. 5.

⁷⁹ Véase John Shearman, *Andrea del Sarto,* Oxford, Clarendon Press, 1965, II, págs. 281-282.

⁸⁰ Véanse Delphine Fitz Darby, «Ribera and the Wise Men», *Art Bulletin,* XLIV, 1962, 279-307, y Jonathan Brown, «Mecenas y coleccionistas españoles de Jusepe de Ribera», *Goya,* 183, 1984, 142-143.

⁸¹ Para esta pintura, véase *Jusepe de Ribera, Lo Spagnoletto, 1591,* ed. Craig Felton y William B. Jordan, Fort Worth, Kimbell Art Museum, 1982, págs. 129-131.

⁸² Para estas obras, véase Nicola Spinosa, *L'opera completa del Ribera,* Milán, Rizzoli, 1978, pág. 127, n. 230, y pág. 99, n. 41.

⁸³ Sobre la carrera de Artemisia, véase Raymond W. Bissell, «Artemisia Gentileschi-A New Documented Chronology», *Art Bulletin,* L, 1968, 153-168.

⁸⁴ En relación con estas pinturas y los problemas que plantean, véase *ibíd.,* pág. 162.

⁸⁵ D. S. Pepper, *Guido Reni, op. cit.,* pág. 254, núm. 106; pág. 255, núm. 111, y págs. 266-267, núm. 136, señala tres pinturas autógrafas de Reni sobre el mismo tema realizadas antes de 1630, cada una de las cuales fue copiada varias veces. Resulta imposible averiguar cuál era la versión que el duque poseía.

⁸⁶ Esta obra se relaciona posiblemente con otra pintura del mismo tema, hoy perdida, que el pintor ejecutó en 1619 para el legado pontificio en Ferrara, el cardenal Serra. Alfonso E. Pérez Sánchez, «Reseña de E. Valdivieso, *Catálogo de las pinturas de la Catedral de Sevilla», Archivo Español de Arte,* LI, 1978, 108, sugiere que una pintura en la capilla de la Virgen de los Reyes de la catedral de Sevilla concuerda con el original de Guercino. La composición está representada en un dibujo de Guercino en el castillo de Windsor, n. 2468.

⁸⁷ Marqués del Saltillo, «Pinturas de Ribera», *Archivo Español de Arte,* XIV, 1941, 246-247.

⁸⁸ Madrid, Biblioteca Nacional 9883, «Registro de cartas (del duque de Alcalá) de los años 1634 y 35», fol. 273.

⁸⁹ Reproducido en Friedrich Wilhelm H. Hollstein, *Dutch and Flemish Etchings, Engravings and Woodcuts, ca. 1450-1700,* Ámsterdam, Menno Hertzberger, 1949, X, pág. 5.

⁹⁰ Respecto a la temática mitológica en la pintura española del siglo XVII, véase Rosa López Torrijos, *La mitología en la pintura española del Siglo de Oro,* Madrid, Cátedra, 1985.

⁹¹ Nuestra fuente para la escultura de Giovanni Bologna es *Giambologna, Sculptor to the Medici, 1529-1603,* ed. Charles Avery y Anthony Radcliffe, Edimburgo-Londres-Viena, Arts Council of Great Britain y Kunsthistorisches Museum, 1978-1979.

⁹² Véase Harold E. Wethey, *Alonso Cano. Pintor, escultor y arquitecto,* Madrid, Alianza Editorial, 1983, págs. 121-122, núm. 29, que fecha la pintura en torno a 1636-1637.

⁹³ Para el estudio de este período en la historia de la pintura sevillana, véase D. T. Kinkead, «Francisco de Herrera and the Development of High Baroque Style in Sevi-

[94] lle», *Record of the Art Museum* (Princeton University), XLI, núm. 2, 1982, págs. 12-23.

[94] Nicolás Antonio, *Bibliotheca hispania nova,* Madrid, Joachim de Ibarra, 1783, pág. 366.

[95] En el inventario de 1751 se les describe como «algo maltratados». Actualmente desaparecido.

[96] Véase referencia en el texto (pág. 33) e ilustración 7.

[97] Véase referencia en el texto (pág. 34).

[98] El 24 de mayo de 1648, una pintura descrita como «cuadro de la virgen con su niño Jesús en brazos volviendo el rostro a dos peregrinos pobres que está de rodillas» se encontraba en la colección de Tomás Mañara, Sevilla. Es posible que esta pintura, que se corresponde con la descripción de la *Virgen de Loreto,* sea la misma que estaba en la colección del duque de Alcalá. Agradecemos a Duncan Kinkead esta observación.

Otra copia de la pintura de Caravaggio (hoy en el Museo Lázaro Galdiano, Madrid) se hallaba en la colección de Gaspar Enríquez de Ribera, almirante de Castilla, en cuyo inventario se la cita en 1674. Véase A. E. Pérez Sánchez, *Caravaggio y el naturalismo español, op. cit.,* n. 5.

[99] Véase referencia en el texto (pág. 35) e ilustración 8.

[100] Véase referencia en el texto (pág. 34).

[101] Probablemente formaba parte del apostolado que el duque de Alcalá encargó en Roma en 1625.

[102] Véase texto (pág. 33) e ilustración 6.

[103] Copia de Diego de Rómulo.

[104] En el inventario de 1711 del duque de Medinaceli.

[105] Véase referencia en el texto (pág. 28).

[106] La pintura aparece quizás en el inventario de 1751.

[107] «Parma» es probablemente Palma.

[108] El inventario de 1751 incluye una «copia o retrato de artemisa de tres cuartas, maltratado», que podría ser esta pintura o el otro autorretrato.

[109] Rodrigo Sarabia ostentó poderes para pleitos en representación del duque. El retrato es posiblemente uno de los que se atribuyen a Pacheco en el inventario de 1751.

[110] Estas pinturas forman parte del inventario de 1711 de los Medinaceli. No ha sido posible averiguar la identidad del pintor llamado «Don Blas». Parece que vivía en Italia, donde el duque de Alcalá compró las obras que luego envió a España.

[111] Véase n. 84.

[112] Como se menciona en el texto, Bernardino podría ser Bernardo Azzolino.

[113] Véase referencia en el texto (pág. 38). Estas obras están en el inventario de Medinaceli de 1711.

[114] En el inventario de 1751 hay una pintura de este tema. Véase también n. 106.

[115] Véase referencia en el texto (pág. 38).

[116] Esta pintura, que se repite en el inventario de 1711, no puede ser la que sobre el mismo tema y de Beccafumi (llamado Mecarino) se encuentra en la Art Gallery de Birmingham, de dimensiones mucho más reducidas.

[117] Hay dos pinturas que ilustran el mismo tema en el inventario, la primera de las cuales es probablemente de Alonso Vázquez.

[118] Véase referencia en el texto (pág. 38).

[119] Registrada en el inventario de 1751, donde se describe esta pintura como un cuadro de una lámpara que el duque donó a S. Antonio, Padua.

[120] El príncipe Filiberto de Saboya (†1624) fue comandante supremo de la armada española en el Mediterráneo durante el reinado de Felipe III.

[121] El artista es Scipione Pulzone. La princesa de Esquilache es María Francisca de Borja y Aragón.

[122] «Maltratado» en el inventario de 1751.

[123] Véase referencia en el texto (pág. 32).

[124] Esta entrada podría aludir a Juanelo Turriano, el famoso relojero que trabajó en España desde 1557 hasta su muerte en 1585.

[125] En el inventario de 1751 esta pintura atribuida a Palma el Joven se cita como de «una vara de alto». La marquesa de Charela era la esposa de Antonio Manrique, que estuvo al servicio de la Corona en Nápoles y Sicilia durante el reinado de Felipe III. En 1622 se declaró culpable de algunas irregularidades en sus cargos y fue desterrado durante seis años de Nápoles, donde estaba de vuelta en agosto de 1629.

[126] «Oreme» parece ser transcripción errónea de Pedro Orrente.

[127] Véase referencia en el texto (pág. 37) e ilustración 9. Esta pintura está en el inventario del duque de Medinaceli de 1711.

[128] F. Pacheco dice de esta pintura que es copia, *Arte de la pintura..., op. cit.,* pág. 442.

[129] Véase referencia en el texto para un comentario acerca de los bodegones de Antonio Mohedano (pág. 31).

[130] Atribuida a Martin de Vos en el inventario Medinaceli de 1711.

[131] Paulus Orosius fue un historiador y teólogo nacido en España en el siglo v conocido por su *Historiae adversum Paganos.*

[132] Véase referencia en el texto (pág. 37). El príncipe de Colle d'Anquiso es Tullo di Costanzo.

[133] Véase referencia en el texto (pág. 38).

[134] Sin lugar a dudas, la «pintura mosaica» que cita F. Pacheco en *Arte de la pintura..., op. cit.,* pág. 32.

[135] Bartolomeo Imperiale participó como comprador en la almoneda del duque en Génova en 1637.

[136] Probablemente, el retrato que Pacheco menciona en su breve biografía de Diego de Rómulo.

[137] El príncipe de Carpiñano era Francisco Lanario de Aragón.

[138] Aquí Pacheco aparece cumpliendo la función de consejero artístico.

[139] El artista es probablemente Antonio Tempesta.

[140] El duque de Montalto era el padre del yerno del duque de Alcalá.

[141] Cardenal Orsini. Véase referencia en el texto a su relación con el duque (pág. 28).

[142] *Camarín grande.* Pacheco decoró el techo de esta sala con pinturas.

[143] Esta escultura y los números 4, 20, 27, 41-43 y 129 aparecen en el inventario de Medinaceli de 1711.

[144] Ocho de esas pinturas sobreviven en el inventario de 1751.

[145] Copia de *Dánae y la lluvia dorada* de Tiziano (Prado), por entonces en las colecciones reales.

[146] El artista es Pablo de Céspedes.

[147] Copia del *Matrimonio Aldobrandini* que menciona Pacheco.

[148] Esta es la posible segunda referencia a la pintura de este tema de Alonso Vázquez.

[149] Fray Pedro de Cárdenas fue uno de los tutores del duque y en 1625 le acompañó a Roma en calidad de confesor.

[150] El Gran Capitán era Gonzalo Fernández de Córdoba (1453-1515).

[151] En el inventario del duque de Medinaceli de 1711.

[152] «Quando se fue El Duque mi señor de Madrid». Se refiere probablemente a su salida de Madrid en 1632 rumbo a Sicilia.

[153] Quizás un conjunto de las *Doce victorias de Carlos V* diseñadas por Martin van Heemskerck (véase F. W. H. Hollstein, *Dutch and Flemish Etchings, Engravings and Woodcuts..., op. cit.,* VIII, pág. 241).

3. Mecenazgo y piedad: el arte religioso de Zurbarán

[1] Para las «dinastías» artísticas de Sevilla, véase Enrique Valdivieso y José Miguel Serrera, *La época de Murillo. Antecedentes y consecuentes de su pintura,* Sevilla, Caja de Ahorros Provincial San Fernando de Sevilla, 1982, pág. 11.

[2] La información de Zurbarán en Llerena proviene de María Luisa Caturla, «Zurbarán en Llerena», *Archivo Español de Arte,* XX, 1947, 265-284.

[3] Para el contrato, véase Miguel de Bago y Quintanilla, *Aportaciones documentales. Documentos para la Historia del Arte en Andalucía, II,* Sevilla, Laboratorio de Arte, 1928, pág. 182.

[4] Información sacada de Antonio Domínguez Ortiz y Francisco Aguilar Piñal, *Historia de Sevilla, IV. El Barroco y la Ilustración,* Sevilla, Universidad de Sevilla, 1976, págs. 36-37.

[5] Véase Jonathan Brown, *Images and Ideas in Seventeenth Century Spanish Painting,* Princeton, Princeton University Press, 1978, págs. 70-71.

[6] Véase Celestino López Martínez, *Desde Martínez Montañés hasta Pedro Roldán,* Sevilla, Tipografía Rodríguez, Giménez y Compañía, 1932, págs. 221-222, para el texto.

[7] Para la Orden de los Mercedarios y su iconografía, véase Pedro Francisco García Gutiérrez, *Iconografía Mercedaria. Nolasco y su obra,* Madrid, Revista Estudios, 1985. La fuente básica de información sobre la historia de la orden es Tirso de Molina [Gabriel Téllez], *Historia general de la Orden de Nuestra Señora de las Mercedes,* Madrid, 1639, reed. Madrid, Revista Estudios, 1973-1974, 2 vols.

[8] Santiago Sebastián, «Zurbarán se inspiró en los grabados del aragonés Jusepe Martínez», *Goya,* núm. 128, 1975, 82-84, discute la serie de Martínez y su relación con los cuadros de Zurbarán. En fecha desconocida, parte del encargo original fue asignado a otro pintor que fue identificado a menudo como Francisco Rayna, pero que ahora se cree que es José Luis Zambrano.

[9] Consúltese Antonio Martínez Ripoll, *La iglesia del colegio de San Buenaventura,* Sevilla, Diputación Provincial de Sevilla, 1976, para un análisis completo de todos los aspectos de este encargo.

[10] El texto procede de José Cáscales y Muñoz, *Francisco de Zurbarán: su época, su vida y sus obras,* Madrid, Librería de Fernando Fe, 1911, págs. 202-204; la elección de Zurbarán fue atacada sin éxito por el gremio de pintores de Sevilla.

[11] El estudio clásico sobre Zurbarán como pintor monástico está en Paul Guinard, *Zurbarán et les peintres espagnols de la vie monastique,* París, Éditions du Temps, 1960.

[12] Para la temprana historia del monasterio, véanse Manuel Esteve Guerrero, *Notas extraídas del Protocolo primitivo y de la fundación de la Cartuja jerezana,* Jerez, Tipografía Moderna, 1934, e Hipólito Sancho de Sopranis, «La arquitectura jerezana en el siglo XVI», *Archivo Hispalense,* núm. 123, 1964, 9-73.

[13] Los retratos de los evangelistas están basados en grabados de Aldegrever; véase José Miguel Serrera, «Influencias de grabados germánicos en la pintura española del siglo XVII: Aldegrever y Zurbarán», *Congreso Español de Historia del Arte,* Sección I, Trujillo, 1977, s.l., Comité Español de Historia del Arte, 1981.

[14] Para la iconografía de la circuncisión, véase Gertrud Schiller, *Iconography of the Christian Art,* Londres, Lund Humphries, 1971, págs. 88-90.

[15] Los varios significados de la circuncisión son explicados por Leo Steinberg, *The Sexuality of Christ in Renaissance Art and in Modern Oblivion,* Nueva York, Pantheon Books, 1983, págs. 50-56.

[16] Véase César Pemán, «Cartuja de Jerez de la Frontera», *Archivo Español de Arte,* XXIH, 1950, 203-227, e «Identificación de un Zurbarán perdido», *Archivo Español de Arte,* XXX, 1957, 327-329. La serie contenía también dos ángeles con incensarios que están asimismo en el Museo de Cádiz.

[17] Hay cierta confusión en la literatura sobre la identidad de los santos que aquí se llaman Artaldo y Antelmo. En

mi opinión, el cat. 59 representa a san Antelmo, obispo de Belley, identificable por su muceta púrpura, propia del rango de obispo. El cat. 63, que a menudo es llamado san Antelmo, es san Artaldo, cuyo aspecto de ancianidad concuerda con la larga vida de este cartujo. La mitra de arzobispo de la mesa adyacente puede querer indicar su breve ejercicio de esas funciones. Es difícil aceptar que el retrato que falta representaba a san Artaldo, cuya identidad es objeto de considerable confusión en la hagiografía cartuja.

[18] Véase J. Brown, *Images and Ideas..., op. cit.,* páginas 111-127, para un completo estudio del programa.

[19] Véase Peter Cherry, «The Contract for Francisco de Zurbarán's Painting of Hieronymite Monks for the Sacristy of the Monastery of Guadalupe», *The Burlington Magazine,* CXXVII, núm. 987, junio 1985, 378-381, para el contrato. La memoria aneja ha desaparecido; sin embargo, Cherry, debatiendo una hipótesis que yo adelanté en *Images and Ideas..., op. cit.,* págs. 123-125, asegura que no contenía instrucciones sobre la colocación de los cuadros en la sacristía.

[20] José Milicua, «Observatorio de ángeles. II. Los ángeles de la perla de Zurbarán», *Archivo Español de Arte,* XXXI, 1958, 6-16, hace notar que los ángeles fueron copiados de un grabado de la Asunción de la Virgen de Rubens (Viena, Kunsthistorisches Museum).

[21] Para la iconografía del Salón de Reinos, véase Jonathan Brown y John Elliot, *A Palace for a King, The Buen Retiro and the Court of Philip IV,* Yale University Press, New Haven, 1980, págs. 141-192.

[22] El tratamiento definitivo del tema es de Suzanne Stratton, *The Immaculate Conception in Spanish Renaissance and Baroque Art,* tesis doctoral, Institute of Fine Arts, New York University, 1983, siendo la base de la siguiente discusión.

[23] No ha tenido mucho apoyo la sugerencia de Orozco Díaz, 1947, de que los cuadros son retratos. Varios autores (Martin Soria, «A Zurbarán for San Diego», *The Art Quarterly,* X, 1947, 66-69; Alfonso E. Pérez Sánchez, «Torpeza y humildad de Zurbarán», *Goya,* núms. 64-65, 1965, 266-275) han citado como fuentes grabados flamencos del siglo XVI, aunque durante el siglo XVII este estilo era corriente en el arte europeo. Elizabeth du Gué Trapier, «Zurbarán's Processions of Virgin Martyrs», *Apollo,* LXXXV, 1967, 414-419, discute el empleo de la serie de las Vírgenes mártires como decoraciones de iglesia. Véase María José Sáez Piñuela, «Las modas femeninas del siglo XVII a través de los cuadros de Zurbarán», *Goya,* núms. 64-65, 1965, 284-289, para interesantes observaciones sobre los trajes.

[24] Véanse Émile Mâle, *L'art religieux de la fin du XVe siècle, du XVIe siècle et du XVIIe siècle (Étude sur l'iconographie après le Concile de Trente. Italie-France-Espagne-Flandres),* París, Librairie Armand Colin, 1932, pág. 478, y Pamela Askew, «The angelic Consolation of St Francis of Assisi in post-tridentine Italian Painting», *Journal of the Warburg and Courtauld Institutes,* 1969, XXXII, 280-306.

[25] En John H. Elliott, *Imperial Spain, 1469-1716,* Nueva York, St. Martin's Press, 1964, págs. 329-345, se puede encontrar un sucinto estudio sobre estos conocidos acontecimientos.

[26] Véase A. Domínguez Ortiz y F. Aguilar Piñal, *Historia de Sevilla..., op. cit.,* pág. 37.

[27] Julián Gállego y José Gudiol, *Zurbarán 1598-1664,* Barcelona, Polígrafa, 1976, pág. 176, cita el documento. Algunos de los negocios de Zurbarán con el Nuevo Mundo están documentados por Celestino López Martínez, *Arquitectos, escultores y pintores vecinos de Sevilla,* Sevilla, Rodríguez, Giménez y Cª, 1928, págs. 215-216; C. López Martínez, *Desde Martínez Montañés hasta Pedro Roldán, op. cit.,* pág. 224; marqués de Lozoya, «Zurbarán en el Perú», *Archivo Español de Arte,* XVI, 1943, 1-6; María Luisa Caturla, «Zurbarán exporta a Buenos Aires», *Anales del Instituto de Arte Americano e Investigaciones Estéticas,* núm. 4, 1951, 27-30, y Duncan T. Kinkead, «The last Sevillian Period of Francisco de Zurbarán», *Art Bulletin,* LXV, 1983, 307-308. Para una descripción de las condiciones del comercio de exportación de pinturas, véase Duncan T. Kinkead, «Juan de Luzón and the Sevillian Painting Trade with the New World in the Second Half of Seventeenth Century», *Art Bulletin,* LXVI, 1984, 303-312.

[28] Francisco Pacheco, *Arte de la pintura. Su antigüedad y grandeza* (mss. 1638), Sevilla, Simón Faxardo, 1649; ed. F. J. Sánchez Cantón, Madrid, Editorial e Imprenta Maestre, 1956, vol. II, págs. 220-223.

[29] Las prácticas de la religión popular se estudian en William A. Christian, *Local Religion in Sixteenth Century Spain,* Princeton, Princeton University Press, 1981.

[30] Véase Duncan T. Kinkead, «Francisco de Herrera and the Development of High Baroque Style in Seville», *Record of the Art Museum* (Princeton University), XLI, núm. 2, 1982, págs. 12-23, sobre el impacto de Herrera en la pintura de Sevilla.

[31] D. T. Kinkead, «The last Sevillian Period of Francisco de Zurbarán», art. cit., analiza el cambio de la situación financiera de Zurbarán.

[32] Diego Angulo Íñiguez, «Cinco nuevos cuadros de Zurbarán», *Archivo Español de Arte,* XVII, 1944, 8, se refiere a esta fuente.

4. EL COLECCIONISMO REGIO EN EL SIGLO XVII

[1] Este ensayo es una sinopsis de las Conferencias Andrew W. Mellon de Bellas Artes que el autor dictó en la National Gallery of Art, Washington D.C., en abril-mayo de 1994. Las conferencias serán publicadas por la editorial Nerea en 1995.

6. ENTRE TRADICIÓN Y FUNCIÓN:
   VELÁZQUEZ COMO PINTOR DE CORTE

[1] Sobre Tiziano y los Austria, véase Fernando Checa Cremades, *Tiziano y la monarquía hispánica: usos y funciones de la pintura veneciana en España,* Madrid, Nerea, 1994.

[2] Falta un estudio monográfico de Antonio Moro. Para información básica y un catálogo de obras, veáse Max J. Friedländer, *Antonis Mor and His Contemporaries, Early Netherlandish painting,* vol. 13, Leyden, A. W. Sijthoff, y Bruselas, La Connaissance, 1975, ed. Henri Pauwels y G. Lemmens.

[3] Véase A. Domínguez Ortiz, A. Pérez Sánchez y J. Gállego, *Velázquez,* Madrid, Ministerio de Cultura, 1990.

[4] Otros pintores hicieron retratos de la familia real, destacadamente Sofonisba Anguissola, pero Sánchez Coello fue el principal especialista en el género.

[5] Sobre Pantoja, véanse, de María Kusche, *Juan Pantoja de la Cruz,* Madrid, Castalia, 1964, y «La juventud de Juan Pantoja de la Cruz y sus primeros retratos. Retratos y miniaturas desconocidas de su madurez», *Archivo Español de Arte,* núm. 274, 1996, 137-155.

[6] Sobre el poco estudiado González, véase Peter Cherry, «Nuevos datos sobre Bartolomé González», *Archivo Español de Arte,* núm. 261, 1993, 1-10.

[7] La competición está analizada en Steven N. Orso, *Velázquez, Los Borrachos, and Painting at the Court of Phillip IV,* Cambridge, Cambridge University Press, 1993, págs. 40-96.

[8] Las aportaciones de Rubens al Salón Nuevo (más tarde Salón de los Espejos) están descritas en Steven N. Orso, *Philip IV and the Decoration of the Alcazar of Madrid,* Princeton, Princeton University Press, 1986, págs. 56-58, y Alexander Vergara, *Rubens and His Spanish Patrons,* Cambridge, Cambridge University Press, 1999.

[9] Sobre los retratos que pintó Rubens de la familia real, véanse A. Vergara, *Rubens and His Spanish Patrons, op. cit.,* y Frances Huemer, *Portraits I,* Corpus Rubenianum Ludwig Burchard, vol. XIX, Londres, Phaidon, 1977, págs. 62-80.

[10] La documentación está publicada en *Varia velazqueña,* Madrid, Ministerio de Educación Nacional, Londres, 1960, vol. II, págs. 228-229.

[11] Juan Miguel Serrera, *Alonso Sánchez Coello y el retrato en la corte de Felipe II,* Madrid, Museo del Prado, 1990, pág. 43. Sobre los orígenes de este tipo de retrato, véase María Kusche, «Der Christliche Ritter und seine Dame», *Pantheon,* 49, 1991, 4-35.

[12] Sobre el retrato en la corte de Felipe II, véase Miguel Falomir Faus, «Imágenes de poder y evocaciones de la memoria: usos y funciones del retrato en la corte de Felipe II», en *Un príncipe del Renacimiento: Felipe II, un monarca y su época,* Madrid, Museo Nacional del Prado, 1998.

[13] Sobre estos retratos, véase n. 9.

[14] Sobre este cambio, véase John H. Elliott, «Philip IV, Prisoner of Ceremony», en *The Courts of Europe: Politics, Patronage, and Royalty, 1400-1800,* Londres, Thames and Hudson, 1977, págs. 168-189.

[15] Véase A. Domínguez Ortiz, A. Pérez Sánchez y J. Gállego, *Velázquez, op. cit.,* pág. 145, núm. 26.

[16] Sobre los retratos ecuestres aquí comentados y su lugar en la historia del género, véase Walter Liedtke, *Royal Horse and Rider: Painting, Sculpture, and Horsemanship 1500-1800,* Nueva York, The Metropolitan Museum of Art, 1989, págs. 19-47.

[17] Las funciones del retrato cortesano se describen en Martin Warnke, *The Court Artist: On the Ancestry of the Modern Artist,* Cambridge, Cambridge University Press, 1993, págs. 212-224.

[18] Sobre estas pinturas, véase Jonathan Brown, *Velázquez. Painter and Courtier,* New Haven y Londres, Yale University Press, 1986, págs. 217-218.

[19] El documento está publicado en Miguel Morán y Karl Rudolf, «Nuevos documentos en torno a Velázquez y las colecciones reales», *Archivo Español de Arte,* 259-260, 1992, núm. 1, 296.

[20] Esta correspondencia está publicada en M. Morán y K. Rudolf, «Nuevos documentos en torno a Velázquez», art. cit., núms. 3-8, pág. 298.

[21] Marcus B. Burke y Peter Cherry, *Collections of Paintings in Madrid, 1601-1755,* 2 vols., Spanish Inventories I, Documents for the History of Collecting, ed. Maria L. Gilbert, Los Ángeles, The Provenance Index of the Getty Information Institute, 1997, págs. 848-849.

[22] *Ibíd.,* pág. 515.

[23] Mazo ha pagado el precio de Velázquez. Su vida y su carrera apenas han recibido atención, a pesar de que fue pintor de talento. Para un artículo reciente con referencias a la bibliografía anterior, véase Peter Cherry, «Juan Bautista Martínez del Mazo, viudo de Francisca Velázquez (1653)», *Archivo Español de Arte,* 1990, 511-527.

[24] Sobre este pintor todavía oscuro, véase Mercedes Agulló Cobo y Alfonso E. Pérez Sánchez, «Francisco de Burgos Mantilla», *Boletín del Seminario de Estudios de Arte y Arqueología,* vol. XLVII, Valladolid, 1981, 359-375.

[25] La carrera pictórica de Pareja está prácticamente sin estudiar. Sobre el retrato de San Petersburgo, véase Ludmila L. Kagané, *Spanish Painting: Fifteenth to Nineteenth Centuries, The Hermitage, Catalogue of Western European Painting, IV,* Florencia, Giunti, 1997, pág. 173, núm. 82.

[26] El documento está publicado en Jonathan Brown, «Un italiano en el taller de Velázquez», *Archivo Español de Arte,* núm. 210, 1980, 207-208.

[27] José M. Cruz Valdovinos, «Aposento, alquileres, alcabalas, aprendices y privilegios (Varios documentos y un par de retratos velazqueños inéditos)», en *Velázquez y el arte de su tiempo,* Madrid, Alpuerto, 1991, págs. 90-100.

[28] Para una introducción a la vida y la carrera de Carreño, véase Alfonso E. Pérez Sánchez, *Juan Carreño de Miranda, 1614-1685,* Avilés, Ayuntamiento de Avilés, 1985.

[29] Citado por J. M. Serrera, *Alonso Sánchez Coello..., op. cit.,* pág. 61.

[30] Son las siguientes, enumeradas por categorías temáticas: mitologías y temas antiguos: *Los Borrachos, Mercurio y Argos, Esopo, Menipo, Apolo y Marsias* (perdida), *Cupido y Psique* (perdida), *Venus y Adonis* (perdida); escenas históricas: *La rendición de Breda, La expulsión de los moriscos por Felipe III* (perdida); escenas de cacería: «La tela Real»; temas religiosos: *La coronación de la Virgen, San Antonio Abad* y *San Pablo, primer ermitaño.*

[31] Véase S. N. Orso, *Philip IV and the Decoration of the Alcazar of Madrid, op. cit.,* págs. 87-107.

[32] Véase Jonathan Brown, *Kings and Connoisseurs: Collecting Art in Seventeenth-century Europe,* New Haven, Yale University Press, 1995, págs. 95-145.

7. EL MARQUÉS DE CASTEL RODRIGO Y LAS PINTURAS DE PAISAJES DEL BUEN RETIRO

[1] J. Brown y J. H. Elliott, *A Palace for a King: The Buen Retiro and the Court of Philip IV,* New Haven, Yale University Press, 1980, pág. 125.

[2] Archivo Histórico Nacional, Madrid, Estado, libro 91, *Quentas de la embaxada de Roma en tiempo de Señor Marq. Don Manl y las de Flandes del Marq. Don Franco. Y otros papeles tocantes a la Casa…* Sin paginar. Agradecemos a Sarah W. Schroth la revisión de la transcripción de John H. Elliott del documento.

[3] «Quenta de los maravedís que se an distribuido de los que se aplicaron a gastos secretos desde 11 de octubre de 1631 asta 27 de henero de 641 que el Marquís de Castel Rodrigo mi padre fue embaxador de Roma».

[4] J. Brown y J. H. Elliott, *A Palace..., op. cit.,* págs. 125 y 269 y n. 69.

[5] Respecto a la identificación de las pinturas y para mayor información, véase Barbara von Barghahn, *The Pictorial Decoration of the Buen Retiro Palace and Patronage during the Reign of Philip IV,* tesis doctoral, Nueva York, New York University, 1979, y Juan J. Luna, *Claudio de Lorena y el ideal clásico de paisaje en el siglo XVII,* Madrid, Museo del Prado, 1984. Consúltese también el apéndice de nuestro artículo para el listado de las entradas relevantes en dicho inventario.

[6] La noción de que todos los artistas percibieron la misma cantidad se extrae del hecho de que el montante total es perfectamente divisible entre veinticuatro.

[7] Se ocuparon de esta serie de paisajes para el Buen Retiro Anthony Blunt, «Poussin Studies VIII. A Series of Anchorite Subjects Commissioned by Philip IV from Poussin, Claude and Others», *The Burlington Magazine,* 101, 1959, 387-390, y Marcel Röthlisberger, «Les fresques de Claude Lorrain», *Paragone,* 101, 1959, 41-50, que fue el primer autor que relacionó a Crescenzi con este proyecto. Comparten este razonamiento Helen Diane Russell, *Claude Lorraine 1600-1682,* Washington D.C., National Gallery of Art, 1982, págs. 74-78, y Enriqueta Harris, «G. B. Crescenzi, Velázquez and the Italian Landscapes for the Buen Retiro», *The Burlington Magazine,* 122, 1980, 560 y 562-564.

[8] Esta sugerencia procede de Harris, que en su texto propone de manera tentativa que Velázquez participó directamente en el proyecto durante su primera estancia en Roma. Tal y como comentamos más adelante, es improbable que el encargo fuera planeado antes de finales de 1633. A. Blunt, «Poussin Studies VIII...», art. cit., pág. 390, n. 14, plantea que Francesco Barberini podría estar detrás de la participación de Poussin.

[9] Véanse Marie-Nicole Boisclair, *Gaspard Dughet: Sa vie et son oeuvre (1615-1675),* París, Arthéna, 1986, págs. 18-20, y James D. Burke, «Jan Both: Paintings, Drawings and Prints», *Outstanding Dissertations in the History of Art,* Nueva York y Londres, Garland Publishing, 1977, pág. 34.

[10] Filippo Baldinucci, *Notizie de' professori del disegno,* Milán, Società Italiana de' Classici Italiani, 1812, vol. 13, pág. 318.

[11] A través de argumentos diferentes, E. Harris, «G. B. Crescenzi...», art. cit., págs. 563-564, n. 21, y J. J. Luna, *Claudio de Lorena..., op. cit.,* pág. 37, llegan a una conclusión similar.

[12] H. D. Russell, *Claude Lorraine..., op. cit.,* pág. 76. Luna rechaza esta cronología en *Claudio de Lorena..., op. cit.,* pág. 140, mientras que Marcel Röthlisberger, *Im Licht von Claude Lorrain. Landschaftsmalerei aus drei Jahrhunderten,* Múnich, Haus der Kunst, 1983, págs. 68-73, se inclina por una fecha cercana a 1635.

[13] J. Brown y J. H. Elliott, *A Palace..., op. cit.,* págs. 60-70. Nos referimos con el término «Galería de los Paisajes» en nuestro libro a la sala cuya disposición y contenidos Von Barghahn reconstruyó tomando como punto de partida el inventario de 1701. Como esta autora indica, es probable que la distribución de las pinturas en 1701 fuese sustancialmente la misma que durante el reinado de Felipe IV.

[14] M.-N. Boisclair, *Gaspard Dughet..., op. cit.,* págs. 21-23. No parece que las dudas de Boisclair sobre la identificación de *Eremita predicando a los animales* (Museo del Prado, núm. inv. 2305), que la autora data en torno a 1637-1638, estén fundamentadas.

[15] Véase M. Röthlisberger, *Im Licht von Claude Lorrain..., op. cit.,* págs. 72-73.

[16] Para las obras ya identificadas hasta ahora y otras referencias anteriores, véase J. J. Luna, *Claudio de Lorena..., op. cit.,* núms. 4-6, 44-47 (Claudio de Lorena) y 69-71

(Swanevelt). El inventario registra otra obra —«un amanecer con un pastor y unas cabras»— en la Galería de los Paisajes de dimensiones y tema parecidos. Hay otros trece paisajes pastorales de varios tamaños atribuidos a «El Italiano».

[17] J. D. Burke, «Jan Both...», art. cit., págs. 82-85.

[18] J. Brown y J. H. Elliott, *A Palace...*, *op. cit.*, pág. 125.

8. ACADEMIAS DE PINTURA EN LA ESPAÑA DEL SIGLO XVII

[1] El estudio más completo sobre este tema hasta la fecha es el de Francisco Calvo Serraller, en Nikolaus Pevsner *et al.*, *Academias de arte*, Madrid, Cátedra, 1982. El presente artículo se ocupa únicamente de aquellas academias concebidas para el aprendizaje de los artistas y no hará referencia, por tanto, a la academia de Francisco Pacheco, para la cual véase J. Brown, *Images and Ideas in Sevententh Century Spanish Painting*, Princeton, Princeton University Press, 1978, págs. 21-83.

[2] Con respecto a la fundación de la Real Academia, véase Claude Bédat, *L'Académie des Beaux-Arts de Madrid, 1744-1808,* Toulouse, Association des Publications de l'Université de Toulouse-Le Mirail, 1974.

[3] George Kubler, *Building the Escorial,* Princeton, Princeton University Press, 1982, págs. 52-53.

[4] Véase Cristóbal Pérez Pastor, «Noticias y documentos relativos a la historia y literaturas españolas. II, Colección de documentos inéditos para la historia de las bellas artes en España», *Memorias de la Real Academia Española,* 11, Madrid, Sucesores de Hernando, 1914, pág. 48.

[5] Agustín de Arcaute, *Juan de Herrera, arquitecto de Felipe II,* Madrid, Espasa-Calpe, 1936, págs. 96-111.

[6] Para este texto, véase Antonio Matilla Tascón, «La academia madrileña de San Lucas», *Goya,* 161-162, 1981, 261-263. Alfonso E. Pérez Sánchez, «La academia madrileña de 1603 y sus fundadores», *Boletín del Seminario de Arte de la Universidad de Valladolid,* 48, 1982, 281-289, proporciona información adicional.

[7] Sobre estos artistas y su conexión con Italia, véase E. Pérez Sánchez, «La academia madrileña...», art. cit.

[8] El primero en publicar el texto fue Gregorio Cruzada Villaamil, «Conatos de formar una academia madrileña de dibujo o escuela de dibujo en Madrid en el siglo XVII», *El Arte en España,* 6, 1867, 167-172 y 256-270. En fecha reciente, se ha vuelto a publicar acompañado de una útil introducción y comentario en Francisco Calvo Serraller, *La teoría de la pintura en el siglo de oro,* Madrid, Cátedra, 1981, págs. 165-168.

[9] F. Calvo Serraller, *La teoría de la pintura..., op. cit.,* págs. 522-523.

[10] Francisco J. Sánchez Cantón advirtió la existencia de este documento en «Los antecedentes, la fundación y la historia de la Real Academia de Bellas Artes», *Academia,* 3, 1952, 293. Para este y otros documentos relacionados, véase Mary Crawford Volk, *Vincencio Carducho and Seventeenth-Century Castilian Painting,* Londres y Nueva York, Garland Publishing, 1977, págs. 374-392. Se incluye también en A. Matilla Tascón, «La academia madrileña...», art. cit.

[11] Para este texto, véase M. C. Volk, *Vincencio Carducho..., op. cit.,* págs. 398-413, donde se data en torno a 1609, y F. Calvo Serraller, *La teoría de la pintura..., op. cit.,* págs. 169-177, que lo asocia acertadamente con los nombres de Vicente Carducho y el conde-duque de Olivares. La fecha exacta puede estimarse por una referencia a la academia que aparece en las Actas de las Cortes de Castilla (o Cortes del Reino, como también se las conocía) que menciona la petición en 20 de abril de 1624. Mary Crawford Volk, «Addenda: The Madrid Academy», *The Art Bulletin,* 61, 1979, 627, lo recoge, sin precisar, eso sí, su relación con el *memorial* y la resolución de las Cortes.

[12] F. Calvo Serraller, *La teoría de la pintura..., op. cit.,* pág. 161, determina la relación de Olivares con la academia citando el pasaje relevante de los *Diálogos* de Carducho.

[13] La autoría de Carducho la atribuye F. Calvo Serraller, *La teoría de la pintura..., op. cit.,* págs. 161-162.

[14] A Olivares se le menciona como el «conde», aunque ya poseía el título de duque de Sanlúcar La Mayor desde el 5 de enero de 1625, fecha a partir de la cual empieza a ser conocido como el conde-duque.

[15] Véase M. C. Volk, *Vincencio Carducho..., op. cit.*

[16] El capítulo IX de Julián Gállego, *El pintor de artesano a artista,* Granada, Universidad de Granada, 1976, analiza en detalle los acontecimientos siguientes.

[17] Los escritos del jurista Juan de Butrón son también importantes en este contexto. Véase F. Calvo Serraller, *La teoría de la pintura..., op. cit.,* págs. 195-233.

[18] *Ibíd.*, pág. 161.

[19] Para la descripción de acontecimientos posteriores a 1633 en la defensa de la nobleza de la pintura, véase Enrique Lafuente Ferrari, «Borrascas de la pintura y triunfos de su excelencia», *Archivo Español de Arte,* 17, 1944, 77-103.

[20] La mayoría de las referencias bibliográficas a la academia de Sevilla aparecen citadas en la introducción a la edición facsímil realizada por Antonio de la Banda y Vargas de la documentación publicada como *El manuscrito de la Academia de Murillo,* ed. de Antonio de la Banda y Vargas, Sevilla, Confederación Española de Centros de Estudios Locales, 1982, a la que hay que añadir la referencia en Jonathan Brown, *Murillo and His Drawings*, Princeton, Princeton University Press, 1976, págs. 44-48.

[21] En relación con el colegio de Valencia y la academia, véase Luis Tramoyeres Blasco, «Un colegio de pintores en Valencia», *Archivo de Investigaciones Históricas. España, América Española, Filipinas,* 4, tomo 2, 1911, págs. 277-314; 5, tomo 2, págs. 446-462, y 6, tomo 2, págs. 514-536.

9. «Peut-on assez louer cet excellent ministre?». Imágenes del privado en Inglaterra, Francia y España

[1] Charles Richard Cammell, *The Great Duke of Buckingham,* Londres, Collins, 1939, págs. 372-385. Esta lista fue ampliada y pulida por David Piper, *Catalogue of Seventeenth-Century Portraits in the National Portrait Gallery, 1625-1714,* Cambridge, Cambridge University Press, 1963, págs. 39-42.

[2] Roy Strong, *William Larkin, vanità giacobite,* Milán, F. M. Ricci, 1994, pág. 112.

[3] Reproducido y comentado por Arthur Wheelock *et al., Anthony van Dyck,* Washington D.C., National Gallery of Art, 1990-1991, págs. 124-126.

[4] Gregory Martin, «Rubens and Buckingham's "fayrie ile"», *The Burlington Magazine,* 108, 1966, 613-618, esp. 614; F. Huemer, *Portraits I,* Corpus Rubeniaum Ludwig Burchard, vol. XIX, Londres, Phaidon, 1977, págs. 57-61; Julius Held, *The Oil Sketches of Peter Paul Rubens: A Critical Catalogue,* 2 vols., Princeton, Princeton University Press, 1980, I, págs. 393-394; Hans Vlieghe, *Rubens' Portraits of Identified Sitters Painted in Antwerp II,* Corpus Rubenianum Ludwig Burchard, vol. XIX, Londres, Harvey Miller, 1987, págs. 66-67.

[5] G. Martin, «Rubens and Buckingham...», art. cit., pág. 614; J. Held, *The Oil Sketches...,* op. cit., pág. 394; H. Vlieghe, *Rubens' Portraits...,* op. cit., págs. 64-66.

[6] J. Martin, «Rubens and Buckingham...», art. cit., págs. 614-617; J. Held, *The Oil Sketches...,* op. cit., i, páginas 390-393.

[7] Citado por Roger Lockyer, *Buckingham: The Life and Political Career of George Villiers, First Duke of Buckingham, 1592-1628,* Londres y Nueva York, Longman, 1981, pág. 323.

[8] Citado por G. Martin, «Rubens and Buckingham...», art. cit., pág. 617.

[9] Oliver Millar, «Charles I, Honthorst, and Van Dyck», *The Burlington Magazine,* 96, 1954, 36-38; J. Richard Judson, *Gerrit van Honthorst: A Discussion of his Position in Dutch Art,* La Haya, Martinus Nijhoff, 1959, págs. 181-183.

[10] Antonio Martínez Ripoll, «"El conde-duque con una vara en la mano" de Velázquez, o la praxis olivarista de la Razón de Estado en torno a 1625», en John H. Elliott y Ángel García Sanz (eds.), *La España del conde-duque de Olivares,* Valladolid, Universidad de Valladolid, 1990, págs. 45-74.

[11] J. Held, *The Oil Sketches...,* op. cit., i, págs. 398-399.

[12] Citado en *ibíd.,* pág. 399.

[13] Carmen Garrido Pérez, *Velázquez: Técnica y evolución,* Madrid, Museo del Prado, 1992, págs. 309-319.

[14] Michael Levey, *Painting at Court,* Londres, Weidenfeld and Nicolson, 1971, pág. 142; Enriqueta Harris, «Velázquez's Portrait of Prince Baltasar Carlos in the Riding School», *The Burlington Magazine,* 118, 1976, 266-275; J. Brown y J. H. Elliott, *A Palace...,* op. cit., pág. 255. John

F. Moffitt, en «The Prince and the Prime Minister: The Site and Significance of Velázquez's *Equestrian Lesson of Prince Balthasar Carlos*», *Studies in Iconography,* 12 (1988), 90-120, sostiene de forma no concluyente que el escenario es el picadero del Alcázar de Madrid.

[15] J. Brown y J. H. Elliott, *A Palace...,* op. cit., páginas 141-192, para el Salón de Reinos; págs. 84-90, para la *Reconquista de Bahía.*

[16] Para una introducción a la iconografía de Richelieu, muy insuficientemente estudiada, véase Jacqueline Melet-Sanson, «L'image de Richelieu», en *Richelieu et le monde de l'esprit,* París, Imprimerie nationale, 1985, págs. 135-147, y las secciones del catálogo de las págs. 307-318.

[17] Roseline Bacou, «Callot, Louis XIII et Richelieu au siège de Ré», *Revue du Louvre et des Musées de France,* 30, 1980, 254-256.

[18] Bernard Dorival, *Philippe de Champaigne, 1602-1674: la vie, l'oeuvre et le catalogue raisonné de l'oeuvre,* 2 vols., París, Léonce Laget, 1976, ii, pág. 113.

[19] Bernard Dorival, «Art et politique en France au XVIIᵉ siècle: la Galerie des Hommes Illustres du Palais Cardinal», *Bulletin de la Société de l'Art Français, Année 1973,* 1974, 43-60.

[20] Tony Souval, «Deux oeuvres peu connues de Philippe de Champaigne», *Gazette des Beaux-Arts,* 57, 1961, 181-182.

[21] Paola Pacht Rassani, *Claude Vignon, 1593-1670,* París, Arthéna, 1992, págs. 281-283.

[22] Para los grabados del prolífico Huret, véase Emmanuelle Brugerolles y David Juillet, «Grégoire Huret, dessinateur et graveur», *Revue de l'Art,* 117, núm. 3, 1997, 9-35.

[23] J. H. Elliott, *Richelieu and Olivares,* Cambridge, Cambridge University Press, 1984, pág. 169; trad. esp.: *Richelieu y Olivares* (Barcelona, 1984).

[24] P. Pacht Rassani, *Claude Vignon...,* op. cit., páginas 276-278.

[25] Humphrey Wine y Olaf Koester, *Fransk Guldalder: Poussin og Claude og maleriet i del 17, arhunredes Frankig,* Copenhague, Statens Museum For Kunst 1992, págs. 180-187.

[26] Pierre Rosenberg, *Nicolas Poussin, 1594-1665,* París, Réunion des Musées Nationaux, 1994, págs. 296-298.

[27] Para una explicación de la iconografía, aunque sin referencia a su significado para la imaginería del privado, véase Robert W. Berger, *Versailles: The Château of Louis XIV,* University Park y Londres, Pennsylvania State University Press, 1985, pág. 54.

10. Relaciones artísticas entre España y Gran Bretaña, 1604-1654

[1] Sobre Carleton, véase Maurice Lee (eds.), *Dudley Carleton to John Chamberlain, 1603-1624; Jacobean Letters,* New Brunswick, Rutgers University, 1972. Es conocido sobre todo por sus tratos con Rubens en 1616-1618.

[2] Véanse n. 14 del ensayo de John H. Elliott, «Una relación agitada: España y Gran Bretaña, 1604-1655», en Jonathan Brown y John H. Elliott, *La almoneda del siglo. Relaciones artísticas entre España y Gran Bretaña. 1604-1655,* Madrid, Museo Nacional del Prado, 2002, págs. 17-38, y William Vaughn, *Endymion Porter and William Dobson,* Londres, Tate Gallery, 1970.

[3] Sobre Cottington, véase Martin J. Havran, *Caroline Courtier: The Life of Lord Cottington,* Londres, Macmillan, 1973.

[4] Sobre Mathew, véase *The Dictionary of National Biography,* Oxford, Oxford University Press, 1959-1960, vol. XIII, págs. 63-68.

[5] Véase William Noël Sainsbury, *Original, Unpublished Papers Illustrative of the Life of Sir Peter Paul Rubens as Artist and Diplomatist,* Londres, Bradbury & Evans, 1859, págs. 14-19.

[6] Sobre el viaje de Roos por España, véase John W. Stoye, *English Travellers Abroad, 1604-1667,* Londres, Jonathan Cape, 1952, págs. 369-374.

[7] Citado en Mary F. S. Hervey, *The Life, Correspondence and Collections of Thomas Howard, Earl of Arundel, «Father of Vertu in England»,* Cambridge, Cambridge University Press, 1921, págs. 100-101.

[8] Para su biografía, véase Susan Barnes, «Van Dyck and George Gage», en *Art and Patronage in the Caroline Courts. Essays in Honour of Sir Oliver Millar,* ed. David Howarth, Cambridge, Cambridge University Press, 1993, págs. 1-11.

[9] Véase el ensayo de David Howarth, «La colección Arundel, coleccionismo y patrocinio en Inglaterra durante los reinados de Felipe III y Felipe IV de España», en J. Brown y J. H. Elliott, *La almoneda del siglo..., op. cit.,* págs. 69-86.

[10] Un retrato conciso de Buckingham como coleccionista puede verse en J. Brown, *Kings and Connoisseurs. Collecting Art in Seventeenth-Century Europe,* Londres y Princeton, Princeton University Press, 1995, págs. 23-33; ed. en español, páginas 24-33. Véase además Philip McEvansoneya, «The Sequestration and Dispersal of the Buckingham Collection», *Journal of the History of Collections,* 8, 1996, 133-154.

[11] La colección de Hamilton y la bibliografía pertinente están en J. Brown, *Kings and Connoisseurs..., op. cit.,* págs. 49-57; ed. en español, págs. 49-57.

[12] Vicente Carducho, *Diálogos de la pintura. Su defensa, origen, esencia, definición, modos y diferencias* (Madrid, 1633), ed. Francisco Calvo Serraller, Madrid, Turner, 1979, págs. 422 y 435-438. El estudio pionero sobre el viaje para el casamiento español y sus dimensiones artísticas es Carl Justi, «Die spanische Brautfahrt Carl Stuarts», en *Miscellaneen aus drei Jahrhunderten Spanischen Kunstlebens,* Berlín, Grote, 1908, vol. II, págs. 303-346.

[13] Oliver Millar, *Abraham van der Doort's Catalogue of the Collection of Charles I,* The Walpole Society, vol. 43, Glasgow, R. Maclehose, 1960.

[14] «Account Book of Sir Francis Cottington, Madrid, 1623», National Library of Scotland, Ms. 1879 (en adelante NLS, 1879).

[15] Citado en Carl Justi, *Velázquez y su siglo,* Madrid, Espasa Calpe, 1953, págs. 200-201.

[16] V. Carducho, *Diálogos de la pintura..., op. cit.,* pág. 436.

[17] W. N. Sainsbury, *Original, Unpublished Papers..., op. cit.,* pág. 293.

[18] V. Carducho, *Diálogos de la pintura..., op. cit.,* pág. 422, y Gregorio de Andrés, «La despedida de Carlos Estuardo, Príncipe de Gales, en El Escorial (1623) y la columna-trofeo que se levantó para perpetua memoria», *Anales del Instituto de Estudios Madrileños,* vol. 10, 1974, 115. Según Ángel González Palencia (ed.), *Noticias de Madrid, 1621-1627,* Madrid, Publicaciones de la Sección de Cultura e Información, 1942, págs. 74-75, el regalo de Funes Muñoz consistió en «dos pinturas del Ticiano y una del Mudo».

[19] Citado en V. Carducho, *Diálogos de la pintura..., op. cit.,* pág. 423 y n. 1.114.

[20] NLS, 1879, pág. 6.

[21] NLS, 1879, pág. 39.

[22] NLS, 1879, pág. 41.

[23] V. Carducho, *Diálogos de la pintura..., op. cit.,* pág. 436.

[24] O. Millar, *Abraham van der Doort's Catalogue..., op. cit.,* pág. 16, núm. 12.

[25] V. Carducho, *Diálogos de la pintura..., op. cit.,* pág. 437.

[26] C. Justi, *Velázquez y su siglo, op. cit.,* pág. 174. Velázquez no estaba en condiciones de resistirse. Según Á. González Palencia, *Noticias de Madrid..., op. cit.,* págs. 3, 12 y 42, fue encarcelado por motivos que no se especifican en junio de 1621, puesto en libertad en septiembre de 1621 y condenado al pago de una sanción de mil ducados más las costas en noviembre de 1622.

[27] O. Millar, *Abraham van der Doort's Catalogue..., op. cit.,* pág. 15, núm. 6.

[28] Sobre la colección de Benavente, véase M. B. Burke y P. Cherry, *Collections of Paintings in Madrid, 1601-1755,* 2 vols., Spanish Inventories I, Document for the History of Collecting, ed. Maria L. Gilbert, Los Ángeles, The Provenance Index of the Getty Information Institute, 1997, vol. I, págs. 496-500.

[29] El estudio más reciente sobre Espina y los manuscritos de Leonardo da Vinci es Nicolás García Tapia, «Los códices de Leonardo en España», *Boletín del Seminario de Arte y Arqueología* (Universidad de Valladolid), 63, 1997, 371-395, en particular 384-395.

[30] V. Carducho, *Diálogos de la pintura..., op. cit.,* pág. 438.

[31] N. García Tapia, «Los códices de Leonardo en España», art. cit., págs. 371-384, sostiene que muchos de los manuscritos de Leonardo traídos a España por Pompeo Leoni estaban destinados a Felipe II, y que eran mucho más

numerosos de lo que se cree; y sugiere que los que poseyó Leoni fueron un regalo del rey por los servicios prestados en la adquisición de ellos para la biblioteca real.

[32] NLS, 1879, pág. 29.

[33] Sobre esta pintura, véase Diego Angulo Íñiguez y Alfonso E. Pérez Sánchez, *Pintura madrileña. Primer tercio del siglo XVII,* Madrid, Instituto Diego Velázquez, 1969, pág. 241, láminas 158-159.

[34] NLS, 1879, pág. 48. El primero en llamar la atención sobre este asiento fue Gervas Huxley, *Endymion Porter: The Life of a Courtier,* Londres, Chatto & Windus, 1959, págs. 111-112.

[35] Francisco Pacheco, *El Arte de la Pintura,* introducción y notas de Bonaventura Bassegoda i Hugas, Madrid, Cátedra, 1990, pág. 205, dice que la pintura se ejecutó «de camino», a pesar de que la fecha de pago antecede en un día a la partida de la comitiva real. Acaso fuera un anticipo sobre un retrato pintado en El Escorial.

[36] NLS, 1879, pág. 45.

[37] O. Millar, *Abraham van der Doort's Catalogue..., op. cit.,* pág. 73, núm. 10.

[38] NLS, 1879, pág. 2.

[39] NLS, 1879, pág. 6.

[40] NLS, 1879, pág. 23.

[41] Sobre el asunto, véanse Rosa López Torrijos, «El bimilenario de Virgilio y la pintura española del siglo XVII», *Archivo Español de Arte,* núm. 54, 1981, 385-404, y M. B. Burke y P. Cherry, *Collections of Paintings in Madrid..., op. cit.,* vol. II, pág. 1594.

[42] Sobre este episodio, véase G. de Andrés, «La despedida de Carlos Estuardo...», art. cit.

[43] La visita a Valladolid ha sido reconstruida por Sarah Walker Schroth en «Charles I, the Duque de Lerma and Veronese's "Mars and Venus"», *The Burlington Magazine,* núm. 139, 1997, 548-550.

[44] O. Millar, *Abraham van der Doort's Catalogue..., op. cit.,* pág. 190, núm. 16.

[45] V. Carducho, *Diálogos de la pintura..., op. cit.,* pág. 433.

[46] Sobre Carlos I como coleccionista de pintura y para otras referencias a la venta de la colección Gonzaga, véanse Francis Haskell, «Charles I's Collection of Pictures», en *The Late King's Goods: Collections, Possessions, and Patronage of Charles I in the Light of the Commonwealth Sale Inventories,* ed. Arthur MacGregor, Londres, A. McAlpine, y Oxford, Oxford University Press, 1989, págs. 203-231, y J. Brown, *Kings and Connoisseurs..., op. cit.,* págs. 40-47; ed. en español, págs. 40-47.

[47] Sobre Rubens y España, véase A. Vergara, *Rubens and His Spanish Patrons,* Cambridge y Nueva York, Cambridge University Press, 1999.

[48] *The Letters of Peter Paul Rubens,* trad. y ed. Ruth Saunders Magurn, Cambridge, Harvard University Press, 1955, pág. 292.

[49] *Ibíd.,* pág. 295.

[50] *Ibíd.,* pág. 322.

[51] Rubens a Pierre Dupuy, 8 de agosto de 1630; *The Letters of Peter Paul Rubens, op. cit.,* pág. 320.

[52] Rubens a Peiresc, 9 de agosto de 1629; *The Letters of Peter Paul Rubens, op. cit.,* págs. 321-322.

[53] Sobre esta pintura, véase Christopher Lloyd, *The Queen's Pictures. Royal Collectors through the Centuries,* Londres, National Gallery Publications, 1991, pág. 104.

[54] W. N. Sainsbury, *Original, Unpublished Papers..., op. cit.,* págs. 293-294.

[55] M. F. S. Hervey, *The Life, Correspondence and Collections of Thomas Howard..., op. cit.,* pág. 299.

[56] Véase Paul Shakeshaft, «Elsheimer and G. B. Crescenzi (Letter to Editor)», *The Burlington Magazine,* núm. 123, 1981, 550-551. La fama de Crescenzi en Inglaterra está documentada en un poema satírico (1631) de Ben Jonson dirigido contra Íñigo Jones. Véase J. Brown y John H. Elliott, *A Palace..., op. cit.,* págs. 44-45; ed. en español, pág. 47.

[57] M. F. S. Hervey, *The Life, Correspondence and Collections of Thomas Howard..., op. cit.,* págs. 299-300.

[58] W. N. Sainsbury, *Original, Unpublished Papers..., op. cit.,* págs. 298-299.

[59] Sobre el Labrador, véase Peter Cherry, *Arte y naturaleza. El Bodegón español en el Siglo de Oro,* Madrid, Fundación de Apoyo a la Historia del Arte Hispánico, 1999, págs. 216-220.

[60] Para la correspondencia, véase Elizabeth du Gué Trapier, «Sir Arthur Hopton and the Interchange of Paintings between Spain and England in the Seventeenth Century», *Connoisseur,* núm. 164, abril de 1967, 239-243, y núm. 165, mayo de 1967, 60-63; la carta citada está en 239.

[61] *Ibíd.,* núm. 164, 241.

[62] *Ibíd.*

[63] Enriqueta Harris, «Las flores de El Labrador Juan Fernández», *Archivo Español de Arte,* 47, núm. 186, 1974, 162-164.

[64] E. G. Trapier, «Sir Arthur Hopton...», art. cit., núm. 165, pág. 60.

[65] *Ibíd.,* págs. 61-62.

[66] *Ibíd.,* pág. 62.

[67] Publicado por primera vez en W. N. Sainsbury, *Original, Unpublished Papers..., op. cit.,* págs. 354-355. Para la datación correcta del documento, véase E. Harris, «Las flores de El Labrador...», art. cit., pág. 164, n. 4, y véase asimismo P. Shakeshaft, «Elsheimer and G. B. Crescenzi...», art. cit., pág. 550.

[68] Para la correspondencia, véase E. G. Trapier, «Sir Arthur Hopton...», art. cit., núm. 164, págs. 241 y 242-243.

[69] *Ibíd.,* pág. 241.

[70] Sobre este episodio, véase Gabriele Finaldi (ed.), *Orazio Gentileschi en la corte de Carlos I,* Londres, National Gallery, Bilbao, Museo de Bellas Artes, y Madrid, Museo Nacional del Prado, 1999, pág. 70. Véase también Jeremy Wood,

«Orazio Gentileschi and Some Netherlandish Artists in London», *Simiolus,* núm. 28, 2000-2001, 103-128.

⁷¹ Citado en Enriqueta Harris, «Orazio Gentileschi's "Finding of Moses" in Madrid», *The Burlington Magazine,* núm. 109, 1967, 86-89.

⁷² La documentación está reunida y comentada en E. G. Trapier, «Sir Arthur Hopton...», art. cit., núm. 165, pág. 62. Para un comentario de la época sobre la fama de Van Dyck en España, véase V. Carducho, *Diálogos de la pintura..., op. cit.,* pág. 100.

⁷³ W. N. Sainsbury, *Original, Unpublished Papers..., op. cit.,* págs. 353-354.

⁷⁴ E. Harris, «Las flores de El Labrador...», art. cit.

⁷⁵ Véanse E. G. Tapier, «Sir Arthur Hopton...», art. cit., núm. 165, pág. 62, y E. Harris, «Las flores de El Labrador...», art. cit., págs. 414-416.

⁷⁶ W. N. Sainsbury, *Original, Unpublished Papers..., op. cit.,* pág. 299.

⁷⁷ Roy Strong, *Britannia Triumphans Inigo Jones, Rubens and Whitehall Palace,* Londres, Thames and Hudson, 1980, págs. 55-64.

⁷⁸ Para las diversas cartas de Gerbier sobre el paisaje, véase W. N. Sainsbury, *Original, Unpublished Papers..., op. cit.,* págs. 214-215, 216-217, 222-223, 227 y 228.

⁷⁹ Para las versiones de esta composición, véase Wolfgang Adler, *I. Landscapes, Corpus Rubenianum Ludwig Burchard, part 18, Landscapes and Hunting Scenes,* Londres, Harvey Miller Publishers, 1982, págs. 129-131.

⁸⁰ Esta descripción de la almoneda de los bienes de Carlos I es una versión ampliada del capítulo 2 de mi libro *El triunfo de la pintura: sobre el coleccionismo cortesano en el siglo XVII,* Madrid, Nerea, 1995. La fuente fundamental es Oliver Millar, «The Inventories and Valuations of the King's Goods, 1649-1651», *The Walpole Society,* núm. 43, 1970-1972. También son importantes los ensayos reunidos en Arthur MacGregor (ed.), *The Late King's Goods: Collections, Possessions, and Patronage of Charles I in the Light of the Commonwealth Sale Inventories,* Londres, A. McAlpine y Oxford, Oxford University Press, 1989.

⁸¹ La documentación se utiliza también en María Jesús Muñoz González, «Las compras de pintura italiana realizadas en la almoneda de Carlos I de Inglaterra por Alonso de Cárdenas», en *Mediterráneo y el arte español,* Actas del XI Congreso de CEHA, septiembre 1996, Valencia, Comité Español de Historia del Arte, 1998, págs. 198-200. Sin embargo, su información sobre los precios imputados a las obras ofertadas se basa únicamente en las cuentas de Cárdenas y no considera las tasaciones de los *Trustees.* Ambos conjuntos de citas pueden ser válidos, porque Cárdenas rara vez compró directamente a los *Contractors.* Las estimaciones que aparecen en sus cuentas son las de los vendedores en el segundo mercado, que normalmente llevaban un recargo. Las tasaciones que se citan a continuación son las establecidas por los *Trustees.* Los datos

que figuran en Albert J. Loomie, «New light on the Spanish Ambassador's Purchases from Charles I's Collection 1649-52», *Journal of the Warburg and Courtauld Institutes,* núm. 52, 1989, 257-267, extraídos de los papeles de sir Edward Montague, primer conde de Sandwich, no son completos, y los precios de la almoneda no concuerdan en todos los casos con las cuentas de Cárdenas. Sin embargo, conviene señalar que los registros de Sandwich sí incluyen compras no mencionadas en las cuentas de Cárdenas, lo que induce a pensar que una parte de estas puede haberse perdido.

⁸² Archivo de la Casa de Alba (ACA), caja 182-195, fols. 1r-2v, «Memoria de las pinturas y tapicerías de la almoneda del rey Carlos I de Inglaterra, 25 de mayo de 1654. Incluye cuenta de 8 de agosto de 1651». Evidentemente se trata de una copia hecha el 25 de mayo de 1654, porque para esa fecha ya había concluido la almoneda.

⁸³ O. Millar, «The Inventories and Valuations...», art. cit., pág. 298, núm. 8. La compra está registrada en las cuentas de Cárdenas el 8 de agosto de 1651 (ACA, caja 182-173, fol. 2v). Los precios están anotados en «escudos ingleses»: cuatro escudos equivalían a una libra.

⁸⁴ *Ibíd.,* pág. 304, núm. 105. La compra está registrada en ACA, caja 182-173, fol. 2v.

⁸⁵ Para la identificación de las estatuas de bronce, véase A. J. Loomie, «New light on the Spanish Ambassador's Purchases...», art. cit., págs. 263-264. La compra de seis aparece en ACA, caja 182-173, fol. 1v, incluidas dos obras de Francesco Fanelli que fueron compradas a Robert Cravener.

⁸⁶ Sobre el *San Jerónimo,* véase O. Millar, «The Inventories and Valuations of the King's Goods...», art. cit., pág. 362, núm. 117; sobre la *Oración en el Huerto, ibíd.,* pág. 263, núm. 118. La compra del *San Jerónimo* está registrada en ACA, caja 182-194, fol. 21v; la de la *Oración en el Huerto,* en ACA, caja 182-173, fol. 3r.

⁸⁷ ACA, caja 182-173, fol. 3r.

⁸⁸ O. Millar, «The Inventories and Valuations of the King's Goods...», art. cit., pág. 262, núm. 103; la compra está recogida en A. J. Loomie, «New light on the Spanish Ambassador's Purchases...», art. cit., pág. 263, n. 23.

⁸⁹ Sobre la venta a Gerbier, véase O. Millar, «The Inventories and Valuations of the King's Goods...», art. cit., pág. 269, núm. 203; sobre la compra, véase ACA, caja 182-194, fol. 21v.

⁹⁰ Véase ACA, caja 182-178, para la «Memoria de las primeras, mejores y más ricas tapicerías del Rey de Inglaterra»; O. Millar, «The Inventories and Valuations of the King's Goods...», art. cit., pág. 5, núm. 20. La transacción de Cárdenas está en ACA, caja 182-173, fol. 2r. Los tapices salieron de España en el siglo XIX y fueron destruidos en Berlín en 1945; véase John Shearman, *Raphael's Cartoons in the Collection of Her Majesty the Queen and the Tapestries for the Sistine Ceiling,* Londres, Phaidon, 1972, pág. 143.

⁹¹ ACA, caja 182-166, fol. 2v.

⁹² ACA, caja 182-167.

[93] ACA, caja 182-168.

[94] ACA, caja 182-169.

[95] ACA, caja 182-172.

[96] ACA, caja 182-175.

[97] ACA, caja 182-195, fols. 3v-4v.

[98] ACA, caja 182-176. Sobre la complicada historia de esta serie, véase Harold Wethey, *The Paintings of Titian, III, The Mythological and Historical Paintings,* Londres, Phaidon, 1975, págs. 235-240.

[99] O. Millar, «The Inventories and Valuations of the King's Goods...», art. cit., pág. 270, núm. 219; ACA, caja 182-195, fol. 7r.

[100] ACA, caja 182-195, fols. 7r-8v.

[101] O. Millar, «The Inventories and Valuations of the King's Goods...», art. cit., pág. 305, núm. 113; ACA, caja 182-195, fol. 7r. Para la carta interceptada, véase Henri Léonardon, «Une dépêche diplomatique relative à des tableaux acquis en Angleterre pour Philippe IV», *Bulletin Hispanique,* 1900, vol. 2, núm. 1, 25-34.

[102] O. Millar, «The Inventories and Valuations of the King's Goods...», art. cit., pág. 323, núm. 20; ACA, caja 182-195, fol. 8r.

[103] O. Millar, «The Inventories and Valuations of the King's Goods...», art. cit., pág. 70, núm. 25; ACA, caja 182-195, vol. 7v.

[104] O. Millar, «The Inventories and Valuations of the King's Goods...», art. cit., pág. 259, núms. 64-65; ACA, caja 182-195, fol. 8r.

[105] O. Millar, «The Inventories and Valuations of the King's Goods...», art. cit., pág. 272, núms. 253-254; ACA, caja 182-195, fol. 7v.

[106] O. Millar, «The Inventories and Valuations of the King's Goods...», art. cit., pág. 266, núms. 169-170; ACA, caja 182-195, fol. 8r.

[107] O. Millar, «The Inventories and Valuations of the King's Goods...», art. cit., pág. 151, núm. 4; ACA, caja 182-195, fol. 7v.

[108] Sobre este episodio, véase Alexander Vergara, «The Count of Fuensaldaña and David Teniers: Their Purchases in London after the Civil War», *The Burlington Magazine,* núm. 131, 1989, 127-132.

[109] Cárdenas a Haro, 24 de noviembre de 1651; ACA, caja 182-176.

[110] ACA, caja 182-177.

[111] Para esta correspondencia, véase J. Cosnac, *Les Richesses du Palais Mazarin,* París, Renouard, 1884. Sobre las compras de Mazarino en la almoneda de la Commonwealth, véase Patrick Michel, *Mazarin, Prince des Collectionneurs,* París, Éditions de la Réunion des Musées Nationaux, 1999, págs. 200-222.

[112] Conde de Cosnac, *Les Richesses du Palais Mazarin, op. cit.,* pág. 175.

[113] *Ibíd.,* págs. 194-195.

[114] *Ibíd.,* págs. 186-187.

[115] *Ibíd.,* pág. 190.

[116] Citado en H. Léonardon, «Une dépêche diplomatique...», art. cit., pág. 33.

[117] O. Millar, «The Inventories and Valuations of the King's Goods...», art. cit., pág. 205, núm. 326. La identificación de esta pintura con la mencionada en la documentación de Cárdenas (ACA, caja 182-180, fol. 1r; caja 182-185, fol. 7; caja 182-195, fol. 8r) no es enteramente segura.

[118] Sobre la venta de la colección de Buckingham, véase Ph. McEvansoneya, «The Sequestration and Dispersal of the Buckingham Collection», art. cit.; sobre la de Hamilton, véase J. Brown, *Kings and Connoisseurs..., op. cit.,* página 60 (ed. en español, pág. 60).

[119] J. Cosnac, *Les Richesses du Palais Mazarin..., op. cit.,* pág. 187. Cárdenas alude por primera vez a la venta inminente de la colección Arundel en carta a Haro del 11 de agosto de 1653; véase H. Léonardon, «Une dépêche diplomatique...», art. cit., pág. 31.

[120] ACA, caja 182-181, fol. 2r.

[121] La memoria debe de ser la que Cárdenas dice haber sido enviada en enero de 1654; citado en Duquesa de Berwick y Alba, *Documentos escogidos del archivo de la Casa de Alba,* Madrid, Imprenta M. de Tello, 1891, págs. 488-497, en particular págs. 489-490. Los documentos citados por Berwick y Alba son los restos fragmentarios de la correspondencia de Haro con Cárdenas; véase pág. 171. Las instrucciones de Haro están anotadas en los márgenes de la memoria. Muchas se refieren a adquisiciones de la colección Arundel.

[122] ACA, caja 182-185, fols. 1r-5r.

[123] ACA, caja 182-195, fol. 3r.

[124] Véase *supra,* nota 121.

[125] Duquesa de Berwick y Alba, *Documentos escogidos..., op. cit.,* pág. 488.

[126] *Ibíd.,* págs. 490-491.

[127] Sobre esta sucesión de hechos, véase Enriqueta Harris, «Velázquez as Connoisseur», *The Burlington Magazine,* núm. 24, 1982, 436-440.

[128] Archivo Histórico de Protocolos, 6.292, Francisco Suárez de Ribera, fol. 453v.

[129] Sobre Gaspar de Haro, véase M. B. Burke y P. Cherry, *Collections of Paintings in Madrid..., op. cit.,* vol. I, págs. 462-483, 726-786 y 815-877.

[130] Citado por O. Millar, «The Inventories and Valuations of the King's Goods...», art. cit., pág. XXII.

11. ESPAÑA Y LA ERA DE LOS DESCUBRIMIENTOS: ENCRUCIJADA DE CULTURAS ARTÍSTICAS

[1] El presente análisis se limita a la región geográfica de Castilla. Una visión general habría de incluir asimismo Aragón, Valencia y Andalucía, zonas igualmente ricas.

[2] El término «estilo Isabel» fue introducido por Émile Bertaux, «L'Art des rois catholiques», en André Michel, *Histoire de l'art,* vol. 4, parte II, París, Armand Colin, 1911, págs. 821-852, para hacer referencia a la fusión entre arte norteño tardogótico e islámico, el rasgo más esencial de dicho estilo a juicio del autor. José M. de Azcárate, «Sentido y significación de la arquitectura hispano-flamenca en la corte de Isabel la Católica», *Boletín del Seminario de Estudios de Arte y Arqueología,* 37, 1971, 210-233, todavía lo emplea en este sentido. Como se verá más adelante, nuestro ensayo considera el elemento islámico (denominado «mudéjar» por los historiadores españoles, aunque las convicciones religiosas de sus practicantes no sean un factor evidente) y el Gótico norteño tardío fenómenos paralelos pero no convergentes. El arte del período isabelino ha recibido escasa atención en el último cuarto de siglo y precisa de nuevos enfoques y renovado empeño investigador.

[3] Para la capilla y los sepulcros, véanse C. González Palencia, «La capilla de don Álvaro de Luna en la catedral de Toledo», *Archivo Español de Arte y Arqueología,* 5, 1929, 109-122, y Beatrice G. Proske, *Castilian Sculpture: Gothic to Renaissance,* Nueva York, Hispanic Society of America, 1951, págs. 181-182.

[4] Véase G. Conrad von Konradsheim, «Hannequin Coemans de Bruxelles, introducteur de l'art flamand du siècle xv dans la region toledane», *Mélanges de la Casa de Velázquez,* 12, 1976, 127-140.

[5] Teófilo López Mata, *La catedral de Burgos,* Burgos, Hijos de Santiago Rodríguez, 1950, págs. 227-255, resume la historia de la capilla.

[6] Véase Francisco Tarín y Juaneda, *La Real Cartuja de Miraflores,* Burgos, Hijos de Santiago Rodríguez, 1925. Le agradezco a Ronda J. Kasl, que está preparando una tesis doctoral sobre la Cartuja, que haya compartido conmigo su conocimiento sobre ella y sus opiniones.

[7] Harold E. Wethey, *Gil de Siloe and His School,* Cambridge, Harvard University Press, 1936, págs. 24-55.

[8] Un documento de la época publicado por Teófilo López Mata, *El barrio y la iglesia de San Esteban de Burgos,* Burgos, Ayuntamiento de Burgos, 1946, págs. 102-106, nombra a un cierto Gil de Urliones como autor del retablo (desaparecido) de San Esteban, Burgos, que el autor identifica de manera plausible con Gil de Siloé. Aunque interpreta «Urliones» como corrupción del nombre de la ciudad francesa de Orleans, creo que se refiere a Lens. La misma palabra aparece en la documentación de la Sala de Batallas de El Escorial (1591) en inequívoca relación con esta última población.

[9] José M. de Azcárate, «La obra toledana de Juan Guas», *Archivo Español de Arte,* 29, 1956, 11-31.

[10] Antonio Gallego y Burín, *La Capilla Real de Granada,* Granada, Imp. de Ventura Traveset, 1931, y «Nuevos datos sobre la Capilla Real de Granada», *Boletín de la Sociedad Española de Excursiones,* 57, 1953, 9-16.

[11] Citado por A. Gallego y Burín, *La Capilla Real...,* op. cit., pág. 23.

[12] Urge un estudio actualizado sobre la colección de Isabel la Católica. El inventario fue publicado por Francisco J. Sánchez Cantón, *Libros, tapices y cuadros que coleccionó Isabel la Católica,* Madrid, Consejo Superior de Investigaciones Científicas, 1952. No obstante, como ya señaló Roger van Schoute, *La Chapelle Royale de Grenade, Les Primitifs Flamands* 1, 6, Bruselas, Publications du Centre National De Recherches «Primitifs Flamands», 1963, págs. 2-7, Sánchez Cantón tomó su transcripción de copias defectuosas del original. Agradezco a Natalia Majluf su asistencia en todo lo relativo a la colección real.

[13] Valentín Vázquez de Prada, «Les relations comerciales hispano-flamands et l'importation de tapisseries en Espagne», en *Tapisserie de Tournai en Espagne. La tapisserie bruxelloise en Espagne aun xvi⁰ siècle,* Bruselas, Europalia, 1985, págs. 54-87.

[14] En estimación de Juan J. Junquera, «Le goût espagnol pur la tapisserie», en V. Vázquez de Prada, *Tapisserie de Tournai...,* op. cit., pág. 22.

[15] F. J. Sánchez Cantón, *Libros, tapices y cuadros...,* op. cit., págs. 17-38.

[16] Véase R. van Schoute, *La Chapelle Royale...,* op. cit.

[17] Véase Jazeps Trizna, *Michel Sittow. Peintre revalais de l'école brugeoise (1468-1525/6),* Bruselas, Centre National de Recherches «Primitifs Flamands», 1976, y Fernando Marías, *El largo siglo XVI,* Madrid, Anaya, 1990, págs. 151-156.

[18] Véase *Juan de Flandes,* Madrid, Museo del Prado, 1986, y F. Marías, *El largo siglo XVI, op. cit.,* págs. 156-160.

[19] El canónico estudio de Chandler R. Post, «The Hispano-Flemish Style in Northwestern Spain», en *A History of Spanish Painting,* vol. IV, Cambridge, Harvard University Press, 1933, es fundamental, aunque está desactualizado.

[20] Además de Ch. R. Post, «The Hispano-Flemish Style...», art. cit., págs. 87-147, véase Robert Maclean Quinn, *Fernando Gallego and the Retablo of Ciudad Rodrigo,* Tucson, University of Arizona Press, 1961.

[21] Aparte de Chandler R. Post, «The Beginning of the Renaissance in Castile and León», en *A History of Spanish Painting,* vol. IX, parte 1, Cambridge, Harvard University Press, 1947, vol. 9, págs. 17-161, véase F. Marías, *El largo siglo XVI, op. cit.,* págs. 171-181. A este pintor se le debe desde hace tiempo un nuevo estudio monográfico.

[22] Véase Helen H. Nader, *The Mendoza Family in the Spanish Renaissance, 1350-1550,* New Brunswick, Rutgers University Press, 1979.

[23] Véase Francisco Layna Serrano, *El Palacio del Infantado en Guadalajara,* Madrid, Hauser y Menet, 1941.

[24] Véase José M. de Azcárate, «La fachada del Infantado y el estilo de Juan Guas», *Archivo Español de Arte,* 24, 1951, 307-319.

[25] Para su biografía, véase H. Nader, *The Mendoza Family..., op. cit.,* págs. 118-123. Rosario Díez del Corral Garnica, *Arquitectura y mecenazgo. La imagen de Toledo en el Renacimiento,* Madrid, Alianza Forma, 1987, págs. 19-47, sintetiza su carrera como protector de las artes.

[26] Véase José M. de Azcárate, «El Cardenal Mendoza y la introducción del Renacimiento», *Santa Cruz,* 17, 1962, 7-16.

[27] Manuel Gómez-Moreno defiende el papel protagonista del cardenal Mendoza en el Renacimiento español en «Hacia Lorenzo Vázquez», *Archivo Español de Arte y Arqueología,* 1, 1925, 7-40. F. Marías ofrece otra visión de esta cuestión en *El largo siglo XVI, op. cit.,* págs. 254-257.

[28] Véase para su biografía H. Nader, *The Mendoza Family..., op. cit.,* págs. 150-179. El primero en señalar su contribución a la llegada del Renacimiento italiano a España fue Elías Tormo, «El brote del Renacimiento en los monumentos españoles y los Mendoza del siglo xv», *Boletín de la Sociedad Española de Excursiones,* 25, 1917, 51-63 y 114-121, y 26, 1918, 116-130.

[29] Véase Rosario Díez del Corral, «Muerte y humanismo: la tumba del Cardenal don Pedro González de Mendoza», *Academia,* 64, 1987, 209-227.

[30] Los sepulcros de Fancelli abajo descritos fueron estudiados por Jesús Hernández Perera, *Escultores florentinos en España,* Madrid, Consejo Superior de Investigaciones Científicas-Instituto Diego Velázquez, 1957, págs. 10-11 [Cardenal Hurtado de Mendoza], 11-12 [Príncipe Juan] y 12-13 [los Reyes Católicos]. Un nuevo estudio de la trayectoria de Fancelli sería bienvenido.

[31] Miguel Ángel Zalama, *El Palacio de la Calahorra,* Granada, Caja General de Ahorros de Granada, 1990.

[32] Véase Hanno-Walter Kruft, «Genuesische Skulpturen der Renaissance in Frankreich», en *Actes du XXII Congrès International d'Histoire de l'Art,* Budapest, Akadémiai Kiadó, 1972, vol. 1, págs. 697-704, y «Pace Gagini and the Sepulchres of the Ribera in Seville», en *España entre el Mediterráneo y el Atlántico,* Actas del XXIII Congreso Internacional de Historia del Arte, Granada, Universidad de Granada, 1977, vol. 2, págs. 327-338.

[33] Véase John Pope-Hennessy, *Italian Renaissance Sculpture,* Londres, Phaidon, 1958, págs. 320-321.

[34] No hay una biografía reciente sobre Cisneros. Un resumen de su vida con mención a fuentes tempranas se encuentra en R. Díez del Corral Garnica, *Arquitectura y mecenazgo..., op. cit.,* págs. 49-59.

[35] Para una lúcida síntesis de la carrera de Cisneros como mecenas, véase R. Díez del Corral Garnica, *Arquitectura y mecenazgo..., op. cit.,* págs. 60-77. Asimismo, Miguel Ángel Castillo Oreja, «La proyección del arte islámico en la arquitectura del primer Renacimiento: el estilo Cisneros», *Anales del Instituto de Estudios Madrileños,* 12, 1985, 55-63.

[36] G. Proske, *Castilian Sculpture..., op. cit.,* págs. 202-210.

[37] Es mucho lo que desconocemos sobre la carrera de Juan de Borgoña, especialmente en lo que respecta a sus problemáticos comienzos. Véanse Ch. R. Post, «The Beginning of the Renaissance...», art. cit., págs. 162-234; Diego Angulo Íñiguez, *Juan de Borgoña,* Madrid, Consejo Superior de Investigaciones Científicas-Instituto Diego Velázquez, 1954; Adele Condorelli, «Il problema di Juan de Borgoña», *Commentari,* 11, 1960, 46-59, y Charles Sterling, «Du Nouveau sur Juan de Borgoña: son tableau le plus ancien connu», *L'Oeil,* 401, 1988, 24-31.

12. Arte en la ruta de los Austrias: Amberes, Sevilla y México

[1] Jonathan Brown, *Reflexiones de un hispanista a la sombra de Velázquez,* Madrid, Abada / Museo del Prado, 2015.

[2] «Hacia nuevos enfoques. Pintura de los reinos: una visión global del campo cultural», en T. Gutiérrez Haces (ed.), *Pintura de los reinos: identidades compartidas. Territorios del mundo hispánico. Siglos XVI-XVIII,* México, Fundación Cultural Bonannex, 2010, vol. I, págs. 87-135.

[3] Manuel Toussaint, *Pintura colonial en México,* 2.ª ed., Ciudad de México, Universidad Nacional Autónoma de México, 1982. El texto se escribió en 1934.

[4] Véase una útil visión general en Rogelio Ruiz Gomar, «Unique Expressions. Painting in New Spain», en Donna Pierce (ed.), *Painting a New World. Mexican Art and Life 1521-1821,* Denver, Denver Art Museum, 2004, págs. 47-77.

[5] Véanse Carlos Martínez Shaw y Marina Alfonso Mola (eds.), *Galeón de Manila,* cat. exp., Madrid, Ministerio de Educación y Cultura, 2000; Donna Pierce y Ronald Otsuka (eds.), *America. Trans-Pacific Artistic and Cultural Exchange 1500-1840,* Denver, Denver Art Museum, 2009.

[6] Serge Gruzinski, *Painting the Conquest. The Mexican Indians and the European Renaissance,* París, Flammarion, 1992.

[7] Zsuzanna van Ruyven-Zeman *et al., The Wierix Family. The New Hollstein. Dutch & Flemish Etchings, Engravings and Woodcuts 1450-1700,* 10 vols., Rotterdam, Sound & Vision Publishers, 2004-2006.

[8] Véase el exhaustivo artículo de Helga von Kugelgen, «Painting from the Kingdoms and Rubens», en T. Gutiérrez Haces (ed.), *Pintura de los reinos..., op. cit.* (pág. 168, n. 2), vol. 3, págs. 1009-1078.

[9] Neil De Marchi y Hans J. van Miegroet, «Exploring Markets for Netherlandish Painting in Spain and New Spain», *Nederlands Kunsthistorisch Jaarboek,* 50, 1999, 81-105.

[10] Duncan Kinkead, «Juan de Luzón and the Sevillian Painting Trade with the New World in the Second Half of the Seventeenth Century», *The Art Bulletin,* 66, 1984, 303-310.

13. MURILLO, PINTOR DE TEMAS ERÓTICOS.
UNA FACETA INADVERTIDA DE SU OBRA

[1] En respuesta a este artículo, véase Peter Cherry, «Murillo's Genre Scenes and Their Context», en Xanthe Brooke y Peter Cherry, *Murillo, Scenes of Childhood,* Londres, Dulwich Picture Gallery, 2001, págs. 9-41.

[2] Para una breve y conveniente presentación de este amplio tema y su literatura, véase E. Jongh, «Réalisme et réalisme apparent dans la peinture hollandaise du 17e siècle», en *Rembrandt et son temps,* cat. exp., Bruselas, Palais des Beaux Arts, 1971, págs. 143-194.

[3] D. Angulo Íñiguez, *Murillo. Su vida, su arte, su obra,* Madrid, Espasa-Calpe, I, pág. 441, menciona la posibilidad de que Murillo se hubiera inspirado en obras profanas del norte de Europa.

[4] Enrique Valdivieso, *Pintura holandesa del siglo XVII en España,* Valladolid, Universidad de Valladolid, 1973, páginas 21-25.

[5] La literatura sobre los Bamb_ccianti es muy escasa. Una buena introducción al tema es Francis Haskell, *Patrons and Painters: A Study of the Relations between Italian Art and Society in the Age of the Baroque,* 2ª edición, New Haven y Londres, Yale University Press, 1980, págs. 131-141. Alfonso E. Pérez Sánchez, «Algunas obras de "Monsú Bernardo"», *Archivo Español de Arte,* 34, 1961, 141-144, sugiere que las obras de este pintor (Eberhard Keil) desempeñaron un importante papel en la «definitiva cristalización de un tipo de cuadro de género del cual Murillo (de vida casi paralela en el tiempo a la de nuestro Keil) es el más grande representante». Como Pérez Sánchez reconoce, la cronología de la carrera de Keil hace difícil suponer que sus obras fueran conocidas por Murillo. La indudable similitud entre los cuadros de ambos artistas es probablemente el resultado del empleo de las mismas fuentes.

[6] Respecto a Van Laer, véase Axel Janeck, *Untersuchung über den Hollandischen Maler Pieter van Laer gennant Bamboccio,* Würzbug, Offsetdruck Gugel, 1968.

[7] *Ibíd.,* págs. 78-81.

[8] *Inventario orig. de los bienes muebles del Exmo. Sr. Duque de Alcalá que se vendieron en pública Almoneda, Génova, 19 de mayo de 1637,* Archivo de la Casa de Medinaceli, Sevilla.

[9] Para las conexiones de Cerquozzi con España, véase F. Haskell, *Patrons and Painters..., op. cit.,* págs. 136-137.

[10] *Museo del Prado. Adquisiciones de 1978 a 1981,* Madrid, Museo Nacional del Prado, 1981.

[11] En relación con Sweerts, véanse el catálogo de la exposición *Michael Sweerts e i Bamb_ccianti,* Roma, Del Turco, 1958, y Vitale Bloch, *Michael Sweerts,* La Haya, L. J. C. Boucher, 1968.

[12] A modo de ejemplo, véase *Michael Sweerts e i Bamb_ccianti, op. cit.,* figs. 29, 30 y 32.

[13] Véase Donald Posner, «An Aspect of Watteau, "peintre de la réalité"», en *Études d'Art Français offertes à Charles Sterling,* ed. por Albert Châtelet y Nicole Reynaud, París, Presses Universitaires de France, 1975, pág. 281. Sobre un explícito uso del motivo, véase la pintura de Dosso Dossi, *Bambocciata,* Florencia, Uffizi. Obviamente no toda representación de una mujer con rueca tiene un significado erótico, la interpretación depende del contexto en el que el símbolo es empleado.

[14] En referencia a este motivo y su significación, véase Madlyn Kahr, «Delilah», *The Art Bulletin,* 52, 1972, 282-299.

[15] *Ibíd.,* pág. 296, como referencia al simbolismo de la mujer, cuyos orígenes se situarían en *El Arte de Amar* de Ovidio.

[16] Un ejemplo entre muchos que existen es *Celestina* de Honthorst, Utrecht, Central Museum; ilustrado en el libro de Richard Judson, *Gerrit van Honthorst. A Discussion of his Position in Dutch Art,* La Haya, Martinus Nijhoff, 1959, fig. 37.

[17] El gesto es repetido en el cuadro *Una mujer joven* de la Colección Carras, Londres (ilustrado en: D. Angulo Íñiguez, *Murillo,* III, lámina 439). El traje corto que lleva la mujer, que casi deja al descubierto su pecho, puede indicar también que la pintura no carece de significación erótica.

[18] D. Angulo Íñiguez, *Murillo,* I, 444.

[19] Véase Anthony Blunt, «Georges de la Tour at the Orangerie», *The Burlington Magazine,* 114, 1972, 525.

[20] Julius S. Held, «Flora. Goddess, and Courtesan», en *De Artibus Opuscula XL. Essays in Honor of Erwin Panofsky,* ed. por Millard Meiss, Nueva York, New York University Press, 1961, págs. 201-218.

[21] *Ibíd.,* pág. 205.

[22] Véase por ejemplo el cuadro de Flora de Carlo Cignani, Módena, Galleria Estense, ilustrado por Held en la fig. 24.

[23] Véase Diego Angulo Íñiguez, «Murillo y Goya», *Goya,* 148-150, 1979, 210-213, y *Murillo,* I, 452-455, para un resumen y evaluación del argumento, que con ciertas reservas parece aceptar.

[24] Para una interpretación de estos cuadros, véase Seymour Slive, *Frans Hals,* Londres, Phaidon Press, 1970, I, págs. 89-94.

[25] De acuerdo con D. T. Kinkead, «Tres documentos nuevos del pintor don Matías de Arteaga y Alfaro», *Boletín del Seminario de Estudios de Arte y Arqueología,* 47, 1981, 348, la pintura de Washington podría ser idéntica a la que poseía Arteaga a su muerte en 1703.

[26] Duncan T. Kinkead, «An Analysis of Sevillian Painting Collections of the Mid-Seventeenth Century: The importance of Secular Subject Matter», *Hispanism as Humanism,* ponencia presentada en la conferencia *Hispanism as Humanism,* Albany, State University of New York, 18

a 22 de marzo de 1980. Mientras que más del 50 por 100 de los 8.471 cuadros estudiados por Kinkead eran de tema secular, solo unos pocos eran de tema profano.

[27] Bert W. Meijer, «Harmony and Satire in the Work of Niccolo Frangipane», *Simiolus,* 6, 1972-1973, 103, n. 35. La fuente autoritativa de esta interpretación, citada por Meijer, es J. Bulwer, *Chiromania: The art of manual rhetoricke,* Londres, Thomas Harper, 1644.

[28] Los cuadros de Murillo de niños jugando a los dados (Múnich y Viena) están quizá relacionados con una tradición de escenas de juego que surge en el siglo XVI y que adquiere mayor prestigio en el XVIII. Para más información sobre esta tradición pictórica, véase Barry Wind, «Pitture Ridicole: Some Late Cinquecento Comic Genre Paintings», *Storia dell'Arte,* 20, 1974, 33-34.

14. LOS DIBUJOS Y GRABADOS DE RIBERA

[1] Este ensayo está basado en un estudio anterior, Jonathan Brown, *Jusepe de Ribera: Prints and Drawings,* Princeton, Princeton University Press, 1973. No obstante, se considerarán aquí las contribuciones a este tema publicadas desde entonces, además de revisar o corregir mis opiniones propias en los casos en que ha sido necesario. Desde la aparición de mi publicación de 1973, algunas de las estampas han sido catalogadas de nuevo —aunque sin modificaciones significativas— por Alba Costamagna en *Incisori Napoletani del '600,* Roma, Gabinetto Nazionale delle Stampe, 1981.

[2] J. Brown, *Jusepe de Ribera..., op. cit.,* pág. 66, n. 1 y 2.

[3] *Ibíd.,* págs. 66-67, n. 4.

[4] *Ibíd.,* págs. 78-80, n. 17, donde rechazaba la atribución. La autenticidad de este grabado la defiende de manera habilidosa Marcus S. Sopher, *Seventeenth-Century Italian Prints,* Palo Alto, Stanford University Press, 1978, n. 158.

[5] J. Brown, *Jusepe de Ribera..., op. cit.,* págs. 68-69, n. 6.

[6] *Ibíd.,* págs. 67-68, n. 5.

[7] Craig M. Felton, «More Early Paintings by Jusepe de Ribera», *Storia dell'arte,* 26, 1976, 31-43, y Nicola Spinosa, *L'opera completa del Ribera,* Milán, Rizzoli, 1978, pág. 96, n. 29. Ambos autores basan su defensa de la fecha de 1626 en la suposición de que el grabado es una variante de la pintura del Hermitage, que es de ese año. Tal suposición da por cierto que Ribera nunca modificó una composición después de grabarla al aguafuerte. En al menos un caso, sin embargo, el *Martirio de san Bartolomé,* siguió trabajando en la composición tras concluir el grabado. Teniendo en cuenta este hábito de revisar las composiciones de ciertos temas, no hay razón implícita que impida pensar que un grabado no pudiera ser, a su vez, punto de partida de una pintura sobre el mismo tema. Del mismo modo, hay que recordar que el motivo del ángel con la trompeta ya aparece en una versión de la misma escena en la Colegiata de Osuna, de en torno a 1616-1620. Por tanto, este elemento no era novedoso en el arte de Ribera en el momento en que ejecuta esta estampa, que interpreto fue hecha en torno a 1621.

[8] J. Brown, *Jusepe de Ribera..., op. cit.,* pág. 66, núm. 3.

[9] Erwin Walter Palm, «Ein Vergil von Ribera», *Pantheon,* 33, 1, 1975, 23-27, identifica al poeta como Virgilio. John F. Moffitt, «Observations on the *Poet* by Ribera», *Paragone,* 29, núm. 337, 1978, 75-90, refuta esta hipótesis de manera convincente y a su vez propone el nombre de Dante. El análisis que hace Moffitt del significado del árbol «marchito pero floreciente» es interesante, aunque no parece claro cómo puede aplicarse al caso de Ribera, ya que este utilizó este motivo en contextos muy diferentes. Del mismo modo, no acierto a discernir en el original el bonete académico que Moffitt cree reconocer en la cabeza del poeta. A mi juicio, esta figura lleva la cabeza descubierta. Por tal razón, continúo aceptando la interpretación en clave tipológica que Stechow defendiera en 1957.

[10] Ernst H. Gombrich, *Art and Illusion: A Study in the Psychology of Pictorial Representation,* Princeton, Princeton University Press, 1969, págs. 156-172, trata sobre el origen y evolución de estos manuales didácticos a principios del siglo XVII.

[11] Odoardo Fialetti (basado en Agostino Carracci), *Il vero modo ed ordine per disegnar* (1608), y Olivieri Gatti (basado en Guercino), *Primi elementi per introdurri i giovani al disegno* (1619), son muy similares a las estampas de Ribera. E. H. Gombrich menciona ambos libros en *Art and Illusion..., op. cit.,* págs. 161-162.

[12] J. Brown, *Jusepe de Ribera..., op. cit.,* págs. 69-71, n. 7-8.

[13] *Ibíd.,* págs. 71-72, n. 9.

[14] *Ibíd.,* págs. 72-73, n. 10-11.

[15] Véase Lubomír Konečný, «Another "Postilla" to the Five Senses by Jusepe de Ribera», *Paragone,* 285, 1973, 85-92, para un estudio conciso e informativo de este grabado y su relación con la tradición de motivos grotescos en el Renacimiento.

[16] *Ibíd.,* págs. 93-94, n. 9. Para una cabeza grotesca similar, véase el dibujo anónimo (¿italiano, finales del siglo XVI?) de la Pennsylvania Academy of the Fine Arts, PAFA 283.

[17] Paradero desconocido, 161 x 127 mm, sanguina sobre papel blanco con filigrana de pájaro inscrito en un círculo. Colecciones: Christie's, 15 de abril de 1980, n. 30. El dibujo de Capodimonte, Nápoles, que Rosa D'Amico, *Catalogo generale della raccolta di stampe antiche della Pinacoteca Nazionale di Bologna. Gabinetto delle Stampe. Incisori d'invenzione romani e napoletani del XVII secolo* (Bolonia, Compositori, 1978), n. 94, considera dibujo preparatorio

del grabado es en mi opinión una copia. Véase J. Brown, *Jusepe de Ribera..., op. cit.,* pág. 73.

[18] París-Londres, E. Schapiro; 147-107 mm, sanguina sobre papel blanco. Colecciones: Rey de Villette (Lugt 2200a), venta de sus bienes en Berlín 1931, n. 926, atribuido a Annibale Carracci.

[19] J. Brown, *Jusepe de Ribera..., op. cit.,* págs. 73-74, núm. 12.

[20] *Ibíd.,* págs. 74-75, núm. 13.

[21] *Ibíd.,* págs. 75-76, núm. 14. Jeanne Chenault Porter, «Ribera's Assimilation of a Silenus», *Paragone,* 30, 355, 1979, 41-54, identifica al sátiro como Pan y propone una cantidad desbordante de posibles fuentes, lo que demuestra que era un motivo común en el arte de la Antigüedad y el Renacimiento. Como ya advirtiera anteriormente Elizabeth du Gué Trapier, *Ribera,* Nueva York, Hispanic Society of America, 1952, Ribera empleó una pose similar en un dibujo anterior de *Sansón y Dalila* (Córdoba, Museo de Bellas Artes), un estudio para una pintura hoy perdida perteneciente antiguamente a las colecciones reales españolas. Véase n. 46 para este dibujo.

Paolo Bellini, «New Attributions to Ribera», *Print Collector,* 11, 1975, 18-21, atribuye a Ribera una estampa que es un conglomerado de elementos del *Sileno ebrio* y *San Jerónimo leyendo.* Como señala N. Spinosa, *L'opera completa..., op. cit.,* pág. 95, núm. 25, esta estampa es una *derivazione* y su origen hay que hallarlo en las numerosas colecciones de grabados que se basaban en la obra de Ribera, tal y como se describe en J. Brown, *Jusepe de Ribera..., op. cit.,* págs. 83-86, núms. 30-37.

[22] J. Brown, *Jusepe de Ribera..., op. cit.,* págs. 77-78, núm. 16. Ribera colaboró con un grabador anónimo en una estampa realizada en torno a 1629-1633. Véase *ibíd.,* págs. 76-77, núm. 15.

[23] Esta hipótesis la presenta Delphine Fitz Darby, «Review of Elizabeth Du Gué Trapier, Ribera», *Art Bulletin,* 31, 1, 1953, 68-74, esp. 71, que C. M. Felton, «More Early Paintings...», art. cit., pág. 34, suscribe parcialmente, reconociendo por otra parte la importancia de los cambios efectuados por Ribera al adaptar la composición pictórica al grabado.

[24] C. M. Felton, «More Early Paintings...», art. cit.

[25] Véanse Alfonso E. Pérez Sánchez y Xavier de Salas, *The Golden Age of Spanish Painting,* Londres, Royal Academy, 1976, n. 27, y *Los Ribera de los Osuna,* Sevilla, Obra Cultural de la Caja de Ahorros Provincial San Fernando, 1978; C. M. Felton, «More Early Paintings...», art. cit., pág. 35, y N. Spinosa, *L'opera completa..., op. cit.,* págs. 94-95, núm. 21-24, para opiniones diversas acerca de la autenticidad de esas obras, datables en torno a 1616-1620.

[26] C. M. Felton, «More Early Paintings...», art. cit., págs. 31-34, acepta la autenticidad de esta pintura. Concuerdo con N. Spinosa, *L'opera completa..., op. cit.,* págs. 129-130, núm. 262, en que la ejecución es demasiado rígida y torpe

como para atribuírsela a Ribera y que tanto la pintura como el dibujo publicado por Felton son probablemente copias de la obra descrita por De Dominici.

[27] La identidad de esta pintura sigue estando en discusión, sin que se haya llegado a resultados concluyentes. Para un resumen de las opiniones y referencias relevantes al respecto, véase N. Spinosa, *L'opera completa..., op. cit.,* pág. 98, núm. 38, y pág. 140, n. 411. Que el grabado ilustrara la composición perdida, como todas las otras explicaciones propuestas hasta ahora, es un argumento hipotético y circunstancial. No obstante, si aceptamos que la mayor parte de las composiciones de figuras que grabó se inspiran en pinturas y que el grabado pudo haber sido elaborado en torno a 1620, en ese caso la consideración de la *Lamentación* como un posible reflejo de la pintura que Mancini menciona estaría más justificada.

[28] J. Brown, *Jusepe de Ribera..., op. cit.,* pág. 159, núm. 8. Desde mi punto de vista, el dibujo se asemeja al grabado en mayor medida que a cualquier otra pintura sobre el mismo tema, incluyendo la versión que se encuentra en la Galleria Pallavicini, Roma, cuya autoría en cualquier caso se discute (véase, para una referencia a este problema, N. Spinosa, *L'opera completa..., op. cit.,* pág. 93, núm. 18).

[29] Para algunos ejemplos, véase J. Brown, *Jusepe de Ribera..., op. cit.,* págs. 38-61.

[30] Para esta pintura, véase Antoine Schnapper, «Les académies peintes et le *Christ en Croix* de David», *La Revue du Louvre,* 24, 1974, 384.

[31] Bernardo de Dominici, *Vite de' pittori, scultori, ed architetti napoletani. Non mai date alla luce da autore alcuno,* vol. III, Nápoles, Francesco e Cristoforo Ricciardi, 1743, pág. 18.

[32] Jonathan Brown, «More Drawings by Jusepe de Ribera», *Master Drawings,* 12, 1974, 368, núm. 3. La información sobre la técnica, dimensiones y procedencia de los dibujos que se menciona en este ensayo se proporciona únicamente cuando se trata de obras no publicadas. En otros casos, se hace referencia al lugar en el que se puede encontrar esta información y bibliografía adicional, no tratándose necesariamente de la publicación donde se dio a conocer inicialmente el dibujo.

[33] Walter Vitzthum y Annamaria Petrioli, *Cento disegni napoletani: Sec. XVI-XVIII,* Gabinetto disegni e stampe degli Uffizi, cataloghi, vol. 26, Florencia, Leo S. Olschki, 1967, pág. 32, núm. 44.

[34] *Ibíd.,* pág. 31, núm. 43.

[35] J. Brown, *Jusepe de Ribera..., op. cit.,* pág. 163, n. 15. E. W. Palm, «Ein Vergil von Ribera», art. cit., pág. 81, sugiere que la figura femenina podría ser Ariadna. Aunque la pose está relacionada sin lugar a dudas con la tipología de Ariadna que encontramos en obras de arte de la Antigüedad, resulta complicado llegar a conclusiones definitivas respecto a la identificación de este tema, ya que la representación de la figura masculina es muy imprecisa.

[36] Colección A. Battesti, Toulouse; 116 x 197 mm, tinta sepia a la pluma sobre papel blanco, inscripción en tinta en la zona superior derecha: 22. Verso, figura con la mano en el pecho, parcialmente recortado. Procedencia desconocida.

[37] W. Vitzthum y A. Petrioli, *Cento disegni napoletani...*, op. cit., pág. 29, núm. 39.

[38] J. Brown, *Jusepe de Ribera..., op. cit.*, págs. 174-175, núm. 33.

[39] *Ibíd.*, págs. 169-170, núm. 24.

[40] *Ibíd.*, pág. 168, núm. 22.

[41] W. Vitzthum y A. Petrioli, *Cento disegni napoletani...*, op. cit., pág. 35, núm. 50.

[42] J. Brown, *Jusepe de Ribera..., op. cit.*, págs. 166-167, núm. 20.

[43] W. Vitzthum y A. Petrioli, *Cento disegni napoletani...*, op. cit., pág. 30, núm. 40.

[44] Walter Vitzthum, «Disegni inediti di Ribera», *Arte Illustrata*, 37-38, 1971, 83.

[45] Nueva York, colección privada; 221 x 217 mm, sanguina en papel ahuesado; inscripción en tinta sepia, zona inferior izquierda: «spagnoletto». Verso, figura arrodillada sobre nube o roca, y detalle de brazo y mano sosteniendo una vara. Inscripción en tinta sepia, zona superior izquierda: «Spagnoletto». Colección: Sotheby's, 11 de julio de 1979, núm. 133.

[46] Alfonso E. Pérez Sánchez, *Museo del Prado. Catálogo de dibujos*, vol. 1: *Dibujos españoles siglos XV-XVII*, Madrid, Museo del Prado, 1972, pág. 119. La conexión de este dibujo con el *Sansón y Dalila* de Córdoba la hizo Muller, que identifica incorrectamente el tema como *Jael y Sísera*, en Priscilla Muller, «State of Research: Contributions to the Study of Spanish Drawings», *The Art Bulletin*, 58, 1976, 604-611.

[47] E. G. Trapier, *Ribera, op. cit.*, pág. 240.

[48] Nueva York, colección privada; 260 x 432 mm, lápiz negro y sanguina sobre papel blanco; inscripción en tinta sepia, zona inferior derecha: «De Gusepe de Ribera el Españoleto, 1624»; zona superior derecha: «Solís»; zona inferior izquierda: «20 R.ˢ». Colecciones: Francisco de Solís (1629-1684); Christie's, 8 de julio de 1975, núm. 125. La inscripción con el nombre del artista y fecha no parece autógrafa. El dibujo se menciona en P. Muller, «State of Research...», art. cit., pág. 609.

[49] J. Brown, «More Drawings by Jusepe de Ribera», art. cit., pág. 370, núm. 14.

[50] Colección John y Alice Steiner; 187 x 140 mm; lápiz negro y aguada sepia sobre papel blanco. Colecciones: Pietro Scarpa.

[51] W. Vitzthum, «Disegni inediti di Ribera», art. cit., pág. 80.

[52] Françoise Forster-Hahn, *Old Master Drawings from the Collection of Kurt Meissner, Zurich*, Palo Alto, Stanford University Press, 1969, pág. 114, núm. 88.

[53] París, École des Beaux-Arts, n. 302; 277 x 209 mm; tinta roja y aguada sobre papel blanco, verjurado. Inscripción en tinta parda, arriba a la izquierda: «Rivera». Colecciones: J. Masson (Lugt Suppl. 1494a).

[54] George S. Hellman, *Original Drawings by the Old Masters: The Collection formed by Joseph Green Cogswell, 1786-1871,* Nueva York, edición privada, 1915, núm. 253.

[55] J. Brown, *Jusepe de Ribera..., op. cit.*, pág. 148.

[56] Filadelfia, Pennsylvania Academy of the Fine Arts, PAFA 8; 170 x 104 mm; tinta parda a la pluma con aguada y lápiz negro, sobre papel marrón; inscripción en soporte antiguo: «Origˡ de Spagnoletto, da Napoli». Procedencia desconocida.

[57] Nueva York, Metropolitan Museum of Art, Harry G. Sperling Fund, 1981, 395; 212 x 102 mm; tinta parda a la pluma y aguada; inscripción en estandarte, probablemente autógrafa del artista: «Nicolò Simonelli»; en el verso «Simonelli». Colecciones: Niccolò Simonelli (1630-1660); Sotheby's, 9 de abril de 1981, núm. 89. Nicolò Simonelli, que sirvió en las casas de los cardenales Brancacci y Chigi, fue un distinguido coleccionista y *connaisseur*. Sus contactos con Pieter van Laer y Pier Francesco Mola están documentados. Passeri menciona su protección a Salvator Rosa en 1638, lo que indicaría que tenía conocidos en Nápoles, entre los que quizá se encontrara el mismo Ribera. Esto abre la posibilidad de que este dibujo lo llevara a cabo Ribera para obsequiárselo a Simonelli.

[58] W. Vitzthum, «Disegni inediti di Ribera», art. cit., pág. 81.

[59] J. Brown, *Jusepe de Ribera..., op. cit.*, pág. 174, núm. 32.

[60] *Ibíd.*, págs. 176-177, núm. 36.

[61] *Ibíd.*, págs. 173-174, núm. 31.

[62] W. Vitzthum y A. Petridi, *Cento disegni napoletani...*, op. cit., pág. 33, núm. 46.

[63] Walter Vitzthum y Catherine Monbeig-Goguel, *Le dessin à Naples,* París, Cabinet des Dessins, Musée du Louvre, 1967, págs. 12-13, núm. 20. Para un comentario sobre el tema del «hombre atado», véase Jonathan Brown, «Notes on Princeton Drawings 6: Jusepe de Ribera», *Record of the Art Museum* (Princeton University), 131, 2, 1972, 2-7.

[64] Viena-Múnich, colección privada, conocido por mí únicamente a través de reproducción fotográfica. Dimensiones y medio desconocidos. Para un análisis de este tema, véase Donald Posner, *Watteau: A Lady at Her Toilet,* Nueva York, Viking Press, 1973, págs. 43-46.

15. *LA VISIÓN DE SAN JUAN DE LA INMACULADA CONCEPCIÓN* DE EL GRECO

[1] August L. Mayer, «Über einige Toledaner Bilder Grecos», *Zeitschrih für Bildende Kunst,* N.F. 33, 1922, 7-10.

[2] La parroquia de San Román se fusionó con la de Santa Leocadia a principios del siglo XIX. Esta circunstancia contribuyó sin duda al abandono sufrido por el cuadro de El Greco.

[3] José Camón Aznar, *Dominico Greco,* 2 vols., Madrid, Espasa-Calpe, 1950, I, pág. 432.

[4] Halldor Soehner, «Greco in Spanien», *Münchner Jahrbuch der Bildenden Kunst,* 1.ª parte, 8 (1957), páginas 132-134; 2.ª y 3.ª parte núm. 9/10 (1958-1959), pág. 182, núm. 26.

[5] José Gudiol, *Domenikos Theotokopoulos, El Greco, 1541-1614,* Barcelona, Polígrafa, 1982, pág. 107.

[6] Harold E. Wethey, *El Greco and His School,* 2 vols., Princeton, Princeton University Press, 1962, II, pág. 61, núm. 91.

[7] Sobre los primeros años de El Greco en Toledo (1577-1583), véase Jonathan Brown, «El Greco y Toledo», en *El Greco de Toledo,* Madrid, Alianza Editorial, 1982, págs. 94-100.

[8] Véase Richard G. Mann, *El Greco and His Patrons,* Cambridge, Cambridge University Press, 1986, págs. 1-45.

[9] La siguiente discusión se basa en el estudio *The Immaculate Conception in Spanish Art,* Nueva York, Cambridge University Press, 1994, de la autoridad en la materia Suzanne L. Stratton.

[10] Como apunta S. L. Stratton, *The Immaculate Conception..., op. cit.,* pág. 60, la colocación de símbolos en el paisaje se hizo popular con un grabado diseñado por Martin de Vos y realizado por I. B. Vrints *ca.* 1585-1600. La lámina parece haber sido creada con independencia del cuadro de El Greco. El Greco volvió a tratar el tema de la Inmaculada Concepción años más tarde en un brillante cuadro realizado para la capilla Ovalle de San Vicente Mártir ahora en Toledo (Museo de Santa Cruz). Existe otra versión en Madrid, en el Museo Thyssen, inspirada en la *Visión de San Juan de la Inmaculada Concepción,* que ahora se cree que fue pintada por un discípulo del maestro.

[11] Una copia del *Flos Sanctorum* aparece anotada en el inventario de los bienes del hijo de El Greco, Jorge Manuel, y que quizás heredó de su padre. También es posible que El Greco, quien tenía muchos amigos entre la élite eclesiástica toledana, conociese a Villegas.

[12] La bibliografía sobre Villegas es, desafortunadamente, escasa. Para una introducción a su vida y obra, véase Jaime Sánchez Romeralo, «Alonso de Villegas: Semblanza del autor de *La Selvagia*», en *Actas del Quinto Congreso Internacional de Hispanistas,* 2 vols., Burdeos, Université de Bordeaux, 1977, II, págs. 783-792.

[13] El primer volumen se publicó en 1587; el sexto, en 1603. Sobre la historia de su publicación, véase Antonio Palau Dulcet, *Manual del librero hispanoamericano,* vol. 27, Barcelona y Oxford, Octavio Viader, 1923, págs. 253-262.

[14] Edición de Juan Rodríguez, Toledo, 1586, pág. 80 (Universidad de Princeton, Biblioteca Firestone), no citada por Palau.

[15] Véase *El Toledo de El Greco,* Toledo, Dirección General de Bellas Artes, Archivos y Bibliotecas, 1982, pág. 155, anotación de catálogo de Alfonso E. Pérez Sánchez. Una inscripción en el cuadro identifica el retrato como de Villegas.

16. Velázquez restaurado, la restauración de un Velázquez

[1] Nicholas Penny y Karen Serres, «Duveen's French Frames for British Pictures», *The Burlington Magazine,* 151, 2009, 388-394.

[2] La historia de Mayer es digna de ser recordada. Mientras publicaba el segundo de sus artículos sobre este retrato (véase n. 3), y debido a sus colaboraciones con el mercado del arte, fue sometido a una investigación que examinó sus cualificaciones para las responsabilidades que ostentaba en la Ludwig-Maximilians-Universität y la Alte Pinakothek, ambas en Múnich. Tras esa investigación reptaba la serpiente del antisemitismo. En cuanto los nazis llegaron al poder, su situación se agravó y se le confiscaron sus propiedades. En junio de 1936 Mayer emigró con su familia a París. La que en un principio iba a ser una ocupación ocasional, emitir certificados de autenticidad, acabó convirtiéndose en su medio principal de vida. La fiabilidad de los certificados escritos después de 1930 está comprometida por su cada vez más deteriorada situación económica y política. En el invierno de 1944, la familia Mayer emprendió el camino hacia el sur y huyó de París. Su familia fue detenida cerca de Toulouse, pero él consiguió escapar a la costa. La Gestapo le capturó en Niza y el 3 de febrero de 1944 fue deportado a Auschwitz, donde murió al poco tiempo. Véase Teresa Posada Kubissa, «August L. Mayer: Ein Experte der spanischen Kunst in München», en *200 Jahre Kunstgeschichte in München: Positionen, Perspektiven, Polemik, 1780-1980,* ed. Christian Drude y Hubertus Kohle, Múnich, Deutscher Kunstverlag, 2003, págs. 120-130.

[3] August L. Mayer, «Das Selbstbildnis des Velazquez im Provinzial-Museum zu Hannover», *Zeitschrift für bildende Kunst,* n.s., 29, 2-3, 1917, 65-66.

[4] August L. Mayer, «A Self-Portrait by Velásquez», *Art in America,* 14, 3, 1926, 101-102.

[5] José López-Rey, *Velázquez: A Catalogue Raisonné of His Oeuvre,* Londres, Faber & Faber, 1963, págs. 183-184, n. 181; véase también la página 121.

[6] El *Retrato de joven* (Alte Pinakothek, Múnich) y el *Retrato de Juan Mateos* (Gemäldegalerie, Dresde) quedaron también inconclusos, aunque en menor medida que la pintura del Met, mientras que su *Retrato de niña* (Hispanic Society of America, Nueva York) y *Mujer cosiendo* (National Gallery of Art, Washington D.C.) muestran un grado de acabado similar.

[7] *Corpus Velazqueño: Documentos y textos,* Madrid, Ministerio de Educación, Cultura y Deporte, 2000, vol. 1, pág. 472, n. 166, pág. 482, n. 708, y documento núm. 436.

[8] Este relato de los hechos está tomado de J. Brown y J. H. Elliott, *A Palace for a King: The Buen Retiro and the Court of Philip IV,* New Haven, Yale University Press, 1980, págs. 185-193.

[9] Hermann Hugo, *Obsidio Bredana Armis Philippi IIII,* Amberes, Ex Officina Plantiniana,1626.

[10] Marie Mauquoy-Hendrickx, *L'Iconographie d'Antoine Van Dyck: Catalogue raisonné,* seg. ed. Bruselas, Bibliothèque Royale Albert I, 1991, vol. 2, pl. 38, núm. 57.II. Se cree que Van Dyck empezó la serie en 1632-1634.

[11] *Anthony van Dyck, The New Hollstein Dutch and Flemish Etchings, Engravings and Woodcuts, 1450-1700,* Rotterdam, Sound & Vision Publishers, en colaboración con el Rijksprentenkabinet, Rijksmuseum, 2002, pt. 1, págs. 141-144, n. 34.

[12] M. Mauquoy-Hendrickx, *L'Iconographie..., op. cit.,* pl. 32, núm. 45.II.

[13] Para una descripción detallada del atuendo y su nomenclatura, véase Maribel Bandrés Oto, *La moda en la pintura: Velázquez; usos y costumbres del siglo XVII,* Pamplona, Universidad de Navarra, 2002, págs. 249-266.

17. *LA LECHERA DE BURDEOS*

[1] *Catálogo ilustrado de la exposición de pinturas de Goya celebrada para conmemorar el primer centenario de la muerte del artista,* Madrid, Tipografía Artística, 1928, pág. 83.

[2] Juan J. Luna y Margarita Moreno de las Heras (eds.), *Goya: 250 aniversario,* Madrid, Museo del Prado, 1996, pág. 34.

[3] Ángel Canellas López, *Diplomatario, Francisco de Goya,* Zaragoza, Institución Fernando el Católico, 1981, pág. 515, no. clxxxiv.

[4] Juliet Wilson-Bareau, «La lechera de Burdeos», en VV. AA., *Goya,* Madrid, Fundación Amigos del Museo del Prado, Galaxia Gutenberg, Círculo de Lectores, 2002, págs. 349-368.

[5] La autora analiza con cierto detalle las imágenes radiográficas que, no obstante, no añaden mucho a cuanto se percibe a simple vista.

[6] Sin embargo, esto no es así. En un texto de 2003, Carmen Garrido analiza un llamativo ejemplo de ello, un retrato efectuado sobre dos composiciones anteriores, y en cuya página 53 se contiene la siguiente observación: «La reutilización de los lienzos es frecuente en las obras de Goya, como se puede ver en numerosos retratos y escenas». En Carmen Garrido, «El retrato de la Condesa de Chinchón. Estudio técnico», *Boletín del Museo del Prado,* vol. 21, 39, 2003, 44-55.

[7] Reproducido en Francis Ribemont y Françoise Garcia, *Goya: hommages: les années bordelaises, 1824-1828: présence de Goya aux XIXe et XXe siècles,* Burdeos, Musée des beaux-arts de Bordeaux, 1998, pág. 73, fig. 13.

[8] J. Wilson-Bareau, «La lechera de Burdeos», art. cit., pág. 355.

[9] Á. Canellas López, *Diplomatario..., op. cit.,* pág. 503, n. clxiv.

[10] J. Wilson-Bareau, «La lechera de Burdeos», art. cit., pág. 358.

[11] Wilson-Bareau menciona también de pasada que el lienzo y bastidor parecen «de origen español», sin aportar dato técnico alguno que apoye esta observación.

[12] María Elena Gómez-Moreno, «Un cuaderno de dibujos de Goya», *Archivo Español de Arte,* 14, 1941, 155-163, y José López-Rey, «Goya and His Pupil María del Rosario Weiss», *Gazette des Beaux-Arts,* XLVII, 1956, 251-84.

[13] Algunos de los argumentos que presento aquí coinciden con los aducidos por Glendinning en Nigel Glendinning, «El problema de las atribuciones desde la exposición Goya de 1900», *Goya 1900: catálogo ilustrado y estudio de la exposición en el Ministerio de Instrucción Pública y Bellas Artes,* 2 vols., Madrid, Dirección General de Bienes Culturales, Instituto del Patrimonio Histórico Español, 2002, especialmente págs. 334-345. Las observaciones de Glendinning se basan en artículos publicados en la prensa que preceden al estudio de 2002 de Wilson-Bareau objeto aquí de cita. Álvarez Lopera publicó una enérgica refutación y detallado análisis de dichas especulaciones de la autora también con anterioridad al artículo de 2002, en José Álvarez Lopera, «Rosario Weiss no pintó "La Lechera"», *Descubrir el Arte,* 27, 2001, 50-51. Parece que las primeras manifestaciones públicas de Wilson-Bareau fueron más concluyentes que las que presentó en su publicación de 2002.

[14] Laurent Matheron, *Goya,* Madrid, Ayuntamiento de Madrid, y Burdeos, Mairie de Bordeaux, 1996, págs. 256-257.

[15] Á. Canellas, *Diplomatario..., op. cit.,* pág. 503, núm. clxiv.

[16] Agradezco a Carmen Garrido, jefa de Gabinete de Documentación Técnica, Museo Nacional del Prado, haberme facilitado los resultados de sus análisis de pinturas de Goya en la colección del museo.

[17] J. Wilson-Bareau, «La lechera de Burdeos», art. cit., pág. 358.

19. PICASSO Y LA TRADICIÓN PICTÓRICA ESPAÑOLA

[1] Sobre Picasso y la generación del 98, véanse Javier Herrera, *Picasso, Madrid y el 98: la revista Arte Joven,* Madrid, Cátedra, 1997, y el ensayo de Robert Lubar en este volumen. El libro de Herrera, rico en argumentación, se publicó con posterioridad a la edición en inglés de la presente obra; por razones prácticas no ha sido posible incorporar ni comentar aquí sus tesis.

[2] Los datos biográficos de Picasso están tomados de John Richardson (con la colaboración de Marilyn McCul-

ly), *A Life of Picasso, vol. I, 1881-1906,* Nueva York, Random House, 1991 [edición en español: *Picasso. Una biografía,* Madrid, Alianza Editorial, 1995 (II, 1997)]. Sobre la visita de 1895 al Prado, véase *ibíd.,* pág. 57.

³ Sobre las actividades de Picasso en Madrid, véase J. Herrera, *Picasso, Madrid y el 98..., op. cit.*

⁴ J. Richardson, *A Life of Picasso..., op. cit.,* pág. 95. El 19 de octubre de 1897 Picasso se inscribió como copista en El Prado, con la intención expresa de copiar obras de Velázquez. Véase Alfonso E. Pérez Sánchez, «Picasso y la pintura "antigua"», en *De pintura y pintores. La configuración de los modelos visuales en la pintura española,* Madrid, Alianza Editorial, 1993, pág. 162. J. Herrera, *Picasso, Madrid y el 98..., op. cit.,* repasa la evidencia documental de sus sesiones de trabajo en El Prado.

⁵ Manuel B. Cossío, *El Greco,* Madrid, Suárez, 1908. La historia de la recepción de El Greco en el siglo XIX puede verse en José Álvarez Lopera, *De Ceán a Cossío. La fortuna crítica del Greco en el siglo XIX,* vol. II, *El Greco. Textos, documentos y bibliografía,* Madrid, Fundación Literaria Española, 1987.

⁶ Salvador Viniegra, *Museo Nacional de Pintura y Escultura. Catálogo ilustrado de la exposición de las obras de Domenico Theotocopuli llamado El Greco,* Madrid, Museo del Prado, 1902.

⁷ Sobre las visitas de Picasso a Toledo en 1897-1898 y en 1901, véase J. Richardson, *A Life of Picasso..., op. cit.,* págs. 93 y 178.

⁸ Sobre estos hechos, véase Santiago Alcolea Blanch, *The Prado,* Nueva York, Harry N. Abrams, 1991, págs. 72-73 [edición en español: *Museo del Prado,* Barcelona, Polígrafa, 1991].

⁹ Sobre la fortuna crítica de Goya, véase Nigel Glendinning, *Goya and His Critics,* New Haven y Londres, Yale University Press, 1977 [edición en español: *Goya y sus críticos,* traducción de María Lozano, Madrid, Taurus, 1983]. La relación de Picasso con Goya durante sus estancias en Madrid está esbozada en María Teresa Ocaña, «1897-98. La période goyesque-Madrid», en *Picasso. Toros y toreros,* París, Réunion des Musées Nationaux, 1993, pág. 92, y J. Herrera, *Picasso, Madrid y el 98..., op. cit.*

¹⁰ J. Richardson, *A Life of Picasso..., op. cit.,* pág. 191.

¹¹ *Ibíd.,* pág. 497, n. 14.

¹² *Ibíd.,* pág. 75.

¹³ *Ibíd.,* pág. 430.

¹⁴ Todavía no existe un estudio completo de la vida y la carrera de Berruguete.

¹⁵ Sobre la relación de Picasso con el mito y el arte de El Greco, véanse John Richardson, «Picasso's Apocalyptic Whorehouse», *New York Review of Books,* 34, núm. 7, 23 de abril de 1987, 40-47, y A. E. Pérez Sánchez, «Picasso y la pintura "antigua"», art. cit., págs. 159-164.

¹⁶ Fernando Marías y Agustín Bustamante, *Las ideas artísticas de El Greco (Comentarios a un texto inédito),* Madrid, Cátedra, 1981, y *El Greco y el arte de su tiempo y las notas de El Greco a Vasari* (con estudios de Xavier de Salas y Fernando Marías), Madrid, Real Fundación de Toledo, 1992.

¹⁷ Richard G. Mann, *El Greco and His Patrons: Three Major Projects,* Cambridge, Cambridge University Press, 1986, págs. 1-45.

¹⁸ Sarah Schroth, «Burial of the Count of Orgaz», en Jonathan Brown, *Figures of Thought: El Greco as Interpreter of History, Tradition and Ideas, Studies In the History of Art,* 11, 1982, 1-17 [edición en español: *Visiones del pensamiento,* traducción de Consuelo Luca de Tena, Madrid, Alianza Editorial, 1984].

¹⁹ Jonathan Brown y Richard L. Kagan, «View of Toledo», en J. Brown, *Figures of Thought..., op. cit.,* págs. 19-30.

²⁰ Carta de Manet a Fantin-Latour, Madrid, 3 de septiembre de 1865: véase Juliet Wilson-Bareau, *Édouard Manet. Voyage en Espagne,* Caen, Échoppe, 1988, pág. 44.

²¹ Puede verse un repaso crítico de varias interpretaciones en Jonathan Brown, *Velázquez. Painter and Courtier,* New Haven y Londres, Yale University Press, 1986, pág. 303, notas 43, 57, 58 y 62 [edición en español: *Velázquez. Pintor y cortesano,* traducción de Fernando Villaverde, Madrid, Alianza Editorial, 1986]. El análisis definitivo de la perspectiva es el de Martin Kemp, *The Science of Art: Optical Themes in Western Art from Brunelleschi to Seurat,* New Haven y Londres, Yale University Press, 1990, págs. 104-108. Un análisis de un detalle pequeño pero revelador es Thomas L. Glen, «Should Sleeping Dogs Lie? Once Again, *Las Meninas* and the Mise-en-scène», *Source: Notes In the History of Art,* 12, núm. 3, 1993, 30-36.

²² Véanse J. Brown, *Velázquez..., op. cit.,* págs. 252-253, y Jan B. Bedaux, «Velázquez' Fable of Arachne (Las Hilanderas): A Continuing Story», *Simiolus,* 21, 1992, 296-305.

²³ Jonathan Brown, *Images and Ideas in Seventeenth-Century Spanish Painting,* Princeton, Princeton University Press, 1978, págs. 70-71 [edición en español: *Imágenes e ideas en la pintura española del siglo XVII,* traducción de Vicente Lleó Cañal, Madrid, Alianza Editorial, 1980].

²⁴ Jeannine Baticle, *Goya,* París, Fayard, 1992, pág. 282 [edición en español: *Goya,* Barcelona, Crítica, 1995].

²⁵ Traducido por Enriqueta Harris, *Goya,* Londres, Phaidon, 1969, págs. 28-29. Como examen reciente de ese documento crucial, véase Andrés Úbeda de los Cobos, «De Antón Rafael Mengs a Francisco de Goya», en *Renovación, Crisis, Continuismo. La Real Academia de San Fernando en 1792,* Madrid, Real Academia de San Fernando, 1992, págs. 57-81.

²⁶ Reva Wolf, *Goya and the Satirical Print in England and the Continent, 1730-1850,* Boston, David R. Godine, 1991.

²⁷ Ilse Hempel Lipschutz, *Spanish Painting and the French Romantics,* Cambridge, Harvard University Press, 1972 [edición en español: *La pintura española y los románticos franceses,* Madrid, Taurus, 1988].

[28] Jeannine Baticle y Cristina Marinas, *La Galerie Espagnole de Louis-Philippe au Louvre, 1838-1848,* París, Réunion des Musées Nationaux, 1981.

[29] Citado en I. H. Lipschutz, *Spanish Painting..., op. cit.,* pág. 137. El anónimo autor publicó el comentario en el *Journal des Artistes,* 11, 1873, 39-40.

[30] J. Richardson, «Picasso's Apocalyptic Whorehouse», art. cit.

[31] Véase, por ejemplo, Kenneth E. Silver, *Esprit de Corps: The Art of the Parisian Avant-Garde and the First World War, 1914-1925,* Princeton, Princeton University Press, 1989, págs. 315-321.

Bibliografía

1. La identidad del donante de *La Virgen del Rosario* de Caravaggio: una nueva propuesta

Baschet, Armand, «François Pourbus, peintre de portraits à la Cour de Mantoue», *Gazette des Beaux-Arts,* serie primera, 25, 1868, 277-298.

Bologna, Ferdinando, «Il Caravaggio nella cultura e nella società del suo tempo», *Colloqui sul tema Caravaggio e i caravaggeschi,* Roma, Accademia Nazionale dei Lincei, 1974.

Causa, Raffaello, *La pittura del Seicento a Napoli dal naturalismo al barocco,* en *Storia di Napoli,* vol. 5, parte 2, Nápoles, Società Editrice, 1972.

Dell'acqua, Gian Alberto, y Cinotti, Mia, *Il Caravaggio e le sue grandi opere di San Luigi dei Francesi,* Milán, Rizzoli, 1971.

Friedländer, Walter, *Caravaggio Studies,* Princeton, Princeton University Press, 1955, págs. 198-202.

Gregori, Mina, «A New Painting and Some Observations on Caravaggio's Journey to Malta», *The Burlington Magazine,* 116, 1974, 592 y 594-603.

— «Caravaggio and Naples», en *Painting in Naples from Caravaggio to Giordano,* Londres, Royal Academy of Arts / Weidenfeld & Nicholson, 1982.

Hess, Jacob, «Modelle e modelli del Caravaggio», *Commentari,* 5, 1954, 271-289.

Hibbard, Howard, *Caravaggio,* Nueva York, Harper & Row, 1983.

Iconografía española, cuaderno 4, Madrid, Junta de Iconografía Nacional, 1948.

Il Caravaggio, Dresde, Verlag der Kunst, y Roma, Editori Riuniti, 1968.

Mahon, Denis, «Addenda to Caravaggio», *The Burlington Magazine,* 94, 1952, 2-23.

Marini, Maurizio, *Io Michelangelo Caravaggio,* Roma, Bestetti e Bozzi, 1974.

— *Michael Angelus Caravaggio Romanus,* Roma, De Luca Editore, 1978.

Prohaska, Walter, «Untersuchungen zur "Rosenkranzmadonna" Caravaggios», *Jahrbuch der Kunsthistorischen Sammlungen in Wien,* 76, 1980, 111-132.

2. La colección del duque de Alcalá y su evolución

Antonio, Nicolás, *Bibliotheca hispania nova,* Madrid, Joachim de Ibarra, 1783.

Barrio Moya, José Luis, «La colección de pinturas de Don Francisco de Oviedo, secretario del Rey Felipe IV», *Revista de Archivos, Bibliotecas y Museos,* LXXXII, 1979, págs. 163-171.

— «Las colecciones artísticas de Don Juan Álvarez, funcionario del Rey Felipe IV», *Analecta Calasanctiana,* XXIV, 1982, 257-269.

BENITO DOMENECH, Fernando, *Pinturas y pintores en el Real Colegio de Corpus Christi,* Valencia, Federico Domenech, 1980.

BISSELL, Raymond W., «Artemisia Gentileschi- A New Documented Chronology», *Art Bulletin,* L, 1968, 153-168.

BROWN, Jonathan, *Images and Ideas in Seventeenth-Century Spanish Painting,* Princeton, Princeton University Press, 1978.

— «Mecenas y coleccionistas españoles de Jusepe de Ribera», *Goya,* 183, 1984, 142-143.

— *Velázquez, Painter and Courtier,* New Haven y Londres, Yale University Press, 1986.

— «Felipe II, coleccionista de pintura y escultura», en *IV Centenario del Monasterio de El Escorial. Las colecciones del rey. Pintura y escultura,* Madrid, Patrimonio Nacional, 1986.

BROWN, Jonathan, y ELLIOTT, John H., *A Palace for a King: The Buen Retiro and the Court of Philip IV,* New Haven y Londres, Yale University Press, 1980.

BURKE, Marcus, «Private Collections of Italian Art in Seventeenth-Century Spain», tesis doctoral, Nueva York, New York University, 1984.

CABRERA DE CÓRDOBA, Luis, *Relaciones de cosas sucedidas en la corte de España de 1599 hasta 1614,* Madrid, Imprenta de J. Martín Alegría, 1857.

CARO, Rodrigo, *Antigüedades y principado de la ilustríssima ciudad de Sevilla,* Sevilla, Andrés Grande, 1634.

«Carta que escribió Juan Antonio de Herrera secretario de su magestad i de estado y guerra de Nápoles, Sicilia, i Milán a el ex.mo Conde de Olivares a la ora en que acabó de espirar el ex.mo s.or duque de Alcalá en la ciu.d de Bilaco dando le quenta de su muerte i la causa», *Archivo Hispalense,* I, 1886, 338-342.

CATURLA, María Luisa, «El coleccionista madrileño Don Pedro de Arce, que poseyó "Las Hilanderas" de Velázquez», *Archivo Español de Arte,* XXI, 1948, 292-304.

CUARTERO Y HUERTA, Baltasar, *Historia de la Cartuja de Santa María de las Cuevas de Sevilla, y de su filial de Cazalla de la Sierra,* Madrid, Real Academia de la Historia, 1950.

DARBY, Delphine Fitz, «Ribera and the Wise Men», *Art Bulletin,* XLIV, 1962, 279-307.

«Di aggionata alli diurnali di Scipione Guerra», *Archivio Storico per le Province Napoletane,* vol. XXXVI, Nápoles, Luigi Pierro e Figlio, 1911, pág. 566.

ELLIOTT, John H., *Revolt of the Catalans,* Cambridge, Cambridge University Press, 1963.

ENGEL, Arthur, «Inventaire de la "Casa de Pilatos" en 1752 (sic)», *Bulletin Hispanique,* V, 1903, 259-271.

ENGGASS, Robert, «Variations on a Theme by Guido Reni», *Art Quarterly,* XXV, 1962, 113-119.

FAYARD, Janine, *Les membres du conseil de Castile à l'époque moderne (1621-1746),* Ginebra-París, Librairie Droz, 1979.

FERNÁNDEZ DURO, Cesáreo, *El último almirante de Castilla, Don Juan Tomas Enríquez de Cabrera,* Madrid, Viuda e hijos de M. Tello, 1903.

GARCÍA CHICO, Esteban, *Documentos para el estudio del arte en Castilla,* III, *Pintores,* Valladolid, Publicación del Seminario de Arte y Arqueología, 1943.

GESTOSO Y PÉREZ, José, *Curiosidades antiguas sevillanas,* Sevilla, Oficina de El Correo de Andalucía, 1910.

Giambologna, Sculptor to the Medici, 1529-1603, ed. de Charles Avery y Anthony Radcliffe, Edimburgo-Londres-Viena, Arts Council of Great Britain y Kunsthistorisches Museum, 1978-1979.

GIANNONE, Pietro, *Dell' storia civile del regno di Napoli,* Nápoles, Nicolo Nasso, 1723.

GONZÁLEZ MORENO, Joaquín, «Don Fadrique Enríquez de Ribera», *Archivo Hispalense,* XXXIX, 1963, 201-280.

— *Don Fernando Enríquez de Ribera. Tercer Duque de Alcalá de los Gazules (1583-1637),* Sevilla, Ayuntamiento, Servicio de Publicaciones, 1969.

GONZÁLEZ ZUBIETA, Rafael, *Vida y obra del artista andaluz Antonio Mohedano de la Gutierra (1563-1626),* Córdoba, Diputación de Córdoba, 1981.

GUERRERO LOVILLO, José, *Sevilla, guías artísticas de España,* Barcelona, Aries, 1962.

HASKELL, Francis, *Patrons and Painters. Art and Society in Baroque Italy,* Londres y New Haven, Yale University Press, 1980.

HOLLSTEIN, Friedrich Wilhelm H., *Dutch and Flemish Etchings, Engravings and Woodcuts, ca. 1450-1700,* Ámsterdam, Menno Hertzberger, 1949.

Imagine per una collezione, catálogo de subasta, Roma, Palazzo Borghese, junio de 1985.

JORDAN, William B., *Spanish Still Life in the Golden Age, 1600-1650,* Fort Worth, Kimbell Art Museum, 1985.

«Jornada de don Fernando de Ribera Enríquez duque de Alcalá a dar la obedencia a la santidad de nuestro mui santo padre Urbino VIII por la magestad cathólica de don Phelippe Quarto rei de las Españas escrita al marqués de Tarifa», *Archivo Hispalense,* I, 1886, 50-60, 92-104 y 129-142.

Jusepe de Ribera, Lo Spagnoletto, 1591, ed. de Craig Felton y William B. Jordan, Fort Worth, Kimbell Art Museum, 1982.

JUSTI, Carl, *Velázquez y su siglo,* Madrid, Espasa Calpe, 1953.

KINKEAD, Duncan T., «Francisco de Herrera and the Development of the High Baroque Style in Seville», *Record of the Art Museum* (Princeton University), XLI, 2, 1982, págs. 12-23.

KUBLER, George, y SORIA, Martin, *Art and Architecture in Spain and Portugal and Their American Dominions, 1500 to 1800,* Baltimore, Penguin Books, 1959.

LAYNA SERRANO, Francisco, «El cuadro de Ribera existente en Cogolludo», *Boletín de la Sociedad Española de Excursiones,* LIII, 1949, 281-96.

LLEÓ CAÑAL, Vicente, *Nueva Roma: Mitología y humanismo en el renacimiento sevillano,* Sevilla, Diputación Provincial, 1979.

— «La obra sevillana de Benvenuto Tortelo», *Napoli nobilissima,* XXV, 1984, 198-207.

LÓPEZ DE TORO, José, y SERRANO CALDERÓ, José, «El libro de las sentencias del duque de Alcalá», *Archivo Hispalense,* XX, 1954, 34-64.

LÓPEZ NAVÍO, José Luis, «Velázquez tasa los cuadros de su protector, D. Juan de Fonseca», *Archivo Español de Arte,* XXXIV, 1961, 53-84.

— «La gran colección de pinturas del marqués de Leganés», *Analecta Calasanctiana,* VIII, 1962, 260-330.

LÓPEZ TORRIJOS, Rosa, *La mitología en la pintura española del Siglo de Oro,* Madrid, Cátedra, 1985.

MORÁN, J. Miguel, y CHECA, Fernando, *El coleccionismo en España,* Madrid, Cátedra, 1985.

NÚÑEZ DE SALCEDO, Pedro, «Relación de los títulos que hay en España, sus rentas, solares, linajes, etc.», *Boletín de la Real Academia de Historia* (Madrid), LXXIII, 1918.

ORSO, Stephen N., *Philip IV and the Decoration of the Alcazar of Madrid,* Princeton, Princeton University Press, 1986.

ORTIZ DE ZÚÑIGA, Diego, *Anales eclesiásticos y seculares de la muy noble y muy leal ciudad de Sevilla,* Madrid, Imprenta Real, 1795.

PACHECO, Francisco, *Arte de la pintura, su antigüedad y grandezas,* Sevilla, Simón Faxardo, 1649.

PARRINO, Domenico A., *Teatro eroico e politico de' governi de' vicere del regno di Napoli,* Nápoles, Giovanni Gravier, [1692] 1770.

PASTOR, Ludwig, *The History of the Popes from the Close of the Middle Ages,* St. Louis, Herder, 1977.

PEPPER, D. Stephen, *Guido Reni,* Oxford, Phaidon, 1984.

PÉREZ SÁNCHEZ, Alfonso E., *Pintura italiana del s. XVII en España,* Madrid, Universidad de Madrid, 1965.

— *Caravaggio y el naturalismo español,* Sevilla, Comisaría General de Exposiciones, 1973.

— «Reseña de E. Valdivieso, *Catálogo de las pinturas de la Catedral de Sevilla*», *Archivo Español de Arte,* LI, 1978, 108.

— *Pintura española de bodegones y floreros de 1600 a Goya,* Madrid, Ministerio de Cultura, 1983.

RODRÍGUEZ DE LEÓN PINELO, Antonio, *Anales de Madrid,* ed. de P. Fernández Martín, Madrid, Instituto de Estudios Madrileños, 1974.

RÖTTGEN, Herwarth, *Il Cavalier d'Arpino,* Roma, De Luca Editore, 1973.

SALERNO, Luigi, *La natura morta italiana, 1560-1805,* Roma, Ugo Bozzi Editore, 1984.

SALTILLO, marqués del, «Pinturas de Ribera», *Archivo Español de Arte,* XIV, 1941, 246-247.

SERRERA CONTRERAS, Juan Miguel, «Pinturas y pintores del siglo XVI en la Catedral de Sevilla», en

La Catedral de Sevilla, Sevilla, Ediciones Guadal-quivir, 1984.

SHEARMAN, John, *Andrea del Sarto,* Oxford, Claren-don Press, 1965.

SPINOSA, Nicola, *L'opera completa del Ribera,* Milán, Rizzoli, 1978.

SUÁREZ DE FIGUEROA, Cristóbal, *Pusílipo: Ratos de conversación en los que dura el passeo al illustríssi-mo y excelentíssimo Señor, el Señor Duque de Alca-lá,* Nápoles, Lázaro Scoriggio, 1629.

VALDIVIESO, Enrique, *Catálogo de las pinturas de la Ca-tedral de Sevilla,* Sevilla, Enrique Valdivieso, 1978.

VALDIVIESO, Enrique, y SERRERA, Juan Miguel, *Pin-tura sevillana del primer tercio del siglo XVII,* Ma-drid, Centro de Estudios Históricos, 1985.

VOLK, Mary Crawford, «New Light on a Seven-teenth-Century Collector: The Marquis of Lega-nes», *Art Bulletin,* LXII, 1980, 256-268.

WETHEY, Harold E., *Alonso Cano. Pintor, escultor y ar-quitecto,* Madrid, Alianza Editorial, 1983.

3. MECENAZGO Y PIEDAD: EL ARTE RELIGIOSO DE ZURBARÁN

ANGULO ÍÑIGUEZ, Diego, «Cinco nuevos cuadros de Zurbarán», *Archivo Español de Arte,* 1944, XVII, 7-9.

ASKEW, Pamela, «The angelic Consolation of St Francis of Assisi in post-tridentine Italian Pain-ting», *Journal of the Warburg and Courtauld Ins-titutes,* 1969, XXXII, 280-306.

BAGO Y QUINTANILLA, Miguel de, *Aportaciones docu-mentales. Documentos para la Historia del Arte en Andalucía,* II, Sevilla, Laboratorio de Arte, 1928.

BROWN, Jonathan, *Images and Ideas in Seventeenth Century Spanish Painting,* Princeton, Princeton University Press, 1978.

BROWN, Jonathan, y ELLIOT, John H., *A Palace for a King: The Buen Retiro and the Court of Philip IV,* New Haven, Yale University Press, 1980.

CÁSCALES Y MUÑOZ, José, *Francisco de Zurbarán: su época, su vida y sus obras,* Madrid, Librería de Fernando Fe, 1911.

CATURLA, María Luisa, «Zurbarán en Llerena», *Ar-chivo Español de Arte,* 1947, XX, 265-284.

— «Zurbarán exporta a Buenos Aires», *Anales del Ins-tituto de Arte Americano e Investigaciones Estéticas,* 1951, núm. 4, 27-30.

CHERRY, Peter, «The Contract for Francisco de Zurbarán's Painting of Hieronymite Monks for the Sacristy of the Monastery of Guadalupe», *The Burlington Magazine,* junio 1985, CXXVII, núm. 987, 378-381.

CHRISTIAN, William A., *Local Religion in Sixteenth Century Spain,* Princeton, Princeton University Press, 1981.

DOMÍNGUEZ ORTIZ, A., y AGUILAR PIÑAL, F., *Histo-ria de Sevilla, IV. El Barroco y la Ilustración,* Sevi-lla, Universidad de Sevilla, 1976.

ELLIOTT, John H., *Imperial Spain, 1469-1716,* Nue-va York, St. Martin's Press, 1964.

ESTEVE GUERRERO, Manuel, *Notas extraídas del Pro-tocolo primitivo y de la fundación de la Cartuja jerezana,* Jerez, Tipografía Moderna, 1934.

GÁLLEGO, Julián, y GUDIOL, José, *Zurbarán 1598-1664,* Barcelona, Polígrafa, 1976.

GARCÍA GUTIÉRREZ, Pedro Francisco, *Iconografía Mer-cedaria. Nolasco y su obra,* Madrid, Revista Estu-dios, 1985.

GUINARD, Paul, *Zurbarán et les peintres espagnols de la vie monastique,* París, Éditions du Temps, 1960.

KINKEAD, Duncan T., «Francisco de Herrera and the Development of High Baroque Style in Seville», *Record of the Art Museum* (Princeton Universi-ty), 1982, 41, núm. 2, 12-23.

— «The last Sevillian Period of Francisco de Zurba-rán», *Art Bulletin,* 1983, LXV, 305-311.

— «Juan de Luzón and the Sevillian Painting Trade with the New World in the Second Half of Se-venteenth Century», *Art Bulletin,* 1984, LXVI, 303-312.

LÓPEZ MARTÍNEZ, Celestino, *Arquitectos, escultores y pintores vecinos de Sevilla,* Sevilla, Rodríguez, Gi-ménez y Cª, 1928.

— *Desde Martínez Montañés hasta Pedro Roldán,* Sevilla, Tipografía Rodríguez, Giménez y Com-pañía, 1932.

LOZOYA, marqués de, «Zurbarán en el Perú», *Archivo Español de Arte,* 1943, XVI, 1-6.

MÂLE, Émile, *L'art religieux de la fin du XVᵉ siècle, du XVIᵉ siècle et du XVIIᵉ siècle (Étude sur l'iconographie après le Concile de Trente. Italie-France-Espagne-Flandres),* París, Librairie Armand Colin, 1932.

MARTÍNEZ RIPOLL, Antonio, *La iglesia del colegio de San Buenaventura,* Sevilla, Diputación Provincial de Sevilla, 1976.

MILICUA, José, «Observatorio de ángeles. II. Los ángeles de la perla de Zurbarán», *Archivo Español de Arte,* 1958, XXXI, 6-16.

MOLINA, Tirso de [Gabriel Téllez], *Historia general de la Orden de Nuestra Señora de las Mercedes,* Madrid, 1639, reed. Madrid, Revista Estudios, 1973-1974, 2 vols.

OROZCO DÍAZ, Emilio, *Temas de Barroco,* Granada, Universidad de Granada, 1947.

PACHECO, Francisco, *Arte de la pintura. Su antigüedad y grandeza* (mss. 1638), Sevilla, 1649; ed. de F. J. Sánchez Cantón, Madrid, Editorial e Imprenta Maestre, 1956, 2 vols.

PEMÁN, César, «Cartuja de Jerez de la Frontera», *Archivo Español de Arte,* 1950, XXIIH, 203-227.

— «Identificación de un Zurbarán perdido», *Archivo Español de Arte,* 1957, XXX, 327-329.

PÉREZ SÁNCHEZ, Alfonso E., «Torpeza y humildad de Zurbarán», *Goya,* 1965, núms. 64-65, 266-275.

SÁEZ PIÑUELA, María José, «Las modas femeninas del siglo XVII a través de los cuadros de Zurbarán», *Goya,* 1965, núms. 64-65, 284-289.

SANCHO DE SOPRANIS, Hipólito, «La arquitectura jerezana en el siglo XVI», *Archivo Hispalense,* 1964, núm. 123, 9-73.

SCHILLER, Gertrud, *Iconography of the Christian Art,* Londres, Lund Humphries, 1971.

SEBASTIÁN, Santiago, «Zurbarán se inspiró en los grabados del aragonés Jusepe Martínez», *Goya,* 1975, núm. 128, 82-84.

SERRERA, José Miguel, «Influencias de grabados germánicos en la pintura española del siglo XVII: Aldegrever y Zurbarán», *Congreso Español de Historia del Arte, Sección I, Trujillo, 1977,* s.l., Comité Español de Historia del Arte, 1981.

SORIA, Martin, «A Zurbarán for San Diego», *The Art Quarterly,* 1947, X, 66-69.

STEINBERG, Leo, *The Sexuality of Christ in Renaissance Art and in Modern Oblivion,* Nueva York, Pantheon Books, 1983.

STRATTON, Suzanne, *The Immaculate Conception in Spanish Renaissance and Baroque Art,* tesis doctoral, Nueva York, Institute of Fine Arts, New York University, 1983.

TRAPIER, Elizabeth du Gué, «Zurbarán's Processions of Virgin Martyrs», *Apollo,* 1967, LXXXV, 414-419.

VALDIVIESO, Enrique, y SERRERA, José Miguel, *La época de Murillo. Antecedentes y consecuentes de su pintura,* Sevilla, Caja de Ahorros Provincial San Fernando de Sevilla, 1982.

6. ENTRE TRADICIÓN Y FUNCIÓN:
VELÁZQUEZ COMO PINTOR DE CORTE

AGULLÓ COBO, Mercedes, y PÉREZ SÁNCHEZ, Alfonso E., «Francisco de Burgos Mantilla», *Boletín del Seminario de Estudios de Arte y Arqueología,* vol. XLVII, Valladolid, 1981, 359-375.

BROWN, Jonathan, «Un italiano en el taller de Velázquez», *Archivo Español de Arte,* 210, 1980, 207-208.

— *Velázquez. Painter and Courtier,* New Haven y Londres, Yale University Press, 1986.

— *Kings and Connoisseurs: Collecting Art in Seventeenth-Century Europe,* New Haven, Yale University Press, 1995.

BURKE, Marcus B., y CHERRY, Peter, *Collections of Paintings in Madrid, 1601-1755,* 2 vols., Spanish Inventories I, Documents for the History of collecting, ed. de Maria L. Gilbert, Los Ángeles, The Provenance Index of the Getty Information Institute, 1997.

CHECA CREMADES, Fernando, *Tiziano y la monarquía hispánica: usos y funciones de la pintura veneciana en España,* Madrid, Nerea, 1994.

CHERRY, Peter, «Juan Bautista Martínez del Mazo, viudo de Francisca Velázquez (1653)», *Archivo Español de Arte,* 1990, 511-527.

— «Nuevos datos sobre Bartolomé González», *Archivo Español de Arte,* 261, 1993, 1-10.

CRUZ VALDOVINOS, José M., «Aposento, alquileres, alcabalas, aprendices y privilegios (Varios documentos y un par de retratos velazqueños inéditos)», en *Velázquez y el arte de su tiempo,* Madrid, Alpuerto, 1991, págs. 90-100.

DOMÍNGUEZ ORTIZ, Antonio; PÉREZ SÁNCHEZ, Alfonso, y GÁLLEGO, Julián, *Velázquez,* Madrid, Ministerio de Cultura, 1990.

ELLIOTT, John H., «Philip IV, Prisoner of Ceremony», en *The Courts of Europe: Politics, Patronage, and Royalty, 1400-1800,* Londres, Thames and Hudson, 1977.

FALOMIR FAUS, Miguel, «Imágenes de poder y evocaciones de la memoria: usos y funciones del retrato en la corte de Felipe II», en *Un príncipe del Renacimiento: Felipe II, un monarca y su época,* Madrid, Museo Nacional del Prado, 1998.

FRIEDLANDER, Max J., *Antonis Mor and His Contemporaries,* Early Netherlandish painting, 13, Leyden, A. W. Sijthoff, y Bruselas, La Connaissance, 1975, ed. de Henri Pauwels y G. Lemmens.

HUEMER, Frances, *Portraits I,* Corpus Rubenianum Ludwig Burchard, vol. XIX, Londres, Phaidon, 1977.

KAGANÉ, Ludmila L., *Spanish Painting: Fifteenth to Nineteenth Centuries,* The Hermitage, Catalogue of Western European Painting, IV, Florencia, Giunti, 1997.

KUSCHE, María, *Juan Pantoja de la Cruz,* Madrid, Castalia, 1964.

— «Der Christliche Ritter und seine Dame», *Pantheon,* 49, 1991, 4-35.

— «La juventud de Juan Pantoja de la Cruz y sus primeros retratos. Retratos y miniaturas desconocidas de su madurez», *Archivo Español de Arte,* 274, 1996, 137-155.

LIEDTKE, Walter, *Royal Horse and Rider: Painting, Sculpture, and Horsemanship 1500-1800,* Nueva York, The Metropolitan Museum of Art, 1989.

MORÁN, Miguel, y RUDOLF, Karl, «Nuevos documentos en torno a Velázquez y las colecciones reales», *Archivo Español de Arte,* 259-260, 1992, 289-302.

ORSO, Steven N., *Philip IV and the Decoration of the Alcazar of Madrid,* Princeton, Princeton University Press, 1986.

— *Velázquez, Los Borrachos, and Painting at the Court of Phillip IV,* Cambridge, Cambridge University Press, 1993.

PÉREZ SÁNCHEZ, Alfonso E., *Juan Carreño de Miranda, 1614-1685,* Avilés, Ayuntamiento de Avilés, 1985.

SERRERA, Juan Miguel, *Alonso Sánchez Coello y el retrato en la corte de Felipe II,* Madrid, Museo del Prado, 1990.

Varia velazqueña, Madrid, Ministerio de Educación Nacional, 1960, vol. II, págs. 228-229.

VERGARA, Alexander, *Rubens and His Spanish Patrons,* Cambridge, Cambridge University Press, 1999.

WARNKE, Martin, *The Court Artist: On the Ancestry of the Modern Artist,* Cambridge, Cambridge University Press, 1993.

7. EL MARQUÉS DE CASTEL RODRIGO Y LAS PINTURAS DE PAISAJES DEL BUEN RETIRO

BALDINUCCI, Filippo, *Notizie de' professori del disegno,* Milán, Società Italiana de' Classici Italiani, 1812.

BARGHAHN, Barbara von, «The Pictorial Decoration of the Buen Retiro Palace and Patronage during the Reign of Philip IV», tesis doctoral, Nueva York, New York University, 1979.

BLUNT, Anthony, «Jean Lemaire: Painter of Architectural Fantasies», *The Burlington Magazine,* 83, 1943, 236 y 240-246.

— «Poussin Studies V: "The Silver Birch Master"», *The Burlington Magazine,* 91, 1950, 69-73.

— «Poussin Studies VIII. A Series of Anchorite Subjects Commissioned by Philip IV from Poussin, Claude and Others», *The Burlington Magazine,* 101, 1959, 387-390.

BOISCLAIR, Marie-Nicole, *Gaspard Dughet: Sa vie et son oeuvre (1615-1675),* París, Arthéna, 1986.

BROWN, Jonathan, y ELLIOTT, John, H., *A Palace for a King: The Buen Retiro and the Court of Philip IV,* New Haven y Londres, Yale University Press, 1980.

BURKE, James D., «Jan Both: Paintings, Drawings and Prints», *Outstanding Dissertations in the History of Art,* Nueva York y Londres, Garland Publishing, 1977.

HARRIS, Enriqueta, «G. B. Crescenzi, Velázquez and the Italian Landscapes for the Buen Retiro», *The Burlington Magazine,* 122, 1980, 560 y 562-564.

LUNA, Juan J., *Claudio de Lorena y el ideal clásico de paisaje en el siglo XVII,* Madrid, Museo del Prado, 1984.

ROETHLISBERGER, Marcel, «Les fresques de Claude Lorrain», *Paragone,* 101, 1959, 41-50.

— *Im Licht von Claude Lorrain. Landschaftsmalerei aus drei Jahrhunderten,* Múnich, Haus der Kunst, 1983.

RUSSELL, Helen Diane, *Claude Lorraine 1600-1682,* Washington, National Gallery of Art, 1982.

VALDIVIESO, Enrique, *Pintura holandesa del siglo XVII en España,* Valladolid, Universidad de Valladolid, 1973.

WADDINGHAM, Malcolm R., «Herman van Swanevelt in Rome», *Paragone,* 11, 1960, 37-50.

WHITFIELD, Clovis, «Poussin's Early Landscapes», *The Burlington Magazine,* 121, 1979, 8, 10-17 y 19.

8. ACADEMIAS DE PINTURA EN LA ESPAÑA DEL SIGLO XVII

ARCAUTE, Agustín de, *Juan de Herrera, arquitecto de Felipe II,* Madrid, Espasa-Calpe, 1936.

BÉDAT, Claude, *L'Académie des Beaux-Arts de Madrid, 1744-1808,* Toulouse, Association des Publications de l'Université de Toulouse-Le Mirail, 1974.

BROWN, Jonathan, *Murillo and His Drawings,* Princeton, Princeton University Press, 1976.

— *Images and Ideas in Seventeenth-Century Spanish Painting,* Princeton, Princeton University Press, 1979.

CALVO SERRALLER, Francisco, *La teoría de la pintura en el siglo de oro,* Madrid, Cátedra, 1981.

CRUZADA VILLAAMIL, Gregorio, «Conatos de formar una academia madrileña de dibujo o escuela de dibujo en Madrid en el siglo XVII», *El Arte en España,* 6, 1867, 167-172 y 256-270.

El manuscrito de la Academia de Murillo, ed. por Antonio de la Banda y Vargas, Sevilla, Confederación Española de Centros de Estudios Locales, 1982.

GÁLLEGO, Julián, *El pintor de artesano a artista,* Granada, Universidad de Granada, 1976.

KUBLER, George, *Building the Escorial,* Princeton, Princeton University Press, 1982.

LAFUENTE FERRARI, Enrique, «Borrascas de la pintura y triunfos de su excelencia», *Archivo Español de Arte,* 17, 1944, 77-103.

MATILLA TASCÓN, Antonio, «La academia madrileña de San Lucas», *Goya,* 161-162, 1981, 260-265.

PÉREZ PASTOR, Cristóbal, «Noticias y documentos relativos a la historia y literaturas españolas. II, Colección de documentos inéditos para la historia de las bellas artes en España», *Memorias de la Real Academia Española,* 11, Madrid, Sucesores de Hernando, 1914.

PÉREZ SÁNCHEZ, Alfonso E., «La academia madrileña de 1603 y sus fundadores», *Boletín del Seminario de Arte de la Universidad de Valladolid,* 48, 1982, 281-289.

PEVSNER, Nikolaus, *et al., Academias de arte,* Madrid, Cátedra, 1982.

SÁNCHEZ CANTÓN, Francisco J., «Los antecedentes, la fundación y la historia de la Real Academia de Bellas Artes», *Academia,* 3, 1952, 289-320.

TRAMOYERES BLASCO, Luis, «Un colegio de pintores en Valencia», *Archivo de Investigaciones Históricas. España, América Española, Filipinas,* 4, tomo 2, 1911, págs. 277-314; 5, tomo 2, págs. 446-462; 6, tomo 2, págs. 514-536.

VOLK, Mary Crawford, *Vincencio Carducho and Seventeenth-Century Castilian Painting,* Londres y Nueva York, Garland Publishing, 1977.

— «Addenda: The Madrid Academy», *The Art Bulletin,* 61, 1979.

9. «PEUT-ON ASSEZ LOUER CET EXCELLENT MINISTRE?». IMÁGENES DEL PRIVADO EN INGLATERRA, FRANCIA Y ESPAÑA

BACOU, Roseline, «Callot, Louis XIII et Richelieu au siège de Ré», *Revue du Louvre et des Musées de France,* 30, 1980, 254-256.

BERGER, Robert W., *Versailles: The Chateau of Louis XIV*, University Park y Londres, Pennsylvania State University Press, 1985.

BROWN, Jonathan, y ELLIOTT, John H., *A Palace for a King: The Buen Retiro and the Court of Philip IV*, New Haven y Londres, Yale University Press, 1980.

BRUGEROLLES, Emmanuelle, y JUILLET, David, «Grégoire Huret, dessinateur et graveur», *Revue de l'Art*, 117, núm. 3, 1997, 9-35.

CAMMELL, Charles Richard, *The Great Duke of Buckingham*, Londres, Collins, 1939.

DORIVAL, Bernard, «Art et politique en France au XVIIᵉ siècle: la Galerie des Hommes Illustres du Palais Cardinal», *Bulletin de la Société de l'Art Français, Année 1973*, 1974, 43-60.

— *Philippe de Champaigne, 1602-1674: la vie, l'oeuvre et le catalogue raisonné de l'oeuvre*, París, Léonce Laget, 1976, 2 vols.

ELLIOTT, John H., *Richelieu and Olivares*, Cambridge, Cambridge University Press, 1984.

ELLIOTT, John, y GARCÍA SANZ, Ángel (eds.), *La España del conde-duque de Olivares*, Valladolid, Universidad de Valladolid, 1990.

GARRIDO PÉREZ, Carmen, *Velázquez: Técnica y evolución*, Madrid, Museo del Prado, 1992.

HARRIS, Enriqueta, «Velázquez's Portrait of Prince Baltasar Carlos in the Riding School», *The Burlington Magazine*, 118, 1976, 266-275.

HUEMER, Frances, *Portraits I*, Corpus Rubenianum Ludwig Burchard, vol. XIX, Londres, Phaidon, 1977.

JUDSON, J. Richard, *Gerrit van Honthorst: A Discussion of his Position in Dutch Art*, La Haya, Martinus Nijhoff, 1959.

LEVEY, Michael, *Painting at Court*, Londres, Weidenfeld and Nicolson, 1971.

LOCKYER, Roger, *Buckingham: The Life and Political Career of George Villiers, First Duke of Buckingham, 1592-1628*, Londres y Nueva York, Longman, 1981.

MARTIN, Gregory, «Rubens and Buckingham's "fayrie ile"», *The Burlington Magazine*, 108, 1966, 613-618.

MELET-SANSON, Jacqueline, «L'image de Richelieu», en *Richelieu et le monde de l'esprit*, París, Imprimerie nationale, 1985.

MILLAR, Oliver, «Charles I, Honthorst, and Van Dyck», *The Burlington Magazine*, 96, 1954, 36-42.

MOFFITT, John F., «The Prince and the Prime Minister: The Site and Significance of Velázquez's *Equestrian Lesson of Prince Balthasar Carlos*», *Studies in Iconography*, 12, 1988, 90-120.

PACHT RASSANI, Paola, *Claude Vignon, 1593-1670*, París, Arthéna, 1992.

PIPER, David, *Catalogue of Seventeenth-Century Portraits in the National Portrait Gallery, 1625-1714*, Cambridge, Cambridge University Press, 1963.

ROSENBERG, Pierre, *Nicolas Poussin, 1594-1665*, París, Réunion des Musées Nationaux, 1994.

SOUVAL, Tony, «Deux oeuvres peu connues de Philippe de Champaigne», *Gazette des Beaux-Arts*, 57, 1961, 181-182.

STRONG, Roy, *William Larkin, vanità giacobite*, Milán, F. M. Ricci, 1994.

VLIEGHE, Hans, *Rubens' Portraits of Identified Sitters Painted in Antwerp II*, Corpus Rubenianum Ludwig Burchard, vol. XIX, Londres, Harvey Miller, 1987.

WHEELOCK, Arthur, *et al.*, *Anthony van Dyck*, Washington D.C., National Gallery of Art, 1990-1991.

WINE, Humphrey, y KOESTER, Olaf, *Fransk Guldalder: Poussin og Claude og maleriet i del 17, arhunredes Frankig*, Copenhague, Statens Museum For Kunst, 1992.

10. RELACIONES ARTÍSTICAS ENTRE ESPAÑA Y GRAN BRETAÑA, 1604-1654

ADLER, Wolfgang, *I. Landscapes, Corpus Rubenianum Ludwig Burchard, part 18, Landscapes and Hunting Scenes*, Londres, Harvey Miller Publishers, 1982.

ANDRÉS, Gregorio de, «La despedida de Carlos Estuardo, Príncipe de Gales, en El Escorial (1623) y la columna-trofeo que se levantó para perpetua memoria», *Anales del Instituto de Estudios Madrileños*, núm. 10, 1974, 113-132.

ANGULO ÍÑIGUEZ, Diego, y PÉREZ SÁNCHEZ, Alfonso E., *Pintura madrileña. Primer tercio del siglo XVII*, Madrid, Instituto Diego Velázquez, 1969.

BARNES, Susan, «Van Dyck and George Gage», en *Art and Patronage in the Caroline Courts. Essays in Honour of Sir Oliver Millar,* ed. de David Howarth, Cambridge, Cambridge University Press, 1993, págs. 1-11.

BERWICK Y ALBA, duquesa de, *Documentos escogidos del archivo de la Casa de Alba,* Madrid, Imprenta M. de Tello, 1891.

BROWN, Jonathan, *Kings and Connoisseurs. Collecting Art in Seventeenth-Century Europe,* Londres y Princeton, Princeton University Press, 1995.

BROWN, Jonathan, y ELLIOT, J. H., *A Palace for a King: The Buen Retiro and the Court of Philip IV,* New Haven y Londres, Yale University Press, 1980.

— *La almoneda del siglo. Relaciones artísticas entre España y Gran Bretaña. 1604-1655,* Madrid, Museo Nacional del Prado, 2002.

BURKE, Marcus B., y CHERRY, Peter, *Collections of Paintings in Madrid, 1601-1755,* 2 vols., Spanish Inventories I, Documents for the History of Collecting, ed. de Maria L. Gilbert, Los Ángeles, The Provenance Index of the Getty Information Institute, 1997.

CARDUCHO, Vicente, *Diálogos de la pintura. Su defensa, origen, esencia, definición, modos y diferencias* (Madrid, 1633), ed. de Francisco Calvo Serraller, Madrid, Turner, 1979.

CHERRY, Peter, *Arte y naturaleza. El Bodegón español en el Siglo de Oro,* Madrid, Fundación de Apoyo a la Historia del Arte Hispánico, 1999.

COSNAC, conde de, *Les Richesses du Palais Mazarin,* París, Renouard, 1884.

FINALDI, Gabriele (ed.), *Orazio Gentileschi en la corte de Carlos I,* Londres, National Gallery, Bilbao, Museo de Bellas Artes, y Madrid, Museo Nacional del Prado, 1999.

GARCÍA TAPIA, Nicolás, «Los códices de Leonardo en España», *Boletín del Seminario de Arte y Arqueología* (Universidad de Valladolid), núm. 63, 1997, 371-395.

GONZÁLEZ PALENCIA, Ángel (ed.), *Noticias de Madrid, 1621-1627,* Madrid, Publicaciones de la Sección de Cultura e Información, 1942.

HARRIS, Enriqueta, «Orazio Gentileschi's "Finding of Moses" in Madrid», *The Burlington Magazine,* núm. 109, 1967, 86-89.

— «Las flores de El Labrador Juan Fernández», *Archivo Español de Arte,* 47, núm. 186, 1974, 162-164.

— «Velázquez as Connoisseur», *The Burlington Magazine,* núm. 24, 1982, 436-440.

HASKELL, Francis, «Charles I's Collection of Pictures», en *The Late King's Goods: Collections, Possessions, and Patronage of Charles I in the Light of the Commonwealth Sale Inventories,* ed. de Arthur MacGregor, Londres, A. McAlpine, y Oxford, Oxford University Press, 1989, págs. 203-231.

HAVRAN, Martin J., *Caroline Courtier: The Life of Lord Cottington,* Londres, Macmillan, 1973.

HERVEY, Mary F. S., *The Life, Correspondence and Collections of Thomas Howard, Earl of Arundel, «Father of Vertu in England»,* Cambridge, Cambridge University Press, 1921.

HUXLEY, Gervas, *Endymion Porter: The Life of a Courtier,* Londres, Chatto & Windus, 1959.

JUSTI, Carl, «Die spanische Brautfahrt Carl Stuarts», en *Miscellaneen aus drei Jahrhunderten Spanischen Kunstlebens,* Berlín, Grote, 1908, vol. II, págs. 303-346.

— *Velázquez y su siglo,* Madrid, Espasa Calpe, 1953.

LEE, Maurice (ed.), *Dudley Carleton to John Chamberlain, 1603-24, Jacobean Letters,* New Brunswick, Rutgers University, 1972.

LÉONARDON, Henri, «Une dépêche diplomatique relative à des tableaux acquis en Angleterre pour Philippe IV», *Bulletin Hispanique,* 1900, vol. 2, núm. 1, 25-34.

LLOYD, Christopher, *The Queen's Pictures. Royal Collectors through the Centuries,* Londres, National Gallery Publications, 1991.

LOOMIE, Albert J., «New light on the Spanish Ambassador's Purchases from Charles I's Collection 1649-52», *Journal of the Warburg and Courtauld Institutes,* núm. 52, 1989, 257-267.

LÓPEZ TORRIJOS, Rosa, «El bimilenario de Virgilio y la pintura española del siglo XVII», *Archivo Español de Arte,* núm. 54, 1981, 385-404.

MacGregor, Arthur (ed.), *The Late King's Goods: Collections, Possessions, and Patronage of Charles I in the Light of the Commonwealth Sale Inventories,* Londres, A. McAlpine, y Oxford, Oxford University Press, 1989.

McEvansoneya, Philip, «The Sequestration and Dispersal of the Buckingham Collection», *Journal of the History of Collections,* 8, 1996, 133-154.

Michel, Patrick, *Mazarin, Prince des Collectionneurs,* París, Éditions de la Réunion des Musées Nationaux, 1999.

Millar, Oliver, *Abraham van der Doort's Catalogue of the Collection of Charles I,* The Walpole Society, vol. 43, Glasgow, R. Maclehose, 1960.

— «The Inventories and Valuations of the King's Goods, 1649-1651», *Walpole Society,* núm. 43, 1970-1972.

Muñoz González, María Jesús, «Las compras de pintura italiana realizadas en la almoneda de Carlos I de Inglaterra por Alonso de Cárdenas», en *Mediterráneo y el arte español,* Actas del XI Congreso de CEHA, septiembre 1996, Valencia, Comité Español de Historia del Arte, 1998, págs. 198-200.

Pacheco, Francisco, *El Arte de la Pintura,* introducción y notas de Bonaventura Bassegoda i Hugas, Madrid, Cátedra, 1990.

Sainsbury, William Noël, *Original, Unpublished Papers Illustrative of the Life of Sir Peter Paul Rubens as Artist and Diplomatist,* Londres, Bradbury & Evans, 1859.

Schroth, Sarah Walker, «Charles I, the Duque de Lerma and Veronese's "Mars and Venus"», *The Burlington Magazine,* núm. 139, 1997, 548-550.

Shakeshaft, Paul, «Elsheimer and G. B. Crescenzi (Letter to Editor)», *The Burlington Magazine,* núm. 123, 1981, 550-551.

Shearman, John, *Raphael's Cartoons in the Collection of Her Majesty the Queen and the Tapestries for the Sistine Ceiling,* Londres, Phaidon, 1972.

Stoye, John W., *English Travellers Abroad, 1604-1667,* Londres, Jonathan Cape, 1952.

The Dictionary of National Biography, Oxford, Oxford University Press, 1959-1960, vol. XIII.

The Letters of Peter Paul Rubens, traducción y ed. de Ruth Saunders Magurn, Cambridge, Harvard University Press, 1955.

Trapier, Elizabeth du Gué, «Sir Arthur Hopton and the Interchange of Paintings between Spain and England in the Seventeenth Century», *Connoisseur,* núm. 164, abril de 1967, 239-243, y núm. 165, mayo de 1967, 60-63.

Vaughn, William, *Endymion Porter and William Dobson,* Londres, Tate Gallery, 1970.

Vergara, Alexander, «The Count of Fuensaldaña and David Teniers: Their Purchases in London after the Civil War», *The Burlington Magazine,* núm. 131, 1989, 127-132.

— *Rubens and His Spanish Patrons,* Cambridge y Nueva York, Cambridge University Press, 1999.

Wethey, Harold, *The Paintings of Titian, III, The Mythological and Historical Paintings,* Londres, Phaidon, 1975.

Wood, Jeremy, «Orazio Gentileschi and Some Netherlandish Artists in London», *Simiolus,* núm. 28, 2000-2001, 103-128.

11. España y la Era de los Descubrimientos: encrucijada de culturas artísticas

Angulo Íñiguez, Diego, *Juan de Borgoña,* Madrid, Consejo Superior de Investigaciones Científicas-Instituto Diego Velázquez, 1954.

Azcárate, José M. de, «La fachada del Infantado y el estilo de Juan Guas», *Archivo Español de Arte,* 24, 1951, 307-319.

— «La obra toledana de Juan Guas», *Archivo Español de Arte,* 29, 1956, 11-31.

— «El Cardenal Mendoza y la introducción del Renacimiento», *Santa Cruz,* 17, 1962, 7-16.

— «Sentido y significación de la arquitectura hispano-flamenca en la corte de Isabel la Católica», *Boletín del Seminario de Estudios de Arte y Arqueología,* 37, 1971, 210-233.

Bertaux, Émile, «L'Art des rois catholiques», en André Michel, *Histoire de l'art,* vol. 4, parte II, París, Armand Colin, 1911.

CASTILLO OREJA, Miguel Ángel, «La proyección del arte islámico en la arquitectura del primer Renacimiento: el estilo Cisneros», *Anales del Instituto de Estudios Madrileños*, 12, 1985, 55-63.

CONDORELLI, Adele, «Il problema di Juan de Borgoña», *Commentari*, 11, 1960, 46-59.

DÍEZ DEL CORRAL GARNICA, Rosario, *Arquitectura y mecenazgo. La imagen de Toledo en el Renacimiento*, Madrid, Alianza Forma, 1987.

— «Muerte y humanismo: la tumba del Cardenal don Pedro González de Mendoza», *Academia*, 64, 1987, 209-227.

GALLEGO Y BURÍN, Antonio, *La Capilla Real de Granada*, Granada, Imp. de Ventura Traveset, 1931.

— «Nuevos datos sobre la Capilla Real de Granada», *Boletín de la Sociedad Española de Excursiones*, 57, 1953, 9-16.

GÓMEZ-MORENO, Manuel, «Hacia Lorenzo Vázquez», *Archivo Español de Arte y Arqueología*, 1, 1925, 7-40.

GONZÁLEZ PALENCIA, Carmen, «La capilla de don Álvaro de Luna en la catedral de Toledo», *Archivo Español de Arte y Arqueología*, 5, 1929, 109-122.

HERNÁNDEZ PERERA, Jesús, *Escultores florentinos en España*, Madrid, Consejo Superior de Investigaciones Científicas-Instituto Diego Velázquez, 1957.

Juan de Flandes, Madrid, Museo del Prado, 1986.

KONRADSHEIM, G. Conrad von, «Hannequin Coemans de Bruxelles, introducteur de l'art flamand du siècle XV dans la region toledane», *Mélanges de la Casa de Velázquez*, 12, 1976, 127-140.

KRUFT, Hanno-Walter, «Genuesische Skulpturen der Renaissance in Frankreich», en *Actes du XXII Congrès International d'Histoire de l'Art*, Budapest, Akadémiai Kiadó, 1972, vol. 1, págs. 697-704.

— «Pace Gagini and the Sepulchres of the Ribera in Seville», en *España entre el Mediterráneo y el Atlántico*, Actas del XXIII Congreso Internacional de Historia del Arte, Granada, Universidad de Granada, 1977, vol. 2, págs. 327-338.

LAYNA SERRANO, Francisco, *El Palacio del Infantado en Guadalajara*, Madrid, Hauser y Menet, 1941.

LÓPEZ MATA, Teófilo, *El barrio y la iglesia de San Esteban de Burgos*, Burgos, Ayuntamiento de Burgos, 1946.

— *La catedral de Burgos*, Burgos, Hijos de Santiago Rodríguez, 1950.

MARÍAS, Fernando, *El largo siglo XVI*, Madrid, Anaya, 1990.

NADER, Helen, *The Mendoza Family in the Spanish Renaissance, 1350-1550*, New Brunswick, Rutgers University Press, 1979.

POPE-HENNESSY, John, *Italian Renaissance Sculpture*, Londres, Phaidon, 1958.

POST, Chandler R., *A History of Spanish Painting*, vol. IV y IX, Cambridge, Harvard University Press, 1933, 1947.

PROSKE, Beatrice G., *Castilian Sculpture: Gothic to Renaissance*, Nueva York, Hispanic Society of America, 1951.

QUINN, Robert Maclean, *Fernando Gallego and the Retablo of Ciudad Rodrigo*, Tucson, University of Arizona Press, 1961.

SÁNCHEZ CANTÓN, Francisco Javier, *Libros, tapices y cuadros que coleccionó Isabel la Católica*, Madrid, Consejo Superior de Investigaciones Científicas, 1952.

SCHOUTE, Roger van, *La Chapelle Royale de Grenade, Les Primitifs Flamands*, 1, 6, Bruselas, Publications du Centre National de Recherches «Primitifs Flamands», 1963.

STERLING, Charles, «Du Nouveau sur Juan de Borgoña: son tableau le plus ancien connu», *L'Oeil*, 401, 1988, 24-31.

Tapisserie de Tournai en Espagne. La tapisserie bruxelloise en Espagne aun XVIᵉ siècle, Bruselas, Europalia, 1985.

TARÍN Y JUANEDA, Francisco, *La Real Cartuja de Miraflores*, Burgos, Hijos de Santiago Rodríguez, 1925.

TORMO, Elías, «El brote del Renacimiento en los monumentos españoles y los Mendoza del siglo XV», *Boletín de la Sociedad Española de Excursiones*, 25, 1917, 51-63 y 114-121; y 26, 1918, 116-130.

TRIZNA, Jazeps, *Michel Sittow. Peintre revalais de l'école brugeoise (1468-1525/6)*, Bruselas, Centre national de Recherches «Primitifs Flamands», 1976.

WETHEY, Harold E., *Gil de Siloe and His School*, Cambridge, Harvard University Press, 1936.

ZALAMA, Miguel Ángel, *El Palacio de la Calahorra,* Granada, Caja General de Ahorros de Granada, 1990.

13. MURILLO, PINTOR DE TEMAS ERÓTICOS.
UNA FACETA INADVERTIDA DE SU OBRA

ANGULO ÍÑIGUEZ, Diego, «Murillo y Goya», *Goya,* 148-150, 1979, 210-215.

BLOCH, Vitale, *Michael Sweerts,* La Haya, L. J. C. Boucher, 1968.

BLUNT, Anthony, «Georges de la Tour at the Orangerie», *The Burlington Magazine,* 114, 1972, 516-525.

BULWER, John, *Chiromania: The art of manual rhetoricke,* Londres, Thomas Harper, 1644.

CHERRY, Peter, «Murillo's Genre Scenes and Their Context», en Xanthe Brooke y Peter Cherry, *Murillo, Scenes of Childhood,* Londres, Dulwich Picture Gallery, 2001, págs. 9-41.

HASKELL, Francis, *Patrons and Painters: A Study of the Relations between Italian Art and Society in the Age of the Baroque,* 2.ª edición, New Haven y Londres, Yale University Press, 1980.

HELD, Julius S., «Flora. Goddess, and Courtesan», en *De Artibus Opuscula XL. Essays in Honor of Erwin Panofsky,* ed. de Millard Meiss, Nueva York, New York University Press, 1961, págs. 201-218.

JANECK, Axel, *Untersuchung über den Hollandischen Maler Pieter van Laer gennant Bamboccio,* Würzbug, Offsetdruck Gugel, 1968.

JONGH, Eddy de, «Réalisme et réalisme apparent dans la peinture hollandaise du 17ᵉ siècle», en *Rembrandt et son temps,* cat. exp., Bruselas, Palais des Beaux Arts, 1971, págs. 143-194.

JUDSON, Richard, *Gerrit van Honthorst. A Discussion of his Position in Dutch Art,* La Haya, Martinus Nijhoff, 1959.

KAHR, Madlyn, «Delilah», *The Art Bulletin,* 52, 1972, 282-299.

KINKEAD, Duncan T., «An Analysis of Sevillian Painting Collections of the Mid-Seventeenth Century: The importance of Secular Subject Matter», en *Hispanism as Humanism,* ponencia presentada en la conferencia *Hispanism as Humanism,* Albany, State University of New York, 18 a 22 de marzo de 1980.

— «Tres documentos nuevos del pintor don Matías de Arteaga y Alfaro», *Boletín del Seminario de Estudios de Arte y Arqueología,* 47, 1981, 345-358.

MEIJER, Bert W., «Harmony and Satire in the Work of Niccolo Frangipane», *Simiolus,* 6, 1972-1973, 94-112.

Michael Sweerts e i Bamboccianti, Roma, Del Turco, 1958.

PÉREZ SÁNCHEZ, Alfonso E., «Algunas obras de Monsú Bernardo», *Archivo Español de Arte,* núm. 34, 1961, 141-144.

POSNER, Donald, «An Aspect of Watteau, "peintre de la realité"», en *Études d'Art Français offertes à Charles Sterling,* ed. de Albert Châtelet y Nicole Reynaud, París, Presses Universitaires de France, 1975, págs. 279-286.

SLIVE, Seymour, *Frans Hals,* Londres, Phaidon Press, 1970.

VALDIVIESO, Enrique, *Pintura holandesa del siglo XVII en España,* Valladolid, Universidad de Valladolid, 1973.

WIND, Barry, «Picture Ridicole: Some Late Cinquecento Comic Genre Paintings», *Storia dell'Arte,* 20, 1974, 25-35.

14. LOS DIBUJOS Y GRABADOS DE RIBERA

BELLINI, Paolo, «New Attributions to Ribera», *Print Collector,* 11, 1975, 18-21.

BROWN, Jonathan, «Notes on Princeton Drawings 6: Jusepe de Ribera», *Record of the Art Museum* (Princeton University), 131, 2, 1972, 2-7.

— «More Drawings by Jusepe de Ribera», *Master Drawings,* 12, 1974, 367-372 y 423-434.

— *Jusepe de Ribera: Prints and Drawings,* Princeton, Princeton University Press, 1973.

COSTAMAGNA, Alba, *Incisori Napoletani del '600,* Roma, Gabinetto Nazionale delle Stampe, 1981.

D'AMICO, Rosa, *Catalogo generale della raccolta di stampe antiche della Pinacoteca Nazionale di Bo-*

logna. Gabinetto delle Stampe. Incisori d'invenzione romani e napoletani del XVII secolo, Bolonia, Compositori, 1978.

DARBY, Delphine Fitz, «Review of Elizabeth Du Gué Trapier, Ribera», *Art Bulletin,* 31, 1, 1953, 68-74.

DOMINICI, Bernardo de, *Vite de' pittori, scultori, ed architetti napoletani. Non mai date alla luce da autore alcuno,* vol. III, Nápoles, Francesco e Cristoforo Ricciardi, 1743.

FELTON, Craig M., «More Early Paintings by Jusepe de Ribera», *Storia dell'arte,* 26, 1976, 31-43.

FORSTER-HAHN, Françoise, *Old Master Drawings from the Collection of Kurt Meissner, Zurich,* Palo Alto, Stanford University Press, 1969.

GOMBRICH, Ernst H., *Art and Illusion: A Study in the Psychology of Pictorial Representation,* Princeton, Princeton University Press, 1969.

HELLMAN, George S., *Original Drawings by the Old Masters: The Collection formed by Joseph Green Cogswell, 1786-1871,* Nueva York, edición privada, 1915.

KONEČNÝ, Lubomír, «Another "Postilla" to the Five Senses by Jusepe de Ribera», *Paragone,* 285, 1973, 85-92.

Los Ribera de los Osuna, Sevilla, Obra cultural de la Caja de Ahorros Provincial San Fernando, 1978.

MOFFITT, John F., «Observations on the *Poet* by Ribera», *Paragone,* 29, n. 337, 1978, 75-90.

MULLER, Priscilla, «State of Research: Contributions to the Study of Spanish Drawings», *The Art Bulletin,* 58, 1976, 604-611.

PALM, Erwin Walter, «Ein Vergil von Ribera», *Pantheon,* 33, 1, 1975, 23-27.

PÉREZ SÁNCHEZ, Alfonso E., *Museo del Prado. Catálogo de dibujos,* vol. 1: *Dibujos españoles siglos XV-XVII,* Madrid, Museo del Prado, 1972.

PÉREZ SÁNCHEZ, Alfonso E., y SALAS, Xavier de, *The Golden Age of Spanish Painting,* Londres, Royal Academy, 1976.

PORTER, Jeanne Chenault, «Ribera's Assimilation of a Silenus», *Paragone,* 30, 355, 1979, 41-54.

POSNER, Donald, *Watteau: A Lady at Her Toilet,* Nueva York, Viking Press, 1973.

SCHNAPPER, Antoine, «Les académies peintes et le *Christ en Croix* de David», *La Revue du Louvre,* 24, 1974, 381-392.

SOPHER, Marcus S., *Seventeenth-Century Italian Prints,* Palo Alto, Stanford University Press, 1978.

SPINOSA, Nicola, *L'opera completa del Ribera,* Milán, Rizzoli, 1978.

TRAPIER, Elizabeth du Gué, *Ribera,* Nueva York, Hispanic Society of America, 1952.

VITZTHUM, Walter, «Disegni inediti di Ribera», *Arte illustrata,* 37-38, 1971, 74-85.

VITZTHUM, Walter, y MONBEIG-GOGUEL, Catherine, *Le dessin à Naples,* París, Cabinet des Dessins, Musée du Louvre, 1967.

VITZTHUM, Walter, y PETRIOLI, Annamaria, *Cento disegni napoletani: Sec. XVI-XVIII,* Gabinetto disegni e stampe degli Uffizi, cataloghi, vol. 26, Florencia, Leo S. Olschki, 1967.

15. *LA VISIÓN DE SAN JUAN DE LA INMACULADA CONCEPCIÓN* DE EL GRECO

CAMÓN AZNAR, José, *Dominico Greco,* 2 vols., Madrid, Espasa-Calpe, 1950.

El Greco de Toledo, Madrid, Alianza Editorial, 1982.

El Toledo de El Greco, Toledo, Ministerio de Cultura, Dirección General de Bellas Artes, Archivos y Bibliotecas, 1982.

GUDIOL, José, *Domenikos Theotokopoulos, El Greco, 1541-1614,* Barcelona, Polígrafa, 1982.

MANN, Richard G., *El Greco and His Patrons,* Cambridge, Cambridge University Press, 1986.

MAYER, August L., «Über einige Toledaner Bilder Grecos», *Zeitschrih für Bildende Kunst,* N.F. 33, 1922, 7-10.

PALAU DULCET, Antonio, *Manual del librero hispanoamericano,* vol. 27, Barcelona y Oxford, Octavio Viader, 1923.

SÁNCHEZ ROMERALO, Jaime, «Alonso de Villegas: Semblanza del autor de "La Selvagia"», en *Actas del Quinto Congreso Internacional de Hispanistas,* 2 vols., Burdeos, Université de Bordeaux, 1977, II, págs. 783-792.

Soehner, Halldor, «Greco in Spanien. 1: Grecos Stilentwicklung in Spanien», *Münchner Jahrbuch der Bildenden Kunst,* núm. 8, 1957, 123-194.

— «Greco in Spanien. 2: Atelier und Nachfolge Grecos», *Münchner Jahrbuch der Bildenden Kunst,* núms. 9/10, 1958/1959, 147-242.

Stratton, Suzanne L., *The Immaculate Conception in Spanish Art,* Nueva York, Cambridge University Press, 1994.

Wethey, Harold E., *El Greco and His School,* 2 vols., Princeton, Princeton University Press, 1962.

16. Velázquez restaurado, la restauración de un Velázquez

Anthony van Dyck, The New Hollstein Dutch and Flemish Etchings, Engravings and Woodcuts, 1450-1700, Rotterdam, Sound & Vision Publishers, en colaboración con el Rijksprentenkabinet, Rijksmuseum, 2002.

Bandrés Oto, Maribel, *La moda en la pintura: Velázquez; usos y costumbres del siglo XVII,* Pamplona, Universidad de Navarra, 2002.

Brown, Jonathan, y Elliott, John H., *A Palace for a King: The Buen Retiro and the Court of Philip IV,* ed. revisada, New Haven, Yale University Press, 2003.

Corpus Velazqueño: Documentos y textos, Madrid, Ministerio de Educación, Cultura y Deporte, 2000, vol. 1.

Hugo, Hermann, *Obsidio Bredana Armis Philippi IIII,* Amberes, Ex Officina Plantiniana, 1626.

López-Rey, José, *Velázquez: A Catalogue Raisonné of His Oeuvre,* Londres, Faber & Faber, 1963.

Mauquoy-Hendrickx, Marie, *L'Iconographie d'Antoine Van Dyck: Catalogue raisonné,* 2.ª ed., Bruselas, Bibliothèque Royale Albert I, 1991, vol. 2.

Mayer, August L., «Das Selbstbildnis des Velazquez im Provinzial-Museum zu Hannover», *Zeitschrift für bildende Kunst,* n.s., 29, 2-3, 1917, 65-66.

— «A Self-Portrait by Velásquez», *Art in America,* 14, 3, 1926, 101-102.

Penny, Nicholas, y Serres, Karen, «Duveen's French Frames for British Pictures», *The Burlington Magazine,* 151, 2009, 388-394.

Posada Kubissa, Teresa, «August L. Mayer: Ein Experte der spanischen Kunst in München», en *200 Jahre Kunstgeschichte in München: Positionen, Perspektiven, Polemik, 1780-1980,* ed. de Christian Drude y Hubertus Kohle, Múnich, Deutscher Kunstverlag, 2003, págs. 120-130.

17. La lechera de Burdeos

Álvarez Lopera, José, «Rosario Weiss no pintó "La Lechera"», *Descubrir el Arte,* 27, 2001, 50-51.

Canellas López, Ángel, *Diplomatario, Francisco de Goya,* Zaragoza, Institución Fernando el Católico, 1981.

Catálogo ilustrado de la exposición de pinturas de Goya celebrada para conmemorar el primer centenario de la muerte del artista, Madrid, Tipografía Artística, 1928.

Garrido, Carmen, «El retrato de la Condesa de Chinchón. Estudio técnico», *Boletín del Museo del Prado,* 21, 39, 2003, 44-55.

Glendinning, Nigel, «El problema de las atribuciones desde la exposición Goya de 1900», *Goya 1900: catálogo ilustrado y estudio de la exposición en el Ministerio de Instrucción Pública y Bellas Artes,* 2 vols., Madrid, Dirección General de Bienes Culturales, Instituto del Patrimonio Histórico Español, 2002.

Gómez-Moreno, María Elena, «Un cuaderno de dibujos de Goya», *Archivo Español de Arte,* 14, 1941, 155-163.

López-Rey, José, «Goya and His Pupil María del Rosario Weiss», *Gazette des Beaux-Arts,* XLVII, mayo-junio de 1956, 251-284.

Luna, Juan J., y Moreno de las Heras, Margarita (eds.), *Goya: 250 aniversario,* Madrid, Museo del Prado, 1996.

Matheron, Laurent, *Goya,* Madrid, Ayuntamiento de Madrid y Burdeos, Mairie de Bordeaux, 1996.

Ribemont, Francis, y Garcia, Françoise, *Goya: hommages: les années bordelaises, 1824-1828: présence* *de Goya aux XIXe et XXe siècles,* Burdeos, Musée des beaux-arts de Bordeaux, 1998.

WILSON-BAREAU, Juliet, «La lechera de Burdeos», en VV. AA., *Goya,* Madrid, Fundación Amigos del Museo del Prado, Galaxia Gutenberg, Círculo de Lectores, 2002.

19. PICASSO Y LA TRADICIÓN PICTÓRICA ESPAÑOLA

ALCOLEA BLANCH, Santiago, *The Prado,* Nueva York, Harry N. Abrams, 1991.

BATICLE, Jeannine, *Goya,* París, Fayard, 1992.

BATICLE, Jeannine, y MARINAS, Cristina, *La Galerie Espagnole de Louis-Philippe au Louvre, 1838-1848,* París, Réunion des Musées Nationaux, 1981.

BEDAUX, Jan B., «Velázquez' Fable of Arachne (Las Hilanderas): A Continuing Story», *Simiolus,* 21, 1992, 296-305.

BROWN, Jonathan, *Images and Ideas in Seventeenth-Century Spanish Painting,* Princeton, Princeton University Press, 1978.

— *Velázquez. Painter and Courtier,* New Haven y Londres, Yale University Press, 1986.

COSSÍO, Manuel B., *El Greco,* Madrid, Suárez, 1908.

GLEN, Thomas L., «Should Sleeping Dogs Lie? Once Again, *Las Meninas* and the Mise-en-scène», *Source: Notes In the History of Art,* 12, núm. 3, 1993, 30-36.

GLENDINNING, Nigel, *Goya and His Critics,* New Haven y Londres, Yale University Press, 1977.

HARRIS, Enriqueta, *Goya,* Londres, Phaidon, 1969.

HERRERA, Javier, *Picasso, Madrid y el 98: la revista Arte Joven,* Madrid, Cátedra, 1997.

KEMP, Martin, *The Science of Art: Optical Themes in Western Art from Brunelleschi to Seurat,* New Haven y Londres, Yale University Press, 1990.

LIPSCHUTZ, Ilse Hempel, *Spanish Painting and the French Romantics,* Cambridge, Harvard University Press, 1972.

MANN, Richard G., *El Greco and His Patrons: Three Major Projects,* Cambridge, Cambridge University Press, 1986.

MARÍAS, Fernando, y BUSTAMANTE, Agustín, *Las ideas artísticas de El Greco (Comentarios a un texto inédito),* Madrid, Cátedra, 1981.

MARÍAS, Fernando, y DE SALAS, Xavier, *El Greco y el arte de su tiempo y las notas de El Greco a Vasari* (con estudios de Xavier de Salas y Fernando Marías), Madrid, Real Fundación de Toledo, 1992.

OCAÑA, María Teresa, «1897-98. La période goyesque-Madrid», en *Picasso. Toros y toreros,* París, Réunion des Musées Nationaux, 1993.

PÉREZ SÁNCHEZ, Alfonso E., *De pintura y pintores. La configuración de los modelos visuales en la pintura española,* Madrid, Alianza Editorial, 1993.

RICHARDSON, John, «Picasso's Apocalyptic Whorehouse», *New York Review of Books,* 34, núm. 7, 23 de abril de 1987, 40-47.

— *A Life of Picasso, vol. I, 1881-1906,* Nueva York, Random House, 1991.

SCHROTH, Sarah, «Burial of the Count of Orgaz», en Jonathan Brown, *Figures of Thought: El Greco as Interpreter of History, Tradition and Ideas, Studies In the History of Art,* 11, 1982, págs. 1-17.

SILVER, Kenneth E., *Esprit de Corps: The Art of the Parisian Avant-Garde and the First World War, 1914-1925,* Princeton, Princeton University Press, 1989.

ÚBEDA DE LOS COBOS, Andrés, «De Antón Rafael Mengs a Francisco de Goya», en *Renovación, Crisis, Continuismo. La Real Academia de San Fernando en 1792,* Madrid, Real Academia de San Fernando, 1992, págs. 57-81.

VINIEGRA, Salvador, *Museo Nacional de Pintura y Escultura. Catálogo ilustrado de la exposición de las obras de Domenico Theotocopuli llamado El Greco,* Madrid, Museo del Prado, 1902.

WILSON-BAREAU, Juliet, *Édouard Manet. Voyage en Espagne,* Caen, Échoppe, 1988.

WOLF, Reva, *Goya and the Satirical Print in England and the Continent, 1730-1850,* Boston, David R. Godine, 1991.

Procedencia de los textos

1. «A new identification of the donor in Caravaggio's Madonna of the Rosary», *Paragone,* 407, 1984, 15-21. Traducción de Francisco J. R. Chaparro.

2. (Con Richard L. Kagan), «The Duke of Alcala: His Collection and its Evolution», *The Art Bulletin,* 69, núm. 2, 1987, 231-255. Traducción de Francisco J. R. Chaparro.

3. «Mecenazgo y piedad: el arte religioso de Zurbarán» en *Zurbarán,* catálogo de exposición, Madrid, Ministerio de Cultura / Museo del Prado, 1988, págs. 13-34. © Museo Nacional del Prado.

4. «"Nos quedamos atónitos ante la cantidad de pinturas". El coleccionismo regio en el siglo XVII», en Fernando Checa (ed.), *El Real Alcázar de Madrid: dos siglos de arquitectura y coleccionismo en la corte de los reyes de España,* Madrid, Comunidad de Madrid / Nerea, 1994, págs. 448-459.

5. «El mecenazgo y el olvido: el caso de Felipe III y el Duque de Lerma», *Revista de Occidente,* 180, mayo de 1996, 39-46.

6. «Entre tradición y función: Velázquez como pintor de corte», en Jonathan Brown (ed.), *Velázquez, Rubens y Van Dyck. Pintores cortesanos del siglo XVII,* Madrid, Museo del Prado, 1999, páginas 51-66. © Museo Nacional del Prado.

7. (Con John H. Elliot), «The Marquis of Castel Rodrigo and the Landscape Paintings in the Buen Retiro», *The Burlington Magazine,* 129, 1987, 104-107. Traducción de Francisco J. R. Chaparro.

8. «Academies of Painting in Seventeenth Century Spain», en Anton W. A. Boschloo *et al.* (eds.), *Academies of Art between Renaissance and Romanticism,* Leids Kunsthistorisch Jaarboek, 6-7 (1986-1987), Gravenhage, SDU Uitgeverij, 1989, págs. 177-185. Traducción de Francisco J. R. Chaparro.

9. «"Peut-on Assez Louer de Cet Excellent Ministre?". Imágenes del privado en Inglaterra, Francia y España», en John Elliott y Lauren Brockliss (eds.), *El Mundo de los Validos,* Madrid, Taurus, 2000, págs. 321-335 [publicado originalmente en 1999, Yale University Press]. © 1999. Yale University Press; © de la traducción Jesús Alborés y Eva Rodríguez Hafter.

10. «Relaciones artísticas entre España y Gran Bretaña 1604-1654», en Jonathan Brown y John H. Elliott, *La almoneda del siglo. Relaciones artísticas entre España y Gran Bretaña 1604-1654,* catálogo de exposición, Madrid, Museo Nacional del Prado, 2002, págs. 41-68. © Museo Nacional del Prado.

11. «Spain in the Age of Exploration: Crossroads of Artistic Cultures», en Jay A. Levenson (ed.), *Circa 1492: Art in the Age of Exploration,* New Ha-

ven y Londres, Yale University Press / National Gallery of Art, 1991, págs. 41-49. © 1991 Board of Trustees, National Gallery of Art. Traducción de Francisco J. R. Chaparro.

12. [«Arte en la ruta de los Austrias: Amberes, Sevilla y México»], en Jonathan Brown, *Reflexiones de un hispanista a la sombra de Velázquez,* Madrid, Abada Editores / Museo Nacional del Prado, 2015, págs. 169-177 (el título del texto ha sido creado para este volumen de Cátedra de 2020, original sin título específico, parte de capítulo). © Museo Nacional del Prado.

13. «Murillo, pintor de temas eróticos. Una faceta inadvertida de su obra», en Jonathan Brown, *Los mundos de Murillo,* Sevilla, Instituto de la Cultura y las Artes, 2018, págs. 97-106 [publicado originalmente por Fundación Lázaro Galdiano, 1982]. Traducción de Francisco J. R. Chaparro.

14. «The Prints and Drawings of Jusepe de Ribera», en Craig Felton y William B. Jordan (eds.), *Jusepe de Ribera, Lo Spagnoletto 1591-1652,* catálogo de exposición, Fort Worth, Kimbell Art Museum, 1982, págs. 70-90. © Kimbell Art Museum. Traducción de Francisco J. R. Chaparro.

15. «La visión de San Juan de la Inmaculada Concepción de El Greco», en Jonathan Brown y Rafael Alonso, *La Inmaculada, de El Greco, del Museo de Santa Cruz,* Cuadernos de restauración, Toledo, Real Fundación de Toledo, 1997, págs. 11-21.

16. «A Restored Velázquez, A Velázquez Restored», en *Velázquez Rediscovered,* Nueva York, The Metropolitan Museum of Art Publications, 2009, págs. 10-15. © 2009 Metropolitan Museum of Art. Traducción de Francisco J. R. Chaparro.

17. «Goya, Milkmaid of Bordeaux», en Jonathan Brown y Susan Grace Galassi (eds.), *Goya's Last Works,* catálogo de exposición, Nueva York y New Haven, The Frick Collection y Yale University Press, 2006, págs. 118-123. Traducción de Francisco J. R. Chaparro.

18. «Otra imagen del mundo: arte español, 1500-1920», en John H. Elliott (ed.), *El mundo hispánico: Civilización e imperio, Europa y América, pasado y presente,* Madrid, Crítica, 1991, págs. 149-184 [publicado originalmente por Thames & Hudson, 1991]. © 1991 Thames and Hudson Ltd. London. Reprinted by kind permission of Thames and Hudson. Traducción de Francisco J. R. Chaparro.

19. «Picasso y la tradición pictórica española», en Jonathan Brown (ed.), *Picasso y la tradición española,* Nerea, Hondarribia, 1999, págs. 13-38 [publicado originalmente por Yale University Press, 1996].

Índice

II

CULTURAS Y CONTEXTOS

III

NUEVAS MIRADAS, VIEJOS MAESTROS